Le chant du bouc

DERMOT HEALY

Le chant du bouc

traduit de l'anglais (Irlande)
par Michel Lederer

OUVRAGE TRADUIT AVEC LE CONCOURS
DU CENTRE NATIONAL DU LIVRE

ÉDITIONS DE L'OLIVIER

L'éditeur remercie
l'Ireland Literature Exchange (Translation Fund),
Dublin, Irlande, pour son soutien.
www.irelandliterature.com
info@irelandliterature.com

L'édition originale de cet ouvrage est parue
chez Harvill Press en 1994, sous le titre : *A Goat's Song*.

ISBN 2. 87929. 242. 5

© Dermot Healy, 1994.

© Éditions de l'Olivier / Le Seuil
pour l'édition en langue française, 2002.

I
Noël à l'hospice

1

En attendant Catherine

C'était la fin des mauvais jours. Il se tenait sur le nouveau pont qui menait à la presqu'île de Mullet et il attendait Catherine. Dans la poche de sa veste, pliée à l'intérieur d'un carnet, il y avait sa lettre. Elle était arrivée alors qu'il abandonnait tout espoir. *Je t'aime et je veux être près de toi,* avait-elle écrit. La dernière fois qu'il l'avait entendue, sa voix n'était qu'un grésillement désincarné sur la radio de bord, un grincement de parasites. Les mots, à présent, étaient clairs. Elle revenait.

S'il l'avait su plus tôt, il n'aurait jamais sombré dans un tel désespoir, ni imaginé d'aussi noires vengeances que celles que son âme blessée avait concoctées dans sa triste petite maison. C'était du passé maintenant. Quand il avait ramassé la lettre par terre, dans le couloir mouillé à Corrloch, il ignorait ce qu'il trouverait. Les mots étaient brouillés et humides. Son propre nom sur l'enveloppe ne formait plus qu'une tache d'encre bleue délavée. En lisant, il n'avait pas tout de suite compris.

En vérité, sa première réaction avait été l'incrédulité. Quand il avait déchiré l'enveloppe, il était préparé au pire. Il s'était armé contre l'espoir. Pendant qu'ils étaient ensemble, il avait reçu de Catherine des centaines de lettres d'amour, des mots, des gribouillages et des cartes qu'il avait mis de côté après les avoir simplement parcourus. Pourtant, quand la colère de Catherine atteignait son comble à la suite d'une dispute qu'il avait déclenchée, il se rappelait ce qu'elle avait écrit. Pourtant, quand il l'obligeait à avouer quelque infidélité, ses mots lui sautaient aux yeux. Sa soif de souffrance était inextinguible. Et là, il devait puiser en lui de nouvelles réserves pour affronter sa déclaration d'amour. Cette lettre était différente. Il ne s'était imaginé rien de tel. Les mots courageux, les mots de tendresse et de confiance le déroutaient. Il s'était attendu au pire et ne parvenait pas à croire que le pire n'allait pas arriver. Il se sentait même contrarié à l'idée que tout pourrait recommencer.

Ce qu'il avait attendu, c'était une lettre qui lui aurait dit que tout était fini. Au lieu de cela, il recevait un mot d'amour. *Je suis désolée de ne pas t'avoir vu. J'ai été ravie de t'entendre à la radio du chalutier. Tu avais une voix bizarre. Nous sommes libres ce week-end et je vais descendre te voir. On pourrait être avec d'autres gens, mais nous savons que nous désirons être ensemble. On vieillira ensemble et on ne boira plus. Retrouve-moi sur le pont samedi après-midi.* Il dut faire un violent effort pour détacher son point de vue de celui de Catherine. Et dans le même temps, il lui fallait se mettre à sa place pour croire ce qu'elle avait écrit. Qu'est-ce qui était venu en premier : les mots dans lesquels elle avait déversé son cœur sans aucune honte, ou l'émotion qui l'avait amenée à choisir les mots sous le coup de la panique ? Elle renonçait à sa dépendance à elle-même. Elle avait fait ce qu'on n'était pas censé faire : se donner à une autre personne.

Je veux simplement être près de toi.

Derrière lui, en contrebas, des moutons maculés de bleu paissaient dans un champ. Au-delà, on voyait la mer froide et des bateaux amarrés pour l'hiver. Après la tempête de la veille, la grève ressemblait à un lit dévasté à la suite d'un cauchemar. Il traversa le village. Dans le square, les garçons de Belmullet expédiaient un ballon de football au-dessus des fils électriques. On était samedi après-midi. Quelques femmes mangeaient des petits gâteaux à la crème au *Appetizer*. Dans la sinistre lumière de décembre, un tracteur remontait Seán America Street, tirant un chargement de sapins de Noël.

10

Jack Ferris arpentait les rues de Belmullet depuis le début de la matinée de samedi, attendant Catherine. Ses cheveux noirs étaient collés sur son crâne par le sel. Ses bottes étaient drôles, pleines de sable. Il se parlait à lui-même.

Ils étaient rentrés la veille, juste avant la tempête, et du quai il avait marché jusqu'à la maison de vacances de Catherine à Corrloch, puis il avait poussé la lourde porte et trouvé la lettre sur le paillasson humide du couloir.

Il déchira l'enveloppe, persuadé qu'elle contenait des mots définitifs, lourds de ressentiment. Il lut et se sentit béni des dieux. Il fit du feu dans toutes les pièces, épousseta et prépara un repas pour son arrivée. Il était sauvé.

Chez les Adams, il ouvrit une bible puis étudia une phrase que le père de Catherine avait soulignée en rouge – *donner forme à ce qui ne peut être prononcé*. Il rangea. Il lava la vaisselle qu'elle avait laissée. Il balaya les crottes de souris et versa du désinfectant le long des rebords des fenêtres. Assis sur le petit lit dans l'ancien bureau de Jonathan Adams, il feuilleta une grammaire irlandaise pour enfants – *tá me, tá tu*. Je suis, tu es. À trois heures du matin, il regagna à travers champs sa maison glaciale d'Aghadoon. Il nourrit les animaux sous des rafales de vent qui emportaient le lait dans le bol de la chatte. Le toit gémissait comme la quille d'un bateau. Le fracas des vagues se répercutait dans le plancher sous son lit. Il n'avait pas dormi. Il griffonna quelques répliques pour la pièce. Il regarda la mer, éteignit et alluma la lampe-bateau à plusieurs reprises, relut la lettre comme on étudie l'horaire des chemins de fer pour s'apercevoir que oui, on a encore le temps. Les relents d'amertume, il les laissa disparaître. Parce que l'engagement de Catherine le réconfortait. Elle avait écrit : *nous ne faisions que refuser l'amour. Ce que nous connaissions, ce n'était pas l'amour, mais la nostalgie de l'amour.*

Il croyait l'entendre prononcer le mot : *nostalgie*. Alors, les sens en alerte, il esquisserait un mouvement de recul, puis se reprendrait car le ton de Catherine renfermerait la totalité des significations du mot : son passé de femme, son enfance, ses jalousies, ses amants, ses moments d'intimité – tout ce qui était elle. *Nostalgie.* *Nostalgie.* C'était comme souffler après avoir retenu longtemps sa respiration.

Le lendemain, il tourna devant le nouveau pont qui enjambait le chenal reliant les eaux de Broad Haven et de Blacksod Bay, puis il revint sur ses pas, cependant que son vieux chien, Daisy, s'efforçait maladroitement de le suivre, trottinant à sa hauteur sur le muret blanchi à la chaux. Il regarda l'échafaudage qui s'élevait autour du château d'eau de l'hôpital. Il s'arrêta, joignit les mains, puis se frotta vigoureusement les paumes. Il tapa dans ses mains, les yeux fermés, la bouche tordue en une grimace. Il courba la tête. Il ouvrit les yeux et demeura là, tremblant, les bras ballants.

« Catherine », dit-il.

Quoi qu'il arrive, je ne voudrais jamais revivre cette journée. La lumière était celle qui marquait le passage de novembre à décembre, une lumière diffuse ; après la pleine lune de la veille, la mer s'était retirée au loin ; le sable blanc luisait, puis s'alourdissait. Commençait à rougeoyer. Les journées étaient courtes. Le noir déferlait dans le ciel. Dans la grand-rue, il salua Joe Love, le facteur, vêtu d'un costume de tweed vert. Il portait un sac à provisions blanc. Daisy se mit aussitôt à aboyer.

« Tu as l'air en forme, dit Jack.

– Seigneur Jésus, à quoi bon maintenant, répliqua Joe Love, puisque mon épouse n'est plus ? »

Son visage respirait la santé et la tranquillité. Ses yeux marron étaient vifs et éloquents. Il avait la figure surmontée d'une crinière de cheveux blancs étincelants. Il venait de dire qu'il était seul. La rencontre resta toute la journée inscrite dans l'esprit de Jack. C'était la première fois que Joe Love faisait allusion à son deuil.

Le matin de bonne heure, il se présentait chez les Adams, glissait le courrier dans la boîte aux lettres de la porte de la véranda, puis disparaissait dans la brume. Économisait ses paroles. Et là, en ces quelques instants de banalité, en habits du dimanche par un samedi après-midi, il venait de raconter l'histoire de sa vie.

« J'attends Catherine, expliqua Jack.

– Excellente chose, dit Joe Love. Il vaut mieux ne pas se retrouver seul à Noël. »

D'une épaisse main brune, il se tapota le front.

« Tu avais du courrier pour moi ? demanda Jack.

– Oui, mais chaque fois que je passais, tu n'étais pas là. Tu devrais fabriquer une espèce de boîte aux lettres. On ne peut pas mettre le courrier sous une pierre dans cet endroit sauvage.

– J'étais en mer sur le *Blue*.

– C'est pour ça que je l'ai laissé chez Bernie Burke.

– Maintenant je comprends, dit Jack. Bernie a été hospitalisé.

– Il y est encore, le pauvre diable ?

– Peu importe, je le récupérerai à son retour.

– J'espère qu'il n'y avait rien d'important, dit Joe Love.

– Non, répondit Jack. Non. »

Ils se dirent au revoir. Daisy regarda le chien de Joe soulever son derrière et suivre son maître. Jack se dirigea vers la marchande de journaux.

« Comment ça va, Jack ? demanda la femme.

– Oh, j'attends Catherine, répondit-il. Elle doit arriver dans la journée.

– Transmets-lui mon bon souvenir », dit la femme.

Il ouvrit tout de suite le *Irish Times* à la page culture. Il entra au Erris Hotel, commanda un café et alla téléphoner à Eddie, qui mettait la pièce en scène.

« Pourrais-je parler à Eddie ?

– Certainement. De la part de qui ?

– Jack Ferris.

– Salut, dit Eddie.

– Les répétitions ont commencé ?

– Oui, oui.

– Et Catherine, ça va ?

– Comme je t'avais dit.

– Formidable. J'aimerais beaucoup venir jeter un coup d'œil.

– Tu sais, on compte travailler pas mal avant Noël.

– Je pourrais venir juste pour un jour ou deux.

– Comme tu voudras. » L'hésitation d'Eddie troubla Jack. « Mais ce n'est pas indispensable. Nous avons tes notes. Il suffira de quelques répétitions.

– J'aurai peut-être des changements à apporter.

– Envoie-les dès que possible, dit Eddie à contrecœur.

– Je les donnerai à Catherine.

– À Catherine ?

– Oui, à Catherine », dit Jack d'un ton sec. Il y eut un long et pénible silence. « Elle arrive aujourd'hui.

– Ah bon ? fit Eddie d'une voix étonnamment changée. Je ne savais pas.

– C'est comme ça. Bonne chance », dit Jack d'une voix neutre et, de crainte d'entendre quelque chose qui risquerait de détruire l'illusion de bonheur, il raccrocha et s'empressa de sortir dans la rue au-devant d'une Lada qui n'était pas celle de Catherine.

Il se rendit à Corrloch en stop au cas où il ne l'aurait pas vue sur la route, mais la maison des Adams était déserte. Il ralluma le feu dans les pièces et se remit à balayer. Dans la cuisine, le ballon d'eau chaude craquait furieusement. À jeun, convenable, il s'assit à la table.

« Ce n'est pas un problème quand la personne que tu aimes habite ton subconscient, lui avait-on dit un jour. C'est parfait. Qu'elle y reste. C'est quand elle est vivante et qu'elle sème la perturbation dans chacune de tes pensées que les ennuis commencent. »

14

Il essaya de la chasser, mais elle ne voulut rien entendre. Celle qu'il recréait ainsi était aussi têtue que dans la réalité. En son absence, il sentait plus profondément sa présence qu'au moment où elle se tiendrait devant lui. Partout, il percevait des signes de son retour imminent. Il distinguait de loin son expression chez certaines femmes. Entendait son rire dans la rue.

Il fonçait comme un fou de déception en déception. Plus ses espoirs étaient déçus, plus sa panique augmentait. Il en allait toujours ainsi.

Il s'allongea sur le lit de Catherine et contempla le plafond. Il régnait une odeur âcre de légumes blets. Il fouilla en vain la maison pour savoir d'où provenait cette odeur. Peu après, il se rendit compte qu'il avait envie d'un verre.

Dans le soir qui tombait, il fit à pied les quelques kilomètres qui le séparaient de Belmullet et franchit le pont. Il commanda un café et s'installa dans la véranda du Erris Hotel. Elle donnait sur la rue par laquelle Catherine devait arriver. Un couple de gens de la campagne et un Américain d'une cinquantaine d'années en vêtements criards et pantalon à carreaux entrèrent. Le paysan, coiffé d'une casquette de base-ball, se détacha du groupe et vint s'asseoir à côté de Jack.

« Vous avez des Ricains dans votre famille ? demanda-t-il.

— Non, répondit Jack.

— Mon frère, là, il en revient. » L'homme désigna le bar d'un mouvement de tête.

« Je vois.

— Vous êtes descendu ici ?

— Non.

— Vous devez avoir une petite amie, reprit le paysan après un instant de silence.

— Oui, dit Jack avec un sourire.

— Alors, elle doit être très belle, dit l'homme, hochant la tête

15

d'un air solennel. J'habite de l'autre côté du chenal avec ma sœur.
C'est elle qu'est avec lui. Il est juste là pour les vacances de Noël.
Que Dieu nous bénisse. On est entrés manger un morceau, mais
je vais rester avec vous. »

Jack se tourna pour le regarder, le visage d'écolier, les mains
simples, les yeux marron hauts dans les orbites et les orbites
hautes dans la figure, le front étonné. Jack indiqua la casquette de
base-ball. « Vous avez été de l'autre côté de l'océan ?

— Pas du tout. » L'homme se pencha et regarda Jack dans les yeux.
« Vous êtes d'où ? demanda-t-il.

— Leitrim.

— Sainte mère de Dieu, ils ont leurs problèmes là-bas aussi.
Vous buvez quelque chose ?

— Non, merci, répondit Jack.

— Vous avez bien raison. On ne vous raconte pas tout quand on
est soûl. » Le paysan se tapota le crâne.

Les deux hommes observaient à présent la rue au travers des
rideaux de dentelle, attendant Catherine. La sœur ne tarda pas à
s'avancer. Elle agita sèchement le pouce par-dessus son épaule,
geste familier et condescendant à l'adresse de quelqu'un qu'on
estime un peu cinglé. Son frère la dévisagea un long moment. Il y
avait une esquisse de rébellion dans son refus de la reconnaître.
Derrière elle se dressait, vacillant, le frère américain.

« Il faut que je parte, dit enfin l'homme, regardant sa sœur.

— Au revoir, dit Jack.

— Bonne chance, Leitrim. »

Il la vit sur la route à l'ouest, qui mettait pied à terre alors que
l'autoradio de sa Lada diffusait des chants africains antiapartheid.
Ou bien la tête fermement inclinée, arrêtée en première à un feu
rouge.

Il ne voulait pas songer au passé ; elle s'était donnée à lui —
peut-être avec une note d'hésitation, peut-être pas avec un

engagement total, peut-être se retenait-elle un peu – mais l'espoir demeurait.

Les mots qui lui venaient à l'esprit semblaient banals et insignifiants. Il trouvait extraordinaire de pouvoir décrire ce qu'il voyait – le décor d'une véranda ou la rue d'une petite ville – tout en étant incapable de dire les événements chaotiques qui avaient bouleversé leurs existences. Ceux-là aussi s'étaient déroulés selon un certain ordre. Mais à quel moment s'introduisait-on dans la vie de quelqu'un pour déclarer : *Ça commence ici!*?

Une partie de lui-même s'était arrêtée pile. Une partie qui refusait d'aller plus loin avant qu'une catastrophe survienne. Il aperçut le jardinier au bar.

« J'ai vu ton amie dimanche dernier au moment où elle partait, dit l'homme en ricanant.

– Ah bon?

– Oui. Elle a demandé si tu buvais.

– Qu'est-ce que tu as répondu?

– Qu'est-ce que je pouvais répondre? »

Au bar, les conversations avaient cessé. Alors que tout semblait possible, le cauchemar recommençait.

« Eh bien, aujourd'hui je n'ai pas bu, affirma Jack.

– Vraiment? fit le jardinier, éclatant de rire.

– Je crois que je vais continuer un peu », dit Jack.

À cet instant, la sobriété lui paraissait être un bien petit sacrifice en échange du bonheur. Il avait toujours pensé que le prix à payer serait plus éphémère, plus exotique, plus métaphysique. À l'idée que l'amour de Catherine exigeât un gage aussi banal que la sobriété, il se sentait humilié, avili. Plusieurs semaines avaient passé, et il n'avait pas bu. Et elle non plus, où qu'elle fût. *On vieillira ensemble et on ne boira plus.* Oui, pourquoi pas. Elle venait le voir. Mais qu'est-ce que tout cela signifiait? Pourquoi cela avait-il l'air si dérisoire? Comment construire de l'intérieur quand l'identité chancelle? Il quitta l'hôtel.

17

Quelque chose n'allait pas.

Quelqu'un vivait ces événements à travers lui – un inconnu. Dorénavant, il lui fallait créer à partir de rien. Un homme. Il ignorait l'expression qu'il devrait afficher. La politique qu'il devrait adopter. L'architecture qui l'entourait. Autrefois néanmoins, par habitude, il était lui-même.

Pour elle, il devait se refaire, mais c'était elle qui possédait les matériaux dont il avait besoin pour commencer.

Pendant qu'il attendait dans la véranda gagnée par la pénombre de fin d'après-midi, un car déchargea dans la grand-rue une troupe de jeunes accompagnés de six prêtres. Il s'était mis à pleuvoir à seaux et ils étaient trempés. « Quelle affreuse soirée », dit l'un des prêtres à Jack. Ils envoyèrent les garçons manger des saucisses et des frites derrière, dans la salle de restaurant où éclata aussitôt un grand chahut. Les prêtres, l'air désolés, entrèrent dans la véranda, des cognacs et des gins à la main. Une femme bien en chair leur apporta des sandwichs au saumon.

« D'où êtes-vous ? demanda Jack au plus proche d'entre eux.

— De Castlebar, répondit le prêtre. Nous avons organisé une sortie d'une journée pour les enfants de chœur du diocèse.

— Auriez-vous par hasard doublé une Lada sur la route ?

— Je suis sûr que nous en avons doublé beaucoup », répondit le prêtre en riant.

Jack le regarda dans les yeux. « Une Lada bleue. Peut-être en panne. Et une femme. Portant sans doute une écharpe noire.

— Pas que je me souvienne », dit le prêtre.

Ils se penchèrent résolument sur leurs verres. Certains étaient vêtus de vieux chandails d'enfant, d'autres de gilets noirs à grosses mailles. Ici, une nuque épaisse, là une nuque gracieuse et blanche qui dégageait des relents charnels de sensualité morbide. Ils savouraient le pain blanc et la laitue. Un homme, de retour des missions étrangères, bronzé, féroce, parlait du Chili, du Sentier lumineux et de Christophe Colomb en sirotant une crème de whiskey Baileys. Puis leur conversation se réduisit à des murmures. Jack eut quelques haut-le-cœur et il se frappa la cuisse d'un doigt afin de contrôler son estomac. Ses yeux larmoyèrent.

« Ne sois pas si triste, mon garçon, l'interpella le missionnaire. Ça n'arrivera peut-être pas. »

La nausée amena Jack au bord de l'évanouissement. Il eut un nouveau haut-le-cœur et appuya plus fort sur sa cuisse, jusqu'à ce que l'ongle perce la peau. L'odeur des verres passés semblait faire éruption par tous les pores de son corps.

Sous la pluie, le long de la route de la côte, il regardait la mer déchaînée qui ne faisait aucun bruit. Il se retourna et vit deux chiens qui l'observaient, silencieux eux aussi, au travers d'un portail bleu en fer galvanisé. L'un était debout, la truffe posée sur ses pattes et logée dans le trou du verrou. L'autre était couché sur les pavés de manière à voir sous le coin du portail. C'étaient des chiens de berger marron et blanc. Daisy, allongé sur la route, le museau confortablement niché sur une touffe d'herbe, les regardait. Les trois chiens et l'homme se regardaient en silence.

Le jardinier de l'hôtel qui, inconsolable, agitait la tête et les doigts comme s'il donnait à manger aux oiseaux arriva en boitant.

« Comment ça va ? » lui cria Jack.

Le jardinier ne répondit pas, mais il s'arrêta, jeta un regard, puis repartit avec un sourire ironique.

« Ne t'en fais pas », marmonna Jack.

Le crépuscule tombait. Les vagues déferlaient en silence. Devant un pub, deux tracteurs attendaient, moteur tournant au ralenti. Des filles du pays, les pommettes hautes, les cheveux noir de jais comme des Espagnoles et vêtues de blanc virginal, jaillirent d'une maison, parlant irlandais. Le crépuscule tombait plus vite. La plage, quand il l'atteignit, baignait dans une faible lumière. Le sable formait un tapis légèrement phosphorescent. De la mousse recouvrait le varech.

On était samedi, et tous les catholiques se rendaient à la messe du soir. Le sabbat d'antan subissait une cure de rajeunissement. Les routes de la presqu'île étaient éclairées par un lent convoi de voitures. La ville était déserte à l'exception de l'hôtel où les prêtres buvaient et du restaurant où les enfants de chœur jouaient au billard. Une vieille machine à sous clignotait. Au loin, sur le continent, le calcaire étincelait comme sous le soleil.

Il longea une rue bordée de maisons en ruine, puis coupa par les pelouses de la petite zone industrielle. Les noms étaient illuminés – Warners (Éire) Teo, Ionad Cloch Iorrais, Ruibéar Chomhlacht Atlantach Teo, Fás. Il emprunta une rue où les vieilles devantures lui renvoyaient un regard aveugle. Le faisceau du phare de Eagle Island balaya trois fois le ciel. Comptez huit. Encore trois fois. Il était sur le nouveau pont. Une lumière brillait dans le club de golf. À l'hôpital, des infirmières montaient dans des voitures. Debout sur le pont, il écoutait le silence inquiétant. Le ciel noir s'éclaira de nouveau.

« Il se fait tard terriblement tôt, non ? lui dit Mrs. Moloney, la réceptionniste, lorsqu'il revint à l'hôtel.

– Des messages pour moi ?

– Non, pas depuis la dernière fois que vous avez demandé.

– Vous êtes sûre ?

– Oui, Jack.

– Bon, très bien. »

Il resta un instant devant le comptoir sans savoir quoi faire.

Il entra dans le bar.

« Hugh.

– Jack.

– Oui, oui.

– Pas de nouvelles ? demanda Hugh.

– Non. Voilà où j'en suis. »

Le vent ébranla la verrière.

« Je crois que je vais prendre un cognac.

– Pourquoi pas ?

– Un cognac et une crème de menthe. »

Hugh lui servit une double dose.

« Bonne chance », dit-il.

Jack prit conscience du verre qu'il avait à la main seulement quand il s'apprêta à entrer dans la véranda. Il s'arrêta sur le seuil, regarda le verre et se dit : comment est-ce possible ? Il avait l'impression d'avoir été métamorphosé en quelqu'un d'autre, en quelqu'un qui avait été autrefois lui. En quelqu'un qu'il détestait. Dans son sommeil à bord du bateau, il avait souvent rêvé qu'il buvait, et à son réveil il avait éprouvé un immense soulagement en constatant qu'il n'en était rien. Le whiskey qu'il avait bu dans un espace sombre de son subconscient n'existait pas. À présent, il existait. Il était dans sa main. Après deux semaines d'abstinence, il avait commandé un verre sans y penser. Si elle arrivait maintenant, qu'est-ce que je ferais ? *Je ne vais pas le boire !* Il sentit la moquette sous ses pieds. *Je ne l'ai toujours pas bu !* Tenant son cognac devant lui, il s'avança vers un coin désert de la salle et posa le verre à distance respectueuse.

« Revoilà notre garçon, dit l'un des prêtres. Vous pouvez m'appeler Peter, ajouta-t-il. Il paraît que vous écrivez.

– Je crains que vous vous trompiez de personne », dit Jack.

Si elle avait décidé de venir aujourd'hui, elle aurait déjà dû être là.

« Joignez-vous à nous, dit le père Peter. Et racontez-nous quelques bonnes blagues. »

Il s'installa à la table des prêtres. Ils restèrent là, attendant Catherine.

2

En parcourant le triangle

Pendant son sommeil, son corps avait gonflé. Sac en peau rempli de sang chaud, il gisait sur le flanc. Sa première réaction fut la panique, impossible à maîtriser. Tout était chargé d'électricité statique.

Il se leva et s'habilla. Ses vêtements puaient la chaleur humide. Des moisissures avaient fleuri sur les murs au cours de la nuit. Comme il entrait dans la pièce du milieu, la voix de l'animateur Gay Byrne tonna soudain, qui s'adressait à une femme parlant d'un vague problème sexuel. « Seigneur ! » fit Jack, et il éteignit la radio. Il lança à la chatte sauvage qui hurlait devant la porte un demi-maquereau extrait d'une boîte de Donegal Catch. Quand Daisy se jeta dans ses pieds, débordant d'enthousiasme matinal, Jack l'incendia. Le chien, la queue basse, se réfugia dans un coin de la pièce. « Et ne bouge pas de là ! » lui cria Jack. Il vit l'image déformée de son visage se refléter dans les yeux noirs de l'animal qui tournait autour de la table.

« Arrête de me regarder », dit-il au chien. Daisy se détourna aussitôt.

Jack cracha un petit globe de vomi. La mucosité blanchâtre sécha comme si elle avait atterri sur une poêle brûlante.

Il était arrivé quelque chose. Son esprit avait toujours été protégé par un tamis, mais durant son sommeil les trous s'étaient agrandis, étaient devenus gros comme des noyaux de cerise. Et ils continuaient de s'élargir au fil des minutes.

Il posa une main sur le dessus de la cheminée et resta ainsi un moment. Où était passé dimanche ? J'ai dû dormir toute la journée. Puis, assis à côté de la radio, il vit une bouteille de sherry, le bouchon à moitié enfoncé. Il pensa tendrement, un sourire aux lèvres : je me la suis gardée.

Les prêtres l'avaient laissée.

La bouteille était à demi pleine. Il la regarda. Si je commence par là, je ne téléphonerai jamais. Il faut que je le fasse pendant que je suis à jeun. Il est onze heures et quart. Le premier train est à Ballina. Le premier train a quitté Castlebar. Elle n'est pas venue. Voilà la situation. À moins qu'elle soit venue et repartie. À moins qu'elle se soit rendue directement à la maison des Adams à Corrloch et qu'elle y soit encore. Je devrais aller voir. Cinq kilomètres et demi jusqu'à Corrloch. Neuf kilomètres et demi jusqu'à Belmullet. Est-elle encore à Dublin ? Qu'est-ce que cet enculé de jardinier a bien pu lui raconter ? Peut-être qu'elle n'est jamais partie. Aurait-elle eu un accident ? Je ferais peut-être mieux d'y aller. À l'heure qu'il est, je ne pourrais me rendre à Dublin qu'en stop. Parfois, quand on se lève et qu'on part sans réfléchir, on arrive. Si je dois faire du stop, il ne faut pas que je boive.

La pièce était glaciale. Le vent, furieux.

Il sortit la lettre de Catherine de sa poche et la lut.

Pendant qu'il lisait, il but au goulot.

Il se servit un verre, le vida et pensa : elle n'a jamais eu l'intention de venir, je me faisais des illusions. Puis, comme l'alcool chantait dans sa tête, il se rappela son témoignage d'amour. Il relut la lettre, puis il partit pour Corrloch à travers champs, constata que la voiture de Catherine n'était pas là, mais frappa quand même à la porte ; il entra dans la maison déserte, s'assit dans la cuisine et sentit quelque chose arriver, sans qu'il sache exactement quoi. Je devrais téléphoner. Il ne le voulait pourtant pas, parce qu'il ne voulait pas savoir. Il parcourut à pied les neuf kilomètres et demi qui le séparaient de Belmullet. Le chien, venu de nulle part, surgit à ses côtés. « Excuse-moi pour ce matin, Daisy », dit-il à l'animal.

Au Erris Hotel, il demanda à Mrs. Moloney d'appeler le théâtre à Dublin tandis qu'il commandait un gin tonic au bar. À peine avait-il donné le numéro qu'il le regrettait. Il retourna annuler le coup de téléphone. Il commanda un deuxième verre. La télé était allumée. Il lut le taux de la livre irlandaise par rapport à la livre sterling. Il regarda s'afficher les chiffres tremblotants des cours de la Bourse. Le poste prit des proportions anormales. Il avait sans doute contemplé l'écran pendant plus d'une heure lorsque Hugh éteignit. Jack s'assit. Ses bras et ses jambes tressautaient. Il avait les pieds froids comme la pierre.

Il redemanda Dublin. Mrs. Moloney lui passa la communication.

« Je suis désolée, Mr. Ferris, miss Adams est en répétition, lui répondit une voix féminine.

— Pourrais-je parler à Eddie ?

— À Mr. Brady ? le corrigea-t-elle.

— Oui, à Mr. Brady, concéda-t-il.

— Je vais voir. »

Tout en patientant, Jack sourit à Mrs. Moloney.

« Jack ? fit Eddie.

— Catherine est là ? »

Pause. « Oui, elle est là.

— Je peux lui parler ?

— Écoute, Jack, j'ignore ce qui se passe entre elle et toi, mais elle a refusé de venir au téléphone.

— Je l'attendais ici ce week-end.

— Je ne suis au courant de rien. Pour le moment, je pense qu'il vaut mieux la laisser tranquille. Les choses finiront par se tasser.

— Elle a écrit pour dire qu'elle venait et elle n'est pas venue.

— Je ne sais rien à ce sujet.

— Dis-lui que je l'attends toujours.

— Je le lui dirai.

— Dis-lui que je ne bois plus. » Puis il ajouta : « Dis-lui que je m'excuse.

— Je le lui dirai aussi.

— Eddie, s'il te plaît, reprit-il, furieux de son ton geignard. Tu veux bien insister pour qu'elle accepte de me parler ?

— Écoute, Jack, tu me mets dans une position délicate. Je ne veux pas me mêler de vos affaires.

— Tu vas lui demander ?

— Je vais essayer. Ne quitte pas. »

Jack banda les muscles de son estomac afin de lutter contre une vague de nausées. Un long moment s'écoula.

« Elle refuse de venir au téléphone.

— Elle a dit pourquoi ?

— Ce n'est pas à moi de lui poser la question.

— Dis-lui que j'ai besoin de lui parler.

— Écoute, Jack, nous sommes en répétition. »

Il y eut quelques secondes de silence.

« Jack, laisse passer deux ou trois jours. On vient juste de commencer. Attends qu'on soit un peu plus dans le bain, d'accord ?

— J'arrive. »

Pause. « Je ne peux pas t'en empêcher.

— Demande-lui de venir me parler. » La phrase s'échappa de sa bouche comme un cri.

« Je suis désolé, Jack. »

Et il n'entendit plus rien.

Il reposa le combiné. Mrs. Moloney, qui essuyait les tables dans le hall, se tourna vers lui. Embarrassé, il lui paya la communication. « Je n'ai pas de chance avec les téléphones », dit-il d'une voix enjouée.

Dès qu'il entra dans le bar, une lumière froide s'alluma sous son crâne. Est-ce donc ainsi ? Est-ce que cela va se produire ?

De fins cheveux noirs envahissaient l'atmosphère. Il cligna des yeux.

Des hommes du pays, dont le jardinier, entrèrent, bavardant d'un ton jovial. Ils ne regardèrent pas dans sa direction. Il aurait voulu leur parler, mais il percevait leur hostilité. Il commanda un double sherry.

« Et dans un grand verre.

— Très bien, dit Hugh. Tu veux parler à quelqu'un en mer ? » ajouta-t-il avec un air de conspirateur. Comme il tournait le bouton de la radio ondes moyennes et ondes courtes illégale, un mélange d'allemand et de russe jaillit, en provenance de l'Atlantique. « De toute façon, il n'y a personne de chez nous par un temps pareil. »

Un peu plus tard, il but un cognac. Un gin. Lequel nous amènera au-delà du je-ne-sais-quoi ? du comment-dit-on ? Allez, on continue ! À présent, un tapis rouge de mariage, passant par la porte d'entrée, conduisait à travers le jardin jusqu'à une table sur laquelle s'alignaient des verres de sherry remplis à ras bord qui attendaient les mariés. Sur le chemin des toilettes, Jack en demanda un.

« Je suis invité, dit-il.

— Ah bon ?

— Oui. Verse-le là-dedans. » Jack tendit son grand verre, mais le garçon refusa suite à un malentendu que Jack ne comprit pas. Dans les toilettes, il posa le verre sur le rebord de la fenêtre en faïence rose et fut pris de violents haut-le-cœur. Je ne vais pas mieux, songea-t-il.

Le jardinier entra et se coiffa.

« Il ne vous sert à rien d'être vaniteux, monsieur, lui dit Jack, se remettant.

— Vous-même ne m'avez pas l'air particulièrement brillant, patron. » Le jardinier écarta une mèche grise de son front buriné, secoua généreusement son membre et cracha dans l'urinoir.

« Pourquoi les pur-sang sont-ils tout seuls dans leur box ?
demanda Jack.

– Je ne sais pas, répondit l'homme sans le regarder.

– Pour la même raison, dit Jack avec un rire hystérique, que les
cardinaux portent de hauts chapeaux. »

Le jardinier le considéra un instant, puis dit : « À ta place, j'irais
me reposer un long moment. »

Un tas de gens à travers le monde sont restés assis comme moi,
pensait Jack. Le cœur arrêté à la demie, la suie qui tombe.

Il survolait le lieu où il se trouvait. Il se servit un verre de
vodka, le glissa sous sa chaise. Il écrivit dans son carnet. Puis il
chercha son verre autour de lui. Il but, étonné que ce soit de la
vodka. Il aurait juré que c'était du sherry. Il fut de même surpris
de constater qu'il était de retour chez les Adams. Je ne devrais pas
être ici, se dit-il. Ce n'est pas chez moi.

Je suis dans la mauvaise putain de maison, pour une mauvaise
putain de raison. Merde ! Comment j'ai atterri ici ? Qu'est devenu
dimanche ? Il jeta un regard inquiet autour de lui et le souvenir
des jours passés dans ces pièces l'assaillit. Assis là, loin d'elle, il
sentit de nouveau l'esprit de Catherine envahir le sien. Il bondit
de sa chaise. Il faut que je sorte d'ici ! Alors qu'il remontait la rue
à Corrloch, il s'aperçut qu'il avait encore une gorgée de vodka
lovée dans le creux de la langue. Il s'arrêta devant le préfabriqué
de l'école primaire avec ses chaises rouges, ses fleurs coloriées et
ses cartes du monde multicolores. Sous le regard des enfants à
l'intérieur, il leva le pouce et, comme la première voiture ne le prit
pas, il partit à pied.

Il était de nouveau sur la route de Belmullet balayée par un
vent d'est. Il dépassa l'embranchement pour Aghadoon et envisagea
de rentrer chez lui. Après l'église de la Sainte-Famille – l'air d'un
fronton de pelote aux poutrelles rouges – il s'arrêta un moment
pour réfléchir. Il reprit son chemin. Le vent mugissait à travers les

ouvertures des nouveaux châteaux d'eau en forme de champignons. Comme il entrait à l'hôtel, un avion qui avait décollé de l'aéroport de Knock survola la ville, en partance pour l'Amérique. Se sentant coupable, il resta planté dans le hall à regarder le jardinier monter sur une échelle pour changer une ampoule. Rongé d'incertitude, il fouilla ses poches à la recherche de monnaie. En vain. Il appela le théâtre en P. C. V. Refusé.

« Essayez de nouveau, demanda-t-il à la standardiste. Je m'appelle F-E-R-R-I-S, Jack, dit-il, épelant son nom avec colère.

– Je vais essayer. »

Il entendit la fille du théâtre répondre qu'elle ne pouvait transmettre aucun appel en salle de répétition.

« Désolée, fit la standardiste.

– Dites-lui que je suis l'auteur de leur putain de pièce ! »

Quelques secondes s'écoulèrent.

« Je crois qu'elle le sait, reprit la standardiste.

– Bon Dieu de bon Dieu, dit Jack.

– Excusez-moi », et la standardiste coupa la communication.

Jack se tourna, sourit à Mrs. Moloney et continua à parler dans le vide : « Catherine, ça fait plaisir de t'entendre. Comment ça se passe ? » Il écouta une réponse imaginaire avec un rire simulé. « Formidable ! Formidable ! » s'écria-t-il d'une voix joyeuse. Il parla du printemps, de la politique, et souhaita bonne chance à tout le monde. Il espérait – il sourit au jardinier – les retrouver bientôt. « Je te verrai à la première, conclut-il avec chaleur. Et voilà, dit-il à Mrs. Moloney en raccrochant. Pas plus difficile que ça. »

Chaque jour, à travers champs ou par la route, il se rendait de sa petite maison isolée d'Aghadoon à la demeure des Adams dans le village de Corrloch et de là, il repartait pour Belmullet et le Erris Hotel. Son parcours formait un triangle étonnant. Il lui arrivait parfois d'être sur la route des heures durant. Les gens lui

28

jetaient ce regard qu'on jette quand on se croit à l'abri. Lui, il l'avait attrapée, la maladie !

Hypocrites, murmurait-il. Il savait néanmoins qu'il n'existait pas spectacle plus affligeant que celui d'une personne vaincue par l'amour. Il était un objet de pitié qu'on devrait donc éviter. Il était devenu ce que précisément il méprisait : un homme obsédé par son propre malheur. Et pourtant, tous les après-midi, il se retrouvait sur le pont, tourné vers le continent, le cœur battant.

Il rêva qu'il était dans le jardin, une lampe à la main, occupé à transporter des sacs de bouteilles dans la lumière hésitante du crépuscule quand elle lui fit signe du seuil de la cuisine. Il s'aperçut qu'il était en pyjama. Il lâcha la clef qu'il serrait dans son poing, scruta le ciel, puis entra.

Elle s'assit et le regarda. « Tu es revenue ? » demanda-t-il. Elle hocha la tête. « C'est très bien ici », dit-elle. Elle promena un regard admiratif sur l'intérieur de la petite maison de Jack. Il s'agenouilla à côté d'elle, et elle adopta cet air un peu pragmatique que prennent les femmes quand elles savent que le plaisir les attend. Ses yeux brillaient d'une lueur entendue. Jack avait besoin de poser la tête sur ses genoux. « Je suis tellement content de te voir », dit-il en courbant la nuque. Une sensation de flou, brouillant les contours, l'incommoda de nouveau. « Catherine, Catherine », dit-il, mais elle garda le silence, peut-être par crainte de déclencher une dispute, de dire ce qu'il ne fallait pas, de s'engager.

Et puis, malgré lui, un pan de sa conscience s'écarta.

Il se réveilla, pleurant sans aucune retenue. La visite de Catherine avait été si incroyablement réelle que, longtemps, il lutta pour ne pas regagner le monde conscient. Les cabanes baignaient dans la lueur mauve de l'aube. Eagle Island envoyait ses trois éclairs lumineux. Il mit la radio sur des chansons populaires et, allongé sur son lit, la tête dressée, il écouta avec une vive attention.

29

Quelqu'un cria son nom en fin d'après-midi et cogna à la porte. Il entendit le chien aboyer. Il enfila un jean. Alla ouvrir. Le chien se précipita dans la chambre. Le vent hurlait. Il ouvrit la porte en grand. Personne. Il contourna le pignon. Et trouva Hugh, le cuisinier et barman du Erris Hotel, accompagné de sa femme Isobel.

« Oui ? fit Jack.

— Tu m'as demandé de passer, dit Hugh.

— Ah oui, c'est vrai, marmonna Jack.

— C'est bien entretenu.

— À l'intérieur, c'est le foutoir. »

Il serra la main d'Isobel. « Dans l'état où c'est, je ne vous invite pas à entrer.

— On va vous aider à nettoyer », dit Isobel.

Ils le suivirent dans la cuisine. Il demeura planté au milieu, ne sachant que faire. Ils l'avaient tiré de l'une de ses rêveries désespérées et il avait hâte d'y retourner. Isobel lava les tasses. Hugh nourrit le chien et Jack s'assit à côté de la cheminée éteinte.

« Vous n'avez pas l'air très en forme, dit Isobel.

— Qu'est-ce que j'ai ? »

Elle jeta un regard sur la marque rouge qui balafrait le blanc de son œil comme un trait de Tabasco, nota les cheveux noirs emmêlés, les ongles sales, les joues livides. « Vous mangez ?

— Je ne peux pas. » Il désigna les bouteilles. « J'ai bu avec des prêtres de Castlebar.

— Ça arrive, dit Hugh, hochant la tête. Je me souviens, il y a quelques années, j'ai débarqué d'un bateau à Killybegs et je me suis retrouvé à boire avec des Russes.

— Des Russes ?

— Les Russes sont des gens sérieux.

— D'ici quelques années, on aura une église laïque, déclara Jack de manière inattendue. Les Russes ne te l'ont pas dit ?

– Non, répondit Hugh.

– En tout cas, c'est ce que les prêtres m'ont affirmé.

– C'est bon à savoir », dit Isobel, mal à l'aise.

Ils étaient assis dans le froid, les yeux rivés sur le feu qui commençait à prendre.

« Vous vous sentez bien ? demanda Isobel.

– Je voudrais savoir pourquoi elle n'est pas venue, dit-il. Je voudrais savoir ce qui l'en a empêchée.

– Je suis sûre qu'elle avait ses raisons.

– Alors, pourquoi elle ne m'a pas écrit, hein ? » répliqua-t-il avec colère.

Au moment où ils montaient en voiture, Jack dit : « Ne partez pas tout de suite. Attendez-moi une minute, je viens avec vous. »

Ils déposèrent des sacs de bouteilles devant la façade puis, au bout du champ, ils brûlèrent un sac d'ordures dans un fût métallique destiné à recevoir l'eau de pluie. La fumée s'envola au-dessus de Gleann Thomáis. Le feu brûlait toujours lorsqu'ils s'engagèrent sur la route de Belmullet dans la lumière déclinante. « À vrai dire, déclara Jack, je me suis fait des illusions. Elle n'avait pas du tout l'intention de venir.

– Je suis navré de l'apprendre », dit Hugh.

On avait installé un arbre de Noël dans un coin de l'hôtel. Des clochettes tintaient sur la porte des toilettes. Hugh apparut derrière le bar. Thady, soûl comme un cochon, entra à pas lents. Jack commanda un verre et paya avec de l'argent qu'il avait glissé dans la poche droite de sa chemise.

« Sacrée journée », dit-il au jardinier.

Un couple de Derry, venu passer Noël sur la presqu'île de Mullet, se joignit à Jack. Ils s'assirent à sa table après le départ de Thady. Jack s'en félicitait, car les gens du Nord comprenaient l'ivrognerie. Ils ne paraissaient pas se rendre compte que Jack était très soûl. Il avait du mal à garder les yeux ouverts. Sa gorge le brûlait. L'homme commença à lui expliquer que les catholiques de Derry en avaient assez des Provisionals. Si jamais ils arrivaient au pouvoir, disait-il, il serait le premier sur la côte à le tuer – lui, le dirigeant.

« On ne pourrait pas parler d'autre chose ? demanda Jack.

– Y a des catholiques qui le détestent. On sait qui c'est.

– Je ne crois pas qu'on devrait parler de ça.

– On sait qui c'est, répéta l'homme. On connaît la maison où il descend quand il vient dans le Donegal.

– Je vous prenais pour quelqu'un de pacifique, dit Jack.

– Je n'ai jamais dit que j'étais contre la violence, n'est-ce pas, Sue ? L'homme du Nord est par nature militariste. Nous sommes élevés comme ça. Quand vous jouiez avec votre bite, moi, j'apprenais à me servir…

– C'est très élégant, l'interrompit Sue. Vraiment très élégant.

– Je le connais, poursuivit l'homme. Je sais où sa voiture tourne, en quelle vitesse le chauffeur va grimper la colline. Je connais mon Donegal. Je ne connais peut-être pas le Mayo, mais le Donegal, je le connais. À la fin, il faudra qu'on en finisse avec lui. » Il but. « Les gens du Donegal sont gentils. Merde ! Ils l'accueillent chaleureusement. Ils ne savent pas qui il est en réalité. Moi, je sais. Je sais ce qu'il représente.

– Moi aussi, dit Jack. Je lui ai enseigné l'irlandais pendant un moment. »

La femme hurla de rire.

« Vous êtes un marrant, vous, dit-elle.

– Vous croyez le connaître, reprit l'homme comme si de rien n'était. Mais vous ne nous connaissez pas. Quand on franchit la frontière du Sud, il se produit quelque chose de sacré. Un instant béni. Nous sommes en sécurité pour un temps. Mais s'il vient au pouvoir, finie la sécurité. Si je dois monter à Belfast, je le tuerai », affirma-t-il d'un ton obsessif, et tous deux suivirent des yeux sa femme qui avait quitté la table pour aller au bar.

L'homme leva son verre de gin tonic. Il avait la trentaine, le teint frais, et avait vécu deux ou trois vies. Sa femme, une petite brune piquante trop bien habillée, revint du bar, un sourire aux lèvres. Elle posa un verre devant Jack. Il la remercia.

« Les Provos se sont servis deux fois de notre maison pour tuer. Si bien qu'on a déménagé deux fois. Les deux maisons, vous vous rendez compte ? Maintenant, on habite Derry, sur la frontière. Nous entamons une nouvelle vie. Mais je connais les armes. Le mécanisme des armes. S'il le faut, je les utiliserai. Je ne me promènerai pas la peur au ventre. Les gens du Donegal s'imaginent que c'est un type formidable. Moi, je sais. Ils veulent nous aider, nous les gens du Nord, et ils se figurent qu'il représente la justice. Ils se trompent. Le jour où il arrive au pouvoir, je m'occupe de lui. Vous pouvez me croire, monsieur. Je ne vais pas me contenter de le blesser, non, non. Les catholiques, ne parlons pas des protestants, en ont plus qu'assez. »

L'espace d'un instant, tous trois restèrent silencieux, regardant droit devant eux cependant que le bar se remplissait.

« J'adore cet endroit, dit Sue, se tournant vers Jack.

— Il paraît qu'on finit par s'en lasser, répondit-il.

— Jamais ! » s'écria-t-elle. Elle secoua la tête. Il vit qu'elle le regardait dans les yeux. « Qu'est-ce que vous faites ? demanda-t-elle.

— Il y a des années, je voulais être médecin. »

Elle eut un rire incrédule.

« Maintenant, je suis pêcheur, reconnut-il.

— Ça vous ressemble davantage », dit-elle, puis tous trois se remirent à observer la salle.

« Naturellement, la République est trop indulgente, ressassa le mari. Elle se sent coupable, et qui ne se sentirait pas coupable ?

— Il faut que j'aille aux toilettes », dit Jack.

À son retour, il expliqua : « J'ai moi-même des problèmes avec une femme. »

– C'est une féministe? demanda Sue. Parce que dans ce cas, je ne veux rien savoir. Ne me parlez pas des droits de la femme. On vous ferait croire qu'une femme ne peut pas se montrer violente. J'en ai soupé d'entendre ça. » Elle but. « Il y a des choses bien pires et personne ne veut l'admettre. Je n'ai pas raison?

– Si, tu as raison, dit son mari.

– Les Provos nous ont attachés dans la cuisine, continua Sue. On est restés trois heures comme ça. Il n'y avait qu'un fusil…

– La première fois, c'était une Lee-Enfield 303 Mark 1 à lunette, la coupa le mari. La deuxième, une Lee-Enfield Mark 2 à lunette et amplificateur de lumière. Il y avait eu des progrès entre-temps. Il avait aussi un canon choisi, j'en jurerais, et une crosse sur mesure. » Il essaya de se souvenir. « Quarante centimètres, environ.

– Donc, c'était une Lee-Enfield à lunette, reprit sa femme, et ils se sont installés dans notre chambre. J'entendais chacun de leurs pas au-dessus de ma tête. La fenêtre devait leur offrir une vue bien dégagée. Des heures se sont écoulées. On n'entendait plus rien. On se bornait à attendre.

– Eux aussi, dit l'homme.

– Et le moment venu, on n'aurait jamais cru un coup de feu.

– C'est toujours comme ça.

– On aurait dit un œuf qui s'écrase par terre. J'ai pensé que c'était mon imagination. Et puis les trois jeunes sont descendus. Ils ont défait nos liens. Ils se sont même excusés. "Donnez-nous deux heures", ils ont dit. Mais une demi-heure plus tard, la police est arrivée. Un soldat avait été tué dans Rake's Avenue.

– Le caporal-chef Wilson, précisa le mari. Touché en pleine tête.

– Compte tenu de ce qui s'était passé chez nous, poursuivit la femme, ils n'ont pas été trop durs avec nous, les policiers.

– J'ai vu son nom dans les journaux. Il était de Manchester, non, Sue?

– Oui, de Manchester. Derek Wilson, il me semble. » Elle but.

Posa son regard sur Jack, puis détourna les yeux. « Après ça, je n'ai plus voulu dormir dans notre chambre », ajouta-t-elle.

Le bar était bondé d'hommes en vêtements de couleurs vives et de femmes du pays en chemisier blanc et jupe ou pantalon blanc maintenu par une ceinture lâche qui pendait sur l'entrejambe. Le jardinier buvait seul, entouré de monde. À un moment, il s'était tourné pour lancer à Jack : « Tu ne m'auras pas comme ça ! » Coincé par tous les nouveaux arrivants, il donnait pourtant l'impression de ne pas remarquer leur présence. C'était un homme solide aux épaules rondes, aimable, et ses jambes étaient enroulées autour du tabouret comme celles d'un petit garçon.

« Vous êtes paf ? demanda-t-elle.

– Oui, répondit Jack.

– Il est paf », dit Sue à son mari.

Celui-ci hocha la tête, et alla au bar commander une tournée. Il revint sans les verres. Jack se leva pour aller les chercher et commander une autre tournée. Il fouilla dans ses poches et constata qu'il n'avait plus d'argent.

« Tu ne pourrais pas me prêter dix livres ? demanda-t-il au jardinier.

– Tu plaisantes, je suppose.

– Je ne crois pas. Tu peux la mettre sur mon compte, Hugh ?

– Ton ami m'en doit déjà une.

– Ça devient compliqué », dit Jack. Puis il trouva l'argent dans la poche de sa chemise. Il paya Hugh et revint vers le couple. « Ça, c'est votre tournée, dit-il. Et ça, la mienne.

– Ce n'est pas la même chose, de toute façon ? dit le mari.

– Sauf que celle-là est payée et l'autre pas.

– Laquelle n'est pas payée ?

– La vôtre.

– Bon, je m'en charge. Et demain, on va se promener du côté de Blacksod Bay.

— Je me plais bien ici, dit Sue à Jack. Vraiment. »

Jack demanda à l'homme dans quelle branche il était.

« Les cheminées, répondit-il.

— Les cheminées ?

— Vous avez entendu parler de la roche des Grampians ?

— Jack ne va pas comprendre, dit sa femme.

— Elle est belle, expliqua l'homme.

— Le matin quand je me réveille, je n'arrive pas à croire que je vois les dunes depuis mon lit, reprit Sue. Et puis j'entends la mer. Je sens littéralement les vagues. C'est superbe, absolument superbe, n'est-ce pas ?

— Ouais, approuva son mari.

— Il ne manque rien, dit-elle avec un sourire, imitant l'accent du Sud. Je sais ce que c'est de se sentir désorienté, enchaîna-t-elle. La plupart du temps, j'ai l'impression de ne pas être à ma place dans ce monde. »

Jack passa la nuit à subir le récit enjoué de tous les événements qu'elle avait connus : qui était mort, ce qu'elle avait vu, pendant que son mari, à sa demande, fournissait les faits, les détails concrets. Si Catherine était là, songeait-il, elle me mépriserait. Une pensée le traversa : combien elle détesterait le voir ainsi en train de boire et de se complaire dans cet univers chaotique ! Elle serait partie depuis longtemps. Le côté négatif de Catherine lui revint en mémoire et troubla sa conscience comme un esprit malfaisant. Alors que la femme parlait, il pensait à Catherine. Sa sympathie pour le couple lui semblait sacrilège, et son état de douce ébriété, impie.

« On ne peut pas s'asseoir entre deux chaises, dit-il.

— De quoi il parle ?

— Ne t'occupe pas de lui, dit Sue à son mari. Il est paf. »

Le lendemain matin, il sortit appeler le chien. La brise transportait une odeur de pisse. Appuyé au pignon de la petite maison,

36

il tâchait de se souvenir de quelque chose qui serait susceptible de le sauver. Des nappes de brume tourbillonnaient le long de Gleann Thomáis. De l'autre côté, la mer écumeuse attaquait en vain Seagull's Rock. Du sel tombait dans le jardin. Et sa grande interrogation était : est-ce que Catherine, où qu'elle soit à présent, pensait à lui ? Pourrait-elle considérer le passé sans pointer un doigt accusateur ?

Pendant qu'il se tenait là, adossé au pignon, quelqu'un le frôla et entra dans la maison. Elle rendait son jugement. De même qu'il pourrait rendre le sien. Il alla directement à Belmullet et, de la poste, appela le théâtre.

« Pourrais-je parler à Catherine Adams ? » demanda-t-il, très professionnel.

Il y eut un silence suivi d'un bruit de conversation étouffé. Il sifflota puis, tel un homme qui donne un coup de téléphone obscène, il se mit à chuchoter dans l'appareil.

3

Un taxi dans New York à minuit

Jack emprunta le bus pour Ballina, d'où il avait l'intention de prendre le train à destination de Dublin. Il pensait se rendre au théâtre, attendre un moment devant avec l'espoir de l'apercevoir. Il n'y aurait pas de dispute. Non. Si elle lui parlait, il répondrait. Si elle ne lui parlait pas, il retournerait au Mayo. Aussi simple que cela. Il suffirait qu'elle le voie.

Pourtant, à l'instant où il montait dans le bus, son beau plan s'effondrait. Il ne s'imaginait pas arriver à Dublin. Il croyait vivre un cauchemar qui allait bientôt se terminer à l'instar de tous les cauchemars. Seulement, il continuait. Chaque jour, il s'enfonçait davantage, jusqu'à ce qu'il décide enfin de tout changer. Mais à quoi bon ? Il n'était plus capable de maîtriser les ténèbres. Encore que *ténèbres* fût un trop grand mot pour désigner ce qui menaçait de l'engloutir, de même qu'*engloutir* n'était pas le mot qui convenait, de même qu'aucun mot ne convenait quand on ne l'avait pas vécu. Tout, en fait, se déroulait en Technicolor. Le mur qui le séparait des autres devenait de plus en plus haut et impénétrable. La réalité avait été une étroite fenêtre au fond d'un couloir obscur. Et le mur, à présent, masquait la fenêtre. Un mur couleur chair.

Il avait vécu dans son corps et son corps n'était plus le bon. Dévoyé et souffreteux, son corps était ce qui contrôlait son esprit et, en définitive, le langage par lequel l'esprit s'exprimait.

Pour la première fois, après toutes ces nuits sans sommeil, il pensait au mot malaise, qui amenait le mot maladie, lequel amenait aux termes *échec de l'imagination*. Et pour la première fois de sa vie, il avait une vague idée de ce que le mot *imagination* pouvait signifier. Vivre dans un monde différent, transcender, entrer dans une nouvelle histoire. Alors qu'ils traversaient Crossmolina, il comprit que cela ne se produirait pas.

Je suis malade, se dit-il.

Et il se rendit compte – mon Dieu – combien les gens sont vulnérables, combien leurs moments de lucidité sont en fait brefs et combien ils tiennent pour naturel l'être qu'ils croient connaître. Les autres passagers l'exaspéraient avec leurs identités tranquilles et entières, tandis que la sienne tourbillonnait autour de lui. Tout ce qu'il faisait lui semblait constituer une trahison de la réalité, tandis qu'eux, ils observaient le monde, sans complexe, sûrs d'eux-mêmes, sans se douter que la conscience était quelque chose d'imposé aux gens.

La journée s'annonçait mal. Il le pressentait. Il pourrait finir n'importe où. Il aurait dû rester chez lui.

Soudain, Jack fut pris de panique à l'idée qu'il n'existait pas. Il regarda autour de lui les passagers attentifs. Il ancra ses pieds au plancher et serra les poings. L'intérieur du bus était une glissière par laquelle il allait tomber s'il ne s'accrochait pas.

Devant une église, quelques passagers assis à l'avant se signèrent. Jack aussi, mais en secret, dans une sorte de pantomime psychique, le doigt qui effleure le front, les deux épaules, le cœur. Il aurait même pu porter un chapelet à ses lèvres.

J'existe, murmura-t-il. Je peux prier.

Nous ne pouvons pas dire que nous n'existons pas, car nous existons. Et chacun plus profondément dans l'esprit de l'autre que dans le sien. Il s'agit en l'occurrence de l'esprit par une bonne journée. La guérison lointaine, l'harmonie à laquelle nous aspirons, nous les âmes perdues. Mais les mauvais jours ? Il lui devenait de plus en plus difficile de rester longtemps dans son corps. De vivre normalement dedans. D'attraper des choses. De savoir que son corps lui appartenait. Que, quand par habitude on disait assieds-toi, il s'asseyait. Que s'il regardait à gauche, ce n'était pas sans raison. Et qu'après avoir regardé, il devait connaître ladite raison. Pourtant, il y avait toujours une espèce de prise de conscience perverse qui rendait déraisonnables les ordres les plus simples. Il s'interrogeait sur le moindre de ses gestes. Il luttait contre les habitudes de toute une vie. Chacune de ses pensées, il la jugeait suspecte. Il avait l'impression que tous ses actes étaient feints, des masques derrière lesquels il imitait et observait la normalité. Ce qui voulait dire que lui-même était faux, qu'il jouait pour un public. Mais il manquait le spectateur le plus important : Catherine.

C'était lui qui – avant d'avoir rencontré Catherine – jugeait de ce qui était bien ou mal. C'était lui qui avait accepté que ceci était ses mains et cela ses genoux. À présent, ils lui semblaient appartenir à quelqu'un d'autre. La panique le gagna de nouveau, car l'esprit, extérieur au corps, ne désirait pas nier le corps.

Il regarda par la vitre du bus. Il essuya la buée de son haleine, mais il ne parvint pas à identifier ce qui se trouvait au-delà. La surface de la route devant lui était elle-même un grand mystère. Il n'arrivait pas à croire que peu de jours auparavant il nageait dans le bonheur à la perspective du retour de Catherine. Son cœur s'accéléra lorsqu'ils tournèrent à un carrefour. La peur permettait à l'esprit de réintégrer le corps, de protéger son instrument ; il se tint au siège devant lui ; ils franchirent la ligne blanche, s'envolèrent sur une bosse en traversant un petit pont, puis le car redressa sa course.

Le malaise physique constituait en soi un répit. Ce serait bientôt fini, terminé. Mais une autre voix lui soufflait : jamais. Tu devras vivre avec. Éternellement ! La doctrine des tourments sans fin. Le monde invisible où naissaient ses craintes. *Je mettrai une hostilité entre toi et la femme, entre ton lignage et le sien. Il t'atteindra à la tête et tu l'atteindras au talon.* Il tâta son visage pour vérifier si tous ses éléments étaient encore à leur place. Toucher ne suffit cependant pas à le rassurer. Il avait besoin de voir. Ses yeux avaient besoin de se voir. Pourtant, il aspirait à se reposer, à abandonner cette activité incessante qui consistait à nommer les composants de l'esprit. Il voulait fermer les yeux et libérer son corps de cette surveillance constante.

Ils entamèrent la dernière partie du trajet avant Ballina.

Je n'arriverai jamais à Dublin si je me sens comme ça! Il regarda par la vitre mais, l'espace d'un instant, il lui sembla ne rien reconnaître. Ils s'arrêtèrent pour laisser passer un troupeau de moutons tachetés par-ci, par-là de vert. Les moutons, l'un derrière l'autre, s'engageaient tranquillement dans un champ de pierres levées. Puis, comme si on venait de le réassembler, le paysage reprit un aspect familier. Je reconnais ça, s'aperçut-il alors. Et ça aussi. Il adressa un signe de tête à quelqu'un de l'autre côté du couloir.

« Nous ne sommes plus très loin, dit-il d'une voix étonnamment enjouée.

— Et après, Seigneur Dieu, se plaignit la femme, il va falloir refaire tout ce trajet au retour. »

Il la contempla d'un air atterré.

« Vous êtes sous pression? demanda-t-elle, lui faisant comme une petite révérence avec les yeux et les lèvres.

— Gravement, m'dame », répondit-il avec un sourire.

Elle hocha la tête une première fois, puis une seconde fois, le visage exprimant un mélange de compassion et de satisfaction paisible.

À Ballina, il faisait froid. À l'entrée de la ville, une fille à demi dévêtue était attachée à un poteau. Il tombait un crachin qui se transformait en neige fondue. Des femmes sortirent du pub d'en face et se mirent à bombarder la fille de sacs en plastique remplis de suie.

« Mon Dieu ! s'écria Jack.

– Elle va se marier, expliqua sa voisine. C'est une fille Mullarkey de Muinguingane.

– Ah. »

La fille courba la tête et se débattit entre ses liens. Son corsage s'était déchiré dans la bagarre, dévoilant un sein couvert de suie. Sa jupe était remontée sur ses cuisses. Elle était trempée. Tout se termina aussi vite que cela avait commencé. Les femmes, hilares, regagnèrent le pub.

La fille ne les suivit pas, mais sembla disparaître dans un trou de la mémoire de Jack. Un instant elle recevait un déluge de suie, et l'instant d'après les cordes ayant servi à l'attacher se balançaient dans le vent, la suie mouillée s'amassait autour du poteau, et elle qui, une seconde auparavant, était secouée d'un rire hystérique s'était éclipsée.

Il pleuvait fort.

Jack marcha dans la ville, accompagné du bruit de pièces de monnaie qui dégringolaient, de sons extraterrestres et d'explosions assourdies. Des étoiles de Noël et des guirlandes d'ampoules colorées éteintes étaient accrochées dans les rues. Un petit homme rondelet à la peau brune, penché en avant, de telle sorte qu'il avait le menton rentré dans la poitrine, s'avança vers lui, tirant une valise à roulettes. Il vint se mettre à l'abri sous le porche à côté de Jack. Il était affublé d'énormes lunettes surannées derrière lesquelles ses yeux malicieux brillaient de gaieté. Il tourna la tête vers Jack.

« Le meilleur film que j'aie vu dernièrement, c'est *Crocodile Dundee*.

– Vous allez au cinéma ? demanda Jack.

– Oh, les jeunes femmes m'adorent. Elles adorent jouer à dada avec moi, dit-il en souriant. Les Irlandaises aiment bien les Juifs. »

Il demanda à Jack de l'aider avec sa valise. Il avait quatre-vingts ans et vendait des composants pour lunettes à travers toute l'Irlande depuis la Seconde Guerre mondiale. Jack marcha devant, tirant la valise, tandis que le vieil homme, nullement gêné, suivait en racontant ses incroyables conquêtes féminines. Il leva la main pour arrêter les voitures. « Les Irlandais, dit-il à Jack au milieu de la rue, manquent d'amour-propre », et les deux hommes finirent de traverser. Ils poursuivirent leur route sur un autre trottoir au milieu des passants qui se hâtaient entre deux averses. « Par là », dit le vieil homme, et ils retraversèrent. Ils étaient arrivés devant un *bed and breakfast*. Le Juif lui tendit un sac en papier contenant deux sandwichs au jambon.

« Prenez-les, je vous en prie », dit-il.

Jack prit le sac. Le Juif entra dans le vestibule. Il resta un instant planté sur le lino craquelé à parler tout seul, puis il s'avança dans le couloir, traînant sa valise. Jack monta sur une balance installée devant une pharmacie. Il glissa une pièce de cinq pence dans la fente et regarda l'aiguille s'immobiliser sur 60,3 kilos. Sa première pensée fut : j'ai perdu un peu plus de six kilos, puis, contemplant l'aiguille qui tremblotait sur le chiffre, il se dit : c'est moi, c'est le poids d'un corps humain. Voilà qui je suis.

Il retardait le moment d'entrer dans un pub. C'était le genre de journée où tout peut arriver. Les signaux d'alarme étaient allumés. Les perspectives faussées, les pensées dérangeantes, la voix forte de sa conscience. Il alla acheter une chemise et un pantalon dans un magasin de vêtements. J'ai besoin de chaussures, songea-t-il. « Je porte les mêmes bottes depuis deux ans », dit-il. « Ce n'est pas recommandé, dit le vendeur. Allez voir en face, chez Burke. Attendez, ajouta-t-il, vous oubliez votre déjeuner. » Il tendit à Jack les sandwichs. Jack se retrouva de nouveau sous un porche. Des gens passaient, pressant le pas.

Il neigeait à présent. Puis il grésilla. Puis il grêla. Les grêlons rebondissaient sur la rue comme du pop-corn. Les voitures projetaient de la gadoue. Il compta son argent. Si je m'achète des chaussures, il ne me restera pas de quoi me payer un verre. Je ne peux pas me montrer comme ça. Du trottoir d'en face, il examina la vitrine du magasin de chaussures. Ce matin, je me suis fait une promesse. Mais à quoi bon ? Je mourrai de toute façon. Et qui aimerais-je voir le jour de la Résurrection ? *Qui aimerais-je trouver à mes côtés ?* Cette pensée l'énerva. Le vent changea de direction et se mit à souffler en rafales. Trempé, frigorifié, il entra dans le pub le plus proche. Mais il ne but pas. Ni dans le suivant. Il cherchait quelqu'un. Dans le troisième, il ne chercha personne, mais il s'aperçut que, instinctivement, il cherchait quand même quelqu'un. C'est ce que je fais ici, se rappela-t-il – chercher quelqu'un. Les hommes occupés à boire le regardèrent un instant comme s'ils comprenaient eux aussi – que l'on continue à chercher jusqu'à ce que l'on trouve le bon endroit pour prendre le premier verre de la journée.

Il s'assit, songeant qu'il venait justement de trouver le bon endroit. Il mit la main dans sa poche pour prendre de l'argent. Quand il leva les yeux, les visages autour de lui étaient devenus pâles, absents et hostiles. Puis indifférents. Chacun était dans son cocon, pas une âme humaine ne se manifestait parmi eux. On aurait cru qu'il n'y avait personne.

« Je cherchais quelqu'un », dit-il au barman, puis il sortit en veillant à ne rien bousculer.

Il continua à user du stratagème des buveurs afin de reculer l'heure du premier alcool. Celui qu'on prend quand tous les feux sont au vert. Aucun des pubs ne convenait. Télé trop forte, musique d'ambiance, drôles de regards. Finalement, dans le quatrième, il trouva le quelqu'un qu'il cherchait. Le quelqu'un qui n'était personne. Celui qui n'existait pas et qui servait de prétexte à poursuivre. Mais ici, dans la faible lumière, ce personne existait.

Il resta parce qu'il avait reconnu la fille qu'on avait attachée au poteau et bombardée de suie. Elle était assise au bar en compagnie de trois autres femmes et buvait du whiskey chaud.

Jack était content de la revoir.

« Je porte le deuil, dit-il.

– Vous vous sentez bien ? demanda-t-elle.

– Je pisse des billes, répondit-il, et je les garde dans ma chambre. Dans de petits sacs.

– Nous avions un frère devenu comme vous », dit-elle.

Il commanda son premier verre. « J'aime bien le sherry au petit déjeuner.

– Ah bon ?

– J'aime bien le goût que ça laisse dans le nez.

– Vous voulez vous joindre à nous ?

– Non, répondit-il. Je prends le train pour Dublin. »

Ils burent. Il eut de nouveau l'impression d'être une caméra. Il fit un panoramique sur le bar. Il prit en gros plan les femmes et leurs brushings assises autour de lui. Les boutons de manchette étincelaient. Les hommes portaient leurs verres à leurs lèvres. Une série B, voilà ce qu'est mon subconscient, et il éclata de rire.

« On aimerait bien participer, dit la future mariée. Vous me rappelez mon père.

– Ce doit être un Mullarkey, dit Jack. De Muinguingane. »

La caméra zooma sur son visage. Sans se décontenancer, elle lui rendit son regard.

« Comment le savez-vous ? demanda-t-elle.

– Ce serait dénoncer, dit-il.

– Allez. »

De petits grains de suie pareils à des gouttelettes de pluie parsemaient ses cils, ses sourcils et le coin de ses yeux. Lesquels ressortaient démesurément. Qu'est-ce qui maintient la tension de l'œil de manière à ce qu'il puisse voir ? La future mariée ferma les yeux comme si elle attendait sa réponse. Les ténèbres semblèrent s'éterniser.

Il était dans un taxi à New York. Il se sentait plutôt bien, confortablement adossé au cuir chaud.

« Depuis quand vous êtes chauffeur de taxi ? demanda-t-il à la silhouette au volant.

— Ce n'est pas un taxi, répondit l'homme.

— J'ai toujours rêvé de parcourir les rues de New York en taxi », dit Jack, regardant la ville.

L'homme répondit par des mots que Jack ne comprit pas. Ils roulèrent parmi de grands buildings, des galeries marchandes éclairées et des petits bassins derrière le rideau sombre des arbres. Un panneau lumineux marqué GINGS, POMPES FUNÈBRES, défila à toute allure. Jack continua à parler de l'Amérique. Kafka n'y est jamais allé, dit-il. Vraiment ? fit le chauffeur. Non, répondit Jack. Vous voyez bien, dit le chauffeur. Oui, dit Jack, mais il y a quand même été. Parce que, vous comprenez, expliqua-t-il, le temps n'est pas linéaire. Il ne va pas en ligne droite. En effet, dit le chauffeur en allumant une lumière sur son grand tableau de bord étincelant. Ce qui ne signifie pas pour autant qu'il est cyclique, poursuivit Jack. Certes, acquiesça l'homme. Il fonctionne par à-coups, dit Jack, se penchant en avant. Absolument, dit le chauffeur.

Le taxi finit par s'arrêter. L'homme fit le tour de la voiture et, toujours vêtu de son uniforme bleu clair de chauffeur, il ouvrit la portière. Merci, dit Jack, grand seigneur. Il descendit lourdement. Il était très fatigué. Et il avait dû sommeiller un peu. Car il constata que le chauffeur n'était pas du tout un chauffeur. Le policier le conduisit au poste.

« Je l'ai trouvé endormi au bord de la route, dit-il à un planton en chemise bleue.

— Je ne dormais pas, protesta Jack. Je rentrais chez moi en stop.

— Il était couché juste au bord et il aurait pu se faire écraser, reprit le policier.

— Je faisais du stop, dit Jack, avant d'ajouter : Je me suis peut-être assis. » Il réfléchit. « Personne ne s'arrêtait.

— Vous vouliez aller où ? demanda le planton.

– À Belfast.

– À Belfast ?

– Oui, à Belfast.

– Eh bien, mon gars, si vous vouliez aller à Belfast, vous n'étiez pas dans la bonne direction. »

Jack se concentra de nouveau, puis il se souvint. « Excusez-moi, dit-il. En fait, j'allais à Dublin.

– Ça, c'est d'un autre tonneau.

– J'ai dû rater le train.

– C'est plus que probable. Il est trois heures du matin.

– Je l'inculpe d'ivresse sur la voie publique, dit le policier.

– Très bien. » Le planton prit une feuille blanche et s'apprêtait à noter les détails quand le brigadier apparut.

« C'est Jack Ferris, déclara-t-il. De Kilty.

– Exact, fit Jack avec reconnaissance.

– L'auteur dramatique.

– Exact.

– Vous habitez à deux maisons de chez moi. Là-bas, nous sommes voisins.

– Exact, dit Jack. Je peux passer un coup de téléphone ?

– Faites.

– Vous comprenez, expliqua Jack. La fille s'inquiète peut-être. »

Pendant que le policier racontait où il avait ramassé Jack, celui-ci appela le théâtre. Il entendit une voix lointaine enregistrée énumérer les horaires des différents spectacles. « Catherine, dit-il. Tu peux venir me chercher ? » Il pivota pour regarder le petit groupe de policiers. « Je suis au poste de la Garda à Ballina. » Il fit semblant d'écouter. « Ah, c'est dommage. Je crains qu'elle ne puisse pas venir, dit-il en raccrochant.

– Ce n'est pas grave, dit le brigadier. Je vais vous raccompagner. »

Le policier qui avait voulu l'arrêter, penaud, l'escorta vers la voiture de police. Jack monta à l'arrière et le brigadier s'installa au

47

volant. Sans un mot, le policier prit place sur le siège passager. Le planton ferma, puis vint s'asseoir à côté de Jack.

« Je suis bien content d'être de la balade, dit-il. De toute façon, c'est calme ce soir.

— Tout ça, ce n'est que par amour pour l'art, dit l'homme du Leitrim. Vous habitez où ?

— Mullet.

— Putain de merde ! » fit le brigadier.

L'aube se levait sur l'Atlantique lorsque la voiture s'arrêta devant le portail à l'entrée du chemin qui menait au mur aveugle à l'arrière de sa maison.

« Vous vivez là ? demanda le brigadier.

— Oui.

— Putain de merde !

— Tenez, dit le policier. Vous avez oublié ça. » Il tendit à Jack les deux sandwichs dans le sac en papier détrempé.

Il resta une heure étendu sur son lit. La tempête soufflait. Il se leva, encore ivre, et alla poser le long du pignon trois rations pour le chien. Il but une tasse de thé et imagina le premier verre qu'il prendrait. Un gin peut-être. Ou une tequila. Il était huit heures du matin quand il se mit de nouveau en route pour Dublin. Cette fois, il y arriva vers deux heures dans une camionnette de journaux. Il se rendit directement au théâtre par des rues pleines de rennes, de clochettes et de musique de Noël.

Au lieu d'attendre dehors que Catherine sorte, il traversa le hall et passa devant la fille au guichet qui s'élança à sa suite en lui criant de revenir. Il grimpa quatre à quatre un escalier couvert d'une épaisse moquette, longea les murs ornés de portraits d'anciens acteurs et auteurs dramatiques, puis entra dans la salle. Il trouva d'instinct le chemin des coulisses et des salles de répétition. Derrière une porte, il entendit un acteur déclamer une réplique qu'il avait écrite. Il écouta un instant, puis ouvrit à la volée.

Aussitôt, tout s'arrêta. Les acteurs pivotèrent d'un bloc pour lui faire face et Eddie, le texte à la main, se retourna, prêt à chasser l'importun.

« J'ai essayé de l'empêcher de monter », s'écria la fille.

Le gardien arriva en courant, hors d'haleine.

« Ha! ha! » s'exclama Jack d'une voix aiguë. Il prit un siège.

« Allez, viens avec moi, mon gars, dit le gardien.

– Laissez, intervint Eddie. C'est Mr. Ferris. Notre auteur. »

Les acteurs, interloqués, dévisagèrent Jack Ferris. Il avait les yeux inquiets, rouges de fatigue, et ses cheveux noirs qui commençaient à grisonner étaient plaqués en arrière sur son crâne, si bien que les os de son front luisaient comme des cornes. Ses bottes de l'armée étaient couvertes de boue et les lacets pendaient. La fermeture Éclair de son jean était à demi baissée. Il portait un pull rouge vif sous un ciré vert dont une poche était déchirée.

« Ha! ha! » fit-il de nouveau.

La fille sortit, l'air gêné, tandis que l'homme lui tenait la porte.

« Bon, on fait une petite pause », déclara Eddie.

Il s'avança vers Jack, méfiant.

« Je t'ai apporté quelques pages que j'ai revues », dit Jack, tirant une liasse de feuillets de sous son pull.

Eddie la prit sans commentaire.

Jack se tourna vers les acteurs qui, embarrassés, s'étaient rassemblés autour d'une bouilloire et de quelques gobelets en carton.

« Tu veux qu'on aille dans un endroit où on pourra parler tranquillement? demanda Eddie.

– Ici, ça me convient très bien, je te remercie. »

Les acteurs, reprenant contenance, s'étaient mis à bavarder comme s'il n'était pas là.

« Où est Catherine? demanda-t-il.

– Elle ne vient pas aujourd'hui.

– Drôle de coïncidence. »

Eddie tenait le texte révisé, mal à l'aise. « Écoute, Jack, je ne voudrais pas qu'on se dispute.

– On ne se disputera pas. Je voulais simplement la voir. Mais puisqu'elle n'est pas là, tant pis. Je suis juste venu te remettre le nouveau texte. »

Soulagé, Eddie parcourut les notes manuscrites.

« Qu'est-ce que tu en penses ? demanda Jack.

– Laisse-moi le temps. Ça fait énormément de changements.

– Tu ne crois pas que ça apporte une amélioration ?

– Si tu le dis. »

Eddie continua à lire. « Une grande partie, nous l'avons déjà répétée. Nous sommes presque au point. » Il glissa les pages dans l'exemplaire de son texte. « Je regarderai ça plus tard, d'accord ? »

Ils demeurèrent un instant silencieux.

« Je pensais assister à quelques répétitions, finit par dire Jack.

– Compte tenu des circonstances, je préférerais que tu t'en dispenses.

– Catherine aussi est de cet avis ?

– Je ne sais pas. En tout cas, c'est le mien et je ne tiens pas à ce que tu parles aux acteurs. »

Nouveau silence. « Tu veux un thé ?

– Non, répondit Jack. Je crois que je vais partir. Je voulais juste être sûr que tu aies mes corrections. » Il se leva. « Je t'enverrai les autres plus tard.

– Merci, Jack.

– Bonne chance », cria Jack aux acteurs.

Gênés, ceux-ci marmonnèrent de vagues remerciements. Lorsqu'il traversa de nouveau le hall, la fille le suivit des yeux. Le gardien lui tint la porte, mais regarda en l'air. « Merci », dit Jack. Un peu plus bas dans la rue, il entra dans un bar et s'installa à une table d'où il pouvait surveiller le théâtre. Il observa les gens qui entraient et sortaient, mais il ne vit pas Catherine.

À cinq heures, Eddie et les autres comédiens apparurent. L'estomac noué, Jack se demanda ce qu'il devait faire. Puis il s'aperçut qu'Eddie se dirigeait droit vers le pub où il était.

Il entendit la porte s'ouvrir. Et maintenant?

« Jack… tu n'es pas reparti.

— Pas encore.

— Je t'offre un verre?

— Alors, un petit. Un whiskey. J'ai un train à prendre.

— Je sais, dit Eddie, se penchant vers lui. Tu traverses une période difficile. Je comprends.

— Tu as lu ma nouvelle mouture?

— Et tu as une mine épouvantable. » Eddie posa le texte sur la table. « Non, je ne l'ai pas lue.

— Pourquoi?

— Je n'ai pas eu le temps.

— Dis-lui que je veux juste lui parler un instant.

— Arrête de boire, rentre chez toi et repose-toi quelques jours.

— Je ne peux pas me reposer.

— C'est ce que tu t'imagines. Un jour, tu repenseras à tout ça et tu te demanderas pourquoi tu t'es conduit de façon aussi stupide.

— Tu crois?

— Oui. » D'un geste las, Eddie tendit à Jack ses notes manuscrites. ‹ Tu ferais mieux de les reprendre.

— Pourquoi?

— Parce qu'elles appartiennent à une autre pièce. Pas à celle-là. » Jack but son whiskey.

« Je croyais que tu ne les avais pas lues?

— Je te serais reconnaissant de ne plus téléphoner au théâtre, poursuivit Eddie. Et de ne plus interrompre les répétitions.

— Je suis fou de chagrin », dit Jack.

Ils se turent.

« Je croyais que tu étais mon ami, reprit-il.

— Je suis ton ami. Et c'est pour ça que je m'efforce de te tenir à l'écart. Tu as besoin d'argent ? » Jack le regarda. « Combien veux-tu ?

— Une centaine de livres.

— Je te fais un chèque de deux cents. »

Il rédigea le chèque. Jack le glissa dans la poche de sa chemise et prit un taxi jusqu'à la gare. Dans le train qui roulait vers l'ouest, il partagea une table avec une infirmière du Westmeath qui travaillait à l'hôpital psychiatrique Saint-Jean-de-Dieu.

Quelques jours plus tard dans sa maison, après un repas léger, Jack s'allongea sur son lit, évoqua l'image de Catherine et logea son membre dans sa paume. Il était très excité. À cet instant, le visage du jardinier s'encadra dans la fenêtre. Il avait la main en visière afin de mieux distinguer l'intérieur de la pièce sombre. Puis il s'écarta. Sursautant, Jack remonta son pantalon et bondit sur ses pieds. Il alla à la fenêtre.

Le visage avait disparu.

Il traversa la cuisine et ouvrit la porte d'entrée devant laquelle se tenait un auteur dramatique irlandais assez âgé, connu pour son théâtre de l'absurde, accompagné de sa femme. Jack leur jeta un regard de travers.

« Mon cher Jack, dit le dramaturge en se tournant. Vous avez un bon bout de mer par ici.

— Oui, c'est une vaste mer, acquiesça Jack. Un instant, je vous ai pris pour le jardinier.

— Vous avez un jardinier ? s'étonna l'auteur dramatique.

— Non, répondit Jack. Mais j'ai un chien.

— Je n'en doute pas. Je vous présente Manie. Nous avons mis des heures à vous trouver.

— Ce jardinier m'obsède. Je n'en croyais pas mes yeux quand je l'ai vu à la fenêtre.

— Mais ce n'était pas lui, donc.

— Non, ce n'était pas lui, mais ç'aurait pu être lui.

— Vous accepteriez de prendre un verre en pleine journée ? »

Ils partirent pour le Erris Hotel, où Jack se fit généreusement offrir à boire. À un moment, il demanda sa veste au dramaturge.

« Vous voulez ma veste ?

— Oui. Elle est aussi atroce que celle que j'avais.

— Et vous la voulez ?

— Je vous donne la mienne en échange.

— D'accord, dit l'auteur dramatique, qui entreprit d'ôter sa veste sport pendant que Jack ôtait son bleu.

— Garde ta veste, dit Manie à son mari. Tu vois bien qu'elle ne lui ira pas.

— Tu es sûre ?

— Naturellement que je suis sûre.

— C'est dommage », dit le dramaturge. Ils trinquèrent. « Vous devez être content, Jack. On dit beaucoup de bien de vous dans les journaux.

— Il faut que j'aille aux toilettes.

— Il doit avoir quelque chose contre les compliments, dit en riant le dramaturge à sa femme.

— J'ai la chiasse.

— Oh ! » se récria Manie, fermant les yeux.

« Je peux vous faire une confidence ? demanda Jack à son retour.

— Oui ?

— J'envisage de tout annuler. » Il se pencha plus près. « Vous saviez qu'ils ne me laissent pas assister aux répétitions ?

— Non, j'ignorais.

— Voilà où nous en sommes, murmura-t-il d'un ton empreint d'une juste indignation.

— Pourquoi ? demanda la femme.

— Et en plus, ils refusent d'intégrer les changements que j'apporte, poursuivit Jack.

— Vous devriez les envoyer se faire foutre, déclara l'auteur dramatique. Et prendre un avocat.

— Vous croyez ?

— Oui, je crois.

— Mais il doit bien y avoir une raison, insista Manie.

— Chut, taisez-vous, souffla soudain Jack.

— Pardon ?

— Le voilà. » Jack prit un air de conspirateur et fit un clin d'œil.

« Qui ? demanda le dramaturge, parcourant la salle d'un regard inquiet.

— Cet enculé de jardinier.

— Il vous ressemble un peu, constata Manie avec étonnement.

— Voudriez-vous m'excuser un instant ? demanda Jack.

— Ça vous reprend ?

— Oui. »

Muni de la monnaie nécessaire, il alla téléphoner à la cabine publique du village. Lorsque la fille répondit, il murmura avec un fort accent du Nord : « Y a une bombe dans le théâtre.

— Quoi ! hurla la fille.

— J'vous le dis et je l'répéterai pas. Y a une bombe qu'explose dans cinq minutes.

— C'est une plaisanterie !

— Putain de connasse, tu vas voir si c'est une plaisanterie ! s'écria-t-il d'une voix furieuse. Tu diras juste que Shamey Coyle a appelé, O.K. ? »

Il raccrocha et reprit place dans le restaurant aux côtés de l'auteur dramatique et de sa femme. Ils échangèrent des confidences hilarantes. La soirée s'acheva dans la confusion.

Ils le ramenèrent chez lui. Il se retrouva seul dans son lit. Il pensa à Catherine et il la maudit. *Puisse-t-elle ne pas conserver le souvenir des jours heureux.*

Jack, en pantalon, alla répondre au coup timide frappé à la porte. Daisy aboyait et bondissait comme un fou sur la route blanche.

« Salut, Jack », dit Bernie Burke. Il était pâle et avait les lèvres bleues.

« Tu es revenu, dit Jack.

– Oui. Joe Love a déposé ça pour toi pendant mon absence. »

Bernie lui tendit un paquet de lettres tenues par un élastique. Celle du dessus portait son adresse rédigée de la main de Catherine.

« Quelqu'un pense à toi, reprit Bernie.

– Comment tu vas ?

– Pas très bien, merci. J'ai perdu un poumon.

– Je suis navré.

– C'est comme ça, dit Bernie. Tu as fait du bon boulot ici. Je suis venu plusieurs fois, mais tu n'étais pas là.

– Oui, j'étais parti.

– Bon, maintenant tu les as récupérées. J'espère qu'elles te porteront bonheur.

– J'en suis sûr.

– Bien, il faut que j'y aille.

– Bonne chance, Bernie. »

Le vieux pêcheur monta avec peine le chemin, luttant contre le vent furieux qui l'aveuglait, s'arrêta un instant pour regarder la mer, puis descendit vers la vallée où se trouvait sa maison. Jack ouvrit la première enveloppe, qui contenait une carte. Il la posa sur la table de la cuisine, puis il ouvrit les autres. Chacune renfermait une lettre. Il les empila soigneusement.

Il était mort de honte. Il était frappé de plein fouet par le sortilège qu'il avait lui-même jeté. Il contempla les enveloppes, sachant qu'elles devaient être datées des semaines précédentes, d'avant le début du cauchemar. Il vaudrait mieux ne pas savoir, les jeter toutes. Elles recelaient des possibilités qui n'existaient plus. Il fouilla la maison à la recherche de quelque chose qu'il ne trouva pas. Il était malade et il tremblait. Avec la détresse de l'alcoolique, il s'efforçait de délimiter son territoire. Il se mit à balayer la cuisine. Aujourd'hui, il allait recommencer, tout recommencer. Comme il recommençait chaque matin. À partir de la porte de derrière, il nettoya chaque objet dans la cuisine, puis il récura la chambre. Dans l'autre pièce, il rangea ses papiers. Il alluma un feu et mit de l'eau à bouillir. Il s'assit devant le feu et fuma une cigarette qui lui donna des vagues de nausée.

Il saisit les enveloppes et les examina. Il examina les timbres. Il examina les cachets de la poste de Dublin. Il examina l'écriture des lettres sans chercher à comprendre ce qu'elles disaient. Il prit la carte postale et relut la première phrase : *Jack, je t'aime.* Après quoi, il la reposa sur la table. Pris d'angoisse, il fit du thé.

Il mit du linge à bouillir dans une casserole, nourrit Daisy, nourrit la chatte sauvage, nettoya de nouveau la cuisinière. Aujourd'hui, dit-il. C'est pour aujourd'hui. Il se lava debout dans une bassine posée au milieu de la pièce.

Il leva la carte à la lumière d'une fenêtre. *Cher Jack, je t'aime. Tout le mal que nous nous sommes fait, il faut l'oublier. Je suis toujours à toi. Je n'ai que toi et tu n'as que moi. Je t'ai écrit maintes et maintes fois pour tout t'expliquer. Je t'envoie cette carte pour la photo.* Jack la retourna. Elle figurait un oiseau, un râle des genêts. *Tu te souviens ? Nous connaîtrons encore de beaux jours. À partir de maintenant, je t'écrirai tous les jours. Tu es sans cesse présent dans mon esprit. Je ne bois pas, tu ne bois pas, et je t'aime. Je t'aime de tout mon cœur.* .

Il avait prié pour qu'elle lui écrive ces mots, et voilà qu'il était incapable de les assimiler. Son regard s'assombrit. Il avait encore une chance, lui soufflait un coin de son esprit. La carte ne datait que de quelques semaines. Il lut les huit lettres, et chaque fois qu'elle lui déclarait son amour, son désespoir grandissait. *Tous les jours je t'écrirai.* Et lui, inconscient, il avait erré à travers la presqu'île.

Il se maudit.

Des jours durant, il avait sombré dans le désespoir alors que les lettres l'attendaient dans la maison du malade. Pendant qu'il passait des heures sans sommeil, ses mots d'amour étaient chez

Bernie au bout de la route. Et à présent qu'il les avait lus, c'était fini. Elle n'avait jamais eu l'intention de venir. Dès le moment où le jardinier lui avait dit qu'il avait recommencé à boire. Toute cette vaine attente. Ces mots qu'il avait guettés jour après jour arrivaient trop tard et pourtant, à l'instar de la première lettre, ils apportaient les nouvelles dont il rêvait. Il s'étendit sur le lit, le cœur battant. Maintenant ? La même lumière couleur chair tombait sur lui. Il se releva d'un bond et alla s'asseoir sur une chaise. Mais ce n'était pas assez dur. Il s'allongea sur le sol en ciment devant le feu qui fumait. Une fois encore, le temps se réduisait à une seconde. À la minute qui contenait la seconde. À l'heure qui contenait la minute. Aux minutes qui contenaient les secondes. À la demi-seconde.

De nouveau, il fit le chemin jusqu'à une cabine téléphonique.

Il appela le théâtre, mais il n'eut que le répondeur : laissez un message après le bip ! La bande défila, mais il ne dit rien, se contenta de murmurer : « Catherine. » Il ne savait pas quoi faire. Il retourna à la maison avec une bouteille de vodka. De terribles souvenirs le propulsèrent dans les trois pièces. Mais il ne trouva aucun endroit où l'amorce d'une réconciliation pourrait se produire.

« Jack ! » appela Hugh de la cuisine. Il entra dans la chambre. « Ça va ?

— Bien sûr que ça va.

— Tu ferais mieux de te lever.

— Je suis levé !

— Non, tu es au lit.

— Je le vois bien.

— Tu as mangé quelque chose ?

— Je viens de prendre mon petit déjeuner, non ? répondit Jack avec mauvaise humeur. Hugh ?

— Ouais ?

57

– Va-t'en.

– Non.

– Nom de Dieu !

– La bouilloire est sur le feu.

– Bon, bon. J'arrive dans une minute. » Il enfila son ciré jaune et son pantalon imperméable vert.

« Jack, dit Hugh. On ne sort pas en mer. »

Jack s'assit sur une chaise de cuisine.

« On va où ?

– À toi de décider.

– Je pense qu'on pourrait aller boire un verre, finit par proposer Jack.

– Ça ne me déplairait pas », dit Hugh d'un ton enjoué.

Jack ôta ses cirés.

« Tu me conduirais à Castlebar ?

– Si tu veux.

– Tu pourrais t'occuper des bêtes ? Je vais être absent quelques jours.

– Les enfants se feront un plaisir.

– Tu paieras avec ça.

– Je n'ai pas besoin de ton argent. »

Jack lui fourra néanmoins un billet de vingt livres dans la poche. Il prépara son sac. Mit la petite chatte sauvage dans un carton. Appela Daisy, et le chien sauta à l'arrière de la voiture.

Ils s'arrêtèrent au pub O'Malley à Corrloch.

Le bar était désert.

« Maintenant, je sais ce qui se passe, déclara Jack.

– Tant mieux.

– J'ai enfin tout compris. » Jack jeta son argent sur le comptoir. « Deux pintes, dit-il au barman. Et puis une pour vous, et ensuite, vous savez ce que je vais faire ? » Il se tourna vers Hugh. « Je vais partir pour quelque temps. » Le barman refusa d'encaisser.

« C'est la veille de Noël, dit-il. Gardez votre argent.

— Achetez quelque chose aux gosses. » Jack coinça un billet de dix livres entre les touches de la caisse enregistreuse. « Et donnez-moi le prix d'un appel téléphonique pour Dublin. Il me reste une chose à faire avant de boire. »

Il sortit et décrocha le téléphone niché dans la petite alcôve. Lorsqu'il entendit la sonnerie, il se sentit pris de vertige et tout triste. Une voix lui souhaita un joyeux Noël et l'invita à laisser un message – après le bip.

Il attendit le bip. Des secondes s'écoulèrent et il était incapable de parler. Des bruits étouffés lui parvenaient dans l'écouteur. Des cris. Des gazouillis. Des hurlements poussés par les démons de l'espace. « Jack Ferris à l'appareil, finit-il par dire. Je voulais souhaiter bonne chance à tout le monde. » Il réfléchit. « Je m'excuse pour les coups de téléphone. » Il chercha ce qu'il pourrait ajouter. Quelque chose pour Catherine. Un message pour Catherine. « Au revoir », dit-il.

« Voilà », dit Jack.

Ils regagnèrent la voiture. La petite chatte grattait furieusement le carton. Daisy sauta sur les genoux de Jack. À Belmullet, les animaux descendirent tandis qu'Isobel et les enfants montaient. « Je n'ai pas fait de shopping à Castlebar depuis une éternité », dit Isobel. Ils passèrent par Bangor, Largan et Bellacorrick. Puis Beltra. Ils se promenèrent dans Castlebar avec Isobel qui fit ses courses dans les diverses boutiques. Chargés de sacs, ils entrèrent dans un pub boire un dernier verre.

« Je te dépose quelque part ?

— À l'hôpital, si tu veux bien.

— Vous allez voir quelqu'un là-bas ? » demanda Isobel en faisant grimper les enfants dans la voiture.

Jack ne répondit pas. Ils s'engagèrent au milieu d'une file de voitures qui avançait au pas dans la grand-rue sous des guirlandes accrochées comme des banderoles au-dessus de la rue. Un père Noël, la barbe au vent, sortit d'un bar et éternua.

« Jack pleure », dit Sandra, la fille de Hugh et Isobel.

Ils roulèrent un moment en silence.

« Pourquoi Jack il pleure ? reprit la fillette.

— Tu pourrais passer Noël avec nous, dit Hugh.

— Non, non », dit Jack.

La voiture s'arrêta dans le parking sombre de l'hôpital. Jack, regardant les fenêtres familières avec leurs stores verticaux et leurs néons horizontaux, éprouva un énorme soulagement, comme si un voyage épuisant qu'il avait entrepris des années auparavant s'achevait enfin.

4

Le paradis terrestre

La première nuit en mer, il dormit sur la couchette du haut, face au hublot. Au travers du hublot, on voyait la ville dont ils s'éloignaient irrémédiablement à une allure régulière.

Le bateau faisait route avec une telle lenteur que toute la nuit, par le hublot, il distingua la ville.

Ils allaient très, très lentement, et il avait beau se tourner de tous côtés sur sa couchette, la ville était toujours là.

Ils n'avançaient pas.

Les hommes qui occupaient les autres lits avaient effectué de nombreuses fois ce voyage. Ils dormaient d'un sommeil paisible et profond, alors que Jack passa la nuit à regarder Catherine. À la faible lueur d'une veilleuse, laissée allumée pour qu'on ne trébuche pas dans le noir, il avait punaisé son icône sur le mur, au-dessus du lit n° 7.

Toute la nuit, l'image de souffrance, imperturbable, lui avait rendu son regard.

Ainsi qu'elle le ferait plus tard dans un éclat de bois. Un éclat de bois qui raconterait son visage. Ses traits émergeraient un jour des caractères flous d'une page. Longtemps son visage apparaîtrait dans les objets inanimés. Puis il viendrait hanter les êtres vivants. Un jour, avant les nouvelles du soir, il verrait à la télévision une image de Notre-Dame du Perpétuel Secours dans laquelle il reconnaîtrait le visage de Catherine. C'était une peur qui l'habitait depuis l'enfance, la peur d'être toute sa vie accompagné par le visage d'un être aimé avec qui il ne pourrait jamais entrer en contact.

Les secondes passaient et l'icône ne changeait pas. La veilleuse était immuable. Son regard, une distance qui s'amplifiait goutte à goutte.

Le cœur d'un homme cliqueta comme une montre-bracelet dans la pénombre de la salle.

« Fais pas attention », dit dans son sommeil l'homme qui occupait le lit d'à côté.

« On est tous voisins ici, expliqua l'homme du Leitrim. On est tous dans la merde. J'ai perdu plus de douze kilos parce que mon cerveau fonctionnait trop vite. »

« N'écoute jamais ce qu'on dit autour de toi quand ton esprit vagabonde, conseilla l'homme du Leitrim. Pourquoi je porte des sabots de caoutchouc ? Parce que j'ai les hanches en triste état. »

Les malades, dont Jack, s'abreuvaient des pensées des uns et des autres. Une serre. Un frisson agitait les roses quand la mauvaise personne entrait. Aujourd'hui, cependant, tout était parfaitement normal. Les infirmières se reposaient.

Jack se sentait impur ici.

Le reste baignait dans une lumière mauve.

Il pleuvait. Jack espérait trouver enfin le sommeil qui le fuyait depuis des jours. Il avait l'impression d'avoir passé des heures et des heures à marcher. Il mit le pyjama qu'il avait emporté. Le pyjama était confortable. Il pleuvait. La pluie fait dormir, lui avait-on dit.

À mort la mort !

Inspire !

Expire !
C'est ce qu'une des malades lui avait dit.
La pluie fait dormir.

Au début, il regarda la télévision, envahi d'une stupide appréhension. La télévision appartenait à un autre monde. Les émissions
de Noël étaient longues, lentes, et personne ne riait. Il était impossible de suivre l'intrigue de quelque film que ce soit. À l'heure des
pilules, on ne lui donna rien pour dormir. Pas avant que son
organisme eût évacué l'alcool. Il sut qu'il ne dormirait pas.
    L'heure des pilules. Un remède catholique à un problème
protestant. À moins que ce ne soit l'inverse.
    Dormir mille ans. Et se réveiller pour découvrir que tout est
fini.

Sa solitude le rendait inflexible. Sa solitude était prise pour de
l'agressivité. Ainsi les infirmières ne s'asseyaient-elles pas à son
chevet.
    Il avait pourtant trouvé un ami. Un homme de Bohola mar-
chait de long en large en lui répétant qu'il ne manquerait jamais
de clopes. « Tu ne manqueras jamais de clopes tant que je serai
là, mon gars », disait-il. Onze heures et quart. Il lui faut endurer
tout cela. Hanté par les mauvais souvenirs et hypnotisé par la
lumière au-dessus du lit n° 7 sur le mur d'en face, son esprit,
devenu persécuteur, s'en prenait à lui. Toutes les heures, jusqu'à
l'aube, l'infirmier venait. Les quelques mots qu'il murmurait à
Jack apportaient une vague consolation. Puis Jack se tournait de
nouveau vers l'icône. Dont la voix et l'image fusionnaient avec
son esprit.

Le matin de Noël, un peu plus loin dans le couloir, on entend
Perry Como et Dean Martin. Dans une petite chambre, un
homme chauve est accroupi devant un vieux gramophone. Après

les repas, le même homme fait toute la vaisselle. Il est gai malgré tout ce qui ne va pas chez lui – un jardin en Grèce avec une bouteille de gin enterrée au pied de chaque arbre.

Lorsque ce fut l'heure de la messe, tout était calme. À cause de sa maladie, Jack manqua les danses de Noël. Il chercha à se consoler en pensant à Catherine. Il partageait sa serviette avec l'homme le plus malade. Pendant qu'il s'essuyait, celui-ci déclara : « Ce sont tous des gens du Mayo, sauf vous et moi. Nous sommes les seuls hommes du Leitrim qui restent dans cette partie du monde. Les autres sont du Mayo. Pauvre Mayo. Et le Roscommon. Attention à ceux du Roscommon. Ils arrivent par-derrière. » Il s'essuya le menton. « La folie est née de l'émigration. Ils n'ont laissé derrière eux que les tarés.

– Non, dit Jack. Ce sont les lâches qui s'enfuient et les guerriers qui restent.

– Et vous ?

– Il faut que je cesse de me punir moi-même. Et que je veille à ne pas devenir religieux.

– C'est délicat, mais vous êtes un homme intelligent. »

Ils sortirent, la démarche mal assurée. Ils demeurèrent un instant plantés sur le macadam, tous les deux en pyjama.

« Noël à l'hospice, dit Jack.

– Je me suis souvent interrogé sur le sens de ces mots », dit l'autre.

Puisqu'elle avait la force de rester loin de lui, il devrait avoir la force de rester loin d'elle.

Le psychiatre discute politique avec Jack. Le soir où Jack a franchi le seuil de l'hôpital, il a été à deux doigts de le renvoyer. Puis il s'est laissé fléchir. Jack a beau tenter d'expliquer les diffi-cultés auxquelles il est confronté, le médecin ramène toujours la conversation sur Belfast. Jack lui raconte que les médecins habitent les quartiers sûrs de la ville. Le seul sang qu'ils voient, c'est dans les salles d'opération. Jamais il n'est versé sur le pas de leur porte. Le psychiatre parle de Wolfe Tone. Jack parle de ses peurs.

« Vous avez fait une dépression nerveuse, dit le psychiatre. Et vous êtes capable de savoir par vous-même si vous êtes alcoolique ou pas. Vous seul pouvez le dire. »

Un silence gêné s'installe.

« Pourquoi êtes-vous allé vivre à Belfast ?

— Pour être avec Catherine.

— Vous auriez pu trouver un endroit plus agréable.

— Je ne me faisais aucune illusion sur le Nord, réplique Jack, conscient de répondre à une question qu'il a lui-même posée. Si c'est ce que vous insinuez.

— Non ?

— Je pensais pouvoir aider. »

Le psychiatre n'insiste pas. « Votre pièce, demande-t-il, elle parle du Nord ?

— Elle en parlait, oui.

— Et maintenant ?

— Je ne sais plus, répond Jack douloureusement.

— Et je présume qu'elle traitait des chômeurs catholiques ?

— Et protestants.

— Votre erreur était peut-être là. Essayer d'écrire "la Bible des pauvres", comme disait le poète Tom Kettle.

— Je ne me rendais pas compte que c'était une erreur.

— Alors pourquoi êtes-vous ici ?

— Parce que j'ai le cœur brisé.

— Laissons cela de côté pour l'instant, vous voulez bien ?

— Je ne peux pas.

— Bon, admettons. C'est toujours difficile avec vous, les artistes. »

Nouveau silence.

« Vous réfutez le terme "artiste" ? demande le médecin.

– Oui, dit Jack.

– Alors, comment voulez-vous que je vous appelle ? Vous n'êtes pas un scientifique, il me semble ? »

« Hamlet était un malade mental comme nous », dit l'homme du Leitrim. On était dimanche matin. « Où allez-vous ?

– À une réunion des Alcooliques Anonymes.

– Il y a toujours un silence gêné, dit Hamlet, quand une foule d'alcooliques est rassemblée dans une pièce. »

Les histoires qui circulent alors parlent avec lucidité de la mort, de la peur et de la découverte de Dieu. Sur les marches de l'hôpital, le malade dit à Jack qu'il était le plus admirable des hommes.

« Un instant, on est une chose, reprit-il. Et l'instant d'après, une autre. Comment expliquez-vous cela ? »

Il donna une pomme à Jack.

« Comment expliquez-vous cela ? » répéta-t-il. Puis il offrit à Jack une cigarette que celui-ci refusa.

Un membre des Alcooliques Anonymes qui passait par hasard prit Jack devant l'hôpital. Jack déclara qu'il s'apprêtait à aller boire un café dans le monde extérieur en compagnie d'une fille. L'homme – mince, blond, des taches de rousseur – conduisit Jack par des rues que ce dernier ne connaissait pas. Il roulait, passait des coups de téléphone.

Jack demanda : « Où va-t-on ?

– On se promène, simplement. »

Il était gentil, intelligent, et il écoutait. Jack avait honte de dire des choses blessantes sur Catherine. « Je ne veux faire de reproches à personne », dit-il. Puis il surcompensait et la couvrait de louanges avant de la critiquer de nouveau. Ou pire, il la critiquait intérieurement, la traitant d'hypocrite. « Je me méfiais d'elle, dit-il. Après lui avoir fait confiance une première fois. Je ne la croyais pas. Elle me considérait comme un vulgaire lest. J'adorais son humour. » L'homme continuait à rouler. Ils s'arrêtèrent un instant pour admirer la vue sur le Lough Conn depuis Pontoon Bridge. Puis ils repartirent. Un peu plus tard, Jack était de retour, assis dans la salle d'attente de l'hôpital à côté de Bohola. Lequel lâcha un vent violent, puis bondit sur ses pieds, se précipita dehors et fit plusieurs fois le tour de l'hôpital pendant qu'à l'intérieur tout le monde était à table.

L'amour, c'était quand elle le laissait s'occuper d'elle. Quand elle accourait vers lui pour chercher le réconfort. Quand elle s'endormait la première. Quand elle trébuchait sur le chemin et courait devant sa mère et sa sœur pour se jeter dans ses bras. Et surtout, quand ils marchaient dans la campagne, deux êtres humains, contents d'être ensemble.

Le jour où elle n'est pas venue, l'autre vie a commencé, une vie sans elle. S'il était resté sobre, ils seraient soûls et ensemble à l'heure qu'il est. L'argument émane de son propre esprit. Elle n'est pas présente. Il ne peut pas lui demander de rester avec lui puisqu'elle n'est pas là. C'est parfait. Tu n'es pas présente, a murmuré Jack.

Maintenant, elle ne reviendra jamais parce qu'ils se sont dénaturés l'un l'autre. Il n'existera plus jamais en tant que possibilité dans l'esprit de Catherine. C'est parfait. Il n'est pas présent à l'endroit où elle se trouve.

Le second amour est différent, mais supportable, triste, mais supportable. Le premier amour était orageux, stupéfiant et inaccompli. Comme si la vie avait choisi deux personnes pour leur faire connaître toutes les expériences de l'amour afin qu'elles comprennent qu'il leur est refusé. Mais elles doivent quand même en vivre tous les aspects sordides. Il essaie d'imaginer un monde où il retrouverait le respect de soi. Mais sa psyché est incapable d'entreprendre seule pareil voyage.

Il existe des moments de vérité intimes qu'on ne peut dire. C'est hors de portée du langage. Pourtant, les mots subsistent dans un coin de son esprit, de même que renaît l'espoir d'une réconciliation, chaque fois plus lointain – et cependant plus vif d'une certaine manière, parce qu'il échappera de nouveau à sa conscience.

Naguère, il était joyeux, et maintenant il n'arrive pas à dormir. Combien de cellules cérébrales a-t-il détruites? Il se méprise. L'infirmière de nuit entre et ressort. La lumière brûle au-dessus des hommes qui rêvent.

5

Les nomades

« Chaque fois que je vous regarde, je crois voir mon fils.

— Pourquoi êtes-vous là ? demande Jack.

— Illusions », répond Bohola. Un long moment s'écoule. « Et angoisses. »

Ils restent quelques minutes sans parler, à la fois troublés et affectés par ces instants d'intimité où chacun s'efforce désespérément de fixer ses pensées.

« Vous ne feriez que vous abuser, reprend Bohola, si vous déclariez avoir été véritablement heureux. »

Jack approuve. La coiffeuse s'assoit. « Je ne peux appeler personne, se plaint-elle. Le téléphone est limité aux communications locales. Et je ne connais pas âme qui vive ici. » Elle pose les mains sur ses genoux. « Je ne devrais pas être ici. Mon mari a pris mes clés de voiture et m'a fait mettre ici. Je devrais être ailleurs. » Elle promène son regard sur les hommes pour qu'ils comprennent qu'elle vient d'un endroit différent.

« Sligo, dit-elle sur un ton pleurnichard, consciente qu'elle ne doit pas jouer les bravaches. Sligo est un hôpital de première classe. » Elle pousse un petit soupir. « Vous avez déjà été à l'hôpital de Sligo ? demande-t-elle à Jack, soudain aimable.

— Non, répond-il.

— Si seulement j'avais mon compte de sommeil, dit-elle, mélancolique, pensant à voix haute. J'aurais pu être à la maison pour Noël. Vous vous imaginez que je peux dormir ici ? Jamais de la vie. Je viens d'avoir un bébé, une fille, explique-t-elle. Elle est de l'autre côté de la route, au centre hospitalier, et moi je suis ici. Mais mon mari est un homme bien. Un homme bien ! » Elle considère Jack d'un œil soupçonneux. « On m'a promis de m'emmener demain voir mon bébé. J'aimerais que vous veniez avec moi.

— Je viendrai, a promis Jack.

— Vous êtes un homme bien, vous aussi », a dit la coiffeuse.

Dans un coin, une discussion naît à propos du chanteur Val Doonican, Noël et les chrétiens. À l'exemple des intrigues compliquées des films, il est impossible de la débrouiller. Jack désire tout à coup avoir quelque chose à faire. Être utile. Être occupé. Comme le malade en pyjama qui range tout : les vases dans les vases, les cendriers dans les cendriers.

« *Glenroe* passe ce soir ? demande-t-il.

— Je n'aurais pas cru que vous étiez un fan de ce feuilleton », dit l'infirmière.

À côté de Jack, le vieux bonhomme dort et respire par le nez comme un enfant qui chantonne dans son petit lit.

Jack fixe toujours le même endroit. Le visage de Catherine commence à disparaître. L'aube approche. La lumière de l'aube efface ses traits. Il guette la visite de l'infirmier et ses questions attentionnées. Les autres se réveillent dans un monde que lui n'a pas quitté. Ils s'assoient chacun au bord de leur lit, et un instant après, ils se regroupent autour d'un seul, se mettent à fumer et à bavarder tranquillement. Ce sont des voisins. Voisins ici, voisins chez eux. Ils auraient pu se rencontrer dans la rue, traverser un champ pour rendre visite à l'autre. Ensuite, ils arpentent les couloirs, calmes, remplis d'espoir comme on descend l'escalier le matin de Noël en se demandant ce qu'on va trouver en bas.

Ils se rassemblent autour de l'arbre de Noël dans la salle d'attente. Ils prennent une chaise. Quand la table roulante arrive, ils font la queue comme des somnambules. Au lieu de cadeaux, ils reçoivent leurs pilules. Jack a droit à sa première dose de Librium. Puis, de même que les autres, il prend une chaise. Les figures s'éclairent.

La première vague de gaieté déferle sur lui.

Jack téléphona à tous ceux qu'il connaissait pour leur souhaiter un joyeux Noël. Il commença par sa mère.

« Joyeux Noël », dit-il.

Elle marqua une hésitation, puis il l'entendit murmurer à son père : « C'est Jack, il a l'air à peu près normal. Où es-tu ? lui demanda-t-elle ensuite.

— Oh, au nord de Tipperary.

— Drôle d'endroit. Qu'est-ce qui t'a amené là-bas ?

— L'absence de bon sens. »

Elle passa l'appareil à son père.

« Alors, tu ne viendras pas nous voir ? demanda celui-ci.

— Je suis à l'hôpital. Je ne tenais pas à le lui dire.

— On t'a mis quelque chose dans ton verre ?

— Plus ou moins, oui.

— Ça nous guette tous. Si tu as besoin de quoi que ce soit, n'hésite pas.

— Bien sûr, merci. »

Il laissa le téléphone au malade suivant qui attendait, et pensa : ce n'est pas si mal. Ce n'est pas si mal de devenir fou.

« Ma femme m'a dit que j'avais brûlé ma vie dans l'alcool, dit-il à l'infirmier de nuit.

— Vous devez d'abord apprendre à vous aimer vous-même.

— Comment puis-je aimer quelqu'un qui n'est pas là ?

— Clint Eastwood est le fils de Laurel et Hardy, vous le saviez ? demanda l'homme du Leitrim.

— Non, répondit Jack.

— Je n'ai rien lu à ce sujet », dit l'infirmier. Il tira une blague à tabac de sa poche. Il était affalé dans un fauteuil, les pieds posés sur une chaise. Il croisa les jambes, remua les orteils.

« Vous avez UTV ici ? demanda Jack.

– Oui, naturellement. »

L'infirmier changea de chaîne. Jack fixa l'écran. C'étaient les informations. Fasciné, il contempla chaque image, écouta chaque mot.

Vint la pub pour la bière blonde.

« Mon Dieu, fit Jack.

– Qu'est-ce qui ne va pas ? demanda l'infirmier.

– Je connais quelqu'un qui joue dedans », répondit Jack.

L'infirmier éclata de rire.

« C'est vrai, dit Leitrim. Jack connaît tout le monde. »

De plus en plus agité, Jack regarda la princesse Diana monter un chemin enneigé en Écosse. Une troupe d'Africains, chargés de ballots, se dirigeaient vers un centre de distribution alimentaire. Un présentateur commentait les images d'un accident d'avion. Les survivants d'une catastrophe quelconque étaient assis au flanc d'une colline, enveloppés dans des couvertures. Puis il y eut la coupure publicitaire. Quand le spot pour la bière blonde repassa, Jack n'y était pas préparé. Il leva les mains devant l'écran pour le dissimuler à sa vue. Ses yeux se mouillèrent.

« Vous voulez que je mette autre chose ? demanda une femme.

– Non, non. Ça va.

– Qu'est-ce que vous avez, Jack ? s'inquiéta l'infirmier.

– C'est la bière, répondit la femme. Ça lui donne soif.

– Je connais quelqu'un qui joue dedans, affirma de nouveau Jack.

– Mais oui, bien sûr. »

L'infirmier vint s'asseoir à côté de lui jusqu'à ce que la pub passe une troisième fois. Aussitôt, Jack se raidit. Il se pencha en avant, une lueur de folie dans le regard. Un air familier de guitare s'éleva.

« Qui est-ce que vous connaissez ? » demanda l'infirmier.

Jack désigna la fille blonde qui entrait dans le bar au bras d'un cow-boy. Avec un petit air sage, elle posait une main mutine sur celle du cow-boy.

« Oh, elle est très belle, dit l'infirmier, ne désirant pas le contrarier.

— Oui, dit Jack.

— Oui, acquiesça la femme. Il y en a qui ont de la chance. »

Jack, comme pour compenser le fait d'avoir révélé trop de choses sur lui-même, lut un livre sur les prisonniers républicains écrit par des prisonniers républicains. Hugh le lui avait apporté, ainsi qu'une lampe de chevet. Quelles étaient ses pensées alors qu'il lisait ? Son visage et son attitude ne trahissaient rien. Il cherchait la preuve que les prisonniers étaient en désaccord avec les républicains qui vivaient à l'extérieur. Ce qui, sur le moment, lui paraissait important. Le livre était une relecture de l'histoire de l'Irlande. Il lut avec avidité, passionné par la manière dont ils présentaient Wolfe Tone. Le lendemain, il est prêt pour le psychiatre, mais il est incapable de soutenir une discussion.

Le psychiatre le presse de questions à propos de ses idées politiques. Jack essaie d'être objectif. Il veut parler de son cœur brisé. Le psychiatre insiste, fait l'éloge de la très pernicieuse bourgeoisie irlandaise. Jack rate et le dîner, et ses médicaments.

« Pourquoi n'avez-vous pas épousé cette femme ? » s'enquiert le psychiatre. Il fume la pipe.

« Elle considère le mariage comme une institution permettant qu'une femme se fasse violer légalement. »

Le psychiatre condamne les féministes. Jack les défend. Il s'entend développer avec clarté les arguments en faveur des idées de Catherine. La discussion se poursuit. Jack dit qu'il ne boit pas plus que les autres. Puis il admet qu'il ment. Il boit, confesse-t-il, parfois peut-être un peu trop.

« Je ne voyais pas ce que ça aurait changé », dit-il au psychiatre. Aussitôt, ils reparlent de Wolfe Tone.

Ils finissent par se lever, face à face, séparés par la table. Jack peut aller retrouver les autres. Leitrim lui a gardé un plat au chaud. L'infirmier lui a gardé ses pilules, plus quelques-unes. « Vous devez l'intriguer », dit-il avec un large sourire. Puis il ajoute : « Vous voulez voir les infos ? » Jack, penché en avant sur sa chaise, regarde de nouveau la télévision et, blême, guette la coupure publicitaire.

Chacun des hommes hospitalisés s'installe pour la nuit et lève le camp le lendemain matin. Avant de se lancer dans la tâche ardue consistant à marcher.

Marcher le long du même chemin si nécessaire, marcher les yeux baissés, attentifs, marcher sans indulgence, marcher sur la piste d'une autre créature, la tête rejetée en arrière avec arrogance, avec raideur, avec fièvre, s'arrêtant pour écouter, s'arrêtant comme si quelqu'un vous suivait de même que vous suivez quelqu'un qui n'est pas là, marcher, parfois en chaussons mais le plus souvent dans ces mêmes bottes que vous portiez le jour de votre entrée à l'hôpital. Et puis on cesse de marcher. Le moteur a pressenti son inanité. Les médicaments ont rendu l'instinct aussi mince qu'une feuille de papier à cigarette.

Le corps effondré dans un fauteuil, l'esprit est effrayé et fatigué. Le sentiment d'illusion attriste les hommes comme les femmes. Encore que certains, plus énergiques, continuent. Tandis que d'autres ne démarrent jamais physiquement.

Au lieu de leur corps, c'est leur esprit qui vagabonde. Empruntant le même chemin s'il le faut.

À l'heure du coucher, tous se retrouvent, épuisés, au pied de leurs lits. Pour les nouveaux arrivants, il s'agit toujours d'un moment redouté. Pour les anciens du Mayo qui ont arpenté comme Caïn le pays de Nod, c'est au contraire le moment le plus désiré. Ils repoussent les couvertures avec un soin extrême.

Vient ensuite la délicate entreprise : se mettre au lit. Ils préparent l'instant où le sommeil les prendra.

Le sommeil est le vagabond idéal – il ne porte rien. Il n'a besoin que d'un esprit dans lequel voyager et se reposer. Ils se couchent et l'attendent.

Et dès qu'ils ferment les yeux, ils traversent ce pâturage familier. Ils ont le sentiment d'être innocentés comme Jack la première fois qu'il a envisagé d'entrer à l'hôpital psychiatrique. Ils s'endorment en quelques secondes. Et le lendemain matin, ils savent qu'ils peuvent repartir, libérés de leurs liens.

Chaque nuit, ils regagnent un lit différent. Ou parfois le même, après une journée de marche forcée. Lorsqu'ils sont allongés, leurs esprits aussi viennent chercher le repos. Ils disent à leur corps où ils sont allés. Ils s'exténuent à raconter les histoires du monde. Ils oublient cet instant où ils savaient que c'était seulement une illusion, et ils le mettent de côté. Puis, lorsque tous les malades dorment, l'infirmier, qui a eu ses propres ennuis l'année précédente, devient un nomade. Il entame sa ronde aux confins de la conscience. Il arbore le masque de la responsabilité et se met en marche. Et les dormeurs ont ménagé dans leurs rêves une place pour ses pas. L'hôpital se transforme en une vaste aire de promenade pour les actifs comme les inactifs.

En bottes, les hommes du Mayo marchent jusqu'au bout du couloir, font demi-tour et reviennent à pas lourds ; des hommes, des voisins, la clope près de leur brûler les doigts, l'estomac grouillant de papillons, les chiens sur leurs talons et les animaux qui les observent par-dessus les haies. Quand on a trouvé quelqu'un avec qui se promener, on est heureux, même si ce quelqu'un n'est que soi-même.

Ils ont besoin de cet espace clos qui contient leurs souvenirs. Au début, ils marchent sans but, mais bientôt, ils perçoivent au loin des perspectives et, de temps en temps, une personne, un étranger ou un ami.

À plusieurs reprises, Jack croisa un homme qui traînait dans les couloirs, un homme qu'il était sûr de connaître.

Un matin au petit déjeuner, il accrocha son regard. Sourcils épais et noirs, comme foncés au crayon. Il le vit disparaître dans une chambre au fond du corridor. Il le vit bondir de sa chaise dans la pièce télé au moment où lui-même entrait. *Ce visage*, où avait-il déjà vu ce visage? Il le grava dans son esprit jusqu'au jour où il se matérialisa devant ses yeux cependant que l'homme s'avançait vers lui dans l'étroit vestibule qui conduisait au téléphone. Ils ne pouvaient pas échapper l'un à l'autre.

« Excusez-moi, dit Jack. On ne se connaîtrait pas?

– Je ne crois pas », répondit l'homme avec un froncement de sourcils pathétique, et il s'éloigna à grandes enjambées.

Jack demeura un instant immobile, interloqué, puis il s'élança à sa suite et le rattrapa. Ils traversèrent rapidement le hall d'accueil, longèrent le couloir et, arrivé devant la porte par laquelle il disparaissait souvent, l'homme se retourna, regarda Jack dans les yeux et dit : « À présent, je dois vous laisser. » La porte se referma derrière lui.

Jack frappa et entra.

« Il faut que je vous parle, dit-il. Vous n'auriez pas dans votre famille quelqu'un qui est jardinier sur la presqu'île de Mullet? »

L'homme pivota, un flacon lui échappa des mains et se brisa sur le sol carrelé. Il s'agenouilla pour ramasser les pilules. Gêné, Jack se retira. Le lendemain matin, il vit le vieil homme monter dans une Mini bleue et partir furtivement comme quelqu'un qui s'éclipse au milieu d'une cérémonie de mariage.

6

Le matin de Noël

« Mr. Ferris est écrivain, dit la coiffeuse à l'infirmière de la maternité. Il est en train d'écrire mon histoire.

– Ah bon ? fit l'infirmière.

– Oui, oui. » La coiffeuse sourit à Jack. « Et j'ai plein de choses intéressantes à raconter. »

Elle souleva son enfant du berceau et le prit sur ses genoux comme s'il s'agissait d'un inconnu. « Elle est mignonne, n'est-ce pas, Mr. Ferris ?

– Oui », acquiesça Jack.

Au bout d'une heure, tous deux regagnèrent l'hôpital psychiatrique. Ils s'arrangèrent afin de pouvoir revenir le lendemain au même horaire.

« Si cela vous convient, ajouta l'infirmière avec ironie.

– Bien entendu », dit Jack.

La coiffeuse était ravie. De retour à l'hôpital, elle demanda à Jack de commencer dès aujourd'hui. L'infirmier leur trouva une chambre et un carnet pour Jack.

Plus tard, après le départ de la femme, Jack feuilleta les cahiers où, quand il se réveillait la nuit, il prenait des notes. Elles étaient pratiquement illisibles. Là, installé devant le bureau dans un fauteuil pivotant, il voulut se remettre à écrire, mais sa main refusa de lui obéir. Il pouvait coucher sur le papier les mots de la coiffeuse, mais pas les siens. Pour écrire un seul mot, il devait livrer un combat titanesque. Et un seul mot semblait renfermer

77

une telle myriade de significations qu'il lui était impossible d'achever la moindre phrase.

Il resta assis sans bouger. Son esprit s'efforçait de faire un saut dans le vide, mais ses mains ne répondaient pas. Il avait le pouce et l'index engourdis. Quand il tentait d'écrire, ils se paralysaient. Et dans sa tête, le langage ne se construisait plus de manière grammaticale, mais se présentait en une succession de signes bizarres. Il sortit et gagna le salon. Une infirmière se tenait devant la fenêtre. Il lui expliqua ce qui était arrivé.

« Je vais écrire à votre place », proposa-t-elle.

Il la remercia avec gratitude.

Ainsi, ses journées débutaient par une visite à la maternité, suivie d'un tête-à-tête avec la coiffeuse qui lui racontait son histoire, après quoi, durant une heure, il dictait sa propre confession à l'infirmière. Au début, le résultat se résuma à une énumération de reproches, de malheurs et de souffrances. L'infirmière écrivait en silence. Parfois, la porte s'ouvrait, un malade passait la tête, les observait un moment, puis se retirait.

Elle lui demandait d'épeler certains mots, elle attendait, il détournait le regard, recommençait à dicter.

L'heure passée en compagnie de l'infirmière devint pour Jack l'équivalent d'un sursis spirituel. Il lui parlait et il tomba amoureux d'elle. Il n'ignorait pas que c'était un vieux cliché médical, mais il s'en moquait. Il se laissa emporter par son amour pour l'infirmière. Elle lui dit qu'elle avait confiance en lui. Pourquoi lui avait-elle dit cela, il ne s'en souvenait plus. C'est à ce moment-là qu'il était tombé amoureux d'elle. Et après son départ, la coiffeuse revenait. Jack se mettait alors à son histoire. Mot pour mot. Depuis sa naissance à Ballyhooley sur Clare Island jusqu'au moment où elle était entrée comme apprentie dans un salon de coiffure de la ville de Sligo. C'était là que les ennuis avaient commencé. Venaient ensuite les vides, les hésitations, les silences. Les silences aux questions qu'on pose soi-même. Stylo à la main, il était assis devant elle comme plus tôt l'infirmière devant lui. Et la coiffeuse, débordante d'amour, détournait les yeux. Et après le départ de la coiffeuse, Bohola arrivait à son tour, lui ordonnait de prendre une page blanche, puis parlait de son époque Finsbury Park à Londres. « C'était vers l'automne et, tout juste libéré, je débarquais du nord de l'Angleterre. Vous notez ? demandait-il à Jack. Moi à Londres. Le sale Irlandais à Londres en février 62. Moi à Beachy Head, sur la plage à Eastbourne. Vous notez ? Je voudrais que ça sonne comme du Shakespeare », disait Bohola.

Pendant que Rita, l'infirmière, écoutait sa confession, il mourait d'envie de la prendre dans ses bras. Elle disait : « Ce doit être pénible pour vous de raconter tout ça.
– Votre présence me rend la tâche plus facile », répondait-il.
« Vous ne trouvez pas que c'est s'apitoyer sur soi-même ? » demandait-il. Elle répondait que non. Il savait bien que si, mais il s'en fichait. Il jugeait Rita très belle. Ils restaient quelques instants sans parler. Assise en face de lui, elle dégageait une odeur très humaine. Puis ils continuaient.

« Il faut vivre avec le mal. Il ne disparaîtra pas. Il vous dépouillera de votre énergie. Il faut l'affronter. C'est sérieux, disait la coiffeuse. C'est une affaire sérieuse. Ne laissez personne vous affirmer le contraire. »

Un homme dit : « C'est un jour de Noël miraculeux. » En effet. Le soleil brille. « Il a brillé les sept derniers Noëls », dit Jack. C'est miraculeux. Miraculeux pour lui qui le dit. Miraculeux pour lui qui l'entend. Tous les mots qui émergent à présent sont réels. Dans l'autre monde, ils étaient dépourvus de sens. Maintenant, ils sont essentiels, stupéfiants. L'être assis en face de lui qui vient de dire que c'est un jour de Noël miraculeux respire lui-même le miracle – à l'idée que la vie l'ait conduit jusque-là, lui ait accordé le beau temps, des pilules qui l'équilibrent pour un moment ; il n'entend pas d'enfants pleurer, mais il sait qu'ils pleurent, et il sait que des gens meurent dans les étages supérieurs du centre hospitalier de Castlebar situé de l'autre côté du talus herbeux : il n'aime peut-être pas son égoïsme, sa rancœur, son innocence, mais dans cette clinique bordée d'une pelouse, à l'image d'un bungalow américain, il est allé au-delà de l'instant où sa conscience s'est arrêtée.

« C'est un jour de Noël miraculeux, Jack, dit l'homme. Tout peut arriver. »

C'est pourquoi il a refusé de sortir se promener. Il est à la fenêtre, vivant. Il est le premier à le dire : c'est un jour de Noël miraculeux. C'est un temps miraculeux. Oui, et c'est miraculeux d'avoir les mots pour le dire, miraculeux d'avoir fait l'effort de le dire. Une nouvelle planète est nommée. Et le plus grand miracle de la journée, c'est que l'être assis à côté de vous soit d'accord et en soit comme vous témoin.

On sait alors qu'il n'y avait pas de dépendance. Pas d'ivresse. Ni de quête d'une ivresse capable d'engendrer ce miracle. C'est une bénédiction. Et c'est suffisant. Chez Jack, l'instant passa. Par contre, on devinait que chez l'homme posté à la fenêtre, ce qu'il avait vu demeurerait gravé pour un temps dans son esprit. Un jour, à son insu, les images ressurgiraient. À Bellagarvaun – les terres inondées, les doigts brûlés par les cigarettes, un enfant distrait, une femme dérangée –, un rayon de lumière frapperait un coussin et le miracle reviendrait visiter l'homme. Ce jour-là, il le cacherait sans doute comme le ferait toute personne saine d'esprit, mais pendant une seconde le miracle serait là. Jusqu'à ce qu'il disparaisse, que le quotidien reprenne ses droits, que le langage le trahisse et que le sursis s'achève.

Jack contemplait la fenêtre, examinait les différentes possibilités, tandis que la tristesse bouillonnait en lui comme un aphrodisiaque. Non loin étaient le désespoir, la jouissance. Il savourait la panique, le détachement de l'absence, l'échouement du soi, l'amour émoussé par la nostalgie ; la gaieté contrainte des visiteurs qui, en ce jour de Noël, descendaient de leur voiture ne fit qu'accroître sa tristesse.

« Le vent d'ouest, demanda Jack, souffle-t-il de l'ouest ou vers l'ouest ?

– À son grand chagrin, répondit, tel un sage, l'homme de Bellagarvaun, le vent d'ouest porte le nom de l'endroit d'où il vient. »

C'est la nuit. Rien n'est arrivé. Il s'efforce de combler les brèches par lesquelles le cauchemar pénètre. La plupart ouvrent sur le néant. Et puis la dispute éclate. *Tu t'apitoies tellement sur ton sort,* entend-il Catherine lui lancer. *Je te trouve méprisable.* La santé mentale lui revient comme une revanche. Je vais leur montrer, à tous ces enculés dehors ! Quelqu'un fera-t-il un bout de chemin avec moi ? L'homme de Bohola, oui. De même que l'homme de Bellagarvaun. Ainsi que l'homme de Buleenaun. L'homme de Balla. Son ami de Manulla. La fille de Dereen. Et la femme des environs de Pontoon qui porte des bas de footballeur.

Ensuite, on commencera à se fatiguer.

Tout homme a un ami qui lui dispense ses conseils.

Si on leur enlève les médicaments, ils craignent de perdre leur âme. Ils ont besoin de leur âme. L'âme n'a pas peur de l'isolement. Elle n'a pas le temps d'être amère. Elle a délogé l'amertume. L'infirmière lui parle, prend ses mots dans sa main. Il ne peut pas écrire. Ils sont dans le bureau des Admissions Hommes, s'échinant à épeler certains mots. Quand il entend son prénom sur ses lèvres, il est pris de faiblesse.

Il aimerait s'enfermer pour l'éternité dans une pièce avec Rita l'infirmière, à lui dicter sa confession. Ce qu'il lui dit, elle le croit. Rita a des yeux de biche et elle est tendre. Elle saisit son stylo. Il recommence. L'histoire de chaque homme doit être écrite. Il écrit la leur. Elle écrit la sienne. Comme il hésite, elle regarde ailleurs, désirant quelque chose là-bas, quelque chose d'autre. Elle a l'air blessée ; le souvenir ravive la blessure.

« Dieu se tient à côté de moi comme une lampe de chevet », dit la coiffeuse, et elle forme un O avec ses lèvres.

Jack rêva que le clitoris de Catherine lui restait dans la main tout en demeurant attaché à son corps. Il ne sut pas tout de suite de quoi il s'agissait. Catherine ne le quittait pas des yeux cependant qu'il se promenait, le centre de son plaisir à la main. Il lui évoqua d'abord un iguane, puis une grenouille. Et au moment où l'iguane se métamorphosa en grenouille, une odeur de champignons et d'herbe mouillée envahit l'atmosphère.

À cet instant, il comprit dans un choc ce que c'était. Il interrogea Catherine : s'il allait de l'autre côté du mur et qu'il le frotte, est-ce qu'elle éprouverait encore du plaisir ? Elle répondit : Non, il faut que je puisse te voir. Puis elle ferma les yeux. Ce qui signifiait qu'elle lui faisait entière confiance, ou bien qu'elle détenait sur lui un pouvoir absolu, couchée là, passive. À moins, simplement, qu'elle ne s'abandonne à un fantasme dont il était exclu, en raison de son goût, comme elle l'appelait, pour l'étranger.

Jack se réveilla désorienté par ces contradictions, et encore plus troublé de s'apercevoir que non seulement ses propres organes génitaux mais aussi ceux de Catherine habitaient ses rêves. Dans celui du pénis sectionné qui l'avait poursuivi des années durant, c'était la terreur qui le submergeait tandis qu'il s'efforçait à la hâte de remettre son sexe coupé en place. Il avait beau tout essayer, il ne tenait pas et lui restait chaque fois dans la main. Il interprétait cela comme son désir d'être une femme, ce que l'homme en lui déplorait. Le cri du mâle le réveillait, et il constatait avec soulagement qu'il était intact, même si le sentiment de perte subsistait.

Cette fois le clitoris était libéré de son apparat de chair et il fallait savoir comment le titiller pour qu'il bondisse d'extase, ce qui ne pouvait se faire en dehors du champ de vision de Catherine, bien qu'elle eût les yeux fermés. En dépit des caresses dont il gratifia la grenouille, le clitoris, indifférent, se contenta de le regarder. Et il lui était impossible de l'emporter ailleurs, car il demeurait partie intégrante de Catherine.

Jack était triste de ne pas savoir contrôler le plaisir de Catherine, alors qu'il en tenait la source dans sa paume. Et s'il quittait du regard – ne fût-ce qu'une fraction de seconde – l'œil de la grenouille, elle disparaissait et il fallait la retrouver, ici ou là, parfois perdue pour de bon. Puis elle revenait et, logée dans le creux de sa main, lui adressait un long regard chargé d'éternité.

Il comprit qu'il ne contrôlait pas non plus ce mystère.

Avec un sursaut, il se dit qu'il avait peut-être un esprit dans lequel, pendant qu'il dormait, des parties du corps se détachaient pour flotter librement, puis il se demanda pourquoi le pénis de son moi en rêve et le clitoris de Catherine en rêve vagabondaient ainsi. Et pourquoi, en ce qui concernait l'organe masculin, son ablation indolore n'inspirait pas autant d'épouvante que le fait de ne pouvoir le remettre tout de suite en place. « Certains hommes, avait dit un jour Catherine, ont peur de la fourrer par crainte de ne pas la récupérer. » « Tu as déjà rencontré quelqu'un comme ça ? » avait-il demandé comme si de rien n'était. « Une seule fois », avait-elle répondu. Ils se promenaient alors en forêt, et elle avait éclaté de rire. Il réfléchit, conclut que cela ne s'appliquait pas à lui, et que quand l'intimité entre deux personnes cesse, les secrets de leur expérience se transmettent aux nouveaux partenaires pour devenir des motifs de tension.

Il compatissait aux malheurs de cet homme qui craignait de pénétrer les femmes, et il considérait qu'il n'y avait pas là matière à rire. Puis il se demanda pourquoi, en ce qui concernait le clitoris, sa présence dans le creux de sa main avait provoqué un sentiment à la fois d'émerveillement et de responsabilité envers lui. Il était content que la grenouille fût toujours humide et huilée, car c'était bon signe. Il se sentait néanmoins coupable à l'idée que son subconscient eût choisi de séparer les organes génitaux des autres parties du corps, mais il éprouvait en même temps un certain soulagement (après tous ces rêves à répétition où le pénis lui restait dans la main) en pensant que cette fois, peut-être par solidarité, le clitoris avait suivi dans l'inconnu son triste appendice masculin afin de lui tenir compagnie.

Voilà qui le rendait heureux, encore qu'il sût que cette union émanait de son seul esprit et non de celui de Catherine. Et même si les deux organes ne figuraient ensemble dans aucun rêve (cela viendrait peut-être aussi, avec le temps), l'impression d'exotisme et de communion qui s'en dégageait ne manquait pas de le satisfaire. Ivre, il se rappelait avec émotion avoir contemplé la grenouille accroupie dans sa main, tout humide, prête à bondir.

Il le savait – les organes sexuels s'efforçaient de percer le front des préjugés de l'esprit.

Seulement, dans le monde réel, le monde normal, la place dans le lit à côté de lui était vide. Il s'arracha au sommeil, le clitoris toujours dans la paume, tel un plongeur qui crève la surface de la mer, serrant une perle dans son poing.

Perplexe, il regarda autour de lui. L'odeur du muguet régnait dans la salle. La puanteur de la luxure. Que se passait-il ? Le rêve d'un autre rêve lui revint. Il avait de nouveau rêvé d'elle. Il avait la nostalgie de Catherine, de même que des questions inquiètes qu'il se posait : Catherine sera-t-elle là, viendra-t-elle, se tiendra-t-elle auprès de lui ? Mystère. Peut-être fallait-il d'abord qu'il avoue une terrible vérité sur lui-même avant que Catherine revienne, mais il ignorait de quoi il s'agissait.

Des heures durant, il arpenta le couloir, à la fois décontenancé et ravi par son rêve scandaleux. Les autres malades, qui connaissaient les lois régissant les obsessions de chacun, s'écartaient de son chemin. Il revivait son rêve afin d'en découvrir la signification.

Il ne parvint qu'à la seule conclusion qu'un faux auteur résidait en lui. Dans ses rêves, le véritable auteur existait, affranchi de la réalité. Il regagna le bureau et pensa aussitôt à Catherine en train d'apprendre à jouer de la trompette.

Elle a neuf ans. L'école du dimanche se termine tout juste. Ce portrait d'elle est d'une vérité criante, songe-t-il. Elle tient la trompette entre ses petites mains par un dimanche après-midi dans le Nord protestant. Elle porte l'uniforme de la fanfare de l'Armée du Salut. Elle est dans sa chambre, et dans sa chambre elle ne bâtit pas de fantasmes mais se concentre pour tenter de jouer un air reconnaissable.

L'image lui apporte une immense satisfaction. Son esprit revient.

Il le trouve installé à ses côtés, en sécurité. Il est content. Son esprit a un aspect risible, dégingandé. « Tu es parti un moment », dit Jack à son esprit. Mais celui-ci, pareil à un étranger, se borne à acquiescer d'un signe de tête. Un signe peut-être bienveillant, peut-être dangereux.

« Ton absence m'a fait de la peine, dit Jack.

— Vous devriez rester un peu tranquille », dit Leitrim qui est assis en face de lui.

Hugh arriva. Il apportait une invitation pour la première de la pièce. Le lendemain soir.

« Tu en as reçu une ?

— Non, répondit Jack.

— Pourquoi m'en envoyer une à moi ?

— C'est une façon de me dire de ne pas venir », expliqua Jack. Il étudia la carte.

« Prends-la, dit Hugh. Tu devrais y aller. »

Jack pensa au trajet en train de Castlebar à Dublin. Le rideau qui se lève. Les cris *L'auteur ! L'auteur !* Menteur ! Menteur ! Après le départ de Hugh, il montra l'invitation à l'homme du Leitrim.

« C'est vous ? demanda celui-ci, indiquant le nom de Jack.

– Oui.

– C'est une belle carte. »

Ce fut une longue et folle journée. Jack laissa les heures passer. Bourré de Librium et de Mogadon, il resta calmement allongé au milieu des hommes endormis. Avec amour, il contempla la madone sur le mur. Le lendemain matin, il s'imagina de nouveau faire le voyage vers l'est. Hugh téléphona. Un journaliste de Dublin cherchait à le joindre. « Je ne suis pas là », dit Jack. Ce qui était vrai. Ce fut une journée interminable, excitante, remplie de fantasmes. Le voyage, l'arrivée, la foule des spectateurs. Catherine sur la scène éclairée.

À deux ou trois reprises, il poussa jusqu'à la route, puis il fit demi-tour et recommença à arpenter le couloir. Il se planta devant l'horloge de l'hôpital. S'assit dans la salle à manger déserte et regarda les cuisiniers préparer le déjeuner. Il écouta les couverts s'entrechoquer et fuma. D'autres malades entrèrent, s'installèrent devant les tables vides et, fascinés, observèrent ceux qui travaillaient dans la cuisine avec une curiosité tranquille. Jack revint les voir lorsqu'ils préparèrent le dîner. Il avait l'impression que la journée ne finirait jamais. Il était encore là au moment où il fut trop tard pour partir. Quand arriva l'heure du lever de rideau, il lutta contre son envie de décrocher le téléphone pour appeler le théâtre. À mesure que les minutes s'écoulaient, un sentiment d'euphorie le gagnait. Il imaginait la foule assise dans le noir, sans lui, et il s'émerveillait. L'instant passa. Une vague de soulagement le submergea. *Je me suis tenu à l'écart.*

Je n'y suis pas allé.

Les représentations ont débuté.

Il s'arrêta devant la chambre de l'homme qui avait enterré ses bouteilles de gin dans un jardin grec. On entendait à travers la porte une chanson de Cole Porter, « Every Time We Say Goodbye ». Jack en adorait les paroles. Le refrain en particulier – *le passage de majeur en mineur.*

Il souhaita bonne chance à Catherine.

Puis il se remit à longer les couloirs au rythme d'une chanson populaire.

Corrloch. Belmullet. Aghadoon.

7

L'objet aimé

« Ainsi, vous avez perdu l'objet aimé », dit le psychiatre.

Entendre Catherine réduite à une telle insignifiance porta un coup à l'orgueil de Jack. Une vraie scène de comédie. Sur la défensive, il considéra l'homme assis en face de lui.

« J'envisage de vous laisser sortir, reprit celui-ci. Abstenez-vous de boire pendant quelque temps puis, si vous y tenez, recommencez. Deux ou trois pintes au début. Vous seul êtes capable de savoir si vous êtes alcoolique. »

Jack, saisi de panique, demanda : « Quand dois-je partir ?

– D'ici quelques jours. C'est à vous de voir. Le principal, c'est que tout chez vous soit chimiquement normal. »

Jack erra dans l'hôpital, s'interrogeant sur les mots *objet aimé*. Puis sur les mots *vous laisser sortir*. Et ensuite, sur les mots *chimiquement normal*. Par contre, il ne s'interrogea pas sur le mot *alcoolique*. Celui-là était à la racine de tous les instants de déraison, de fanatisme et de désespoir qui le terrifiaient.

Un dimanche matin, il se trouva en compagnie des gentils alcooliques dans une petite pièce lambrissée de bois au sous-sol de l'hôpital psychiatrique. Ils lui serrèrent la main, après quoi il s'assit et attendit. Un rayon de soleil glacé filtrait par l'unique fenêtre, illuminant les nuages de fumée de cigarette.

« Je vois que vous avez souffert », dit l'homme à côté de lui.

La porte s'entrebâilla et une tête apparut. « Vous n'auriez pas une cigarette, m'sieur ? » C'était la voix lointaine et familière d'un paysan de petite taille. Les alcooliques tendirent des cigarettes à l'homme chimiquement malade. Puis, comme sous l'emprise d'un médium, les buveurs, telles d'austères féministes, entreprirent de mettre leur âme à nu.

Jack fut accueilli avec chaleur.

« Je m'appelle Jack », dit-il quand arriva son tour de parole. Incapable de se résoudre à déclarer qu'il était alcoolique, il reprit : « J'espère que j'aurai un jour le courage de dire que je suis alcoolique. » Le petit groupe d'hommes secoua la tête d'un air entendu. Ils s'identifiaient à lui. Ils connaissaient tous cette forme de défense, cette sujétion au soi qui était une bien pire dépendance que celle à l'alcool. Le soi, gouverné par la volonté, ne pouvait pas nier sa propre existence.

« C'est une condamnation à vie, dit le dernier orateur. On ne cesse pas d'être alcoolique. Jamais. C'est dans les gènes. La même cellule défectueuse brûlera avec éclat la prochaine fois que vous boirez un verre, si prochaine fois il y a. »

Ils inclinèrent la tête pour la prière de la sérénité. Quelqu'un ouvrit la fenêtre. Des volutes de fumée s'échappèrent comme l'encens d'un rituel.

Les infirmières, sûres d'elles, se déplaçaient d'un pas léger au milieu de gens égarés dans des accès de solitude.

Une identité s'affirmait. L'infirmière poursuivait son chemin. Le malade, se sentant purifié par cette marque de compassion, la regardait s'éloigner, ou bien, contrarié par le retour d'une certaine réalité, ne la regardait pas.

Jack était heureux sous Librium.

Une autre responsabilité lui incombait. Mettre par écrit tout ce qui se passait à l'hôpital au moment même où cela se passait. Maintenant que son temps ici était compté, Jack était en proie à une obsession : il devait devenir le chroniqueur des faits et gestes de ses compagnons.

Il fallait qu'on se souvienne de cette époque. Aussi, il s'installa dans le bureau inoccupé des Admissions Hommes où il écrivit avec fièvre. Il répondait au téléphone, donnait des indications précises à ceux du monde extérieur, puis retournait à sa tâche. Dorénavant, tout allait se produire pour la première fois.

Il était dépendant du temps présent. Son carnet ne le quittait pas de la journée. Durant son sommeil, il était posé à côté de lui, et il le retrouvait à son réveil.

Ce qu'il voyait, il le notait sur-le-champ. Les villageois qui se rassemblaient. Les nomades qui se mettaient en route. L'icône, silencieuse et parfaite. Parfois, il arrivait qu'il n'eût pas les mots pour ce qu'il voyait ou sentait. Les mots n'émergeaient pas. Il arrêtait d'écrire. Sa main était incapable de former un mot. Et le mot qu'il aurait pu écrire disparaissait dans le vide. Il ne possédait plus de langage lui permettant de représenter le monde, et il ne lui restait que les résidus amers de son passé avec Catherine. Sa mémoire était altérée, et comme la mémoire repose sur les mots, les seuls qui lui venaient étaient ceux qui avaient déjà été déflorés. De sorte qu'il écoutait les autres avec attention, comme il avait écouté autrefois les chansons populaires. Il couchait sur le papier une phrase prononcée par l'un des paysans pendant qu'ils préparaient leur lit et se souhaitaient bonne nuit, pendant qu'ils se dirigeaient d'un pas traînant vers la salle du petit déjeuner, pendant qu'ils jeûnaient en attendant leurs pilules.

C'est un vieux matin sale, chanta une voix.

Tu es un filou, une girouette, répondit une autre.

Pourquoi ?

Tu vas où va le vent.

Oh.

Je vous offre deux livres pour la casquette de laine.

Deux livres et demie ?

Vous êtes fermier ?

Oui, et je travaillais dans une usine à Killalla, Dieu soit loué. C'est dur de gagner sa vie à la sueur de son front. J'ai déjà perdu deux de ces chapeaux de laine. Ils sont sensationnels, si, si. On peut les rouler et les mettre dans sa poche.

Comme les peaux de mouton. Elles aussi on peut les rouler et les mettre dans sa poche.

Tout ça sera un jour à toi, m'a dit mon oncle. Si seulement j'avais un papier.

Si seulement je pouvais la revoir, dit Jack.

Vous seriez content, mais de nouveau malade.

Quand on est deux, la culpabilité est partagée, dit quelqu'un qui écoutait.

Des fois, les gens s'inquiètent trop pour eux-mêmes.

C'est regrettable.

À chacun sa croix, dit une voix frêle d'homme âgé.

J'ai violé les règles pour trouver la juste voie, expliqua Bohola. On me l'a montrée, mais quand on est habitué à la sienne, on n'arrive pas à corriger le cap.

Que Dieu nous vienne en aide, Kiltimagh !

Comment appelle-t-on la frustration des femmes ?

Malédiction !

Il y a la terre au-delà du paradis terrestre, et elle est sur la mauvaise voie, dit le hippie. Vous pourriez aider Jack à la remettre sur le chemin de l'Éden ?

Nous avons tous des parents quelque part, dit Jack à la coiffeuse.

Oui, et nous ne sommes pas avec eux, répondit-elle.

À mesure que le temps s'écoulait, il s'aperçut qu'une journée ne suffisait pas à contenir tout ce qui se passait en son sein. Chaque instant possédait en soi un soupçon d'éternité. Plus tard, il le savait, il regarderait ces notes et les détesterait. Il devait pourtant le faire.

Hommes et femmes frappaient à la porte de son bureau, impatients de se raconter. Il s'efforçait de rendre les inflexions, les silences, les déficiences. Il écrivait, ils parlaient. Il y avait là un gage de santé mentale. Pendant qu'il écrivait leur histoire, il avait l'impression qu'on avait accordé à son imagination le temps de voir leur vie sous un autre éclairage.

Car le moindre événement de leur existence, bien qu'ayant déjà eu lieu, devait être réinventé de manière contournée. Il racontait leur vie parce que, chaque fois qu'il pensait à la sienne, il pensait à Catherine et à leur couple, ce qui déclenchait la tempête. Son esprit était emporté. L'hôpital n'était plus sa demeure. La paix, il la connaissait uniquement quand les malades parlaient.

À quatorze ans, j'ai pris du plaisir avec une ânesse.

C'était bien ? demanda Jack.

Très bien, répondit l'homme.

Jack était content pour lui. L'homme continua son histoire. Les gens se succédaient en face de lui. Il tournait la page, inscrivait la date, l'heure, le lieu, puis ils commençaient à lui confier des horreurs. Quand ils avaient fini, il se sentait vidé mais heureux. L'hôpital lui apportait une chaleur et un sentiment de satisfaction tels qu'il n'en avait pas éprouvé depuis des années. De la première minute de la journée à la dernière minute de la nuit, une brise sacrée soufflait dans le couloir.

Les infirmières lui envoyaient les malades qui désiraient raconter leur histoire. Il était à présent le médecin qu'il n'était pas devenu, celui qui guérissait les autres pour essayer de se préserver lui-même. C'étaient des moments épatants, ne pas savoir, être qui les malades estimaient qu'il était. Les eaux contraires se mêlaient. Elles baissaient. Ses carnets se remplissaient d'histoires qui avaient eu naguère un sens.

Un jour viendra, se dit-il, où je saurai de quoi je suis dépendant. Assis dans son bureau devant son bloc-notes, il se sentait heureux. L'hôpital était le monde libre. Plus jamais il ne se promènerait gaiement dans le monde extérieur, un monde anormal. Aussi, le matin de sa sortie, il se leva le cœur lourd. Il était effrayé et angoissé. L'infirmier lui donna des pilules en plus pour l'aider à affronter les semaines à venir.

« J'avais tant à faire ici, dit-il.

— Vous avez été formidable, dit l'infirmier de nuit. Mais je m'inquiète à l'idée que vous allez vous retrouver de nouveau seul. Il n'y a personne qui pourrait venir habiter avec vous ?

— Je ne serai pas seul, répondit Jack. Je serai avec vous tous. »

Il parcourut les salles à la recherche de Rita l'infirmière et finit par apprendre que c'était son jour de congé. Son sac à la main, il traversa la pelouse, franchit les portes du centre hospitalier et éprouva un choc à la vue d'une sculpture de l'autre côté de la route qui représentait la Vierge tenant le Christ. Il s'arrêta net devant le spectacle des bras et des jambes de plâtre couleur chair. Il se tourna vers la ville.

Son sentiment de liberté était teinté d'effroi. Il aurait dû apprécier cet instant, mais il se sentait surtout déloyal. À l'hôpital, il avait élaboré des associations mentales qui seraient considérées comme impropres dans le monde extérieur.

Personne en dehors de la clinique ne reconnaîtrait avoir vécu dans un tel manque d'intimité. De même que personne, devant pareille situation, n'aurait fait preuve d'autant de sociabilité. *J'ai été guéri par les hommes du Mayo.* À peine avait-il franchi les portes que son besoin de Catherine l'assaillit, plus violent que jamais. Car il avait vécu seul cette épreuve. Elle n'avait pas été à ses côtés. C'était son premier acte d'indépendance depuis des années, et il éprouvait le désir irrépressible de parler à Catherine de tout ce qui l'avait marqué.

Alors qu'il marchait dans Castlebar, il se préparait déjà à sa rencontre avec elle. Il se sentait étranger dans ces rues. L'ordonnancement des jours à l'hôpital lui convenait à merveille : dormir, se réveiller, se promener, s'asseoir, et tout cela sans que pèse sur ses épaules le poids de la culpabilité. Maintenant qu'il marchait dans la rue, un autre soi survint pour l'accompagner. Suivi d'un autre. Puis d'un autre encore. L'ancienne bande, acrimonieuse, râleuse, tapageuse, était de retour. Quand il atteignit l'arrêt de bus, ils étaient tous là. Un rassemblement de ses soi, chacun doté d'une personnalité propre, chacun réclamant son attention par ses gesticulations, ses silences, ses propos amers ainsi que par la dangereuse insécurité qu'ils symbolisaient.

Tous seraient avec lui dans le bus pour Ballina, dans le bus pour Belmullet. Ils seraient dans la maison quand il arriverait. Ils le précéderaient partout où il irait. Ils ne le quitteraient pas – ces fantômes – avant la fin de ses jours, à moins que, par un acte de foi, il parvienne à les intégrer à lui-même. Il s'efforça de les écarter. Et de ne pas s'apitoyer sur son sort. Il ne réussit qu'à provoquer quelque chose de pire : le sentiment du néant.

Dans un pub, il s'assit. Il y était entré par habitude, et avait aussitôt constaté que là, ses fantômes devenaient injurieux et agités. Chaque buveur était plongé dans cette même absence tranquille que Jack connaissait trop bien, mais qui avait maintenant perdu toute épaisseur. L'odeur de l'alcool faillit lui faire perdre l'équilibre. Chaque visage était sec, brillamment décoloré. Jack leur adressa un signe de tête et commanda un café. Quand quelqu'un commanda un whiskey, tous ses sens vibrèrent sous l'impact de souvenirs déchaînés. Il sentait l'alcool couler dans tous les tubes et les tuyaux de l'estomac du buveur.

Il se tourna et avala un Librium. Mon Dieu, je me suis couvert de honte. Il demanda l'heure. Commanda un deuxième café. Se tourna, avala un deuxième Librium. Lorsque le car pour Ballina arriva, Jack commençait à se dire que ce serait possible. Qu'il trouverait la force de se cacher de tout le monde, et même de Catherine.

8

Le cacatoès

Cette nuit-là, dans la maison glaciale, il se leva d'un bond et hurla à l'idée de ce qu'il avait perdu et de la stupidité de ses pensées. Il savait enfin que la seule drogue avec laquelle il pourrait vivre, c'était lui-même, et pourtant il désirait plus que jamais revoir Catherine. Il avait besoin de faire la paix. Il avait besoin de pardon. C'était arrivé dans le passé, et il espérait que cela se reproduirait.

Il s'empara de ce qui restait des lettres de Catherine et commença à lire. Il s'aperçut que son cœur battait à tout rompre. Il avala quelques Librium. Puis il lut et relut les lettres. Bientôt, le ton, le son, les hésitations, l'acrimonie, les éclats, l'humour, la sensualité de la voix de Catherine emplirent son esprit. Les lettres contenaient des références à des gens qu'il avait depuis longtemps oubliés, à de vieilles disputes qui paraissaient aujourd'hui bien futiles. À des lieux, des mots d'amour, des encouragements, des marques d'affection charnelle. Où était tout cet amour, à présent ? Évanoui dans l'atmosphère ?

Le sommeil le prit au milieu d'une lettre d'amour et de réconciliation qu'il imaginait en réponse aux siennes.

Le patron du chalutier sur lequel il embarquait parfois vint lui rendre visite le lendemain.

« Content de te revoir, Jack, dit-il. Hugh m'a appris que tu avais eu quelques petits ennuis.

– C'est fini, maintenant », dit Jack, tâchant de retrouver le nom du pêcheur.

Un soir, dans son ivresse, il l'avait oublié. Et là, sans avoir l'excuse de l'ivresse, il constata, saisi d'un sentiment de panique, qu'il n'arrivait toujours pas à se souvenir de son nom. La silhouette anonyme assise en face de lui remuait une tasse de thé et mangeait un gâteau sec avec des manières frustes. Jack étudia ce visage inconnu – les traits burinés, le gros nez rouge, les grandes dents abîmées – et s'efforça de mettre dessus un nom qu'il avait autrefois su. Mais l'identité de l'homme demeura un mystère. Jack se demanda s'il ne commençait pas à avoir l'esprit cynique, déformé. Allait-il perdre tous les gens qu'il avait connus ?

« Je crois que tu devrais rester, dit le pêcheur. Fuir, ça ne sert à rien. »

« Tu auras toujours ta couchette chez moi, reprit-il. À bord du *Blue*. »

Jack l'accompagna le long du chemin blanc. Le pêcheur enfourcha sa Honda 50.

« À bientôt, Jack.

– Bonne chance », dit Jack. Il agita la main et le suivit des yeux jusqu'à ce qu'il disparaisse. Le nom ne lui revenait toujours pas.

À midi, Joe Love arriva dans la camionnette verte de la poste. Tandis que le vent secouait la camionnette et que Daisy aboyait furieusement, Joe tendit son courrier à Jack qui détailla le visage du facteur avec son énorme front, ses cheveux d'une blancheur de neige et ses lèvres pleines et putassières, comme s'il le voyait pour la première fois.

« Comment ça va, Jack ?

– Formidable.

– J'ai vu ta photo dans le journal, dit Joe. Tu avais l'air très bien. »

Jack ouvrit l'enveloppe. Des critiques envoyées par Eddie. Il les lut, mais son esprit n'enregistra que les mots qui se référaient à Catherine. « Catherine Adams : une interprétation saisissante. » « Miss Adams est remarquable. Elle était née pour le rôle. »

« Nouvelle actrice sur la scène de Dublin, miss Catherine Adams est unique, émouvante. » Il éprouva un pincement de jalousie et de tristesse. Ils auraient dû partager ces instants. Il aurait aimé être appelé sur scène, lui prendre la main et saluer. Cela n'arriverait pas. Jamais.

Il fourra les coupures de presse dans la poche de son ciré et partit faire le tour de la presqu'île, étreint par un sentiment de peur. Les routes de la côte étaient jaune crème sous le froid soleil de janvier. Toutes les personnes qu'il croisa, plongées dans leur propre existence, allaient d'un pas vif et joyeux, tandis que lui était prisonnier d'un univers étranger d'où il ne pouvait s'échapper.

Jack resta deux jours dans la petite maison sans en bouger. Puis Hugh arriva en compagnie de Daisy et de la chatte. Il était content de se rappeler le nom de Hugh, mais épouvanté d'avoir oublié le chien. Daisy devint fou de joie en le voyant, puis alla se coucher à sa place habituelle. C'est ainsi que cela doit être, songea Jack. À qui parler quand on est seul ? Il regarda les images pieuses qu'il avait laissées au mur et se demanda s'il n'était pas mieux de les enlever. Qui sait quelle grandiose folie pourrait frapper son esprit dérangé si elles demeuraient là ? Il décrocha la madone, le Christ sur la croix, mais ne put se résoudre à ôter un petit plâtre représentant Joseph qui tenait son fils dans ses bras, parce que l'ombre que le moulage projetait sur le manteau de la cheminée le réconfortait.

Les choses banales et ordinaires commençaient à compter. Grâce à elles, il réintégrerait le monde, car il n'avait pas la force de se mettre à écouter Dieu. Il tâcha d'imaginer Catherine dans sa nouvelle vie. Pourra-t-elle marchander une affection continuelle avec un autre ? L'énergie négative se dissipera-t-elle ? Ils avaient vécu ensemble, se figurant tout savoir l'un de l'autre, mais ils avaient oublié l'univers étranger qui existerait après leur séparation.

Qui prendra soin d'eux maintenant ?

Longtemps, leur vie avait été marquée par le pardon. Que le monde était serein après leurs querelles ! Puis il n'y avait plus eu de pardon. Il ne se rappelait pas l'instant exact où cela s'était produit. Il était passé sans qu'il le remarque.

Quatre heures durant, il s'abandonna à la peine et au ressentiment. Il feuilleta de vieux carnets écrits à Belfast et n'y trouva aucune chronique de leur vie quotidienne. Par souci naïf de loyauté, il avait toujours voulu habiter Belfast, et pourtant cette période n'avait laissé pratiquement aucune trace dans son esprit. Qu'est-ce que je faisais, se demanda-t-il, pendant toutes ces années ?

Un maillon avait sauté entre le passé et lui. Inutile de chercher à le retrouver. Il cessa de pleurer sa mort prochaine. L'ivrogne est celui qui pleure le plus à son propre enterrement, comprit-il. L'ivrogne voudrait que tout arrive en un seul jour : sa naissance, ses amours, sa mort. C'est pourquoi il accélère le processus.

Les écharpes, pensa-t-il gaiement, elle possédait une collection extraordinaire d'écharpes. Certaines étaient aussi larges que les capes portées par les femmes dans l'ouest de l'Irlande ; il y en avait des noires en crêpe, en satin, des vertes en laine, des rouges en coton. Au souvenir des écharpes, un sentiment de tendresse l'envahit. De même que l'émotion l'étreignait à la vue de son linge qui séchait dans la cour de leur maison à Belfast ou dans la brume marine du jardin de Corrloch – les jupes noires, les pulls, les chemisiers.

Les écharpes, se dit-il.

Avec les mauvais jours, il devint nerveux, à moitié fou. Son cœur cognait et grondait comme un train qui approche. Il attendait. Il frissonnait. C'est ma punition. Il faut que cela passe. Sa vie quotidienne se réduisit à un combat entre la résignation et la volonté de changement. Il commençait à puiser du réconfort dans son lit, dans la lampe-bateau posée à côté, dans les bougies allumées, dans les visites de Hugh. Et puis chez l'infirmier qui lui donnait des pilules en plus, chez l'homme du Leitrim, l'infirmière Rita, la coiffeuse, la femme de Pontoon, la salle à manger où il était resté toute cette interminable journée à écouter les voix braillardes du personnel des cuisines.

Il se promena sur la presqu'île, mais il ne subit pas les insultes attendues. La vie continuait sans lui. Un jour, pénétré d'un terrible sentiment de culpabilité comme s'il s'était remis en secret à boire, il arpenta de nouveau la route devant la maison des Adams, l'air d'une âme en peine. Le lendemain soir, il y retourna, et le jardinier, sifflotant, le frôla dans le crépuscule.

Il se décida enfin à fermer le triangle et il s'aventura jusqu'au Erris Hotel pour y boire un café. Mrs. Moloney sortit de derrière le comptoir.

Elle se pencha et lui serra la main.

«Vous êtes le bienvenu, Jack Ferris. Nous avons tous besoin de nous évader un peu.

— Merci, dit Jack.

— Vous savez ce qui ne va pas chez nous ? demanda-t-elle sur le ton de la confidence. Nous sommes bien trop passifs. Il aurait dû y avoir une fanfare pour fêter votre retour.

— Vous croyez ? fit-il, incrédule.

— Absolument. Nous ne nous occupons jamais des nôtres. Ma fille a vu votre pièce et elle l'a trouvée fantastique.

— Ça me fait plaisir.

— Vous avez dû le célébrer comme il faut, là-bas, le soir de la première.

— Oui, répondit-il avec un sourire.

— J'ai toujours rêvé de connaître un jour quelque chose de ce genre.

— Il n'est pas trop tard.

— Oh si !» affirma-t-elle.

Il flâna dans les rues. Puis il reprit le chemin de Corrloch. Avec appréhension, il poussa la porte de chez Lavell.

« Vous avez été absent, Jack, dit Mrs. Lavell.

— Oui.

— Vous entendez le cacatoès ? »

Jack sursauta.

« Pardon ?

— Depuis que vous êtes parti, j'ai un cacatoès. Le petit ami de ma fille Marie lui en a acheté un à Dublin. Il rendait sa tante folle. Marie travaille toute la journée, le soir elle sort avec son petit ami, et l'oiseau n'arrêtait pas de jaser. Alors sa tante, ma sœur, a dit qu'elle n'en voulait plus.

— Il me faudrait une douzaine d'œufs.

— Donc, ma fille m'a demandé de le prendre.

— Et une demi-livre de saucisses.

— Maintenant, il me réveille tous les jours aux aurores.

— Il vous tiendra compagnie.

— Oui, l'hiver est long », acquiesça Mrs. Lavell.

Le lendemain matin, il retourna au magasin d'alimentation à travers champs pour acheter du pain. Le vieux pêcheur, Bernie Burke, reprenait son souffle, assis sur un sac de pommes de terre.

« Bonjour, dit Jack.

— Ravi que tu sois de retour, dit Bernie. J'ai vu ton nom dans les journaux. Et celui de Catherine aussi.

— L'oiseau a déjà dit quelque chose ? demanda Jack.

— Les seuls mots qu'il prononce, c'est dans une autre langue, répondit Mrs. Lavell.

— Vous devriez le laisser écouter la radio, dit Bernie. C'est comme ça qu'ils apprennent.

— La radio, répliqua Mrs. Lavell, ne ferait que l'écœurer. »

Jack éclata de rire.

« Pas vrai, Jack ? »

Ils rirent tous les trois. Jack prit un journal et posa la monnaie sur le comptoir. Il sortit. Il était de retour chez lui. Il grêlait. Le soir, il lut de la première à la dernière page un *Irish Independent* daté de 1933. Le lendemain matin, Daisy le suivit, prêt pour la promenade jusqu'à la maison des Adams. « Pas aujourd'hui », dit Jack.

C'était ainsi. Puisqu'il l'avait autrefois aimée physiquement, que son imagination essaie donc de la retrouver. Il s'installa à la table de la cuisine. Il attendit. Comme il avait attendu à l'hôpital. Tant qu'il l'aimerait, il ne pourrait pas recommencer à écrire.

À l'instant même où il coucherait un mot sur le papier, il cesserait de l'aimer. Devenu une histoire, ce serait terminé. Une autre personne se matérialiserait.

Son esprit refusa cependant de se soumettre. Il n'était pas prêt à confier la Catherine en chair et en os au monde imaginaire. Il voulait rester dans le monde réel, poursuivre l'aventure.

Il restait une épreuve à subir. Il ne serait pas libéré tant qu'il ne lui aurait pas parlé. Il se représenta la rue où il la rencontrerait. Le manteau qu'elle porterait. Ce qu'elle dirait. Ce qu'il dirait. Et comment il garderait ses distances et sa dignité. Il ne s'accrocherait pas à elle. Voilà comment il se conduirait – avec retenue. Il n'insisterait pas. Il regretterait et ne discuterait pas.

Il prit un bus pour Ballina. Il n'avait pas bu depuis un moment, mais il emporta son tube de Librium. Il parcourut à pas vifs les rues mouillées, peuplées d'hallucinations. Il prit le train de l'après-midi. Il erra dans Dublin, terrifié à l'idée de tomber sur elle tout en mourant d'envie de la voir. Il s'engagea dans la rue du théâtre.

D'une ruelle, il regarda leurs deux noms inscrits en grosses lettres au-dessus de l'entrée. Le rôle qu'il lui avait écrit l'avait affranchie de lui. Comme un changement d'éclairage. *Catherine*, dirait-il, *je suis juste venu te souhaiter bonne chance*.

Des souvenirs de leurs rencontres précédentes traversèrent son esprit cependant qu'il imaginait quelque ultime et tragique rendez-vous. Craignant d'être vu, il se glissa le long du mur du théâtre et s'arrêta devant les étranges photos en noir et blanc de la pièce. Il les examina et tâcha en vain de les replacer dans leur contexte. Il se réfugia dans une rue transversale. Planté ainsi devant un théâtre où l'on jouait sa pièce et dont l'accès lui était interdit, il lui semblait être victime d'une colossale plaisanterie. Et puis il éprouva un sentiment de déjà-vu. Quand s'était-il tenu là pour la dernière fois ? Il ne parvenait pas à se le rappeler, et pourtant, dans son imagination cyclopéenne, il se revoyait, posté à ce même endroit, qui attendait Catherine. Tout – bruit, lumière, goût – était exactement comme dans son souvenir, mais la scène avait une dimension nouvelle. Il s'aperçut avec stupéfaction que c'était la rue où il s'était longtemps figuré qu'il retrouverait Catherine. Le moment était venu. Soudain elle apparut, s'avança dans sa direction et entra dans une cabine téléphonique. Il sentit son cœur cogner dans sa poitrine. Ses mains trembler. Il la regarda parler, gesticuler, froncer les sourcils, sourire. Au spectacle de cette pantomime familière, il fut pris de vertiges.

Lorsqu'elle sortit, il s'approcha par-derrière et dit : « Catherine. »

Elle se retourna et se figea. L'espace d'une seconde, entendant sa voix, elle avait failli lui sourire. Puis le désespoir se peignit sur ses traits. Elle s'efforça de se maîtriser et, sans un mot, s'éloigna.

« S'il te plaît, supplia-t-il, s'élançant derrière elle. On ne peut pas rester amis ?

– Non, répondit-elle froidement, allongeant le pas. Tu m'as laissée tomber.

– J'étais malade.

– Toujours la même chose. Et les coups de téléphone ? dit-elle, se tournant vers lui.

– Excuse-moi.

– Tu ne te rends même pas à moitié compte de la panique que tu as provoquée.

– On aurait dû me permettre d'assister aux répétitions de ma propre pièce.

— Ils ne voulaient pas de toi. Plus personne ne veut de toi. Personne ! Tu n'es qu'un pauvre guignol ! Tu sais ce que les gens pensent de toi ?

— Je m'en doute », dit-il. Et, sans réfléchir, il lui prit le bras. « J'étais à l'hôpital.

— Tu y étais uniquement pour prendre des notes en vue de ta prochaine pièce, dit-elle, contemplant la main de Jack d'un air furieux.

— Mon Dieu ! Comment peux-tu dire ça ? »

Elle détourna le regard. « Ôte ta main de mon bras, s'il te plaît. »

« Lâche-moi », ajouta-t-elle un instant plus tard.

Il recula. Elle se dirigea vers le théâtre, fière et sûre d'elle-même, comme si elle venait de mettre fin à quelque discussion par des arguments définitifs. Lui ne se contrôlait déjà plus. Tout ce qu'il avait eu l'intention de dire, il l'avait oublié. Il pivota, mort de honte. Quand il jeta un coup d'œil par-dessus son épaule, il vit qu'elle le regardait, le visage décomposé. Il se précipita à sa suite. Lorsqu'il la rattrapa, elle pressa le pas.

« Je t'ai attendue.

— Tu m'as raconté des mensonges, dit-elle. Tu n'as pas arrêté de boire.

— Maintenant, je ne bois plus.

— C'est trop tard.

— Ne dis pas ça.

— Va-t'en, siffla-t-elle.

— Qu'est-ce que tu veux que je fasse ? demanda-t-il, trottant à côté d'elle.

— Je veux que tu t'en ailles. » Elle se mit presque à courir.

« Bon, d'accord », balbutia-t-il.

Il s'arrêta. Sous le coup de l'humiliation et de la défaite, l'air de la rue se gondola devant ses yeux.

Il déambula dans Dublin, prit des cafés dans des bars et des pubs bourrés de touristes européens en ce début de printemps. Il but du café toute la soirée. Il savait qu'il devrait partir, rentrer chez lui, être ailleurs, mais il allait de pub en pub comme un chien malade, car il espérait toujours tomber sur des amis susceptibles de parler pour lui à Catherine. Qui étaient les amis en question, il l'ignorait. Il ne but pas d'alcool. Non par choix, ni par esprit de discipline, mais parce qu'il avait oublié ce que c'était, oublié que l'alcool pouvait soulager la souffrance. Pourtant, cette errance à travers la ville avait toute l'apparence d'une virée de pochard. Le café le rendait fou.

Aller de pub en pub, essayer de tenir une conversation avec qui lui adressait la parole tandis que son esprit troublé s'égarait, caresser un espoir ridicule au moment de tourner le coin d'une rue, voir l'inéluctable devenir comique, parler tout seul, chercher le regard des femmes compatissantes, pleurer les yeux secs, dire la prière de la sérénité, tout cela il devait le subir même si l'instant irrévocable était passé.

Il se retrouva peu après dix heures devant le théâtre, d'où, la pièce finie, la foule des spectateurs s'écoulait. Les gens l'entouraient qui bavardaient, riaient, hélaient des taxis. Il surveilla les portes. Les lumières s'éteignirent. On rentra les panneaux. Deux hommes qu'il prit pour des techniciens passèrent devant lui, se rendant au pub d'à côté. Une actrice, qui se démaquillait encore avec un mouchoir en papier, resta un instant plantée sur le trottoir et éternua.

« À vos souhaits, dit Jack.

– Mon Dieu, c'est vous.

– Je me demandais si Catherine était encore dans le secteur.

– Elle est partie.

– Ah. »

Elle s'éloigna en hâte. La rue fut bientôt déserte. Il explora les bars voisins.

Sa quête s'acheva avec la fermeture des pubs. Il se dirigea vers la dernière adresse que Catherine lui avait donnée. Ses pas le portaient malgré lui, car il avait l'impression de trahir sa confiance. La rencontrer par hasard était acceptable, aller chez elle était mal. Il ne pouvait cependant pas s'en empêcher. Il avait perfectionné la démarche qu'il avait mise au point à l'hôpital. L'allure volontaire qui marquait l'impatience propre à une quête inlassable. L'offensive obsessionnelle sur le terrain psychologique. L'âme perdue était de nouveau en marche.

Les doigts glissaient d'eux-mêmes dans les poches. Les chaussettes tire-bouchonnaient. La respiration s'affolait. Les phares des voitures et les feux de signalisation l'éblouissaient.

Lorsqu'il s'arrêta soudain, il s'aperçut, étonné, qu'il était allé bien trop loin. Il fit demi-tour. Quand il arriva enfin à la maison de deux étages en brique rouge située dans une rue donnant sur South Circular Road, il hésita un instant, frappa à la porte. Un rideau du premier étage s'écarta, un visage apparut à la fenêtre, puis le rideau retomba. « Catherine », appela-t-il. Il entendit des voix dans l'entrée. Des pas, des murmures. Les petits bruits insignifiants dont la paranoïa se nourrit. « Catherine », appela-t-il de nouveau. Il écouta aussi longtemps qu'il put le supporter, après quoi il partit vers Camden Street avec le sentiment d'avoir enfin accompli le devoir psychique qu'on attendait de lui.

La longue ivresse s'achevait. Le long voyage vers la sobriété commençait. Il se demanda dans quel but il avait survécu.

Il regagna sa petite maison sur Mullet deux jours plus tard. Les journaux étaient toujours étalés sur la table. Les animaux affamés grattaient à la porte. Daisy devint comme fou quand il lui lança quelques os. La chatte sauvage miaulait de faim dans ses jambes, la queue dressée. Il lui donna du lait tourné et des flocons d'avoine. On avait l'impression d'une maison inhabitée. Elle sentait la vieille peinture à la détrempe et les pommes de terre froides. Il traversa la cuisine et entra dans la chambre. Il s'allongea et posa l'une des lettres de Catherine sur sa poitrine. Son désespoir était intense. Les mauvais jours revenaient. Les veines sur le dos de sa main se mirent à palpiter. Il était de retour chez l'ennemi. Les réalités futures se mesuraient à présent en doses de tragique. Nom de Dieu ! Il se leva, rangea les lettres. Et il dit, la seule façon dont je peux me libérer d'elle c'est de l'imaginer non pas en tant qu'elle-même mais en tant que personne autre, différente, car je pourrai ainsi penser à elle sans ressentiment.

Il comprit soudain ce qu'elle avait fait : elle les avait sauvés l'un de l'autre. Il vit le sourire qu'elle avait esquissé lorsqu'elle avait entendu sa voix familière. Un instant, elle avait retrouvé son ancienne tendresse. Et puis il tressaillit au souvenir du ton sur lequel il l'avait suppliée. Il la vit, le regard affolé, se tourner vers lui dans la rue. Sa tristesse, sa beauté. L'espace d'un moment, tout aurait pu recommencer. Elle avait lutté contre les désillusions. Elle avait vu ce qui s'annonçait.

Désormais il lui faudrait vivre dans un monde différent. Transcender. Entrer dans une nouvelle histoire. Il devait imaginer Catherine. Il ouvrit un carnet à spirale et se dit : ça commence ici.

II

Le saumon de la connaissance

9

La mort de Matti Bonner

Catherine avait treize ans le jour où Matti s'est pendu à un arbre à mi-chemin entre la chapelle catholique et l'église presbytérienne. Elle fut la première, en bas des marches de l'église, à découvrir le visage aux traits tordus.

Elle ne comprit pas tout de suite ce qui était arrivé.

On aurait cru quelqu'un qui, grimpé dans l'arbre, cherchait à atteindre la branche supérieure, ou essayait de se cacher, et puis elle s'aperçut que les deux pieds ne reposaient sur rien. Elle était sortie parce que les assemblées religieuses la rendaient souvent malade. Emplissant ses poumons, elle vit le visage de Matti Bonner. Elle fit quelques pas en avant. La main droite, à laquelle manquait le majeur, paraissait bouger imperceptiblement. Derrière Catherine, un orgue jouait et un chœur entonnait un cantique.

« Papa ! » hurla-t-elle.

Saisie de convulsions, elle se précipita vers l'église.

« Papa ! papa ! » hurla-t-elle, et les hommes, embarrassés, se levèrent pour laisser Jonathan Adams rejoindre sa fille.

Jonathan Adams exigea que tous restent à leur place. Puis, sachant que Matti Bonner avait été un paroissien de Sainte-Marie, il entra sur la pointe des pieds dans la chapelle catholique qui sentait la crème aigre et expliqua ce qui était arrivé à ceux qui se tenaient au fond. Pendant que les communiants redescendaient l'allée centrale, un ouvrier coupa la corde du pendu, Jonathan Adams le reçut dans ses bras et un homme de la Royal Ulster Constabulary qui était de service l'allongea par terre.

Entre-temps, les fidèles des deux églises commençaient à sortir, bien que chaque dimanche l'office du matin débutât dans l'une quand la messe dans l'autre approchait de la fin. Tout était organisé de manière à ce que les deux communautés ne se rencontrent pas, ni à l'aller ni au retour. Mais ce matin-là, l'office avait été brusquement interrompu par Catherine, et la messe avait cessé juste après la communion. Les paroissiens se groupèrent autour du mort, examinèrent l'arbre, la corde coupée au-dessus du nœud coulant, et repoussèrent certaines pensées politiques. Les presbytériens regardèrent d'un air distant le prêtre murmurer quelque chose à l'oreille de Matti.

Les catholiques paraissaient frappés de stupeur.

Pour toutes les personnes présentes, cette mort n'inspirait cependant rien. Elle ne suscitait aucune profonde interrogation sur l'au-delà. Elle interdisait le chagrin. Elle semblait l'œuvre d'un homme résolu à détourner son visage de Dieu.

C'était le troisième suicide en deux ans. L'Erne avait rejeté le corps d'un jeune réserviste sur Dernish Island, et une fille s'était tranché les veines des poignets dans une cabane. Deux morts protestantes. La première due à une psychose maniaco-dépressive, la seconde à des problèmes familiaux. Là, pour la première fois dans l'histoire récente, un catholique se supprimait sur ce territoire.

La mort de Matti Bonner fournissait aux loyalistes un aperçu de la vulnérabilité de l'ennemi.

Les membres du conseil de l'Église presbytérienne qui se tenaient sous le bouleau se sentaient à la fois détachés et contrariés. D'une certaine manière, cette mort les mettait en danger. Quoique le suicide pût être reproché aux catholiques, ils avaient l'impression qu'il était dirigé contre eux. Il les impliquait tous. Le geste de Matti Bonner était une malédiction. Un signe. Matti Bonner désirait demeurer à jamais gravé dans leurs souvenirs.

Quant aux catholiques, qui parlaient familièrement de sa mort, ils se sentaient surtout trahis. Par son suicide, il rejoignait l'autre camp. Il avait brisé l'idole de la vie elle-même. Par sa mort, il était devenu un informateur. Le chagrin que manifestait Jonathan Adams les embarrassait, d'autant qu'il dépassait le leur. Matti Bonner les avait privés jusque de leur droit à le pleurer. Se pendre ainsi en face de la chapelle catholique, c'était les montrer du doigt.

Il disait : Dans la chapelle, il n'y a pas de paix.

Et certains, au fond d'eux-mêmes, comprenaient le désespoir de Matti Bonner.

Il avait choisi l'endroit, l'heure et les deux églises, et il disait : *J'en avais assez – un jour on sort seul et on épouse la mort.* Matti Bonner ne disait pas qu'il était mort pour des raisons politiques, économiques ou sentimentales. Il disait que Dieu l'avait abandonné à son désespoir. En conséquence, il avait pris le risque d'affronter l'idée de miséricorde éternelle. *Je m'en vais,* disait Matti Bonner du haut de son arbre. *J'en avais assez.*

Aussi, par souci de bon voisinage, par approbation tacite de son sens du courage et du drame ou par simple désir de vérifier si les catholiques, contrairement à la rumeur, allaient l'inhumer en terre consacrée, Matti Bonner eut de grandes funérailles. Des personnes de toute confession y assistèrent, du moins le temps d'accompagner le corbillard. C'était l'époque où chaque membre de chaque secte pouvait assister à quelque enterrement que ce soit. L'heure était à l'œcuménisme et la guerre venait à peine de commencer. Quelques-uns parmi les presbytériens les plus rigoristes quittèrent le cortège à un moment donné. C'étaient encore, pour l'instant, des survivants. D'autres, les apologistes, restèrent sur le seuil de la chapelle jusqu'à la fin de la messe des morts. Par-dessus la tête des fidèles, ils regardèrent, fascinés, se dérouler sur l'autel les cérémonies que leurs aïeux avaient abjurées. Les cierges. Les calices. Les chapelets. Au lieu de cène, il y avait ici une messe, et là un repas qui était un sacrifice. Les œcuménistes observaient avec perplexité tout ce cérémonial, tandis que d'autres, parmi lesquels Jonathan Adams, contemplaient d'un air dégoûté le gosier rouge du prêtre qui se gonflait comme celui d'une grenouille pendant qu'il buvait le vin. Ses doigts qui jouaient avec l'hostie. La façon dont il s'essuyait les mains, s'agenouillait dans un froissement d'étoffes et se tournait pour bénir les fidèles.

Le juste doit vivre dans la seule foi, songeait Jonathan Adams.

Tout le monde perçut la gêne du prêtre quand il aspergea d'eau bénite le suicidé puis invita son âme à gagner le paradis. *Le tambourin pour l'éternité*. Puis quatre ouvriers soulevèrent le cercueil pour le porter sur leurs épaules et, tandis que la famille prenait place derrière, ils se surveillèrent du coin de l'œil pour voir lequel allait flancher. La mort de Matti Bonner modifiait la démarche fière des protestants, la démarche mal assurée des catholiques. Les membres de la famille ne pleuraient pas. Les convenances n'exigeaient pas qu'ils versent des larmes, mais qu'ils soient présents et veillent à ce que chacun respecte le rituel. Le poids de la superstition accompagnait cet homme solitaire dans la tombe. Ils étaient choqués à l'idée de suivre le cercueil de celui qui, par sa mort, avait déprécié leur existence. Son suicide les minait.

Et lorsqu'ils l'enterrèrent, ce fut dans une case profondément enfouie de leur esprit, un endroit où l'existence de Dieu n'a jamais été véritablement prouvée, ni leur vie véritablement authentifiée. Sa mort suscitait en eux des interrogations sur le sens du mot *éternel*, sur le sens du *désespoir*, sur le sens de l'idée de *rédemption*. Il n'y avait nulle élévation spirituelle à inhumer un homme qui s'était donné la mort en face de deux églises le jour de Thanksgiving. Jusqu'à la terre qu'on jeta sur son cercueil qui était comme transparente, réduite à rien. Et les prières dites sur sa tombe furent comme l'ultime blasphème.

Matti Bonner s'était pendu à un bouleau qui, au nord, offrait une vue sur un champ où le révérend Ian Paisley était venu un soir à minuit avec des torches, des flambeaux et des flûtes faire campagne pour son élection au parlement de Stormont. Après la messe, les catholiques s'installaient souvent en dessous pour fumer et regarder passer les membres des autres sectes. À l'ouest se trouvait un petit terrain de football.

De loin, l'arbre évoquait un homme qui ôtait son chapeau à plumes d'un geste théâtral.

Quelques noms avaient été gravés au canif dans l'écorce. Le plus connu était maintenant celui de Matti Bonner en personne, sans mention de date, noir et profond.

En irlandais, la commune s'appelait *Cul Fada*. En anglais, Cullada. Dans les champs derrière le bouleau, Matti Bonner venait souvent retourner les foins pour ses voisins protestants lorsque ceux-ci partaient célébrer le 12 juillet. Il connaissait sans doute le bouleau sous tous les angles. Maintenant, quand les catholiques passaient à côté, ils se signaient, et quand les filles Adams parlaient dans leur chambre, elles parlaient de Matti Bonner, le célibataire qui se baladait dans son jardin la braguette ouverte. Elles allaient se promener sur la route jusqu'à l'arbre où le bout de corde sans le nœud coulant se balançait encore ; elles se dirigeaient vers la maison en désordre et, des frissons dans le dos, elles jetaient un œil dans les pièces, voyaient les bols et les tasses, le pot à lait à côté de la porte. Elles voyaient aussi la vieille Ford noire dans un fossé, la charrette rouge renversée, l'antenne de télévision couchée par une rafale de vent au cours d'une tempête, les cartes de Noël restées sur la cheminée et, malgré les mauvais esprits catholiques qui rôdaient, elles éprouvaient un pincement de tristesse. Sous les pommiers, elles découvrirent le crâne d'une vache et s'imaginèrent que c'était le sien ; pétrifiées, elles s'abritèrent d'une averse de grêle dans l'appentis en tôle galvanisée et comprirent que Dieu existait, ce qui ne les empêcha pas de proférer des mots durs dans un murmure tendu.

Elles tâchaient de tromper leur peur.

De chez elles, à un champ de là, elles apercevaient la maison de Matti Bonner, et depuis sa mort, elle était devenue immense. Car, désormais, son âme semblait habiter plus pleinement les lieux. La nuit, elles entendaient Matti siffler son chien. De leur chambre à l'étage, elles dominaient sa maison et juraient avoir vu brûler dans la cuisine une lampe éclairant le Sacré-Cœur. Du sang coagulé gouttait du cœur du Christ. L'endroit était plus barbare et plus profane que de son vivant.

Parce que, maintenant, à leur mépris s'ajoutait la pitié, laquelle virait à la répulsion devant l'inclination à la souffrance des catholiques.

À cause de ce qu'elle avait vu – ce cauchemar catholique –, et de crainte que le visage du mort ne vienne la hanter, Catherine fut autorisée à dormir à côté de sa sœur, de sorte que de la fenêtre de Sara, les deux filles regardaient la maison de Matti jusqu'à ce que s'en dégage une brume bleutée. On entendait le pauvre homme siffler parmi les arbres. Sa scandaleuse image du Christ brillait dans la nuit comme une décoration de Noël. Elles en avaient les cheveux dressés sur la tête. Il était en enfer.

« Il y est pour toujours ? » Catherine, terrifiée, courut poser la question à son père.

Jonathan Adams pensa au mot qui avait donné naissance au concept d'éternité, αἰώνιος. L'éternité du mal était-elle démontrée ? Y avait-il une différence entre éternel et immortel ? Il chercha un psaume qui pourrait apaiser à la fois les souffrances de Matti Bonner et les craintes de ses filles.

« Sa colère est d'un instant, sa faveur pour la vie ; au soir la visite des larmes, au matin les cris de joie », leur lut-il du livre des Psaumes.

Puis il pensa aux mots pour enfer. *Shéol* : le séjour des morts.

Tartare : un état intermédiaire avant le Jugement. *Hadès* : le monde invisible. Et *Géhenne*, le mot que le Seigneur avait utilisé : l'égout dans une cité juive où l'on jetait les cadavres des pires criminels et où l'on allumait des feux afin de purifier l'atmosphère contaminée.

C'était là que se trouvait Matti Bonner, décidèrent les filles qui scrutaient l'obscurité par la fenêtre. Et il s'y trouvait pour l'éternité. Matti Bonner était dans la vallée de Hinnom. Son corps avait été précipité au milieu des vers et du feu de la vallée transformée en décharge. La puanteur des cadavres parvenait jusqu'à elles, et puis leurs cris, et puis les aboiements d'un chien.

Petit à petit, les animaux de Matti Bonner traversèrent les champs jusque chez les Adams.

Ses poules. Sa chèvre blanche qui, bien qu'entravée, réussit à se traîner par-dessus les murets. Et enfin son chien. Celui-ci ne venait que pour chercher à manger, après quoi il repartait chaque fois vers son ancienne maison attendre le retour de son maître. Des lumières s'allumaient et s'éteignaient. Des groupes de parents catholiques parcouraient les pièces comme des pilleurs de tombes. À minuit, le chien gémissait jusqu'au petit matin. Il réveillait les oies qui se mettaient à cacarder à grands cris. Les coqs chantaient toute la nuit. Reilly grattait comme un fou à la porte de la cuisine de Matti Bonner. « Laisse-moi entrer ! hurlait-il. Laisse-moi entrer ! » Les mouettes à la recherche de graines dans les champs commençaient alors à aboyer comme des chiens. Reilly se fâchait. La nuit était peuplée d'aboiements suivis de longs gémissements lugubres, jusqu'à ce qu'on ait l'impression que seul un animal pouvait réellement pleurer la mort d'un être humain.

Quand les filles s'approchaient de la maison pendant la journée, Reilly les attaquait, alors qu'il les connaissait toutes deux. Il était furieux, possédé, le dos tendu comme un arc. Pourtant, dès qu'il arrivait chez les Adams, il se roulait sur le dos, offrant son ventre, l'air de sourire. Le soir, le village entier le maudissait. Les filles l'appelaient de la fenêtre. « Reilly ! » Il s'interrompait une seconde, puis reprenait ses gémissements. Les oies criaient. Toutes sortes d'oiseaux s'éveillaient. L'atmosphère de la nuit était perturbée.

Les filles, couchées dans le lit de Sara, écoutaient le chien et s'émerveillaient du courage d'un homme capable de se pendre face à deux églises. Elles se demandaient ce qu'il avait pensé au moment d'accomplir son geste de protestation. Selon les garçons protestants du village, quand un homme se pend, son sexe se dresse. Ils disaient que Matti Bonner, le *Taig*, avait la braguette ouverte le jour où il était mort devant la chapelle catholique.

Sara voulait savoir si c'était vrai. Est-ce que Catherine avait vu son zizi dressé ? Catherine répondit qu'il lui semblait en effet avoir distingué quelque chose de blanc, son ventre peut-être. Elle n'était pas sûre. Elle finit cependant par y croire. Oui, un sexe blanc, tout raide. Non pas un sexe d'homme marié, de père, niché tranquillement sur son tapis brun, mais quelque chose d'étranger, qui n'appartenait même pas à Matti Bonner. Son sexe semblait doté d'une vie propre. La nuit, elle le voyait, ce pénis qui ne se dressait que chez les pendus. Elle distinguait d'abord le visage sombre, puis le membre blanc, frêle, qui pendait, non pas dressé mais pareil à celui d'un enfant. Puis, au moment où la corde se tendait, le pénis se tendait à son tour.

« Tu as vu des poils ? Il avait des poils roux ? demanda Sara sérieusement.

– Oui. »

Elle en avait aperçu par la déchirure que les barbelés avaient fait dans son pantalon. Elle avait aperçu les égratignures sur sa peau. Leurs murmures impudiques s'agrémentaient de peur. *Les chiens rôdaient dehors.* Les mensonges de Catherine et l'imagination de Sara alimentaient leurs fantasmes jusqu'à épuisement, et elles devenaient de plus en plus intimes avec Matti Bonner, la première personne de leur connaissance à mourir. À la nuit tombée, elles se

116

complaisaient dans la crainte que leur inspirait cet homme, un homme qu'on oubliait dès qu'on avait détourné le regard. Il se réduisait à une maison délabrée, un nom, un catholique, une cour, une chèvre blanche bêlante, une façon de marcher, une façon de parler, des emportements, un célibataire à qui manquait un doigt de la main droite. Un homme qu'elles pouvaient regarder de haut et qui maintenant n'était plus qu'une immense et effrayante silhouette en érection dont le chien, nuit après nuit, gémissait pathétiquement sur le seuil de sa maison.

Un soir, les filles virent non seulement que des lumières brillaient chez Matti Bonner, mais aussi qu'on passait des meubles par les fenêtres. Le chien hurlait à la mort. On entendit soudain une détonation de fusil de chasse suivie du cri terrifiant de Reilly, puis d'un second coup de feu, et enfin du silence. Le calme régnait à présent. Les tourments de l'âme de Reilly avaient pris fin.

Le lendemain, Jonathan Adams dit : « Bon, ce soir, Catherine, tu retournes dans ta chambre.

— Papa, j'ai peur.

— Et de quoi as-tu peur ?

— De Matti Bonner.

— N'y pense plus.

— Je ne peux pas.

— Suffit, ma fille. Je ne le répéterai pas. Matti est au ciel.

— Il est en enfer.

— J'ai dit, Catherine. Ce soir, tu reprends ta chambre.

— Mais papa, il me suitera.

— Suivra ! Il me suivra ! la corrigea le brigadier.

— Suivra, dit Catherine. Il me suivra.

— Personne ne te suitera, ma fille. » Jonathan Adams prit Catherine par la main et tous deux repartirent à pas vifs. « Quand on commence à tenir ce genre de discours, on récolte ce qu'on mérite. Il faut apprendre très jeune à rester seul. »

Catherine réintégra donc sa chambre et, chose curieuse, Matti Bonner ne vint pas la visiter cette nuit-là. C'est le fantôme du chien qui les hanta, Sara et elle, jusqu'à ce qu'il finisse par reculer comme le fait un chien devant la peur de l'inconnu. On oublia Reilly. La maison de Matti, vidée de ses meubles qui étaient entreposés dans le garage de son neveu, devint le refuge d'animaux. La brèche ouvrant sur le subconscient était comblée, et la terre fut finalement vendue à un presbytérien de l'Église libre du Tyrone qui récura les murs et les planchers pour les débarrasser de tout signe de présence catholique, puis peignit sur le pignon : LA VERTU EST CELLE DU SEIGNEUR.

Au-delà des champs, Matti Bonner reposait maintenant en terre consacrée.

Catherine savait néanmoins qu'il rôdait quelque part dehors, essayant de rentrer.

Couchée pour la première fois à côté de Jack Ferris, tendue, elle se rappela le célibataire catholique qui s'était pendu en silence à l'arbre et imagina de nouveau son membre sorti de son pantalon bleu marine. Elle avait menti, il n'y avait rien eu de tel. Seulement dans ses rêves. Le pénis en érection signifiait la mort par pendaison. Dans les années qui avaient suivi, il lui arrivait souvent de se réveiller en sursaut, baignée de sueur, pour se souvenir qu'une seconde auparavant elle faisait l'amour avec un pénis désincarné. Le pénis de quelqu'un qui n'était pas là et dont seul le membre la pénétrait. Elle tendait le bras pour enlacer l'homme, mais elle ne rencontrait que le vide. Sous le choc, elle se réveillait.

Elle se rendait alors compte, avec un profond malaise, que dans son rêve elle faisait l'amour avec ce pénis désincarné. Et son malaise s'accentuait quand elle se rappelait que le pénis appartenait à Matti Bonner. C'était lui, comprenait-elle, épouvantée, l'homme insaisissable qu'elle avait voulu prendre dans ses bras et réconforter. Dans ses rêves, il n'y avait jamais personne, rien qu'un être immatériel et anonyme en érection. En proie à la panique, elle battait l'air autour d'elle pour le saisir, et elle se réveillait terrorisée de n'avoir rencontré que le vide, tandis que son plaisir sexuel refluait, la laissant les cuisses brûlantes. Un pénis fantôme lui avait donné de la joie pendant son sommeil, surgi du royaume des morts.

10

Le livre fenian

Les marronniers étaient en fleur. Le village du Fermanagh oublia Matti Bonner. Mais le brigadier Adams n'oublia pas, lui. Choqué par sa mort, il fouilla dans sa mémoire pour savoir s'il n'y avait pas eu un moment où Matti Bonner aurait trahi ses intentions par un geste ou une parole. Au poste de la RUC, ses collègues policiers avaient d'autres soucis en tête. Ils déclarèrent cependant que personne n'ignorait qu'il avait à plusieurs reprises menacé de se tuer.

« Il ne vous en a jamais parlé ? demanda le policier de service.

– Non, il n'a jamais mentionné cette obsession, répondit le brigadier Adams avec une pointe de regret.

– Et vous qui passiez devant chez lui presque tous les jours », dit le policier, étonné. Il rit. « Ça prouve bien qu'on ne peut jamais se fier à un catholique. »

Dans l'esprit de Jonathan Adams, le problème était celui de l'*illusion*. Au cours des vingt dernières années, ils s'étaient parlé presque tous les jours, et Matti Bonner s'était montré indéfectiblement cordial et décontracté. Ils s'entendaient bien. À présent, le brigadier commençait à croire qu'il s'était imaginé une amitié qui n'avait pas existé. Matti Bonner avait manifesté de la méfiance à son égard, cette méfiance tribale qui l'avait empêché de réclamer son aide.

Il avait emporté son secret dans la tombe.

« Le pauvre homme devait être malade, dit Maisie.

– Pourquoi il ne s'en est pas ouvert à nous ? »

Le brigadier Adams évoquait souvent le passé. Une image de Matti surgissait, un homme servile et dépourvu de scrupules en un sens, et dangereusement subversif en un autre. Lorsqu'il avait touché le corps, il s'était rappelé la longue route qu'ils avaient faite ensemble jusqu'à Rathkeale. Deux hommes dans une voiture qui filait vers le Sud, sans échanger le moindre mot. La chaleur de la voix de Matti Bonner derrière lui à l'église le matin de son mariage. « Bonne chance, patron. C'est une bonne vieille lignée. » Et maintenant, le mort n'était plus qu'un étranger.

Jonathan Adams était abattu de chagrin. Aussi, bien que policier, il s'était risqué dans le cimetière catholique pour un dernier adieu à son garçon d'honneur. Les hommes et les femmes qui se trouvaient là étaient tous ses ennemis. Le prêtre lui adressa un bref signe de tête, le neveu lui serra la main, et les autres observèrent un silence fataliste puis s'écartèrent pour dévoiler le cercueil nu. Regarde ce que tu as fait, disaient-ils ainsi. Je le connaissais mieux que n'importe lequel d'entre vous, avait-il envie de crier. Il se contenta de jouer son rôle. Soumis. Plus pieux que toi. Pourtant, d'une certaine manière, il n'avait pas l'impression d'assister à des funérailles. Car, durant tout ce temps, il ne cessa de discuter avec le vivant.

Pourquoi ne m'as-tu rien dit ? Qu'est-ce qui t'en a empêché ? Où es-tu à présent ? Bon, d'abord, il n'y a pas eu de prêtre catholique pour te conduire dans l'au-delà après ta mort. À cette pensée, Jonathan Adams se sentit blasphémateur. Il se rappelait Matti qui disait : « C'est ça qu'ils font. Te soutenir au moment où tu deviens sénile. C'est le discours du prêtre, pas le tien. Toi, tu n'es pas là. C'est le petit enfant que tu étais autrefois qu'on bénit. Eh bien, je ne veux pas de ça. Jamais. »

Songeant à ces paroles, le brigadier se souvint combien il avait été ravi d'entendre un catholique se moquer des prêtres. Mais là, les mots, amendés par la mort de Matti, lui apparaissaient sous une perspective nouvelle, pleine de dangers. Car, bien que Matti n'ait pas vu de prêtre et se soit ôté la vie de ses propres mains, il était mort en catholique. Peu importait qu'il n'y ait pas eu de prêtre à ses côtés. De fait, Jonathan Adams regrettait même que le prêtre n'ait pas été présent quand Matti avait grimpé dans l'arbre.

Car il y avait quelque chose de choquant dans une mort aussi déterminée.

Quelque chose qui le poussait à demander à Matti : Est-ce qu'il y a des balcons là-haut ? Est-ce qu'il y a des arbres ? Est-ce qu'il y a des étoiles ?

Matti Bonner avait fait les moissons pour les deux camps, et personne ne le connaissait. Pourtant, il était mort en catholique. Sa religion s'adaptait à son désespoir.

Une centaine de personnes se tenaient à présent autour de sa tombe, liées à lui par maintes clôtures réparées, vaches traites, tonnes de graviers pelletées et de fumier épandu. En y pensant, Jonathan Adams se rendit soudain compte combien la vie de Matti Bonner avait été respectable. Nombre des tombes qui entouraient la sienne, il les avait lui-même creusées. Il avait sans doute nettoyé sa pelle avec le talon de sa botte à l'endroit même où on le mettait en terre.

Devant cette unité, cette harmonie têtue des choses, et comprenant comment, des années durant, Matti Bonner s'était séparé des autres afin d'avoir la force de poursuivre sa quête, le vieux presbytérien eut une vision prophétique de l'avenir à laquelle se mêlait une pointe de colère.

Il regarda sa voiture sur la route. Il regarda la chapelle. Qu'est-ce que je fais ici ? Puis il franchit le tourniquet qui grinçait. Il vérifia la présence de son fusil sous le siège passager. Il reprit le chemin du village. Certains parmi ceux qui étaient restés au cimetière pour aller sur la tombe de parents ou d'amis suivirent la voiture des yeux jusqu'à ce qu'elle eût disparu.

Jonathan Adams avait des cheveux blancs aux racines encore noires, des joues saumon, des yeux noisette et, depuis quelques années, un tremblement nerveux de la tête et du menton qui, craignait-il en permanence, annonçait peut-être la maladie de Parkinson dont était mort son père.

Bien que membre de la Royal Ulster Constabulary depuis trente ans, il n'avait jamais réussi à avoir une attitude de policier. L'uniforme lui allait mal. Sa silhouette, quoique apparemment droite et virile, gardait quelque chose d'imparfait. Un relâchement autour des fesses et des aisselles. Et il ne s'était jamais totalement débarrassé de la courbure des épaules due à l'étude. Encore qu'il cultivât l'accent rugueux de son enfance et ne fît pas étalage de son savoir, il parlait mieux que ses collègues. Les phrases apprises continuaient à habiter son discours. Autrefois, son credo se résumait à cette simple maxime : *La conscience exige la connaissance.* En tant que policier, il devait renoncer à toute idée de hauteur, mais le ton hésitant de sa voix trahissait encore sa culture.

Trois ans avant d'entrer dans la police, il avait étudié dans de petits séminaires presbytériens. D'abord à Belfast où l'on n'enseignait que la théologie, puis pour un temps à Édimbourg. Ces quelques années lui avaient donné un air de lettré et une aversion pour ce qu'il appela dans une lettre adressée à son père *l'hypocrisie moqueuse, le scepticisme inébranlable, l'impiété abjecte et la débauche éhontée* qui régnaient au-delà de l'État naissant d'Irlande du Nord.

Ce sont les gens qui comptent, lui disaient les docteurs de l'Église. Sois aimé des fidèles. Rends visite aux paroissiens. Il faut avoir l'esprit en paix pour connaître la volonté de Dieu.

Sa famille l'aida à obtenir son premier poste à Cullybackey dans le comté d'Antrim. Le pasteur débutant fit la connaissance des membres du conseil dans une petite église de bois surmontée d'un toit rouge en tôle galvanisée. Une unique bannière orangiste ornait l'un des murs. Pour son homélie, il avait choisi une phrase forte – *donner forme à ce qui ne peut être dit*. Son choix se révéla malheureux. En effet, à peine commençait-il son prêche que ce qu'il avait craint arriva : il se sentait tellement désorienté que son menton et ses poignets se mirent à trembler de manière incontrôlable. La joie, invisible aux yeux de la congrégation, animait son âme, mais l'exultation n'atteignit pas ses lèvres.

Les mots refusaient de sortir. Le sens lui échappait.

« Je voudrais commencer… » balbutia-t-il, puis il devint prisonnier d'une série de pensées dont la dénotation était le pronom « je ». « Je… » reprit-il, et il s'arrêta. Dire « je » impliquait un sujet doué de raison, et une vérité lui était soudain apparue : Je ne sais rien sur moi-même. À qui ce « je » se réfère-t-il ? Il s'efforça désespérément d'accrocher ses assertions à quelque principe valable, mais un vide s'ouvrit devant lui. Un tremblement le parcourut.

« Abraham, dit-il, a reçu un commandement ; Moïse un… » Il tâcha de maîtriser le tremblement de ses mains. « David un troisième. Jean le Baptiste… » Il l'avait vue venir, cette impuissance à prêcher, au fil des semaines – des années – d'études, et pourtant il n'y pouvait rien. Le sermon fut un désastre. L'organisation de ses pensées s'effondra pour ne laisser qu'un tissu d'absurdités une fois qu'il se trouva face à ce mot, cette présomption d'expérience : « Je. » Et, bien qu'il eût reçu un accueil indulgent, le jeune Jonathan Adams ne parvenait pas à croire qu'au matin ce seraient des cris de joie.

On avait essayé de lui apprendre à lire en articulant bien mais devant les docteurs de l'Église, il s'avéra « piètre lecteur ». Il avait beau répéter à voix haute les passages des chapitres et des homélies qu'il devait lire en public, les mots venaient de manière décousue et ne provoquaient que des malentendus parmi l'auditoire. Les pauses qu'on lui recommandait de marquer pendant la lecture d'un sermon se transformaient en longs silences embarrassants. S'il levait la tête de son texte, il ne parvenait plus à retrouver l'endroit où il s'était arrêté. Figé devant les docteurs de l'Église et les étudiants, il entendait toutes ces sottises s'échapper de sa bouche d'une voix lointaine et monocorde.

« Vous devriez peut-être envisager de vous tourner vers l'enseignement, lui conseillait-on.

– Jamais. »

On en arriva donc à Cullybackey, où son impuissance toucha à l'infini. Il dressa la tête après la première phrase et vit son père saisi d'un spasme musculaire auquel il répondit par un spasme semblable. Il trouva la phrase suivante, puis tout recommença. Du regard, l'ancien membre de la Royal Irish Constabulary pressait son fils de continuer, mais à l'idée de devenir un prêcheur évangéliste incapable de prêcher, Jonathan Adams fut paralysé de honte. *Regarde ton texte, écoute-le dans ta tête, il se révélera de lui-même. Lis!* Ces exhortations passées s'inscrivaient plus profondément dans son esprit que les mots qu'il devait dire.

Il avait rêvé de ce moment – le premier sermon qu'il prononcerait. Il avait pensé préparer un discours plein de noblesse, d'indignation, de mélancolie et d'éloquence, mais après avoir regardé son père, son homélie tourna au numéro pitoyable, dépourvue de visions claires et de convictions fortes. Son savoir avait fait place à la bêtise. « *Donner forme à ce qui ne peut être dit* », répéta-t-il, écarlate, en guise de conclusion faussement théâtrale. À cet instant, il aurait accueilli le Jugement dernier avec joie. L'Église garda un silence gêné. Et ensuite, il manifesta la même nervosité en prenant le thé avec les membres de sa famille et de sa congrégation.

Après cette expérience terrifiante, son courage l'abandonna à la perspective de devoir prendre la parole devant une assemblée de fidèles.

Si seulement il pouvait pénétrer leur âme sans l'aide de mots! Si seulement les mots pouvaient être emportés!

Son rêve de devenir un nouveau Wycliffe, Hus ou Patrick Hamilton était brisé. Alors que son premier sermon aurait dû lui apporter la paix, il avait l'impression d'être revenu à Cullybackey pour comparaître devant un tribunal. Il se sentait comme John Knox devant la reine Marie au palais de Holyrood. Seulement, au contraire de John Knox, il s'était mal acquitté de sa tâche. Sa famille avait honte de lui, son père le méprisait. Ainsi que les membres du conseil l'avaient prévu, Jonathan Adams s'était révélé bien piètre prédicateur, à l'inverse de son frère Willy qui était établi comme pasteur évangélique dans le Tyrone. La mortification que Jonathan Adams ressentait en pensant à l'argent que ses parents avaient gâché pour son éducation s'accrut quand Willy partit après le service sans lui adresser la parole. Dans les mois qui suivirent, il assista à des synodes, des consistoires, des assemblées, mais fut incapable de prononcer le moindre discours.

Les membres du conseil essayaient de lui faire acquérir une élocution claire, mais ses paroles pour le compte de sa congrégation ne s'élevaient jamais au-dessus du murmure. On ne tarderait pas à réviser ses appointements. Il s'échinait à se montrer amical, d'un abord facile, mais ne parvenait qu'à créer des distances plus grandes encore entre lui et ceux qui cherchaient à l'aider ; il s'efforçait de se débarrasser de son érudition, mais ne parvenait qu'à paraître condescendant. Finalement, la tâche de devenir homme d'Église se révéla trop lourde.

Il alla trouver son père.

« Je crois que je dois quitter l'Église, dit-il.

— Per-sé-vère ! répliqua son père avec fermeté.

— Je les entends dans ma tête, mais les mots ne franchissent pas le seuil de mes lèvres.

— Cela viendra avec le temps. »

Mais cela ne vint pas. Toujours en costume gris, Jonathan Adams entra dans un bureau sans soleil près de Crumlin Road à Belfast et s'engagea dans la Royal Ulster Constabulary qui remplaçait l'ancienne RIC, dissoute après la fondation du nouvel État d'Irlande du Nord.

C'était sa dernière tentative pour apaiser son père, policier avant lui. Le vieil Adams avait vu son fils George s'établir comme ingénieur à Toronto, sa fille bibliothécaire au collège All Souls à Oxford, Willy pasteur dans le Tyrone. Tous ses enfants avaient réussi à l'exception de Jonathan, qui l'avait d'une certaine manière trahi. Il n'avait pas persévéré. Comme le Jonathan d'antan, il avait désobéi à son père. Il avait goûté à la nourriture avant le soir. *Il étendit le bout du bâton qu'il avait à la main, le trempa dans un rayon de miel, et ramena sa main à sa bouche… il devra donc mourir.*

Puisqu'il ne pouvait prêcher la parole de Dieu dans le nouvel État, se disait Jonathan Adams, il pourrait au moins en faire respecter les lois.

Les paroles de son père – *si tu abandonnes le saint ministère, tu seras maudit* – demeurèrent une menace que Jonathan Adams dut affronter sa vie durant. Ses premières années au sein de la RUC furent encore plus humiliantes que sa courte expérience de pasteur presbytérien. Ceux qui s'étaient engagés dans les années 1920 étaient des anciens de la RIC du Sud comme du Nord qui tous, y compris les ex-militaires, avaient la certitude d'obtenir de l'avancement. Ils eurent vite fait d'occuper tous les postes de responsabilité, en sorte que les jeunes presbytériens comme Jonathan Adams qui arrivèrent vers la fin des années 1930 avaient peu d'espoir de s'élever dans la voie hiérarchique. Ils restaient au niveau des catholiques du Sud de l'ancienne RIC qu'on avait intégrés à la nouvelle police par bonté d'âme. Aucun ne pouvait aspirer à un plus haut rang que celui de brigadier, à moins que l'expérience politique vienne prouver que la présence d'inspecteurs catholiques mettrait fin aux accusations de sectarisme.

Il fut nommé dans un village du comté de Fermanagh. Il ignorait tout de l'agriculture et des communautés agricoles. Il méprisait les hommes frustes de la RUC qui l'entouraient, leur corruption, leur volubilité, leur conscience élastique, leurs affectations, les platitudes pieuses de l'Église d'Irlande auxquelles semblaient manquer les principes régissant le véritable protestantisme. Ici, ses manières, son caractère, son éducation, son célibat constituaient une source inépuisable d'amusement pour ses collègues policiers.

Il habitait la caserne, dormait sur un petit lit installé dans un bureau à côté de la salle commune. Il lui incombait d'effectuer la dernière ronde de nuit dans le village. Le pas était vif, régulier, sûr. Il vérifiait que les portes de toutes les boutiques étaient bien fermées. Se plantait une seconde ou deux dans les ruelles derrière les pubs pour écouter avec attention. Braquait sa torche électrique sur les voitures en stationnement. Le soir, il lisait des passages des Écritures aux enfants du brigadier. S'asseyait à leur chevet quand ils étaient malades. Entretenait le feu. Se retirait dans sa chambre pour lire. Graisser son revolver. Astiquer son ceinturon, l'insigne sur sa casquette. Il le faisait sans la conviction du militaire, lentement, puis il dormait d'un sommeil sans rêves. Les ivrognes trouvaient du porridge dans leur cellule à l'aube. Le matin, le charbon brûlait dans la cheminée à carreaux bleus et jaunes de la salle. Jonathan Adams était déjà à bicyclette sur les routes, parti encaisser auprès des gens qui vivaient dans des coins reculés les taxes sur les chiens, les radios, les taureaux, les fusils, les voitures. Il ne venait qu'une fois. En cas de non-paiement, et en dépit des protestations, les mises en demeure arrivaient aussitôt, rédigées de cette écriture rigide que toute la région apprit à reconnaître comme émanant de la main impitoyable et savante de Jonathan Adams.

Et quand il entrait au tribunal en compagnie de ses victimes, aucun prénom ne s'échappait jamais de ses lèvres. Tout homme était appelé *monsieur*, même ses voisins. Jonathan Adams n'admettait nulle familiarité avant que l'affaire eût été jugée. À ses yeux, les civils devenaient des criminels dès l'instant où ils avaient à répondre d'une accusation.

« J'ai peur que vous ne puissiez me parler pour l'instant, monsieur Pratt, je vous prie.

– Bien, monsieur l'agent. »

Silencieux, tels deux étrangers, Pratt et lui, assis sur un banc devant le tribunal, le paysan et le policier, mangeaient leurs sandwichs et buvaient du lait dans des bouteilles bleues identiques. Pendant qu'ils attendaient, ils examinaient les autres contrevenants. Les voleurs de moutons. Les bagarreurs. Les catholiques à l'œil humide qui vivaient toujours aux abords de la culpabilité. Impatients d'accomplir leur acte de contrition. Sournois. Les avocats. Les plaques de cuivre portant des noms célèbres au-dessus de l'endroit où ils étaient assis dans le froid du vestibule en plein air.

« À nous », souffla Jonathan Adams quand on appela le nom de Pratt. Il posa une main sur l'épaule de ce dernier et le conduisit à l'intérieur. Il se tint à côté de l'accusé durant toute la procédure, la mine sévère. Sortit son carnet. *Le 22 juin, ayant constaté…* Dans l'enceinte du tribunal, on utilisait un langage formel qui plaisait au policier. L'affaire terminée, Pratt et lui enfourchèrent leur vélo et rentrèrent chez eux, épaule contre épaule, par les routes à trois voies du Fermanagh.

La Seconde Guerre mondiale atteignit le village. Des Américains parcouraient les champs en tenue de camouflage. Des Noirs apparurent dans le chœur de l'église, qui chantaient à tue-tête. Leur réservant le même traitement qu'aux gens du cru, Jonathan Adams arrêtait les soldats en état d'ébriété qui troublaient l'ordre public. Il procédait à des inculpations pour vol quand il découvrait un trafic de marchandises entre militaires et civils. Il était frustré quand les charges étaient abandonnées. Il contrôlait les voitures pour vérifier si l'essence ne provenait pas des camps. Il contrôlait les aliments dans les boutiques pour voir s'ils étaient d'origine américaine. Il sillonnait les petites routes où les soldats courtisaient les femmes du pays.

La neutralité de la République du Sud pendant la guerre ne fit que confirmer ce qu'il pensait déjà : il s'agissait d'un conflit déclenché par Hitler afin de restaurer le catholicisme dans toute l'Europe. C'était pourquoi l'Espagne aussi demeurait neutre et pourquoi Mussolini était entré en guerre aux côtés de Hitler. Pendant que le reste de l'Europe subissait toutes ces dévastations, Rome était à l'abri. Hitler, Mussolini, Franco, De Valera, les seigneurs de la guerre catholiques et les Jésuites, voilà quels étaient les ennemis des Alliés. Mais ici, dans le Fermanagh, la loi devait s'appliquer. Il inculpait les soldats yankees d'outrage à la pudeur lorsqu'il les surprenait à uriner dans le cimetière du village. Jonathan Adams devint la terreur des militaires, et ses activités suscitèrent un différend entre la police et les autorités américaines.

« J'ai ici une requête, agent Adams, émanant des Américains, dit son brigadier.

— Oui, monsieur.

— Ils aimeraient que vous les laissiez poursuivre la guerre.

— Oui, monsieur.

— Estimez-vous être en mesure d'accéder à leur demande ?

— S'ils cessent de s'enivrer et de se livrer à la débauche dans le village, j'estime que oui.

— C'est un bien petit prix à payer, agent Adams, vous ne trouvez pas ? »

Après la guerre, il y eut le marché noir, la contrebande et les fraudes douanières entre la République et l'Irlande du Nord. Un soir, pour la seule et unique fois, il tira un coup de feu au-dessus d'un bateau sur l'Erne, puis un second, afin d'obliger les Bardwell à rejoindre le rivage avec une cargaison de beurre. Ensuite, dans les années 1950, il y eut une campagne des nationalistes de l'IRA qui tourna court, mais pas pour Jonathan Adams. Durant tout ce temps, et bien après, il conserva la liste des Fenians de son district impliqués dans le mouvement. À côté de chaque nom figuraient la date de naissance, les antécédents du père et de la mère. Il ajoutait le nom des parents susceptibles d'entretenir des sympathies républicaines. En rouge, il inscrivait sous chacun d'eux : *catholique romain.* Venaient ensuite d'autres informations : casier judiciaire, profession, atteintes à l'ordre public.

Il notait sur une échelle de 1 à 3 le risque de trahison. *Possible, probable, certain.* C'était sur ses conseils que les logements sociaux étaient attribués aux catholiques.

Quand un catholique demandait un permis de port d'arme, Jonathan Adams consultait d'abord son livre fenian. Et c'est en consultant ce même livre qu'on décida, des années plus tard, qui arrêter le soir où furent décrétées les mesures d'Internement. Longtemps après la mort de Jonathan Adams, la liste qu'il avait établie figura dans les ordinateurs de l'armée britannique aux postes de contrôle et aux postes-frontières du Nord. On la trouvait également à Londres sur le bureau des agents de renseignements.

Chaque soir au cours de la campagne des années 1950, il ouvrait le livre et ajoutait de nouveaux noms :

Flynn, Nevill. Catholique romain.

Né en 1932. Agriculteur. 14 têtes. Mariage mixte. Père catholique romain, John. Mère, Église d'Irlande, Dorothy. Pas de casier judiciaire. Oncle, Robert Flynn, arrêté après attaque par l'IRA du poste de police de Beleek. Relâché faute de preuves. Nevill Flynn soupçonné de cacher des armes. Maison fouillée quatre fois en janvier, les 1er, 22, 23 et 31. Rien trouvé, mais bibliothèque remplie de littérature nationaliste. Refus de coopérer. S'est plaint de mauvais traitements de la part de l'agent spécial Thompson. Accusations sans fondements. Conduit parfois une voiture immatriculée au Sud – ID 510. 21 hectares. Vit sur ses terres. Voisins convaincus de son engagement. Quand soûl, provoque ses voisins en chantant des chants républicains sur la route. Soupçonné d'avoir arraché l'Union Jack de l'arbre d'un voisin. Voir avec agent spécial Thompson à propos de la menace de « lui arracher les amygdales ».

Description : un ivrogne. Teint rougeaud. 1 mètre 78. Yeux bleus. Cheveux châtain terne. Tendance au bégaiement. Pas de signes distinctifs. Peut-être influençable.
Possible.

Pendant toutes ces années, les postes de police furent transformés en dortoirs à l'usage des membres des B-Specials qui rentraient trempés au milieu de la nuit et se couchaient, épuisés, dans des cellules à côté des hommes qu'ils avaient arrêtés, interrogés et passés à tabac. Les B-Specials, censés être des policiers à mi-temps, composaient en réalité une milice paramilitaire sur laquelle la police n'avait pratiquement aucun contrôle. Nombre d'entre eux étaient des protestants du Sud ayant passé la frontière, dépourvus des strictes convictions religieuses de leurs frères du Nord. C'étaient des orangistes de la verte République. Ils buvaient comme des trous, parlaient grossièrement et semaient le trouble, puis ils laissaient la police habituelle nettoyer derrière eux lorsqu'ils s'en allaient pour retrouver la sécurité du Sud.

Quand, au matin, Jonathan Adams tirait les catholiques de leur cellule, ceux-ci se plaignaient à voix basse de mauvais traitements. Il ne leur parlait pas, ne les regardait pas, ne notait rien. Ils attiraient son attention, l'imploraient sur ce ton de fausse innocence qu'il abhorrait tant.

« Qu'avez-vous à dire ? demandait-il au membre des forces spéciales une fois l'interrogatoire terminé.

– Un tissu de mensonges, répondait l'homme.

– Vous désirez déposer plainte ? demandait alors Jonathan Adams au prisonnier, toujours sans le regarder.

– Et être persécuté ? » Le nationaliste secouait la tête. « Pas question. »

Jonathan Adams notait alors son nom, son âge et son adresse, qu'il reportait ensuite sur le livre fenian, accompagnés de ses observations. Après quoi, il transcrivait les rapports des B-Specials.

Il y avait peu d'inculpations. Une plainte d'un côté entraînait une accusation de l'autre. Jonathan Adams conservait une attitude de neutralité. Les deux camps patientaient pendant qu'il finissait de remplir les documents officiels. Ces derniers temps, on avait l'impression que les postes de police étaient en permanence humides. Il sentait l'humidité qui se dégageait des corps des miliciens venus de Cavan, aux petits yeux et au visage bouffi par le manque de sommeil. Au-delà de la frontière, leurs animaux attendaient d'être nourris. À côté d'eux, les fenians, tête baissée, contemplaient leurs mains. Ils attendaient. Un peu plus tard, il les relâchait.

Les B-Specials et les républicains débouchaient dans la rue et allaient chacun son chemin. Ce combat-là aussi cesserait un jour. Et le jour arriva bientôt. La province retrouva la paix. L'argent destiné aux nouveaux logements sociaux fut employé pour les routes. L'odeur du goudron se répandit à travers la région. L'Ulster se prépara à devenir un miracle économique. Et Jonathan Adams devint brigadier. Emménagea seul dans le quartier des personnes mariées. Là, les soirs d'hiver, il donnait des cours sur toutes sortes de sujets à des écoliers du village, rédigeait leurs demandes d'emploi et remplissait les formulaires auxquels leurs pères ne comprenaient rien.

Il établissait les plannings, notait ses observations sur la main courante, glissait la paie de chaque policier dans une enveloppe brune qu'il posait sur le bureau de la salle. Il inscrivait sur chacune d'elles le nom de l'agent, la somme totale, les déductions pour les impôts, les diverses cotisations et redevances.

C'est grâce à l'aisance avec laquelle il évoluait dans l'univers des chiffres – les chiffres exacts – que Jonathan Adams obtint enfin de l'avancement. Les autres policiers le considéraient peut-être comme un être bizarre, un étranger, mais il mérita son grade de brigadier par la méticulosité qu'il apportait aux tâches

LE CHANT DU BOUC

administratives. Ses rapports étaient détaillés, objectifs et toujours correctement datés. Ses initiales sur un document étaient synonymes d'exactitude. C'était le genre d'homme que les juges aimaient voir. Il avait peut-être été piètre prédicateur, mais il n'avait aucun problème à exposer les faits. On pouvait se fier à son témoignage. Ils se comprenaient, Jonathan Adams et les juges. Ceux-ci appréciaient sa discrète érudition. Le tour évangélique de ses phrases.

Des années durant, il garda le même profil. Un homme calme, réservé, un homme religieux qui allait rarement à l'église, un lecteur professant d'étranges doctrines, un homme qui vivait seul dans le quartier des personnes mariées, un homme dont on ignorait les préjugés. Il n'aurait peut-être pas changé si, l'année où il perdit son père et sa mère, il n'avait rencontré Maisie Ruttle, une grande blonde dégingandée, une méthodiste née et élevée dans la République du Sud et venue au Nord travailler comme cuisinière chez lord Brookborough. Jonathan fit sa connaissance sur le chemin goudronné que l'on construisait à travers la propriété. Un ouvrier avait eu un doigt sectionné par un treuil servant à soulever les pierres, et on avait appelé la police. Au bord du chemin, sous le feuillage d'un orme, Maisie tenait la main de l'homme enveloppée dans une serviette rouge de sang. Avec douceur, elle fit asseoir l'ouvrier à côté d'elle à l'arrière de la voiture de police. Pendant tout le trajet jusqu'à l'hôpital d'Enniskillen, elle lui parla sans lâcher sa main blessée – tout ira bien, ne vous en faites pas, calmez-vous – et ne cessa qu'à l'arrivée du médecin.

« Pauvre garçon », dit-elle.

Le brigadier acquiesça d'un signe de tête.

Puis Maisie se tut. Ils demeurèrent plus de deux heures assis devant un mur nu sans échanger la moindre parole. Après quoi, toujours sans un mot, ils restèrent ainsi une heure encore au chevet de l'ouvrier. Puis ils repartirent. Ils roulèrent en silence. On retournait le foin dans les champs.

« J'ai passé mon enfance à jouer dans les greniers à foin, dit-elle.

— Moi, dans les casernes de la police de plusieurs villes du Nord », dit-il.

Quelques soirs plus tard, elle sauta par la fenêtre de l'office pour aller le retrouver au bord du lac privé. Il faisait des ricochets sur la lune qui se reflétait à la surface de l'eau. Elle était assise, adossée à un arbre.

« Accepteriez-vous d'être un jour enterrée avec les miens ? » lui demanda-t-il.

Elle avait dix-huit ans lorsqu'elle épousa Jonathan Adams. Il en avait quarante-trois. La veille de leur mariage, il se rendit en voiture à Ballindan, la commune où elle avait grandi, limitrophe de Rathkeale dans le comté de Limerick. À ses côtés se trouvait Matti Bonner, l'ouvrier catholique que Maisie avait conduit à l'hôpital lors de ce fameux jour.

Peu après sa demande en mariage, Jonathan avait acheté une petite maison à quelques kilomètres du village et il s'aperçut que leur plus proche voisin était Matti Bonner. Depuis qu'il avait perdu son doigt, sectionné par le treuil, certains travaux lui étaient impossibles. Maisie l'embaucha pour retaper la vieille maison. Née dans la République du Sud, elle n'éprouvait pas de scrupules d'ordre religieux à fréquenter des catholiques. Quant à Jonathan Adams, son premier geste fut de vérifier si le nom de leur nouveau voisin figurait dans son livre fenian. Il n'y était pas.

Matti Bonner arriva dans sa salopette bleue, sa boîte à outils à la main. Maisie venait le soir lorsqu'elle pouvait se libérer pour lui donner ses instructions. Il construisit une galerie en bois à l'arrière, ainsi que des treillages. Il peignit les pièces en vert menthe. Matti suivait les consignes à la lettre. Maisie supervisa la plomberie de la cuisine. Il laboura le jardin. Planta des pommiers. Et puis, un soir que Jonathan et elle, assis dans la voiture de police, regardaient la maison, Maisie dit : « Je pense que Matti devrait être ton garçon d'honneur.

— Tu as perdu la tête.

— C'est grâce à lui que nous nous sommes rencontrés, et l'expérience lui a coûté cher.

— Ce n'est pas notre faute s'il a perdu un doigt.

— Sans cela, nous ne serions pas là.

— Si je prends cet homme comme garçon d'honneur, personne de ma famille n'assistera au mariage, dit Jonathan, horrifié.

— Ce ne serait que justice qu'il soit notre témoin.

— Personne ne viendra, je te le répète.

— Peut-être que, de toute façon, personne n'a l'intention de venir. Je ne crois pas que ton frère Willy approuve ton mariage avec moi.

— Matti est catholique.

— Je sais. Mais n'oublie pas que ça se passera bien loin d'ici. Presque dans un autre monde.

— Encore heureux.

— Et maintenant, va le trouver pour lui demander.

— Maintenant ?

— Oui, tout de suite. »

Jonathan referma la grille et alla frapper à la porte de Matti. L'ouvrier sortit dans le crépuscule, vêtu d'un chandail.

« Brigadier, dit-il.

— Matti », dit Jonathan.

Ils restèrent un instant silencieux. « Voulez-vous entrer ?

— Non, non, non, répondit le brigadier. J'ai simplement une demande à vous faire.

— Oui ?

— Cela implique un assez long voyage.

— Je vois.

— Eh bien, je pourrai vous conduire, mais il faudra peut-être que vous reveniez par vos propres moyens.

— Et d'où cela, je vous prie ?

– Du comté de Limerick. Vous comprenez, je ne suis jamais allé là-bas, dit Jonathan, l'air embarrassé.

– Ce sera avec plaisir, brigadier.

– Voilà qui est donc réglé. Je dois ajouter que la femme dans la voiture désire que vous soyez mon garçon d'honneur.

– Vraiment ? » fit Matti, stupéfait.

Ils partirent la veille du mariage. C'était la première fois que le brigadier se rendait au sud de la frontière qu'il avait si bien défendue durant toutes ces années, et il se retrouva soudain sur des routes défoncées qui devenaient de plus en plus étroites. « Doucement, brigadier », dit Matti Bonner. Chaque ville était annoncée par un fronton de pelote et un dancing. Flèches et cathédrales catholiques, sans arbres autour, ornementées de tous les excès romains, se dressaient sur les collines, alors que les grises églises protestantes, cachées derrière un rideau de hêtres, se nichaient au fond de vieilles rues. Des campements de gitans, jonchés de tas de plomb, de tôles galvanisées et de batteries bordaient çà et là les routes. Les deux hommes s'arrêtèrent prendre un thé léger accompagné d'œufs au bacon et aux saucisses dans la ville de Galway.

« Qu'en dites-vous, brigadier ? demanda Matti Bonner.

– Je pensais que ce serait pire. »

Comme ils approchaient de Limerick, des banderoles apparurent au-dessus de la route.

« On nous attendait », dit Matti.

Au centre de la ville, un policier les dirigea vers une place de parking. Sur chaque pas de porte se tenait la Sainte Famille.

« Vous allez devoir rester là un moment, je le crains, dit l'homme.

– Quelque chose ne va pas ?

– Non, non, rien. »

Jonathan nota le pantalon trop large et les chaussures mal cirées du policier, ainsi que la lueur de whiskey dans son œil.

« Au Nord, dit-il, j'aurais convoqué cet homme pour l'interroger.

— Je fais un saut de l'autre côté de la rue, dit Matti pendant qu'ils attendaient. Je dois satisfaire un besoin naturel. »

Il disparut dans un pub. Soudain, une foule immense tourna au coin de la rue, célébrant ce qu'une bannière appelait les Neuvaines solennelles. Des femmes vêtues de bleu priaient en défilant. La Vierge, elle aussi en bleu, descendait la rue sous un dais blanc, suivie d'un prêtre encadré de deux enfants de chœur qui balançaient des encensoirs d'où s'échappaient des volutes d'encens. Le prêtre récitait son rosaire dans un micro, et derrière lui tout le monde répondait, tête baissée, cependant que des milliers de doigts égrenaient les chapelets.

Une fois la procession passée, Matti Bonner regagna la voiture.

« J'en ai profité, avec votre permission, pour prendre un petit whiskey, expliqua l'ouvrier.

— Vous pouvez repartir, maintenant, leur dit le policier. Vous tournez par là et vous êtes sur la route de Rathkeale. Impossible de vous tromper.

— Merci, monsieur l'agent, dit le brigadier.

— Allez et portez-vous bien, répondit le policier. Je dois dire que c'est la première fois qu'on m'appelle "monsieur l'agent". »

Ils arrivèrent à la ferme de Maisie en fin de soirée. Le vieux Ruttle les accueillit sur le seuil. Sa fille, dit-il, n'allait pas tarder à descendre. Un ciel prune s'étendait derrière la maison. Des martinets à tête noire piquaient en flèche près d'un petit hangar à récoltes. Une galerie en bois, pareille à celle que Matti avait construite dans le Fermanagh, ouvrait sur un rucher. Au loin, on voyait une autre ferme, semblable à celle des Ruttle, et puis d'autres encore au-delà, toutes identiques et toutes flanquées d'un verger. De partout s'élevaient les cris des oies qui écumaient les terrains à la recherche de fruits tombés.

Dans la cuisine, ils burent de la citronnade en mangeant une salade au jambon avec du pain fait maison. Maisie apparut, l'air intimidée.

Elle les conduisit à travers champs pour les présenter à ses voisins. Matti Bonner couchait chez Walter Bovinger. Jonathan Adams, chez Arthur Teskey. Ils firent la connaissance de Pamela Gilliard, Gareth Shier, Walter Sparling. Hazel Gardener offrit au futur marié un bouquet de fleurs fraîchement cueillies. Les fiancés allèrent se promener le long de la voie de chemin de fer désaffectée qu'empruntaient les émigrants pour l'Amérique jusqu'au lac Foyle quand les hydravions étaient encore en service. Dans la fraîcheur de la nuit, ils s'assirent devant un fronton de pelote et s'embrassèrent.

Le matin de ses noces, les oies le réveillèrent. Une dispute avait éclaté parmi les volatiles. Il observa les mâles qui, le cou baissé, commençaient à se battre, puis il descendit. Dans la cuisine, les Teskey écrasaient des mûres dans des seaux blancs. Il se lava, et Arthur Teskey l'emmena à l'église.

Il était assis seul, un rang devant Matti Bonner. L'église était nue et sombre. Les veinures du bois des sièges luisaient. Il sentait l'odeur de la brillantine qui imprégnait les cheveux de son plus proche voisin. Il entendit les pas des méthodistes et des palatins qui entraient dans l'église. « Bonne chance, patron. C'est une bonne vieille lignée », murmura Matti. Puis, au milieu des bruits de pas, il repéra ceux de Maisie.

Ensuite, si elle l'avait laissé faire, il serait retourné droit en Irlande du Nord. Elle voulut d'abord qu'il la conduise à l'anneau du Kerry, puis à Kinsale, à Wexford, tous ces lieux qu'il ne connaissait pas. Elle lui fit promettre qu'il l'emmènerait chaque année dans le Sud. Ils passèrent par le Westmeath, puis le Monaghan, et arrivèrent enfin chez eux.

À l'exemple de sa famille dans le Sud, Maisie planta des pommiers et nourrit de pommes les oies qu'elle achetait au marché d'Enniskillen. C'était maintenant à leurs cris que Jonathan se réveillait dans le Nord. Elle planta un jardin d'herbes aromatiques. Des cerisiers. Mit des oreillers à fleurs et des draps couleur pêche dans les chambres d'ami. Et dans la leur, des draps réversibles blancs et bleu marine. Coup sur coup, alors que Jonathan approchait de la cinquantaine, elle donna naissance à deux filles, Catherine, du prénom de sa propre mère, puis Sara.

« Toutes deux ont été conçues à Rathkeale, dit-elle à son mari.

– Ce qui explique leur manque de rigueur », répliqua-t-il.

Dès leur plus jeune âge, il voulut que, en tant que filles de policier, elles fussent au-dessus de tout reproche. Il les conduisait à l'école, au cours d'instruction religieuse, au culte. Une à chaque main, il descendait les marches de la caserne. Il leur donnait le bain ensemble. C'était un vieil homme découvrant le miracle d'avoir deux fillettes. À peine surent-elles parler qu'il leur fit suivre des cours d'élocution et d'art dramatique. Elles apprirent à équilibrer le son d'un mot sur le palais avant de le prononcer. Il ne tenait pas à ce qu'un de ses enfants se retrouvât un jour devant une assemblée de fidèles ou tout autre auditoire à bégayer en s'interrogeant sur le sens du mot « je ».

Elles apprirent la trompette et le violon. Maisie leur confectionna des petits coussins de velours à placer sur la mentonnière. Leurs têtes d'enfants s'inclinaient derrière l'archet. Un instant de silence cependant que, la moue inquiète, elles s'efforçaient de se rappeler l'air. Il les emmenait aux foires agricoles de printemps à Enniskillen. D'énormes taureaux bruns au bas-ventre blanc les contemplaient au travers des barrières. Le 11 novembre, elles se tenaient devant le monument aux morts, encadrant leur père. Elles regardaient la fanfare de l'Armée du Salut et applaudissaient quand il applaudissait.

Tous les soirs, il leur lisait un passage des Écritures. Ses filles et sa femme devinrent les fidèles qu'il avait perdus en ce jour fatidique à Cullybackey. Catherine entendit les premières mises en garde contre les péchés de la chair par le biais des mots *luxure*, *charnel*, *licencieux*, des mots jaillis de la bouche de son père, des mots qui, des années plus tard, laisseraient Jack Ferris tremblant de désir.

« Luxure », disait Jonathan Adams, et les filles sentaient surgir dans leur corps des émotions qui ébranlaient leur esprit comme un vent violent.

11

Les nouvelles de six heures

En plus des oies, des pommes et des catholiques, Maisie Ruttle introduisit les romans dans la vie de Jonathan Adams. Sur la cheminée, appuyées contre une pendule en forme de moulin à vent, on trouvait des œuvres de Dickens, Thackeray, Balzac – livres qui avaient appartenu à une génération précédente du côté de Maisie. Jonathan Adams était un homme très cultivé, mais contrairement à sa femme et à ses filles, il ne lisait pas de romans. Les romans contenaient des inexactitudes, des contrevérités, des généralisations, des suppositions. Le monde réel, bien que pâle métaphore en regard de ce qui pourrait se passer dans l'au-delà, était néanmoins plus vrai que le roman.

Le langage de l'imagination permettait une liberté licencieuse. Il se nourrissait de fioritures, d'idoles, d'illusions, de fausses promesses et de trop de folie. Jonathan Adams ne redécouvrit le roman qu'après la mort de Matti Bonner. Et c'était pour tenter de se rappeler la vie de ce dernier. Une vie qu'il croyait connaître et qui, à présent, lui devenait de plus en plus étrangère.

Il était incapable de mettre la main sur les faits. Pourtant, toute sa vie Jonathan Adams avait été un lecteur. Le monde réel, avec ses inconforts, ne pouvait s'adapter aux faits épouvantables qui demeuraient gravés dans son esprit. Il voulait connaître Dieu et, quoiqu'il hésitât à Lui attribuer des qualités humaines, il se résolvait à le faire, pleinement conscient de la fragilité du savoir humain face au *Caractère inconnaissable de l'Absolu,* comme l'appelait John Stuart Mill.

Pour Jonathan Adams, la réalité, c'était les Écritures. L'histoire sacrée d'un peuple qui trouvait son Dieu. Aussi, alors qu'il cherchait peut-être à transcender l'histoire, Jonathan finit-il par en aimer le côté physique, brut et inviolable. Comme beaucoup de lecteurs de son âge, il s'était tourné vers les autobiographies et les biographies pour savoir comment les autres avaient réussi à vivre avec leurs démons. Il était revenu à cette période enfantine de l'existence où l'esprit joue avec les chiffres : le nombre de combattants de chaque camp lors du siège de Derry et lors de la bataille de la Boyne ; le nombre de langues au moment où nous en avons reçu le don. La vie n'est-elle pas mieux accordée à l'oreille qu'à l'œil ? Combien de personnes de la famille royale sont mortes étouffées par une arête de poisson ? Combien d'entre elles étaient affligées de gosiers trop étroits ? Combien de Napoléon ont existé ? Combien de Juifs ? Combien de gitans ? Combien de soldats de l'Ulster ont péri à la bataille de la Somme ? Quel est le nombre de presbytériens partis pour l'Amérique à bord des bateaux de la Grande Famine ? Il dressa l'arbre généalogique de Carson et compta le nombre d'hommes politiques homosexuels en Grande-Bretagne. Il calcula le nombre approximatif de catholiques dans le monde. Combien de protestants sont morts entre les mains des Pères de l'Église catholique romaine durant l'Inquisition ? Combien de protestants de l'Ulster sont morts, ont été torturés, ont eu la poitrine ouverte par les catholiques assoiffés de sang le 23 octobre 1641, jour de la fête d'Ignace de Loyola, fondateur de l'ordre des Jésuites ? 30 000 ? 40 000 ? 50 000 ? Qui était Roger Casement ? Quelle est la situation financière de Rome ? Quelle était la valeur militaire des tanks russes ? Est-ce que les Russes ont vraiment essayé d'envoyer des messages dans l'espace par le biais d'ondes cérébrales ? Est-il exact que le communisme n'a fleuri que dans les pays catholiques ? Combien de Juifs sont morts pour que leur sang soit envoyé sur le front afin de permettre à l'armée allemande de continuer à combattre ? Il lisait des revues sur les fusils américains, sur les faisans en Irlande. Des articles sur Ian Paisley. Des biographies de présidents américains, des récits sur la guerre des Boers, la Seconde Guerre mondiale. Les oies. Peel et la loi « *Law and Order* » de 1852.

« Tu devrais lire *Orgueil et Préjugés,* disait Maisie. Au moins ça.

– Non », répondait le brigadier.

Il ne lui opposait aucun argument d'ordre moral ou spirituel. Il usait parfois de mauvais prétextes, affirmant que *le roman est le fruit de l'oisiveté,* qu'il s'agissait de *fantaisie plutôt que de roman,* mais la véritable raison, c'était que sa mémoire, encore qu'excellente, se refusait à enregistrer les récits nés de l'imagination. Enfant, il lisait des romans, mais après, tout se brouillait dans sa tête. Les romans, c'étaient les histoires scandaleuses que les accusés inventaient pour échapper à la prison. Leur but consistait à masquer la culpabilité. Le roman était impie ; l'acte d'imagination, une porte ouvrant sur le vide. Son esprit regimbait contre des personnages qui apparaissaient à la première ligne d'un roman mais n'appartenaient pas au monde réel. En vérité, tout ce qui ne venait pas de la Bible n'était que roman.

Pourtant, il adorait la mythologie. Là, il n'y avait pas d'auteur, le temps l'avait effacé. Ainsi, les personnages pouvaient vivre, devenir réels. Le Nouveau Testament, bien que raconté par Matthieu, Marc, Luc et Jean, ne lui posait pas de problème. L'auteur était Jésus, et Jésus n'était pas de ce monde.

L'Ancien Testament était l'histoire de la mémoire.

À l'école, Jonathan avait été un élève exceptionnel au catéchisme. Pour lui, l'histoire de la Bible, c'était comme le recensement de tout ce qui existait dans la nature et en lui-même.

Le nom d'Abraham sonnait comme un gong indien appelant à la prière du matin. C'était un immense paysage primitif. Un nom donné par des hommes simples à un homme simple. Abraham était l'un des premiers mots murmurés par l'homme. Tandis qu'ils nommaient les couleurs, les plantes et les animaux, les hommes se nommaient les uns les autres. Le mot Abraham contenait les déserts, la famine, les bateaux de l'émigration. Dans l'univers de Jonathan Adams, cependant qu'il conduisait ou marchait, ici ou là, cependant qu'il se couchait, des extraits du livre de Job agitaient son esprit et hantaient son subconscient.

C'était le livre des gens. Ils avaient nommé les fleurs et la pluie. Ils avaient recréé le monde qui se créait sous leurs yeux dans une langue donnée par Dieu. Les mouvements des tribus étaient des poèmes. Les traductions de la Bible par Wycliffe en anglais, Luther en allemand et Calvin en français avaient davantage étoffé et enrichi ces différentes langues que la poésie, le théâtre ou le roman. Et pourtant, l'histoire était destinée à des hommes simples. *Leurs oreilles ne dormaient pas.* C'étaient des mots simples et précis.

À la Pentecôte, le don des premiers fruits, il entendait ce bruit céleste emplir l'atmosphère de la pièce où ils se trouvaient. Il imaginait les onze langues de feu qui bondissaient au-dessus de la tête des cent vingt membres de la congrégation. Les mots que le Saint-Esprit leur avait donnés étaient ceux de la loi. Et, tandis que le Saint-Esprit leur donnait les mots, les gens nommaient le monde.

Et quand le monde fut créé, les anges poussèrent des cris de joie!

Les gens avaient nommé le chêne et le frêne. Les parties du corps, le cerveau. Et les lieux où ils s'étaient tenus. Les lieux anciens d'Irlande. Les lieux n'étaient pas des statistiques. C'était là où le langage s'était arrêté, où les gens s'étaient installés avant de repartir. Alors que Jonathan Adams et les siens étaient venus pour rester. Lui-même, encore qu'il ne le sût pas à l'époque, deviendrait l'une des statistiques qu'il détesterait le plus. Le destin était en route.

Entre-temps, il lisait, rédigeait des assignations, regagnait la caserne à bicyclette pendant les années de paix de l'Ulster. Il se sentait en sécurité en tant que policier.

Et c'est d'être policier qui sauva Jonathan Adams, l'empêchant de poursuivre dans la voie du prêche. Parfois, en écoutant Willy, le manque d'intellectualisme, le manque d'humilité de son frère le choquait et le captivait à la fois. Son éloquence éhontée le faisait tressaillir. Jonathan Adams ne voulait pas entendre les mots lus à voix haute. Le policier en lui ne voulait pas entendre élever la voix. Et c'est d'être policier qui amena Jonathan Adams à affronter un aspect de lui-même qu'il aurait préféré ne jamais connaître.

Quand, le 5 octobre 1968, la marche pour les droits civiques traversa la ville de Derry, elle fut accueillie par une charge de la police. On avait fait venir Jonathan Adams ainsi que des gradés de divers comtés, non pour pallier un manque d'effectifs, mais parce que, étrangers à la ville, ils ne risqueraient pas d'être par la suite reconnus. L'atmosphère était au fanatisme et vibrait de cris acrimonieux comme « Au nom de Dieu, laissez-nous passer ». Le défilé, pensait la police, n'occuperait qu'une petite rue transversale, et c'était là qu'on se proposait d'installer un barrage tenu par la force publique au nom de la Loi et de l'Ordre. La police avait été auparavant informée que la marche n'était pas vraiment organisée par le mouvement des droits civiques, mais par les républicains, par l'IRA. C'était l'occasion rêvée de régler des comptes.

D'abord, les catholiques parlementèrent, puis ils se montrèrent inflexibles. Mais le parcours qu'ils désiraient emprunter leur était interdit. L'affrontement devint inévitable. Ce fut une journée d'une folle violence.

Jonathan Adams matraqua allègrement à droite, à gauche.

Cette nuit-là, conséquence de la marche qui n'avait pas eu lieu, les émeutes éclatèrent dans le quartier catholique du Bogside. À ce stade, les anciens avaient quitté la scène, remplacés par les jeunes de la police locale, et Jonathan Adams, épuisé par le combat, formidablement satisfait, avait regagné le Fermanagh. Le lendemain matin, il partit avec sa femme et ses filles pour un congé de trois jours.

Ils prirent la route à l'aube, vers Ballyshannon. Empli d'un sentiment de fierté, Jonathan Adams présenta sa carte d'identité en entrant sur le territoire de la République. Le policier, hochant la tête d'un air entendu, se pencha à l'intérieur de la voiture et dit : « Vous n'y êtes pas allé de main morte, hier. » « Qu'est-ce qu'il veut dire ? » demanda Maisie, tandis que la voiture passait sous la barrière levée. « Je ne sais pas. Ce sont tous des républicains, répondit le brigadier. Mais ils ne me font pas peur. » Ensuite, la famille hésita. Comme les filles voulaient voir la tombe de Yeats, ils longèrent la côte jusqu'à Sligo, et de là ils se dirigèrent vers Achill Island où ils couchèrent au Valley House Hotel.

« Quelle est cette île qu'on voit d'ici ? demanda le brigadier Adams avec son fort accent du Nord.

— Pardon ? fit l'homme.

— Quelle est cette île ? répéta Jonathan Adams.

— La presqu'île de Mullet. C'est de là qu'est originaire l'auteur du *Baladin du monde occidental.* »

Ils avaient prévu de s'arrêter la nuit suivante du côté de Galway, mais Jonathan Adams eut envie d'explorer la presqu'île isolée, si bien que le lendemain vers midi, ils entraient dans la ville de Belmullet après la longue traversée de la tourbière désolée d'Erris. La chaîne de montagnes du Nephin Beg qui, la veille, disparaissait dans le brouillard se découpait à présent dans le ciel clair.

Il y avait une foire en ville. On marchandait bétail, moutons et poulets. Des gitans vendaient chaussettes, ferraille et radios. Un homme avalait des cigarettes allumées, puis les recrachait, brûlant toujours. Des chiens se battaient. Des boucs donnaient des coups de corne contre les parois des charrettes. Des hommes mangeaient des sandwichs, assis sur des marches. Des vaches chiaient sur les trottoirs. Des hommes léchaient des cornets de glace, assis sur les tracteurs. On avait l'impression de se trouver devant la reconstitution historique d'une foire médiévale. De Erris Head, dans Broad Haven Bay, ils prirent au sud vers Blacksod Point, frappés par l'isolement des lieux, les routes blanches et sablonneuses qui longeaient la mer, les îles Inishkea, saintes, absolues, les falaises abruptes lissées par le vent, la station météorologique, les tourbières qui s'étendaient à l'infini, les sillons et les ondulations des immenses dunes, les coracles noirs, le phare perché sur Eagle Island comme un château dans un conte de fées, et puis les jetées, le port, la mer.

« Quelle est cette île, là-bas ? demanda Jonathan Adams à un homme qui, occupé à graisser sa Honda 50, se redressa avec une grimace.

— Ce sont de très bonnes mobs, dit-il. À condition d'en prendre soin. » Il s'essuya les mains sur son pantalon, regarda sa Honda, puis l'île. « Ce doit être Inishglora, reprit-il, pinçant la base de son nez humide. L'île de la Pureté.

— Ah.

— Si, si. Vraiment. » Il grimaça de nouveau. « C'est là que Brendan a accosté. »

Il lut l'incompréhension sur le visage de ces inconnus.

« Brendan le navigateur, expliqua-t-il. Le gars qui a découvert l'Amérique – comme nous tous. Sauf qu'il a été le premier. Mais, naturellement, ce n'est peut-être pas vrai. » Ils restèrent à regarder un instant. La Honda était sur sa béquille, le moteur de la voiture tournait au ralenti. « Et c'est là que les Enfants de Lir sont enterrés, que Dieu les bénisse. » Il tâta de nouveau son nez. « Voilà, vous savez tout.

— Merci, dit humblement le brigadier.

— Et de quelle partie du monde êtes-vous ? »

– Du Fermanagh.

– Oh, mais ils vous mènent la vie dure là-bas, dit l'homme, secouant la tête avec tristesse. Plus vite vous les foutrez dehors, mieux ce sera. »

Tout penauds, ils remontèrent en voiture, l'homme donna une petite tape sur le toit, puis ils démarrèrent. L'homme demeura immobile, les mains sur les poignées de la Honda, le regard fixé sur Inishglora comme s'il la voyait pour la première fois.

Ils réservèrent dans un *bed and breakfast* à Corrloch, un peu à l'écart de la route. Là, de sa fenêtre, Maisie Adams vit qu'en face une grande maison en pierres de taille était à vendre. Elle apprit de leur logeuse qu'elle était mise à prix pour la somme étonnamment basse de mille deux cents livres. Le lendemain, malgré les protestations de son mari, elle prit rendez-vous avec le commissaire-priseur pour visiter.

« Les hommes du phare habitaient ici, expliqua ce dernier. On l'appelait la Résidence.

– Des chambres si vastes, dit Maisie.

– Je prends celle-là », dit Sara.

Quant à Jonathan Adams, considérant toute l'affaire comme une folie, il entretint une conversation décousue avec le commissaire-priseur. Pendant que l'homme lui fournissait des détails sur la propriété, le brigadier se contentait de hocher la tête, ne voulant pas donner l'impression d'être intéressé. Oui, c'était une belle maison, convenait-il. Oui, on avait une vue superbe. Les bonnes manières et la prudence n'autorisaient pas davantage.

Ensuite, Jonathan Adams se rendit à l'hôtel de Belmullet pour y boire un café. On le lui servit dans le bar où, mal à l'aise, il s'installa parmi les consommateurs. On entendit d'abord sonner l'angélus, puis à la télévision en noir et blanc il y eut les nouvelles de la RTE. Le brigadier n'y prêta pas attention jusqu'à ce qu'il perçoive des sons et des noms qui lui parurent familiers. Terrifié, il leva soudain la tête pour constater qu'on rediffusait des images de la marche. Jonathan Adams éprouva un choc. Il n'avait pas aperçu de cameramen de la télévision, et il n'était pas habitué à leur présence. On voyait les catholiques se rassembler dans Duke Street, puis le départ chaotique du défilé. On les entendait crier, exigeant qu'on les laisse passer, et s'adressant aux policiers avec une grande ferveur religieuse. Quelques secondes plus tard, un manifestant était matraqué. Ce qui arriva ensuite, Jonathan le vit avec une netteté aveuglante. À gauche de l'image, on distinguait un policier aux cheveux gris, tête nue, qui poursuivait un jeune. Lorsque celui-ci se perdit parmi la foule des manifestants, le policier fit demi-tour et matraqua un homme d'une cinquantaine d'années déjà couvert de sang.

Les clients du bar s'écrièrent : « Salauds ! »

Sur l'écran, le vieux policier avait retrouvé sa casquette. Pendant qu'il s'en recoiffait, il chercha autour de lui quelqu'un d'autre à frapper. Ne trouvant personne, il se retourna et tapa de nouveau sur l'homme qui hurlait à présent. Une femme se baissa et tira le blessé à l'écart. Le vieux policier fonça vers la caméra et, les yeux fous, agitant sa matraque, il fixa sur l'objectif un regard impitoyable. Jonathan Adams était devenu un témoin de lui-même. Il vit la lueur de folie furieuse qui brillait dans son propre regard. Il examina les clients autour de lui, mais aucun ne semblait faire attention à lui. Son menton se mit à trembler. Puis son corps tout entier.

« Salauds », redit quelqu'un.

Jonathan Adams sortit furtivement.

Le lendemain matin à six heures, ils quittèrent le Mayo sans même prendre le petit déjeuner. Il faisait encore nuit. Jonathan Adams n'admit aucune plainte. Et cette fois, lorsqu'ils franchirent la frontière, il garda la tête baissée de peur qu'on le reconnaisse. Partout on diffusait les images de la manifestation tournées par la RTE. Il était terrifié. Il avait hâte de retrouver la sécurité de sa maison. Il roula à toute allure, se revoyant sans cesse remettre sa casquette et se retourner pour frapper l'homme à terre qui hurlait.

Jonathan Adams appartenait désormais à l'histoire. Chaque fois qu'on réalisait un documentaire sur ces années troublées en Irlande, on incluait cet extrait figurant dans les archives de Telefís Éireann. Il se disait dans la police qu'il faudrait s'occuper du cameraman responsable de ces images. Mais maintenant, les hommes de télévision venaient de tous les coins du monde.

Ce soir-là, aux informations de Ulster Television qu'ils regardaient en famille après le dîner, on parla des émeutes à Derry. De nouveau, au ralenti, les catholiques se rassemblèrent dans Duke Street. De nouveau, le cortège s'ébranla. De nouveau, les manifestants supplièrent avec hystérie, au nom de Dieu, qu'on les laissât passer. Jonathan Adams se leva et éteignit le téléviseur. Il ne prononça pas un mot. Il quitta la pièce. Catherine ralluma. Dans sa cuisine, Jonathan entendit les voix sinistres s'élever de nouveau. Il aurait voulu croire que c'était de la fiction, mais c'était bien la réalité. Il imaginait la scène, les têtes, la haine, les gestes saccadés. Il revint dans la pièce, tremblant de rage. Éteignit de nouveau.

« Je vous interdis de regarder ça ! » rugit-il.

Il débrancha le poste et alla le mettre dans sa voiture.

Le lendemain, il était manifeste que tout le village, y compris Matti Bonner, avait vu Jonathan Adams aux informations de la veille. Il rendit le poste où il l'avait loué. Il téléphona à ses supérieurs pour savoir s'il pouvait prendre une retraite anticipée. À la caserne, le jeune Saunderson plaisanta : « Vous n'avez pas perdu la main, brigadier.

— Occupe-toi de tes affaires, fiston », répliqua le brigadier Adams.

Il était terrifié. Terrifié et furieux. Les scellés sur sa vie privée avaient été levés. Il s'ensuivit des heures d'insomnie. Les mêmes images défilaient dans son esprit, et il éprouvait une telle peur qu'il finissait par passer la nuit au pied de l'escalier, un revolver chargé à la main, face à la porte.

Et puis les filles apprirent à l'école comment leur père avait enseigné les bonnes manières aux papistes.

« Tout le monde t'a vu à la télévision », dit Catherine en rentrant de l'école.

Il était assis dans la cuisine, en uniforme. Il regarda Maisie, puis Catherine, et il monta dans sa chambre pour prier. Il demanda à Dieu de lui accorder la paix. On le traitait de fanatique, mais il n'était que patriote. Il n'était pas violent de nature. La caméra ne pouvait pas raconter l'histoire qui avait conduit à l'instant où il était devenu l'une de ces statistiques qu'il méprisait.

La caméra n'entendait pas les ordres. La caméra n'entendait pas les chants de haine. Elle ne se souvenait pas que, là où l'on disait la messe, des hommes ne tardaient pas à brûler sur un bûcher. Elle choisissait sa branche de l'histoire. Mais pourquoi avait-il riposté ainsi ? Pourquoi les jeunes policiers s'étaient-ils retenus ? Avaient-ils vu la caméra ? Les fenians avaient-ils su depuis le début que la manifestation était filmée, de sorte qu'ils avaient délibérément provoqué la police ? C'étaient les vieux schnocks comme lui qui avaient chargé, ignorant la présence de l'équipe de télévision. Les jeunes le savaient.

C'étaient eux qui étaient allés au Bogside sous couvert de la nuit.

Et lui, à la lumière du jour, il s'était fait l'artisan de son propre malheur. Jonathan Adams maudit le cameraman. Il maudit la police qui l'avait utilisé, lui et sa stupidité. Il se rappelait être monté dans le minibus du Fermanagh en compagnie d'autres policiers en ce jour fatidique. Ils s'étaient arrêtés dîner dans un hôtel en bord de mer. Ils n'avaient évoqué que la manière dont ils allaient stopper la marche de ces papistes. On va leur montrer ! Maintenant, il avait le sentiment que ces mêmes policiers l'avaient jeté dans la fosse aux lions. Après qu'il eut repris Saunderson pour avoir mentionné son équipée, aucun de ses collègues ne reparla jamais de sa prestation télévisée. Parfois, cependant, il les surprenait du coin de l'œil qui échangeaient un sourire. Il ne pourrait pas y échapper.

Le monde entier l'avait vu.

Et, parce que quelqu'un lui avait fait tomber sa casquette, Jonathan Adams avait déclenché une guerre.

12

La maison d'été

Après ces événements, et comme la guerre s'intensifia au cours des années qui suivirent, Jonathan Adams s'éloigna de ses filles. Il n'allait plus les chercher à l'école. Il ne se promenait plus avec elles. Il ne faisait plus les courses en ville en leur compagnie. Il n'assistait plus aux réunions publiques. Chaque fois qu'il rentrait en voiture avec elles, il choisissait un itinéraire différent, empruntant les petites routes bordées d'arbres ou les chemins de campagne. Toutes les fenêtres du rez-de-chaussée étaient munies de barreaux, de verre de sécurité, et les portes, fermées au verrou. Les filles ne pouvaient inviter que peu de gens à la maison.

Il était chez lui comme un animal prisonnier. L'inquiétude tordait son visage. Son menton tremblait. Le matin avant de partir, il fouillait le jardin et la route du regard par une fente entre les rideaux. Si l'on frappait à la porte une fois la nuit tombée, il ne répondait pas.

C'est au cours de cette période d'isolement que Catherine fit ses débuts sur les planches. Elle faisait partie de la troupe de l'école qui devait jouer *Annie du Far West* et elle ne tarda pas à se voir offrir le rôle-titre. Sara, pour sa part, interprétait le rôle principal masculin. Le sérieux avec lequel les filles Adams apprenaient leur texte ne manqua pas d'étonner les professeurs. Depuis le premier jour où elles avaient assisté aux auditions et lu les rôles qu'on leur avait attribués, le texte de la comédie musicale ne les quittait pas. Elles se pâmaient avec les outrances du mélodrame.

Elles rivalisaient dans leur imitation de l'accent traînant des cow-boys. Maisie confectionna à l'aide de draps trempés dans de la teinture de framboise la petite robe moulante rouge que Catherine devait porter lors de la scène finale. Pour Sara, elle transforma une vieille blouse d'écolière en chemise de dandy de western brodée de fils d'or. On acheta un chapeau de cow-boy chez Woolworth. Les femmes se sentirent soudain à l'aise dans cet univers du faux-semblant. La salle de séjour avec ses vitres à l'épreuve des balles et ses barreaux était transformée en atelier de costumes du Far West.

Le costume de péquenaude d'Annie Oakley était taillé dans du velours écrasé teint en marron. On dénicha de vieilles bottes de cheval ayant appartenu au père de Jonathan à l'intérieur desquelles on inséra des semelles en carton découpées dans des boîtes de munitions, et dont on bourra le bout de papier journal. Rentrant un soir à la maison, Jonathan Adams trouva sa fille qui, chaussée de bottes de cuir lui arrivant à mi-cuisses, s'entraînait devant la glace à dégainer un six-coups en argent qu'il avait sculpté au cours des longues après-midi qu'il passait dans la salle de police.

« Trop, c'est trop, dit-il à Maisie.

— Elles aimeraient que tu viennes, répondit-elle. Pour la première.

— Je ne peux pas.

— Elles vont être déçues.

— C'est trop risqué, dit-il. On verra. »

Catherine commença à faire des gargarismes. Des vocalises. Elle changea sa façon de marcher. Elle cessa de manger du chocolat après avoir entendu dire qu'il était mauvais pour l'élocution. Elle se mit à rêver ouvertement de gloire. Elle adopta une attitude masculine en écartant les genoux à l'exemple des hommes. Elle courba les épaules et déambula à grandes enjambées comiques. Puis, essayant sa robe, elle confectionna deux mignons faux seins à l'aide de morceaux de tissu. Elle s'entraîna à marcher à petits pas timides en prévision de son mariage avec Frank Butler, sa sœur. Devant la glace du salon, elle répétait ses différents rôles masculins et féminins puis, solidement campée sur ses jambes, elle chantait :

You can't get a man,
Oh, you can't get a man...

Le soir de la première, Maisie s'installa au deuxième rang à côté d'un siège vide. Elle y posa son sac à main et attendit. De temps en temps, elle jetait un coup d'œil par-dessus son épaule pour voir s'il arrivait. La salle bruissait du murmure des conversations et des papiers de bonbons froissés. De derrière le rideau s'éleva le choc d'un micro, à moins que ce fût le claquement d'un pas de danse. Les lumières baissèrent. Dans le noir, Jonathan Adams se glissa à côté de Maisie. Elle lui prit la main. L'air d'ouverture, il l'entendit comme s'il provenait d'une autre planète. Puis ses yeux se mouillèrent lorsque Catherine, nerveuse et maquillée d'un rouge vif, écartant les bras d'un geste théâtral, s'avança au centre de la scène en bottes de cheval et pantalon de daim. Elle dégaina son revolver et tira en l'air, produisant un petit bruit sec. Dans les coulisses, le même son retentit quelques fractions de seconde plus tard. Puis Annie Oakley, l'allure d'une allumeuse, sauta sur les genoux de sa sœur enserrés dans un pantalon brillant et, balançant les jambes comme une putain, entama une chanson dont le refrain fut repris en chœur par cinquante filles habillées en cow-boys. Et ce refrain, Jonathan Adams, en dépit de tous ses efforts, ne parvint pas à se le sortir de la tête cependant qu'il roulait sur les routes sombres de la région frontalière :

Oh, you can't get a man
    with a gun
Oh, you can't get a man
    with a gun

156

With a gu-un, with a gu-un
No, you can't get a man
   with a gun.

Jonathan Adams avait retenu la leçon.

Désormais, quand il devait accompagner le major Bunting et le révérend Paisley, il se plaçait le plus loin possible. Quand les Apprentice Boys défilaient, il se mettait dans une ruelle à l'écart de l'action. Il entendit les coups de feu censés avoir été tirés par l'IRA avant que l'armée britannique répliquât, faisant 13 morts. Un mois plus tard, il se tenait près de la tête d'une marche organisée pour commémorer la mort de ces treize victimes. Il reconnut un certain nombre des visages pour les avoir vus sur des affiches, des visages de catholiques révolutionnaires, de marxistes, d'étudiants. Il avait appris à les identifier au fil des années qui avaient suivi ce terrible jour dans Duke Street. Peut-être a-t-il même aperçu Jack Ferris. Il se montrait aimable, diplomate. Ce n'était pas la lâcheté mais la sagesse qui le poussait à rester dans l'ombre.

Il attendait sa retraite. *L'homme de sens garde le silence. L'homme de miséricorde fait le bien de son âme ; mais le cruel fustige sa chair.* Il apprit donc à garder le silence. À laisser la loi assurer sa protection. Il ne fallait pas qu'il fût celui qui *sème la discorde parmi ses frères.*

Non que ces républicains fussent ses frères.

Ils ne l'étaient pas. Ils allaient, portés par l'imagination de leurs cœurs pernicieux, *mais à reculons.* Les catholiques ne faisaient pas partie du peuple. Le Dieu de la Bible était le Dieu du peuple, mais les catholiques, eux, Le craignaient. Ils pratiquaient la tromperie. Ils disaient des mots de paix à leurs voisins, mais dans leurs cœurs, ils demeuraient à l'affût. Ils n'étaient qu'illusions et affectations. Tous les catholiques du Nord se préparaient à l'action. Ils s'étaient persuadés eux-mêmes d'être dans le vrai. Les protestants, cependant, marchaient à leur rencontre.

Hors de vue, les accompagnant, il y avait Jonathan Adams, l'œil alerte, pareil à celui du faucon, surveillant l'angle révélateur de la caméra portative. Il ne méprisait pas ces catholiques qui enterraient leurs morts, brandissaient les bannières des droits civiques ou manifestaient contre les attributions de logements. Il avait pitié d'eux, et il avait peur d'eux. Pitié d'eux parce qu'ils étaient corrompus, et peur d'eux parce qu'ils étaient les mercenaires de Rome. L'année qui avait suivi Duke Street, un rapport britannique préconisa le désarmement de la RUC. Et puis, en octobre, on déplora la mort du premier policier. Peu importe qu'il pérît de la main d'un protestant, encore que d'aucuns y cherchèrent une vaine échappatoire. Les libéraux se plaisaient à raconter cela, que le premier policier tué avait été victime du terrorisme protestant. Ou que, sans la haine et le fanatisme des protestants, le terrorisme n'aurait jamais existé. Jonathan n'ignorait pas que l'ennemi était toujours aux aguets. La mort du policier à Belfast n'était qu'un début. Bientôt, d'autres tomberaient sous les balles des catholiques.

Il ne se trompait pas. Un frisson glacé parcourut les casernes de la RUC à travers toute l'Irlande du Nord. On oublia le projet de désarmement de la police. C'était trop tard. Ils étaient devenus des cibles. Et les jeunes policiers réagissaient à présent comme Jonathan Adams. Ils criaient vengeance. Et on leur ordonna de contenir leur colère.

C'était leur tour de marcher la peur au ventre.

Pendant des années, l'Église d'Irlande avait raillé le fanatisme des presbytériens, leur évangélisme outrancier, leur crainte tribale du changement. Les plus humbles des presbytériens avaient été les acolytes des fenians en 1798. Dans certains quartiers, on les considérait même comme les membres d'une secte extrémiste qui avaient provoqué la révolution parmi les catholiques romains les plus conservateurs. Mais aujourd'hui, l'Église d'Irlande aussi formait une tribu chassée du pays. La mort la poursuivait au milieu des ombres. La vodka n'y pouvait rien. Dès qu'il entrait, il en percevait les effluves. L'odeur masculine de la peur. On la sentait avant même d'avoir franchi le seuil. À un mètre, la puanteur vous frappait de plein fouet. À laquelle se mêlaient d'autres odeurs : celles des chargeurs, de l'huile des magasins, de la gouache, du cirage, de la transpiration, ainsi que celle de la chair masculine exposée à la chaleur accablante de centaines d'ampoules. Il faisait toujours sombre à l'intérieur. Il y avait peu de fenêtres. À mesure que la journée s'écoulait, il régnait au cœur du poste de police, même quand il pleuvait, une sécheresse insupportable, et les longues heures passées dans cette atmosphère étaient débilitantes.

Les pieds, les amygdales et les bras étaient gonflés.

La peur, néanmoins, aidait les policiers à conserver leur agilité. Dès qu'ils saisissaient leurs fusils SRN, leurs bras se faisaient légers.

L'air demeurait pourtant sec. Tout le monde craignait de sortir du poste de police. Même les nouvelles recrues sans religion qui affluaient depuis peu en raison de la paye se rassemblaient autour de leurs aînés pour plaisanter amicalement avec eux. Ils se sentaient pris au piège dans une province réduite aux dimensions d'une commune. Ils prenaient une voiture, y compris pour les courts trajets. Accompagnés par l'odeur. Plus aucun policier ne sillonnait la province à bicyclette. En quatre ans, les salaires avaient pratiquement doublé. De hauts grillages venaient s'élever devant les murs qui entouraient chaque poste de police. Ce fut là l'une des dernières tâches accomplies par Matti Bonner. Lui aussi devait l'avoir éprouvé, ce sentiment que quelque chose brûlait, que quelque chose consumait tout l'oxygène. Et peut-être, comme il ne lui restait que peu de semaines à vivre, avait-il conçu une certaine sympathie pour ces hommes en vert olive – protestants sionistes pour certains, vrais terroristes pour d'autres ; des gentlemen souffrant d'hallucinations, des ouvriers, des croisés, des fils de paysans. C'est Matti Bonner, le garçon d'honneur du brigadier, qui, travaillant pour un entrepreneur d'Enniskillen, les aida à s'enfermer derrière un grillage.

Jonathan Adams aimait son village. Il était aussi bien entretenu que son propre intérieur. Il était ordonné, respectueux des lois, avec des maisons en pierres de taille, de beaux moulins, une rivière aux eaux claires, des champs de pommes de terre, des jardinières débordant de fleurs sauvages multicolores qu'on trouvait aussi au pied des moulins. Des moutons broutaient méthodiquement, tous marqués au même endroit, de grands charolais paissaient, des antiquités ornaient les étagères, les jardins et les parquets, là depuis plus d'un siècle. Des aigles fabriqués par un tailleur de pierres d'Enniskillen trônaient sur tous les piliers.

Partout régnaient les mêmes saines traditions, et pourtant, Jonathan Adams se sentait de plus en plus éloigné d'elles.

Il ne parcourait plus les rues du village et se bornait à faire les quelques pas qui séparaient sa voiture de la nouvelle barrière entourant le poste de police. Très vite, il ne fit plus que sortir la voiture du garage jouxtant sa maison et pénétrer dans l'enceinte du poste par un portail qui se refermait automatiquement derrière lui. Aussi, il ne rencontrait plus les habitants de la commune. La première chose qu'ils entendaient, lui et la relève, c'était Matti Bonner. Il sifflait « Mary from Dunloe ». Peu à peu, lorsqu'ils se rendaient en voiture à quelque endroit où de nouveaux troubles avaient éclaté, les policiers se mirent à l'imiter. Ils sifflaient l'air d'une chanson qui parlait d'amour dans la République qu'ils méprisaient. Et lorsque Matti Bonner rentrait chez lui, il emportait à son tour quelque chose d'eux. La sécheresse. L'odeur de la peur.

C'était le brigadier Adams qui avait procuré ce travail à l'ouvrier catholique, son voisin. L'ironie de la situation lui échappait, à savoir que c'était un catholique qui allait construire des défenses que d'autres catholiques s'efforceraient de détruire à coups de pierres, de cocktails Molotov et, plus tard, quand la guerre s'intensifierait, à coups de mortiers. Il ignorait que les fusils américains et russes sur lesquels il avait lu des articles et qui paraissaient jusqu'à présent si inaccessibles, si lointains, seraient un jour pointés sur des hommes portant le même uniforme que lui. Et que, quelques années plus tard, des ouvriers comme Matti Bonner seraient assassinés pour collaboration avec l'ennemi. Il ne prévoyait pas qu'un jour l'IRA serait à ce point organisée. À ses yeux, Matti Bonner était un homme qui suscitait l'amitié et la curiosité, qui avait un don pour tout ce qui touchait à la mécanique, qui ne causait pas d'ennuis, qui parlait avec mépris des prêtres, qui avait été témoin de ses noces, qui l'écoutait la mine intimidée disserter sur l'au-delà. Nous pouvons aborder tous les sujets, disait le brigadier Adams. Nous sommes des hommes simples.

Néanmoins, le jour où Matti Bonner mourut, Jonathan Adams aurait aimé qu'un prêtre fût à ses côtés.

On dit que l'âme des suicidés s'attarde un instant autour du corps. Il serait logique de penser qu'un homme qui se donne la mort a depuis longtemps commencé à pleurer sa propre disparition. Quand quelqu'un meurt dans un accident, on s'attendrait à ce que son âme demeure autour de lui pendant des jours, des années. Quand la maladie emporte quelqu'un, on s'attendrait au contraire à ce que l'âme répugne à s'envoler dans la mesure où la personne désirait vivre. L'âme aurait envie de caresser avec amour le corps qu'elle a habité, de s'étendre sur le corps âgé de la jeune femme frappée par un cancer, laquelle, peu de mois auparavant, était encore resplendissante de santé. En revanche, on s'attendrait à ce que l'âme d'un suicidé s'empresse de quitter le corps de celui qui l'a répudiée. Telle était l'hypothèse de Jonathan Adams. Il avait vu beaucoup de morts brutales, assisté à d'interminables agonies. Et l'on pouvait être sûr que l'âme de ces disparus-là serait longtemps présente dans le souvenir de ceux qui les avaient connus. Pour ce qui était de Matti Bonner, il s'aperçut que son âme se refusait à quitter ses pensées. Non parce qu'elle ne trouvait pas la paix, mais par perversité, afin de se venger du monde physique qui l'avait rejetée.

Le village paraissait abriter un esprit vengeur. La mort de Matti Bonner et l'échauffourée de Duke Street devinrent dangereusement associées dans l'esprit du brigadier.

Avant, il lui arrivait souvent de rendre visite à son voisin. Il était alors témoin de choses extraordinaires. La vie elle-même était un miracle aux yeux de Jonathan Adams. Et qui lui paraissait particulièrement fécond chez Matti Bonner. Il avait une petite figure étroite, simple, des bras minces et musclés, de longues jambes et des mains de paysan. Il avait toujours l'air satisfait, satisfait de sa routine, de son langage mélodieux, de son côté pathétique. Que son voisin pût éprouver un sentiment ressemblant même de loin au désespoir, cela n'aurait jamais effleuré l'imagination de Jonathan Adams. Il procura à Matti ce travail au poste de police, mais c'est le cœur lourd qu'il regarda s'élever le grillage. Que, à la campagne, les postes de police dussent être ainsi protégés, c'était déclarer à la face du monde : *Ce n'est pas seulement une guerre qui s'annonce, mais une longue guerre.*

Durant quelque temps, la police s'y réfugia, tandis que l'armée britannique occupait la rue. Les policiers en conçurent un sentiment d'impuissance, eux qui avaient reçu une formation militaire. Il y avait de la lâcheté à remettre entre d'autres mains le sort de la bataille. Mais, ayant toujours été armés, ils n'avaient jamais été de véritables policiers – car en Grande-Bretagne et dans la République, la police n'était pas armée. Ils avaient été fiers de leurs revolvers, et maintenant, tels des trublions et des déserteurs, on les avait enfermés dans les casernes.

Le moral de la RUC en prenait un rude coup.

On leur avait ôté la responsabilité de la province par seul souci de propagande.

En dehors de leurs familles, ils ne voyaient personne. Ils passaient leurs vacances loin de chez eux. Aux Canaries, en Afrique du Sud, en Grèce. Certains partirent s'installer dans des zones protégées. L'idée de quitter la maison que Maisie avait aménagée pour un lotissement composé de logements tous identiques semblait ridicule. Ils en discutèrent, mais ne bougèrent pas. Ils étaient dans un village protestant. En sécurité pour un temps. Ici, ils seraient à l'abri. Ailleurs, les voitures des policiers se transformaient en passeports pour l'éternité. Les policiers, à l'instar des autres habitants de la province, devenaient de simples spectateurs de la guerre, assis dans un fauteuil devant la télévision.

Jonathan Adams allait rendre visite à son voisin et trouvait sa cuisine plongée dans le noir, vibrant de coups de feu et de galopades de chevaux. Chez lui, il ne regardait jamais la télévision, mais chez Matti Bonner il s'asseyait parfois devant le poste, jambes croisées, une lueur de frustration et de revanche dans les yeux.

Il y avait deux choses chères au cœur du protestant d'Irlande du Nord : la famille royale d'Angleterre et l'âme catholique. En particulier l'âme catholique du Sud. Matti Bonner avait été son guide vers le Sud, Maisie, sa route vers la Reine. Matti, pour sa part, était très intrigué par Ian Paisley. Ian Paisley était très cher à l'âme catholique – c'est le protestant qui a le plus réussi. Il avait sa propre religion et, un jour, il aurait son propre parti politique. Les deux hommes, Jonathan et Matti, installés dans la cuisine devant de grandes tasses de thé, parlaient de la famille royale britannique et de l'Irlande du Sud.

Quand le silence venait planer sur eux, Matti Bonner s'adressait à Reilly le chien. Puis, quand Jonathan Adams s'apprêtait à partir, il scrutait les champs derrière la maison.

« Tout va bien, brigadier, disait-il. Vous pouvez sortir. »

Un hiver, alors que Maisie souffrait des poumons, qu'elle avait fragiles, Matti donna au brigadier un morceau de feutre bénit afin qu'il le plaçât sur la poitrine de sa femme. Et, à la stupéfaction de tout le foyer presbytérien, l'état de Maisie s'améliora. Tous les deux jours, Matti apportait du lait de chèvre car, affirmait-il, le lait de chèvre contient des herbes sauvages qui guérissent les maladies des poumons. En retour, Jonathan Adams lui apportait des choux-fleurs, des petits pois et de la ciboule. Et également de la confiture maison, du vin de poire de Maisie et, chaque Noël, un cake à la Guinness. Matti apprit à apprécier la cuisine de Maisie.

« Je dois vous l'accorder, disait-il. Les protestants du Nord savent manger. Les parpaillots tiennent bonne table. »

C'était vrai. Tandis que Matti jetait les croûtons de pain à son chien ou les laissait moisir, chez les Adams on en faisait du pudding aux raisins.

Tout travail à effectuer dans la maison des Adams revenait à Matti Bonner.

« Ce doit être votre conscience, plaisantait ce dernier.

— En effet, répliquait Maisie. Nous ne vous remercierons jamais assez. C'est grâce à vous que nous nous sommes connus.

— Je l'ai payé assez cher, madame, disait Matti en riant, et il levait la main droite pour montrer le moignon qui lui tenait lieu de majeur.

— Je ne sais pas ce que nous ferions sans vous. »

Telles étaient leurs relations en tant que voisins. Au poste de la RUC, cependant, au cours des quelques semaines où Matti Bonner y travailla, les deux hommes n'échangèrent pas le moindre mot. D'autre part, jamais ils ne parlèrent de sexe, sinon pour plaisanter. Ainsi, sur un plan plus profond, là où l'homme réfléchit à la mort, ils demeurèrent de parfaits étrangers. Ils évoquaient le retard du Sud catholique. Ils se gaussaient des familles nombreuses des catholiques du Nord.

« Pour moi, l'heure est passée, disait Matti. Vous n'avez rien à craindre de moi sur ce point. »

Ils trouvaient que le Nord était une société sans classes. On allait construire des maisons pour tout le monde, le problème serait réglé. Il se souvenait que Matti acquiesçait d'un signe de tête, puis détournait les yeux. Il y avait deux sujets qu'ils n'abordaient jamais : le suicide et le rôle joué par le brigadier Adams dans les événements de Duke Street. Pendant les semaines qui suivirent la diffusion du journal télévisé ayant fait de lui un objet de mépris, Jonathan Adams ne rendit pas visite à son voisin. Il craignait que Matti Bonner lui tende un piège. Entre-temps, les images tournées dans Duke Street suscitèrent une enquête à Enniskillen. Les vieux policiers de toute la province se réunirent. Et, comme des criminels, attendirent d'être convoqués. On parlait de dégradations, de renvois, de retraites supprimées.

Jonathan Adams, affolé et furieux, entra dans un bureau où un jeune officier anglais et son supérieur de la police d'Irlande du Nord l'attendaient. Ils échangèrent une poignée de main.

« Je suis sûr que vous aviez vos raisons pour agir comme vous l'avez fait, brigadier Adams, commença l'Anglais.

– En effet.

– J'aimerais les entendre.

– On nous a fait croire que nous avions affaire à l'IRA.

– IRA ou pas, brigadier Adams, nous ne pouvons permettre que des images révélant un comportement violent de la police soient diffusées sur les écrans de télévision de nos îles. Je pense que vous le comprenez.

– J'ignorais la présence d'une équipe de télévision, monsieur.

– Il y en avait pourtant une, et dorénavant il y en aura toujours. Vous avez offert un véritable récital des violences policières. » L'Anglais se passa la main sur la nuque. « Les choses seront désormais différentes, brigadier Adams. Vous avez peut-être profité d'années d'isolement pour défendre vos préjugés, mais cette époque est révolue.

– Je proteste énergiquement contre votre remarque.

– Puis-je vous rappeler, brigadier, que vous ne représentez pas seulement la police, mais également l'ensemble des protestants. »

Jonathan Adams, humilié, leva le regard sur son supérieur.

« Je suppose qu'il s'agissait d'un incident isolé, dit celui-ci.

— Oui, monsieur.

— J'aimerais que vous lisiez ceci avec attention.

— Merci. »

On le fit sortir. Installé dans son séjour, il lut le nouveau code de conduite que la police devait respecter lors des manifestations, sachant que ce n'était que de la poudre aux yeux. Les relations publiques remplaçaient la justice. La guerre avait pris un tour nouveau. Dans la nouvelle propagande, les victimes étaient les catholiques. Sa lecture terminée, il glissa le document sous un pot de confiture. Puis, de sa fenêtre, il aperçut Matti Bonner. Avec un immense soulagement, il le vit qui cueillait des pommes dans leur verger et les mettait dans un panier, suivi par le troupeau d'oies qui cacardaient. Il était venu de son plein gré. Jonathan en conçut une joie sans limites. Cela signifiait qu'il était pardonné.

Ce soir-là, dans la maison de l'ouvrier, il regarda *Coronation Street*, puis un film sur des alpinistes qui escaladaient la face abrupte d'un à-pic en Écosse. Matti Bonner, il le savait, avait certainement entendu ou vu aux informations le passage sur Duke Street dans quelque bar, comme tout un chacun en Irlande. Il n'en parla cependant pas. Au cours de la soirée, Jonathan Adams tenta bien à deux ou trois reprises d'y faire allusion, mais l'ouvrier catholique refusa de se laisser entraîner sur ce terrain.

Assis dans la cuisine de Matti Bonner, le brigadier s'efforça d'imaginer la réaction de ce dernier quand il avait vu son voisin protestant matraquer des catholiques soi-disant pacifiques. Il avait envie de clamer son innocence, de demander à Matti Bonner d'essayer de considérer l'affaire selon son point de vue. Comment avait-il réagi devant ces images ? Avait-il hurlé de rage ? Avait-il crié des obscénités comme les autres dans ce bar de Belmullet ? Imaginer les dédales de l'âme catholique, voilà qui dépassait le brigadier Adams. Le silence de Matti Bonner, il le prenait pour un reproche. Assis là, il avait l'impression d'être perdu en haute mer. Pendant qu'il bavardait, il se revoyait sur l'écran, vieux, aigri, les yeux fous. Il savait que, dans certaines cultures, les gens refusaient de se laisser photographier de peur qu'on leur vole leur âme. À présent, le brigadier Adams comprenait parfaitement cette superstition. Le cameraman de la RTE qui l'avait filmé dans Duke Street lui avait en effet volé son âme.

Et le seul homme – Matti Bonner – qui connaissait sa détresse ne voulait pas en parler. Jonathan Adams était à jamais gravé dans l'esprit de tout le monde sous les traits d'un bigot en uniforme de la Reine. Il aurait donné n'importe quoi pour effacer cette image de la mémoire des gens. « Je vous ai vu à la télévision », disaient les vieux protestants d'un air entendu, et il tressaillait, saisi d'un désir irrépressible de disparaître. Et pourtant, dans la cuisine de Matti Bonner, il avait l'impression que rien de tout cela n'était arrivé. L'ouvrier faisait du thé, contemplait le feu, tisonnait les braises et s'interrogeait sur le mystère du quotidien.

À cette époque, le son ou la vue de la télévision faisaient douter Jonathan Adams de sa santé mentale. La télévision conservait en stock un horrible blasphème, une accusation destructrice. Il n'existait rien de pire que de voir sa propre image transposée, violée, déshumanisée. Dans la cuisine de Matti Bonner, Jonathan Adams se posait des questions en regardant des chiens sauvages errer sur les plaines d'Afrique du Sud ou des alpinistes suspendus dans l'air crépitant se parler par talkie-walkie. Chaque fois que l'ouvrier le regardait, le brigadier était aux aguets, mais nulle condamnation ne venait. Matti Bonner gardait le silence.

Il le garda jusqu'au soir où il sortit dans la nuit noire, examina les alentours et dit : « Tout va bien, brigadier. Vous pouvez partir.

– Merci, Matti. »

Il fit quelques pas et ne se retourna qu'une fois. Matti se tenait dans l'encadrement de la petite porte de la cuisine éclairée, et il demeura là jusqu'à ce que Jonathan Adams eût regagné la sécurité de sa maison. Et le lendemain, quand le brigadier découvrit l'ouvrier pendu au bouleau, son silence se mua en une note éternelle de défi.

Désormais, à sa propre image dans Duke Street s'ajouta celle qui l'accompagnerait pour le restant de ses jours – celle de Matti Bonner en pantalon et veste du dimanche, sans chaussures, pendu à la branche d'un arbre. Tandis qu'il s'habillait, un démon s'était emparé de lui, et il avait fui pieds nus à travers champs jusqu'à l'endroit qu'il avait choisi, là où tous les villageois le verraient en sortant de l'église. Ils verraient le pantalon déchiré par les barbelés ainsi que les zébrures sanglantes sur ses cuisses. Il avait franchi les clôtures sans faire attention. Quels tourments l'avaient poussé à tant de hâte ? Jonathan Adams l'ignorait. Après la mort de Matti Bonner, il fut choqué de constater à quelle vitesse les signes de l'existence de l'ouvrier disparaissaient de la surface de la terre. Le travail qu'il avait effectué dans le village s'effaça. De nouvelles défenses, plus élaborées, s'élevèrent. Et Jonathan Adams ne pouvait plus passer de vacances en pays catholique. Le seul témoin bienveillant de son autre nature avait quitté ce monde.

Dès qu'il commença à vivre dans un univers de crainte, Jonathan Adams se sentit devenir étranger en Irlande du Nord. Il chercha un moyen de s'échapper. Il était trop vieux pour l'Australie. Trop vieux pour l'Afrique du Sud. Il songea au Canada. Et puis, un jour, Maisie reparla de la maison de Belmullet dont elle était tombée amoureuse. Le brigadier en demeura interloqué. « La République me manque, dit Maisie.

– C'est… c'est inconcevable que tu puisses seulement y songer, dit-il. Tu as perdu l'esprit.

– On pourrait y passer l'été, poursuivit-elle avec nostalgie. Lord Mountbatten le fait. Les juges aussi. Alors, pourquoi pas nous ?

– Je ne pense pas que tu aies toute ta tête.

– Nous le devons aux filles. » Sa moue indiquait qu'elle n'était pas disposée à abandonner le sujet. Elle se leva. « Et nous nous le devons à nous-mêmes.

– C'est du chantage, répliqua fermement le brigadier.

– Les maisons se vendent pour une bouchée de pain là-bas.

– De pain dur, oui. » Il lui lança un regard sévère. « Naturellement, tu as déjà tout arrangé.

– Oui.

– Je vois. » Il regarda par la fenêtre au-dessus de l'évier. « On va certainement m'accueillir à bras ouverts en République.

– Personne ne saura qui tu es.

– Ils l'apprendront tôt ou tard.

– D'ici là, l'affaire aura été oubliée.

– Tu sous-estimes les catholiques, dit le brigadier. Ils n'oublient jamais.

– Le Sud a oublié.

– Ah, tu crois ? » En colère, il éleva la voix. « Tu crois vraiment ?

– On ne peut pas continuer à vivre comme ça.

– Qu'est-ce que tu voudrais que je fasse ?

– Que tu nous emmènes ailleurs. »

Bien qu'il se refusât à envisager de vivre un jour dans la République, le week-end suivant, Jonathan Adams prit le chemin de l'ouest, empruntant l'itinéraire le plus court, via Blacklion, Manorhamilton, Sligo et Ballina. Entre Easkey et Ballina, ils tombèrent en panne sèche. « Bon, dit-il, c'est à Easkey que toute cette folie prend fin. » Mais avant qu'il ait eu le temps de se lamenter, un homme serviable sortit d'une maison avec un bidon d'essence. Il n'accepta pas d'argent.

L'après-midi, ils arrivèrent à Belmullet. Le ciel était tout bleu. La nature elle-même se liguait avec les femmes contre lui. Le panneau À VENDRE était toujours là, accroché au pilier du portail. En compagnie d'une voisine qui avait les clés, ils visitèrent de nouveau la maison des gardiens de phare. Tandis que les siens se montraient de plus en plus excités, Jonathan Adams restait négatif et condescendant. Il découvrit de l'humidité où il n'y en avait pas. Il fit remarquer que personne n'avait habité la maison depuis l'époque des gardiens de phare. La voisine le reprit sur ce point. Une famille de la région y avait vécu jusqu'à la fin des années 1960. Jonathan Adams affirma que la maçonnerie retenait l'humidité. C'est plutôt le contraire, le reprit une nouvelle fois la voisine, ces maisons sont conçues pour résister aux intempéries. L'eau ne traverse pas cette pierre. Une couche de plâtre, et c'est comme neuf. Jonathan Adams trouva à redire au toit, à la véranda. Le bois des fenêtres était pourri. Quelques jours de travail, dit la voisine, et vous ne reconnaîtrez plus l'endroit. De ce qui lui faisait peur, Jonathan Adams ne parla pas. Sara et Catherine ne tenaient plus en place à l'idée d'avoir une maison à deux pas de la mer.

« Et il y a un *gaeltacht* un peu plus loin », ajouta la voisine.

Les Adams se turent.

Catherine finit par dire : « Je suis sûre que notre présence ne les dérangera pas.

— Et pourquoi les dérangerait-elle ? Ils n'ont rien contre les gens qui parlent anglais. Eux-mêmes le parlent un peu.

— Ah bon ? s'étonna Jonathan Adams.

— Ils ne parlent irlandais qu'entre eux. » La voisine sourit. « Et avec le temps, vous apprendrez peut-être deux ou trois mots.

— Vous pourriez dire quelque chose en irlandais ? demanda Catherine.

— *Táim go maith*, dit la femme.

— *Tau im gu maï*, répéta Catherine. Qu'est-ce que ça veut dire ?

— Je vais bien.

— Voilà une phrase dans une nouvelle langue qui ne s'applique guère à toi, mademoiselle ma fille », dit son père.

Jonathan Adams fit une dernière fois le tour de la maison, puis ils repartirent. Ils s'arrêtèrent à Ballina et, pendant que Maisie et les filles faisaient des courses, il entra dans une librairie. Il s'apprêtait à acheter une histoire du Mayo quand il s'aperçut qu'il s'agissait plutôt d'une énumération des églises catholiques de la région et des saints qui étaient passés par là. Tous les livres d'histoire qu'il feuilleta parlaient de Croach Patrick, surnommée *The Reek*, une petite montagne qui, par temps clair, se dressait comme un château de sable sur la plage. Chaque année, des troupes de fidèles pèlerins l'escaladaient jusqu'au sommet. Il étudia attentivement leurs visages, comme s'il avait affaire à une tribu de Nouvelle-Guinée débouchant soudain de la forêt. Il prit dans les rayons de minces ouvrages religieux sur l'histoire de Knock, un hameau du Mayo où la Vierge Marie était apparue. Il jeta un coup d'œil furtif aux photos comme si c'était de la pornographie.

Il avait pénétré dans le Mayo, un comté d'images pieuses ; de pèlerinages accompagnés de cornemuses, de violons et de whiskey ; d'apparitions. De chants libertins. D'images qu'on ne doit pas adorer. Tu ne fabriqueras point d'images, tu ne t'inclineras point devant elles, ni devant les idolâtres, clamait saint Augustin.

« Puis-je vous aider ? demanda le libraire.

– Je regarde », répondit Jonathan Adams.

Et partout où il regardait, le catholicisme était présent. Davitt et la Ligue agraire. Parnell à Crossmolina. *Le Livre des anciennes superstitions et des cures.* La Famine. 1916.

Il se préparait à sortir en hâte quand il remarqua que le libraire le considérait d'un œil soupçonneux. Il se tourna vers le rayon des romans.

À la fois paniqué et gêné d'être resté si longtemps à fureter, il finit par acheter une édition scolaire d'*Un conte de deux villes* de Dickens. Il l'avait lu près de cinquante ans auparavant, dans la chambre qu'il partageait avec son frère dans une vieille caserne à l'époque de l'ancienne RIC où son père était brigadier. La caserne avait sauté dans les années 1920 et son exemplaire d'*Un conte de deux villes,* écrit en caractères aussi minuscules que des flocons d'avoine, avait sauté avec. Et voilà que, à cause de la confusion qui l'habitait, il le rachetait, imprimé en gros caractères. Il entendait résonner la première phrase dans sa tête : « C'était le printemps de l'espoir, c'était l'hiver du désespoir. » Pour donner quelque crédibilité à son achat, il prit également une carte.

« Vous allez loin ? s'enquit le libraire sans le regarder.

— Cork, mentit le brigadier.

— Vous avez encore un bon bout de route à faire. » L'homme glissa le livre dans un sac en papier. « Il y a des gens de chez nous là-bas, de Bonniconlon. Vous habitez dans la ville ?

— Oui.

— Un homme du nom de Gillan, Paddy Gillan ?

— On... on a déménagé récemment. Plus au sud. Kinsale, en fait.

— Je vois. » Le libraire haussa les sourcils. « Vous ne l'auriez pas croisé avant, par hasard ?

— Non, désolé.

— Ça ne m'étonne pas trop. » Le libraire éclata d'un rire affreux. « Naturellement, vous n'êtes pas originaire de là-bas, reprit-il, rendant la monnaie pièce par pièce. Pas avec votre accent. » Il eut un sourire satanique. « Vous, je parviens à vous comprendre, mais les hommes de Cork, beaucoup plus difficilement. » Il fit le tour du petit comptoir et escorta le brigadier jusqu'à la porte. « Quand j'arrive là-bas, que je descends du train et que je les entends parler, oh là là ! Seigneur ! Pour ne rien vous cacher, j'ai souvent l'impression qu'ils se fichent de moi.

— Ah bon ? fit Jonathan Adams.

— Oui, vous verrez », dit l'homme en lui tenant la porte.

Jonathan Adams s'enfuit dans la rue. Et maintenant ? Où aller ? L'espace d'un instant, désemparé, il s'engagea d'un pas néanmoins assuré dans la mauvaise direction. C'était typique de la République, se disait-il, qu'il réussisse à se perdre dans une petite ville, qu'en désespoir de cause il en vienne à raconter un mensonge inutile, et enfin que par gêne il se retrouve contraint d'acheter son premier ouvrage de fiction depuis des décennies. Il se promena dans

172

Ballina et alla s'asseoir au bord de la Moy. Il regarda les pêcheurs qui, en bottes cerclées d'écume, de l'eau à mi-cuisses, lançaient leurs mouches en aval. Comment s'appelait la rivière? Il déplia la carte du pays d'Erris. Il l'étudia un long moment sans pour autant découvrir un endroit qui l'attirerait, un endroit où il pourrait vivre en sécurité.

« La seule église protestante de Mullet est fermée, dit-il à Maisie sur le chemin du retour.

– Tu n'envisages tout de même pas d'en ouvrir une? » demanda-t-elle.

La presqu'île, reliée au continent uniquement par le vieux pont de Belmullet, était si isolée qu'on s'y sentait à l'abri. C'était une petite enclave protégée, entourée de mers immenses. Autre chose jouait en sa faveur : Jonathan Adams avait entendu dire qu'elle ne comptait encore que peu de téléviseurs.

Il ne parvenait cependant pas à se décider.

Il demeura indécis durant tout le long trajet de retour. Quand ils arrivèrent dans le Leitrim, laissant l'Ouest derrière eux, il essaya de se représenter la maison. Est-ce une maison où j'aimerais mourir? se demanda-t-il. En regagnant leur forteresse du Nord, il se sentit désorienté, mais toujours incapable de dire oui ou non. Cette nuit-là, la maison de Belmullet le visita. Dans un rêve, il entrait par la véranda et passait devant un groupe de gardiens de phare qui jouaient aux cartes dans la vaste cuisine. « Où est l'as? » s'écriait un homme aux yeux clairs. Jonathan Adams grimpait les marches de l'escalier qui descendait au lieu de monter. Il se retrouvait devant une fenêtre du deuxième étage par laquelle Matti Bonner était sur le point de tomber mais, heureusement, Jonathan le rattrapait à temps. « Souriez, lui disait-il. Ne racontez pas que vous alliez tomber. Pensez à ce que diraient les voisins.

– Vous pouvez partir, brigadier, disait Matti. Tout va bien. »

Il se réveilla bouleversé, comme s'il avait été visité par sa propre mort. Maisie Adams avait déjà commencé à décorer la maison des gardiens de phare.

« Dans le séjour, je mettrai de la moquette verte. Les filles pourront occuper le grenier. » Elle enlèverait tous les objets catholiques de mauvais goût, les madones des marins. Elle défricherait le jardin – elle avait déjà entrepris d'accrocher les rideaux.

« Ce sera notre maison d'été, dit-elle. Tu pourras t'y détendre. »

Les filles supplièrent. Que sa famille pût désirer s'installer dans la République du Sud, voilà une situation à laquelle le brigadier n'était pas préparé. La maison finit par s'imposer à lui. Un jour, il dit oui. Tout simplement. « Je ne veux pas recevoir de catholiques, d'accord ? » dit-il à sa femme. Elle acquiesça. Ce serait pourtant lui qui, plus tard, en inviterait. Ils retournèrent à Belmullet et versèrent au commissaire-priseur un acompte de cinq cents livres. Ils signèrent l'acte de vente. Lorsqu'ils arrivèrent le même soir à la maison, le vent soulevait des tourbillons cinglants de grêle et de sable. Ils durent s'arc-bouter pour ouvrir l'immense porte. À l'intérieur, Jonathan Adams eut la surprise de constater que la table de la vaste cuisine était exactement comme dans son rêve, et que le tiroir contenait un vieux jeu de cartes.

13

Les étrangers

Sa dernière année dans la police parut bien longue à Jonathan Adams. Dans le Fermanagh, les occupants des fermes protestantes frontalières vivaient dans la crainte. Dès la nuit tombée, les coups de téléphone affluaient. On appelait la caserne pour dire qu'on avait vu quelqu'un dans la grange ou des lumières derrière la fosse d'aisances. Le chien aboyait. Les voisins catholiques transportaient des fusils. Il y avait des bateaux sur le lac. Une voiture étrangère était passée à toute allure. Pamela n'était pas rentrée. George était allé danser de l'autre côté de la frontière et on avait aperçu sa voiture vide près du lac Melvin. La police rappelait pour vérifier l'authenticité des appels. Et, même en présence d'un drame, elle se refusait à quitter la caserne.

« Il faudra que vous attendiez le matin », disait le policier de service.

Les appels se succédaient, incessants, des voix blanches de terreur. « Venez tout de suite ! » suppliait-on. Mais est-ce qu'on savait ce qui attendait dehors ? Est-ce qu'on savait si la personne au téléphone était bien celle qu'elle prétendait être ? Épouses hystériques guettant le retour de leur mari. Recrues de l'Ulster Defence Regiment passant la nuit entière devant la fenêtre de leur chambre, un fusil de chasse à la main. Ce pouvait être l'IRA qui tendait une embuscade.

Des coups de feu avaient beau éclater non loin des casernes, les policiers demeuraient barricadés à l'intérieur.

« Attendez le matin », répétaient-ils au téléphone. Et, le matin venu, ils ne savaient toujours pas ce qui les attendait. « Vous êtes morts », annonçaient des voix au téléphone. « Tu es un homme mort, Adams, rugit une voix à son oreille. Tu as entendu ? » Il déglutit et se mit à trembler. On enregistra la menace et on la classa avec d'autres qui donnaient des noms, des familles. Sous les ampoules fluorescentes des casernes, les policiers de service, désœuvrés, guettaient les premières lueurs du jour. Déjà, parmi les hommes jeunes, les mariages étaient mis à rude épreuve. Les congés maladie éclaircissaient les rangs. Ils revenaient, le teint blafard, la gueule de bois. Il arrivait que le brigadier ne rentre chez lui que dans la matinée, car des patrouilles, des unités de l'armée britannique et des membres des groupes d'intervention se servaient du poste comme quartier général.

La police n'avait pas son mot à dire. Elle voyait son autorité s'éroder, ses rapports avec la population se dégrader systématiquement. Tout ce qui arrivait, on le lui attribuait. On lui reprochait de laisser les gens sans défense. Ses informateurs se tournaient vers les services secrets britanniques, qui leur offraient des primes plus élevées. On lui installait des machines à écrire qui ne fonctionnaient pas. Jonathan Adams perdait le contact. Cependant que l'Irlande du Nord se désagrégeait, il se mit à sillonner le Fermanagh à bord des bus scolaires.

Des bagarres avaient éclaté dans les bus qui conduisaient les élèves à Enniskillen. Il attendait à l'arrêt en compagnie de ses filles et montait avec elles. Des semaines durant, il fit ainsi des allées et venues, la carabine à la main, pour maintenir l'ordre entre les élèves catholiques d'un côté et les élèves protestants de l'autre, jusqu'à ce qu'on finisse par utiliser un bus pour chacune des tribus religieuses. Il commençait à redouter le moment de regagner la caserne. Son livre fenian était devenu un document classé secret, de l'épaisseur d'un dictionnaire, rempli de photos, de descriptions détaillées de personnes rédigées en caractères fatigués et agrémentées de curieuses données psychologiques.

Il regardait ailleurs. Une brise fraîche de l'Atlantique soufflait, apportant un peu d'air dans la caserne où régnait une chaleur étouffante. Il rêvait de retraite, de l'instant où son visage s'effacerait de la mémoire des gens. Il se voyait arracher des pommes de terre. Planter des bulbes de jonquilles. Sortir en mer avec les pêcheurs. Nommer les oiseaux. Les fleurs sauvages. Relire les biographies d'obscurs martyrs des guerres de la Réforme en Écosse. Réactualiser ses connaissances sur Genève, Berne et la Bohême.

Il demanda à ses quelques collègues catholiques s'ils connaissaient Belmullet.

« Belmullet ? Mais c'est le bout du monde », répondit l'agent Morris. Il avait l'air encore plus hagard que Jonathan Adams. Cette année-là, l'IRA avait lancé un ultimatum, exigeant de tous les catholiques de la RUC qu'ils démissionnent, sinon ils seraient considérés comme des cibles au même titre que les autres. « Vous n'envisagez pas d'aller là-bas ?

— Je l'envisage — temporairement. »

Morris secoua la tête, incrédule. Il savait qu'on disait d'Adams qu'il vivait parfois sur une autre planète, mais de là à imaginer qu'il trouverait un joli coin tranquille dans le Sud !

« Je ne connais pas la région, brigadier. Vous devriez peut-être interroger les protestants du coin.

— Je doute qu'il y en ait.

— Oh, fit Morris. Dans ce cas, vous serez peut-être davantage en sécurité là-bas qu'ici. En fait, vous y serez peut-être même davantage que moi. »

Il y avait une part de vérité dans ses paroles. Au cours de l'année, Morris démissionna alors qu'il lui aurait fallu encore quatre ans pour bénéficier d'une retraite à taux plein. Les catholiques ne furent pas les seuls à quitter la police. Des protestants les imitèrent, ne bénéficiant que de la moitié de leur retraite, car ils ne voyaient pas comment on pourrait les protéger contre les assassins. Jonathan Adams commença à prendre conscience de sa chance : sa retraite survenait à point nommé. À l'instar des autres anciens, il tâcha, le temps qui lui restait, de ne pas attirer l'attention sur lui, sachant qu'il n'avait pas droit à l'erreur. Pendant les enterrements des membres de l'IRA, il se tenait à distance respectueuse, et pourtant, une fois, alors que le cortège funèbre accompagnant un homme tué au cours d'une fusillade passait devant l'endroit où il se tenait, derrière un groupe de soldats, le brigadier Adams, paraît-il, se mit au garde-à-vous et salua l'homme de l'IRA qu'on portait en terre.

Les gens qui le virent en demeurèrent abasourdis. Ils regardèrent de nouveau, mais son bras était retombé le long de son flanc et les talons de ses bottes étaient bien écartés. Il affichait une expression distante, indifférente. Comme si rien n'était arrivé. Lorsqu'on raconta par la suite cette histoire, personne ne la crut. Il ne faisait que lever la main, disait-on. Pour rectifier sa casquette. Pourtant, les parents du défunt jurèrent l'avoir vu – le salut d'un gradé de la vieille garde de la RUC au cercueil d'un membre de l'IRA.

Cette image fixe de Jonathan Adams ainsi que celles qui le montraient en train de matraquer des catholiques sans défense entrèrent dans la tradition. Les unes étaient gravées à jamais dans l'histoire visuelle par la télévision, tandis que l'autre n'était que rarement mentionnée. On ne pouvait pas vérifier. Elle n'existait que dans la mémoire populaire. Seules les quelques personnes présentes ce jour-là s'en souvenaient.

Il l'a fait, le pauvre con. Ouais. Je l'ai vu de mes propres yeux.

Et comment qu'y l'a fait.

C'était le dernier jour de Jonathan Adams au sein de la RUC. Le lendemain matin, il dirait adieu à près de quarante années de service dans la police. Il semble que son dernier acte de policier fut bien de saluer l'ennemi traditionnel qui passait d'un monde à l'autre. Quelques jours plus tard, avec une remorque pleine d'oies cacardantes, il prenait la direction du Sud.

La presqu'île de Mullet offrit à Jonathan Adams et à sa famille une prise sur une réalité nouvelle.

Au printemps et en été, ils descendirent à la Résidence un week-end sur trois. Durant leur absence, un voisin nourrissait les volatiles. À Corrloch, le brigadier était moins strict, et il laissait ses filles mettre des minijupes, ce qu'il n'aurait jamais autorisé dans le Fermanagh. Elles pouvaient désormais vivre dans un univers auquel Maisie et lui avaient renoncé. On lui communiqua les noms de quelques familles à Newport et à Westport qu'il alla voir pour sonder l'âme des protestants du Sud dans l'espoir de trouver un accès aux catacombes sablonneuses où résonnait le gaélique. Malheureusement, les membres de l'Église de Erris se révélèrent encore plus ambigus et insaisissables que les catholiques du Sud.

À l'Ouest, c'était son seul contact avec l'extérieur. Ils apportèrent des meubles du Fermanagh dans une remorque. Il replâtra et repeignit les murs. Avec l'aide de Maisie et de Catherine, il planta des pins, des fuchsias, du houx. Sara arrivait ensuite pour arroser. Ils plantèrent des camélias, des roses, de la vigne vierge et un cytise. Pour découvrir le printemps suivant qu'aucune plante, aucun arbre n'avait résisté au vent. L'année d'après, sur les conseils qu'on leur prodigua, ils plantèrent des saxifrages, mais seuls deux pieds sur six survécurent. Le muguet n'apparut pas, les perce-neige pas davantage, les crocus percèrent et moururent. Ils comprirent alors qu'ils étaient dans un monde rudimentaire, un monde de vents et d'intempéries.

À Belmullet, rien ne résistait aux hivers, semblait-il. Installer une protection devint une obsession chez les Adams comme chez tous les habitants de la presqu'île.

Cela, ils l'apprendraient plus tard. Les premières semaines, ils plantèrent tout ce qui leur tombait sous la main. Des boutures en provenance de leur jardin du Fermanagh ou de la vieille église presbytérienne. Les beaux jours virent les roses fleurir. Jonathan Adams rangea les madones des marins dans une remise. Puis Maisie entreprit de scier des bûches. Les filles allèrent ramasser des pierres sur la grève pour faire un jardin de rocaille. Leur père s'installait dans un fauteuil à bascule en érable, dont le haut dossier incliné était à barreaux, qu'ils avaient acheté à Sligo, et pendant les longues soirées il se balançait dans la pièce qu'il avait choisie pour bureau, dans le pignon nord, au premier étage d'où il avait vue sur Scotchport et, au-delà, sur les grandes dunes où le vent soulevait des tourbillons de sable qui atteignaient parfois près de cent mètres de hauteur.

Il savait que c'était là, dehors, qui attendait. Il fallait laisser faire le temps. Des années durant, éveillé dans le noir, il avait guetté le bruit des carreaux brisés. À présent, c'était le vent continuel de l'Atlantique qu'il entendait, le vent qui entrechoquait les pierres, dispersait le sable cinglant. Il regardait les files de tracteurs chargés de tourbe, et il en acheta le contenu d'une remorque. Le paysan l'entassa sur le côté de la maison et, le soir, la famille Adams essaya, à l'exemple de ses voisins, de disposer les briquettes en pyramides.

Harcelés par les moucherons, ils persévérèrent pendant les week-ends, mais ne réussirent qu'à laisser derrière eux des piles branlantes, informes et toutes de guingois. À leur retour trois semaines plus tard, ils s'aperçurent qu'un voisin anonyme avait fini le travail en leur absence. Le tas se dressait à côté du mur du pignon, aussi parfait et arrondi qu'une hutte d'ermite. Pour Jonathan Adams, il s'agissait d'un miracle. Il s'efforça en vain de lire sur le visage de ses voisins lequel avait bien pu lui construire ainsi sa maison de tourbe.

Il pensait que quelqu'un viendrait, parlerait du service qu'il avait rendu aux Adams, mais personne ne se manifesta.

« C'était un acte très chrétien, dit Jonathan Adams.

— Je me demande si je ne devrais pas mettre mon linge sale dehors, dit Maisie en riant.

– Parfois, femme, je désespère de toi. »

Ils invitèrent les menuisiers du pays à démonter et à emporter les placards. Ils payaient leurs factures en livres irlandaises. Parfois, le soir, Jonathan Adams accompagnait Maisie pour une promenade sur la grève. On leur disait bonjour, et ils répondaient. C'était nouveau pour eux. Avoir des relations amicales avec des catholiques sans passer pour des suppôts des fenians. Ils ressentirent une grande délivrance en ce premier été. Un ciel nocturne balayé toutes les dix secondes par trois pinceaux lumineux en provenance de Eagle Island. Quand ils se réveillaient au milieu de la nuit, ils les guettaient : les trois cavaliers de l'Apocalypse.

L'année de sa retraite, comme tant d'Irlandais du Nord, catholiques et protestants, le brigadier Adams devint, ainsi que sa femme, dépendant de leur refuge dans le Sud. Les gens du pays les considéraient comme des romantiques, les sauveurs de la vieille Irlande romantique.

Sur les petites routes de campagne, et à leur grand plaisir, de parfaits inconnus les saluaient de la main quand ils passaient en voiture. L'homme du Sud, à l'image du paysan, portait le doigt à son front, un geste personnel à la fois soumis et comique. Les filles, impressionnées, tentaient de l'imiter. Un doigt sur la tempe, la paume à plat, une légère rotation du poignet, l'index pointé vers le ciel. Un pouce dressé, solitaire. Un hochement de tête. Une inclination du menton. Un clin d'œil appuyé.

Ce pouvait être la simplicité, ou la tradition, ou l'habitude, mais d'une certaine manière ces saluts les rassuraient. Pourtant, il ne leur venait pas à l'esprit, lorsqu'ils se promenaient à pied le long de ces mêmes petites routes de campagne, de saluer à leur tour les occupants des voitures qu'ils croisaient. Certes, ils y pensaient de temps en temps, mais seulement une fois la voiture passée. Ils étaient conscients de cette lacune. Et le geste, quand ils tâchaient de l'imiter, leur paraissait forcé.

Le Sud était un musée que Jonathan Adams, enfin, visitait comme un étranger. Il renfermait des expressions pittoresques, des voyelles douces, des superstitions, des commerçants peu ponctuels, des longueurs exaspérantes, des ânes errants. Des cris à midi, des hourras à minuit. Et pas de violence. Des chèvres flânaient dans le village. Les chargements de tourbe circulaient. Les cygnes s'envolaient. Et le prix des marchandises changeait tous les jours. Ils achetèrent de la vieille vaisselle. Firent installer un fourneau d'occasion trouvé dans une vieille chaumière à vendre. Ils se renseignaient sur les prix de chaque chose et faisaient des kilomètres pour dénicher de bonnes affaires.

Comme tous les gens venus en touristes, ils déploraient les nouveaux pavillons, les maisons en pierres défigurées par les crépis, l'absence de fleurs, le laisser-aller. Ils jugeaient aberrants les prix de certains produits. Ils jugeaient méprisables les paysans du Sud qui avaient abandonné la terre. Ils voulaient que perdurent le style rustique, les petites chaumières.

Ils se promenaient sur la plage. Le brigadier Adams avait trouvé un foyer loin de chez lui et, veillant à rester dans l'ignorance de la politique du Sud, il arpentait les tourbières interminables en réfléchissant à la politique du Nord. Le soir, il partait en voiture avec Maisie voir les bateaux de pêche au saumon accoster la jetée de Ballyglass.

Là aussi, il a peut-être rencontré Jack Ferris par hasard car, cette année-là, Jack, après avoir quitté le collège, travaillait à Mullet sur les bateaux de pêche pendant l'été. Peut-être qu'un jour Jack Ferris avait lancé la corde sur le quai et que le vieux brigadier l'avait tenue jusqu'à ce que le bateau fût solidement amarré. Les pêcheurs le connaissaient à présent et lui vendaient des petits sacs de harengs ou de lieus. Ils refusaient parfois d'être payés, mais Jonathan Adams insistait.

« De toute façon, on les jettera, disaient-ils.

— Non, je ne peux pas accepter », répliquait-il, essayant de leur fourrer l'argent dans la main.

Il admirait ces hommes rudes et silencieux au retour d'une longue pêche en Atlantique. Ils descendaient du bateau comme des zombies. Dans leurs yeux ternes, on lisait l'épuisement, l'indifférence. Pourtant, ils assumaient leurs tâches jusqu'au bout. Des hommes fatigués achevant ce qu'ils avaient commencé, voilà qui ne pouvait que recueillir l'approbation de Jonathan Adams.

Ces jours-là, il ne s'approchait pas. Il restait dans la voiture pendant que Maisie cousait. En sécurité, seuls dans l'habitacle, ils regardaient agir les gens et se dérouler les événements de la presqu'île.

Son sentiment de culpabilité et son statut d'étranger cantonnaient Jonathan Adams dans le rôle d'observateur d'une culture qui satisfaisait en lui quelque trouble besoin. Une culture à laquelle il ne pourrait pas appartenir, mais qu'il avait l'impression d'avoir connue quand elle avait existé sous sa forme la plus pure, comme jadis sur Inishglora, l'île de la Pureté.

La vie politique quotidienne en République d'Irlande constituait une inépuisable source d'amusement pour les Adams. De même que de nombreux citoyens du Nord, catholiques comme protestants, ils se sentaient supérieurs à ceux du Sud par l'éducation, les manières, la conscience politique, le sens du commerce. La guerre en Irlande du Nord avait fait d'eux des êtres politiques avertis.

La guerre civile dans le Sud et l'Insurrection de 1916 étaient peu de choses comparées à la Somme, au courant cruel qui entraînait les loyalistes.

L'été s'acheva cependant ; ils retournèrent avec leurs oies plaintives vers le régime plus strict de l'Irlande du Nord, et le souvenir envahissant de leur maison d'été ne cessa de les tenailler. Les noms de leurs voisins, leurs promenades à Belmullet et sur la presqu'île devinrent chez les Adams des sujets de discussion plus fréquents que leurs voisins du Fermanagh ou la violence croissante dans le Nord. Malgré les trois bonnes heures de route, ils ne tardèrent pas à y descendre tous les week-ends. Ils achetèrent un vieux canapé et des fauteuils club en cuir. Des lampes de bureau. Un service décoré de chardons bleus. Les filles suspendirent des clochettes. Firent leurs devoirs pour le collège du Fermanagh devant la mer démontée. Peu à peu, ils effaçaient le caractère temporaire de la maison.

Jonathan Adams apprenait de ses filles et de sa femme tout ce qui se passait sur la presqu'île. Ils s'installaient près du fourneau dans la cuisine remplie de courants d'air, et Maisie lui lisait les journaux du Sud. La pièce était toujours froide. Ils n'arrivaient pas à chauffer suffisamment en raison des quantités spartiates de charbon et de tourbe dont ils alimentaient la cuisinière. Ils étaient divisés entre deux maisons. Dans le Nord, ils étaient bien chauffés. Ils avaient une cuisinière électrique, un réfrigérateur. À Mullet, dans une maison deux fois plus grande, ils préparèrent les repas sur un réchaud de camping pendant plus d'un an et conservèrent les aliments dans des boîtes en plastique. Ils ajoutaient une à une les briquettes de tourbe pour entretenir un misérable feu.

C'est dans ces conditions que Jonathan Adams entendit parler de Mr. Blaney qui, après avoir été impliqué dans le trafic d'armes avec le Nord ayant entraîné la chute du gouvernement quelques années auparavant, était à présent député au Parlement européen ; de Mr. Haughey qui, éjecté de son cheval et de son parti, était de nouveau au pouvoir ; de Gay Byrne qui inaugurait des magasins ; d'un évêque du Mayo qui réclamait la construction d'un aéroport international à Knock. Les Adams, scandalisés et amers, commentaient à voix basse l'hypocrisie des Irlandais, et ils emportaient des bouillottes au lit.

Ils ne séjourneraient là que temporairement, du moins le crurent-ils au début.

Bientôt, ils vinrent aussi en automne, aux premiers jours du printemps. Une année, ils y passèrent Noël avec les filles. Un vent féroce tel qu'ils n'en avaient encore jamais connu les contraignit à se calfeutrer à l'intérieur pendant les fêtes. Pour la première fois, au lieu des nouvelles d'Irlande du Nord, ils écoutèrent les bulletins météo sur Radio Éireann.

Ils attendaient, tandis que la voix énumérait les stations météorologiques disséminées dans toute l'Irlande, qu'on annonce enfin : *Et pour terminer, Belmullet.* Au cours des deux semaines de leur séjour, le vent souffla en moyenne à 12,3 nœuds, avec des pointes à près de 150 km/h. Les rafales en provenance de l'Atlantique ne se calmaient jamais. Maisie regardait avec tristesse le vent plaquer au sol les quelques plantes survivantes. Il coupait la respiration des filles quand elles couraient dehors chercher de la tourbe. Des bâches en plastique noir s'envolaient.

Maintenant, ils se rendaient compte de la solidité de la maison qu'ils avaient achetée. Ils en étaient reconnaissants à l'Administration irlandaise des phares qui avait bâti cette résidence de deux étages destinée aux familles des gardiens de phare du nordouest du Mayo quand ils prenaient leurs congés. Le toit d'ardoises tenait. La pluie débordait des gouttières et balayait la cour en torrents furieux, mais elle s'écoulait par des rigoles en pierre.

Affrontant leur première tempête, les Adams s'installèrent dans la cuisine pleine de courants d'air pour lire ou bien restèrent au lit, tandis que dehors les éléments se déchaînaient. Tous les jours, à un moment quelconque, on trouvait Jonathan Adams, enveloppé dans une couverture, assis à son bureau du premier étage face à la fenêtre de gauche. Le vent s'engouffrait par le moindre interstice. Les vitres tremblaient. La troisième nuit, il y eut une panne d'électricité. Un poteau avait dû être arraché quelque part. Les voisins donnèrent des bougies à Maisie. Le soir, les filles lisaient dans la cuisine des extraits des classiques et interprétaient de petits rôles de jeunes filles.

« Moi aussi, j'ai fait un peu de théâtre », déclara soudain Maisie.

Sur l'insistance de ses filles, elle accepta de jouer. Elle s'éclipsa un instant. On éteignit les bougies. Elle revint et s'inclina profondément, une bougie allumée dans une main, une clé faite avec les pages tortillées du *Irish Times* dans l'autre. Elle était coiffée du panama du brigadier drapé d'un voile noir.

Elle se tourna vers le public et fit une modeste révérence.

« Mesdames et messieurs, la tâche du temps se poursuit jour après jour sans que nous nous en apercevions. À l'aide de ma clé, je fais tourner les aiguilles. À l'aide de ma burette, j'huile les rouages. Oh, dit l'horloge quand elle m'entend arriver, le voici enfin. »

Lentement, courbée par l'âge, elle tira une chaise, grimpa dessus et se mit à tourner la clé dans le vide, chantant une version sage de ce qui lui avait valu son nom gravé sur la coupe pour son prix en éducation religieuse à Rathkeale – *Maisie Ruttle 1er prix : Le remonteur d'horloges allemand.*

Le vieux remonteur d'horloges
Il remonte la nuit
Il remonte la nuit
Et il remonte le jour

Avec mon turaluma luma luma
Turaluma luma luma
Tura lia,
Tura liura liura lia,

Turaluma luma luma
Turaluma luma luma
Tura lia

Et tout le monde de reprendre en chœur :

Tura li-ura li-ura lia

Elle souffla la bougie. Les filles tapèrent du pied pour en réclamer davantage.

« Tûût ! tûût ! hurla Maisie, imitant le sifflet d'une locomotive. Départ du train de Ballingrane pour les hydravions de Foynes. Tûût ! tûût ! Dernier changement pour Askeaton, Foynes et l'Amérique. Tûût ! tûûûûût !

– Tûût ! tûût ! hurla à son tour Catherine.

– Tûût ! tûût ! tûût ! tûût ! » reprit Sara.

La cuisine s'emplit des sifflets de train.

La deuxième soirée sans électricité, ils faisaient des réussites avec le jeu de cartes des gardiens de phare à la flamme vacillante des bougies presque consumées quand le facteur, qui habitait de l'autre côté de la route, portant une lampe à huile et un petit bidon d'huile, cogna à leur porte.

Joe Love tailla la mèche et posa la lampe sur la table.

« Voilà qui va vous permettre d'éclairer un peu, dit-il.

– Désirez-vous un thé ?

– Oh, non, non, non. »

Il étudia les cartes étalées et reprit :

« Vous connaissez le jeu de 25 ? Ça, ça vous fait réfléchir.

– Je n'ai jamais appris, répondit Maisie.

– Il est jamais trop tard, m'dame. »

Pendant les heures qui suivirent, il leur expliqua ce que signifiaient le cinq d'atout, l'as de cœur, la valeur des rouges et des noires. Il dit : « C'est un bien faible feu que vous avez là. » Consternés, ils le regardèrent enfourner des piles de tourbe et de charbon. « Faut pas économiser sur le chauffage par un temps pareil », leur conseilla-t-il.

Un instant plus tard, il enchaîna :

« Maintenant que vous savez jouer au 25, la prochaine chose que vous devriez apprendre, c'est l'irlandais.

– La langue ? demanda Jonathan Adams.

« – Qu'est-ce qu'y a d'autre ? Vous avez deux filles qu'ont l'air intelligentes.

– C'est dur ? demanda Catherine.

– Dur ? Ben, rien n'est facile, c'est sûr. Ça vous permettra de passer le temps. »

Après son départ, le jeu du 25 et l'idée d'apprendre l'irlandais devinrent leurs principales occupations durant le reste de la tempête. Sinon, ils lisaient. Jonathan Adams abandonna les biographies pour une histoire d'Irlande, un ouvrage datant du temps de son grand-père, jusqu'à ce que, rempart contre l'idiotie, il s'intéresse à la mythologie irlandaise. À ses connaissances sur Moïse et le roi Henri, il ajouta au cours de sa première année de retraite le combat entre Cuchulainn et Ferdia, puis il posa un instant la main, avec un frisson de plaisir anticipé, sur *Le Saumon de la connaissance* en se disant : J'y reviendrai plus tard.

Le Sud, ce fut le début de la liberté pour les filles. Leur serrer la vis comme dans le Nord n'aurait servi qu'à attirer l'attention sur Jonathan Adams. Tout en désapprouvant, il les autorisait à aller danser au Barber's Hall. Écouter de la disco à Belmullet. Les Chieftains à Castlebar. Les Dubliners à Pontoon.

Ils déposaient les filles à l'entrée de la salle, et pendant qu'elles dansaient, le brigadier et Maisie visitaient les villages des alentours en voiture ou bien se promenaient le long de la grève. À minuit, ils passaient récupérer leurs filles. Ils finirent par se laisser fléchir et leur permettre de prendre le bus. Et puis de partir dans la voiture d'un voisin.

Les deux sœurs passaient leurs journées sur la plage. Entendre la mer ne leur suffisait pas. Elles marchaient au bord de l'eau, escaladaient les rochers et s'asseyaient pour bavarder au cours des longues soirées d'été. Un jour, elles découvrirent un tunnel formé par des rochers éboulés qui donnait sur un large trou d'eau parfaitement calme. Comme il n'y avait pas assez de place pour tenir debout, ni rien pour s'accrocher, elles n'y restaient pas longtemps. Elles nageaient un peu, repartaient par le tunnel, se glissaient entre les pierres et, après avoir regagné la surface, rejoignaient le rivage en nageant sur le dos, puis elles s'installaient sur les rochers pour discuter.

Il serait trop facile d'imaginer qu'elles parlaient des hommes. De fait, elles n'en parlaient jamais de manière directe. Elles racontaient leurs expériences comme si elles avaient été vécues par d'autres. Elles riaient de la façon dont les garçons, dans leur excitation, mouillaient leurs pantalons de leur sperme.

« Si une fille a un petit ami qui se frotte contre elle, demandait par exemple Catherine, et qu'elle fasse pareil, tu crois qu'elle pourrait lui faire mal ? »

Ou bien Sara : « Qu'est-ce que ça ferait si une fille laissait plusieurs hommes venir en elle à la suite les uns des autres ?

– Ça se fait ? s'étonne Catherine. Ils seraient tous d'accord ?

– Ça doit être bizarre d'avoir un truc comme ça qui te pend entre les jambes », dit Sara.

Catherine plaque les coudes contre ses flancs et souffle comme si elle était prise de frissons.

Chacune se rappelle comment le coït est décrit dans l'encyclopédie médicale de leur père. Les croquis en bleu et blanc des organes génitaux. Sous l'effet de leur imagination, certains mots jaillissent de la page. Les mots vont au-delà de leur signification. Ils s'amollissent, se dressent, se mouillent. Ils grandissent à la première lumière. Ils vous coupent la respiration. Pour Catherine, c'est le mot *rapports*. Pour Sara, qui a commencé depuis peu à se masturber énergiquement, ce sont deux phrases : *le pénis au repos, le pénis en érection*. Il y a une résonance biblique – le pénis. Quand Catherine se caresse, elle pense que son corps s'ouvre comme une fleur humide. Elles ont la tête farcie de mots et de schémas dangereux qui tous visent les hommes. Chaque mot pointe vers l'entrejambe. Aucun vers le cœur, les poumons ou le cerveau.

Elles bravent les sentiments de culpabilité, la condamnation. Elles sont heureuses que leur corps renferme le mal qu'elles font.

Vibrant de sexe, elles se promènent dans Corrloch. Les garçons de Mullet baissent les yeux. C'est fascinant pour les filles. Les garçons ont le regard rivé sur le balancement de leurs cuisses, de leurs talons, puis, la bouche sèche, ils se donnent des coups d'épaule. Le cri s'élève d'une autre gorge. De quelqu'un d'autre qui jouit de ce dont elles ne peuvent que rêver.

L'été appartient aux sœurs Adams.

« Je ne veux pas y aller », dit Catherine.

« Je ne veux pas y retourner », dit-elle. Sa mère la secoue. La chambre est encore plongée dans le noir. Elle ne sait pas d'où elle revient. Sa mère lui pose les pieds par terre et, frissonnante, Catherine se hâte de quitter sa chemise de nuit pour enfiler sa robe dans un même mouvement, et tout de suite après son manteau. Sara est déjà dans la cuisine. Les deux cartables sont prêts. Le feu n'est pas allumé. « Il faut vraiment qu'on y aille ? » demande Catherine. « Oui », répond Maisie. Frigorifiées, désorientées, telles deux somnambules, les filles suivent leurs parents jusqu'à la voiture. L'aube point sur l'Atlantique, la mer est démontée. Tout n'est que vent. Personne ne parle pendant qu'ils roulent dans la lumière saline. Les oies elles-mêmes se taisent. Les filles, le menton dans la paume de la main, regardent bien au-delà de ce qu'elles voient. Quittant Mullet pour regagner le Fermanagh, elles sont envahies d'un profond sentiment de nostalgie. De tendresse.

Jonathan Adams, comme dans la comptine, demanda à ses filles : « Quels sont les trois objets de risée dans le monde ?

— Les coléreux, répondit Sara. Les jaloux, et je ne me souviens pas du troisième.

– Les avares, compléta Catherine.

– Bien. Et quelles sont les trois sœurs de la colère ?

– Les blasphèmes, se rappela Catherine. Les blasphèmes, les querelles, les imprécations.

– Je suis sûr que cela sonne mieux en irlandais, dit Jonathan Adams. Et maintenant, quelles sont les trois excellences vestimentaires ? »

Les filles ne savaient pas.

« Vous vous vautrez dans la fange de votre ignorance, dit-il. Vous n'avez strictement rien appris. »

Un été, Catherine coucha avec un homme beaucoup plus âgé qu'elle dans un champ désolé au-dessus des falaises de Glenlara. C'était un ornithologue amateur venu de Wicklow en stop pour observer un oiseau unique en Europe. Il espérait apercevoir un phalarope, expliqua-t-il, un petit échassier migrateur à cou rouge qui, parti de l'Arctique, se rendait en Afrique.

« Tenez, regardez », dit-il.

Elle suivit le vol d'une sterne puis celui d'un cormoran dans l'autre sens. Il guidait son regard vers les îles. Pendant que, couchée sur le ventre, elle braquait les jumelles qu'il lui avait prêtées, elle sentit sa main lui effleurer les fesses.

Elle continua à regarder cependant que la main de l'homme remontait. Elle demeura parfaitement immobile, ne fit aucun geste pour l'arrêter alors que les caresses devenaient plus précises. Elle se figurait que ce serait comme là-bas dans le Nord. Qu'il s'allongerait sur elle un instant, pousserait un gémissement et s'écarterait, le pantalon mouillé. La lenteur de cet homme, elle la prenait pour de la tendresse. Sa douceur, pour de la prévenance. Il la caressa partout. Elle lâcha les jumelles et resta sans bouger, laissant faire. L'espace d'un moment, elle ne sut plus où elle était, jusqu'à ce que, fortuitement, elle ouvre les yeux et voie une main.

191

Terrorisée, elle se demanda à qui elle appartenait.

Et quand elle découvrit que la main conduisait à un étranger, elle se redressa d'un bloc, droite comme un i.

Elle était partie si loin qu'elle en avait oublié l'ornithologue. Sa présence. Son existence. Il n'était qu'un prolongement de son plaisir. Elle embrassa son visage, prête à s'en aller. Sa robe gisait contre sa jambe.

« Je suis trop vieux pour toi », dit-il.

Il y eut un bref silence.

Elle baissa les yeux et vit son pénis, si gros, si gonflé qu'elle se demanda comment il pourrait entrer en elle.

« Ça va ? » demanda-t-elle.

Elle prit le sexe dans sa main, puis l'homme l'allongea sur le dos. Elle dit non, mais il n'en tint pas compte. Et par la suite, même avant ses séances amoureuses les plus passionnées, un débat se déroulerait à chaque fois dans sa tête, celui entamé lorsque cet homme avait continué bien qu'elle eût dit non.

Ce qui resta aussi, c'est son attirance pour les inconnus.

Quand elle s'enfuit en courant, il l'appela. Elle pédala jusqu'à la maison sans s'arrêter. Elle se précipita à l'intérieur et voulut entrer dans la chambre de Sara. Elle était fermée à clé. Catherine frappa, mais Sara refusa de répondre. « Je sais que tu es là », cria Catherine. Elle s'assit, adossée à la porte. Elle attendit une éternité, mais sa sœur ne sortit pas. Aussi, elle ne parla à personne de ses premiers rapports sexuels qu'elle qualifia plus tard de viol, le jour où elle avait ouvert les yeux pour constater que la main était celle d'un inconnu, le jour où elle avait couché avec un ornithologue amateur à Glenlara et oublié jusqu'à son existence.

Dans sa chambre, Jonathan Adams était plongé au cœur de l'histoire de la peur. S'il mourait là, sur-le-champ, où serait-il à l'instant où il reprendrait conscience ?

Si quelqu'un l'abattait maintenant, se réveillerait-il aussitôt

ressuscité ? Est-ce que tout ce qui le déconcertait à présent serait
expliqué, remis en ordre ? Nemrod serait-il là ? Sémiramis serait-
elle là ? Et Maisie ? *Puis Abraham expira,* dit la Bible, simple
ment.

14

As Gaelige

L'étude de l'histoire locale amena de nouveau Jonathan Adams à sortir. Il partit en quête d'informations sur le dieu de pierre. Joe Love lui conseilla d'aller au pub de P. Noone à Belmullet pour se faire raconter la légende de ce que les gens du pays appelaient le Naomhog – le petit saint. Il commanda une citronnade au fils de la maison qui servait au bar. Tout le monde resta un moment silencieux.

« Vous croyez qu'il va pleuvoir ? demanda enfin le jeune Noone.

– Je ne sais pas, répondit quelqu'un.

– Le vent va souffler ? »

La vieille femme assise contre le mur, la patronne du pub, posa alors la question à un homme de Cork qui travaillait à la station météo.

« Vous, vous devriez le savoir », dit-elle.

L'homme contempla son verre.

« Alors, insista-t-elle. Quel temps on va avoir ? »

Le météorologue regagna son tabouret et s'accrocha au comptoir. Il se tourna un instant vers Jonathan Adams, lui adressa un sourire amusé qui dévoila ses dents petites et régulières.

« Demandez-le-moi demain, lança-t-il en riant.

– Maudite soit votre âme ! répliqua la vieille femme. Comme si je ne pourrai pas le voir moi-même !

– Qu'est-ce que le Naomhog ? demanda Jonathan Adams, surmontant sa réserve naturelle.

– Elle, elle va vous l'expliquer, dit le météorologue avec un nouveau sourire.

– Oui, dit la vieille femme. C'était une statue de pierre qui se trouvait sur les îles Inishkea que les gens d'un autre siècle et de tous les siècles d'avant adoraient.

– À quoi ressemblait-elle ? interrogea Jonathan.

– Eh bien, elle n'était pas comme vous ou moi, c'était juste une pierre. Le dieu de pierre était une simple pierre.

– Une pierre ronde, peut-être, ajouta obligeamment le fils de derrière son bar.

– On l'habillait d'une veste et d'un pantalon de tweed, reprit la vieille femme.

– Quoi ? fit Jonathan, interloqué.

– Oui, on lui mettait un costume de tweed, paraît-il. Et on le priait pour qu'il apaise les flots pendant que les pêcheurs étaient en mer.

– Et il s'exécutait, pas de doute, intervint le météorologue.

– Il était bien plus fiable que vous, railla-t-elle. Ils le priaient pour qu'il leur accorde une bonne pêche. Qu'il leur porte chance. Et puis, un jour, un groupe de visiteurs a vu les îliens prier Naomhog et ils ont rapporté l'histoire à Dublin.

– Naturellement, fit l'homme de Cork, pince-sans-rire.

– Un article est alors paru dans un quotidien sur les idolâtres de l'île Inishkea.

– Vous pouvez leur faire confiance, dit le météorologue à Jonathan.

– Ça, je ne sais pas, reprit la vieille femme. En tout cas, l'article a déclenché la fureur du vicaire local – un certain père Pat O'Reilly – au point qu'il n'a eu de cesse de louer un bateau pour se rendre sur l'île. Il était vraiment furieux. C'est tout à fait regrettable qu'il ait réussi à embarquer. On n'aurait jamais dû lui permettre de venir.

– En effet, approuva le fils.

– Quel mal faisaient-ils ? Aucun.

– En effet, approuva de nouveau le fils.

– Il a donc abordé dans les Inishkea, s'est emparé du Naomhog et l'a jeté à la mer.

– Après l'avoir brisé, précisa le jeune Noone.

– Racontez-lui le plus beau de l'histoire, dit l'homme de Cork d'un air entendu.

– Eh bien, ce même père Pat était mon arrière-grand-oncle. À l'étage, j'ai sa plaque commémorative et son bréviaire. » La vieille femme secoua la tête avec tristesse. « Ils ont fini par nous revenir, et maintenant ils sont là-haut ! » Elle leva les yeux, à la fois consternée et amusée. « Il n'aurait jamais dû le faire. Ça lui a porté malheur. Il a attrapé quelque chose au visage et il est mort six mois plus tard. En fait, tous ceux qui ont participé à la destruction du Naomhog sont morts peu après. Et ensuite, des habitants d'Inishkea ont commencé à se noyer. Alors, ils sont partis, et le gouvernement les a mis à Glash.

– Et à Glenlara, ajouta le fils.

– Maintenant, il n'y a plus âme qui vive là-bas. Oh, c'étaient des gens superstitieux à l'époque, que Dieu nous bénisse. N'empêche qu'il n'aurait jamais dû faire ça. »

Elle se tourna vers Jonathan Adams, l'air chagrinée.

Le soir, le brigadier coucha par écrit la légende de Naomhog telle qu'on la lui avait racontée. Il essaya d'imaginer un dieu de pierre en costume de tweed capable d'apaiser les flots. Planté sur la jetée, il contempla les Inishkea, aussi émerveillé que le jour où il avait regardé l'île de la Pureté. Un homme le héla.

« Je vois que vous vous intéressez aux îles.

– En effet.

– Eh bien, Bernie Burke pourra vous y emmener. N'est-ce pas, Bernie ?

– Certainement.

– Un jour, peut-être », dit Jonathan.

« Ils savent que nous sommes protestants, se plaignit Jonathan Adams à sa femme.

– Comment ne le sauraient-ils pas ? Nous n'allons pas à la messe.

– J'espère que tu ne veux pas suggérer par là que nous devrions y aller. »

Chez Lavell, on les pressait de questions. Pendant que Maisie remplissait son sac à provisions, le vieux policier se tenait près de la porte vitrée, se renfrognant à chaque nouvelle intrusion dans sa vie privée.

« Vous semblez en pleine forme pour votre âge, dit Mrs. Lavell.

– C'est vrai, il est encore gaillard, dit Maisie.

– Vous devez avoir eu une vie très active avant de prendre votre retraite, dit la commerçante.

– Oh, il était toujours sur la brèche, dit Maisie.

– Et qu'est-ce qu'il trouve à faire ici, que Dieu nous bénisse ?

– Il écrit.

– Ah.

– Je prépare une brève histoire religieuse de Mullet, précisa Jonathan à Mrs. Lavell.

– Et un livre pareil se vendra ? demanda-t-elle, stupéfaite.

– Ça l'aidera toujours à passer le temps.

– Sûrement, le pauvre homme. »

Le bruit se répandit que Jonathan Adams était quelqu'un de profondément religieux qui rédigeait une histoire du protestantisme dans le pays d'Erris. Sur la route, les gens s'arrêtaient pour lui donner le nom d'églises en ruine et de propriétaires terriens morts depuis longtemps. On lui racontait l'histoire d'hommes venus faire du prosélytisme dans l'Ouest.

« Vous êtes sûr de ne pas être de ceux-là, révérend ?

– Là-dessus, vous pouvez être tranquille.

– Même si vous l'étiez, vous arriveriez trop tard. La mission de l'Église d'Irlande est venue avant vous enseigner aux orphelines. Ils étaient logés juste là, pour leur peine. Et puis, un certain père Nangle est allé sur Achill Island pour instruire et nourrir les victimes de la Grande Famine. Il s'en est fort bien acquitté, mais toute sa bande aussi a disparu. Oui, les protestants sont venus et repartis, et nous, nous sommes restés, toujours catholiques pour nos péchés. »

Puis ils concluaient en riant : « Maintenant, si vous nous construisiez un nouveau pont, ou si vous nous donniez du travail – qui sait ? »

Il voulait tout entendre. Et, chaque soir, il mettait par écrit tout ce qu'il avait entendu – qui était revenu de l'étranger, qui était parti. Il entreprit d'examiner les pierres tombales pour voir ce qu'elles racontaient sur le monde disparu du protestantisme ; il consigna ses hypothèses sur les villages de l'âge de pierre à Aghadoon, au nord de la presqu'île ; il nota les diverses opinions sur l'origine de la population de Belmullet et sur celle de Binghamstown ; on lui raconta l'histoire de l'ancien hospice devenu hôpital des contagieux, l'histoire des récoltes de pommes de terre en Écosse, l'histoire de la disparition de l'orge et du seigle ; il nota aussi certains mots saxons encore en usage ; dans le bibliobus, il trouva un livre sur ce que l'Armada espagnole avait découvert au pays d'Erris ; il écouta les légendes sur la disparition des saumons, puis sur le retour des saumons ; il regarda des photos datant des jours où la pêche était bonne, quand les bateaux espagnols et gallois venaient s'abriter dans Blind Harbour ; il lut qu'il avait existé une liaison maritime quotidienne pour Sligo. Il transcrivit des histoires de naissances d'animaux extraordinaires.

Son livre, il l'appela le Livre de Mullet.

Les gens, connaissant maintenant sa tournure d'esprit, lui racontaient pour rire des histoires qu'il enregistrait fidèlement. George Bernard Shaw longeant Elly Bay sur un âne blanc au cours de la Seconde Guerre mondiale. Synge, en 1904, prenant des notes pour *Le Baladin du monde occidental* au Royal Hotel. John McCormack, le ténor, chantant au Seaview. Un phrénologue de Cork venu dans les années 1930 mesurer le crâne des personnes âgées pour déterminer si les têtes catholiques avaient la même taille que les têtes protestantes.

« Il est arrivé à une conclusion ? demanda Jonathan.

— Si oui, il ne nous en a rien dit, révérend », répondit la femme en riant.

« Bingham a été le dernier protestant à habiter Mullet, dit Bernie Burke. Le dernier Bingham a épousé une catholique dans les années 1930. Sa femme et lui avaient conclu un accord. S'ils avaient des fils, ils seraient protestants comme vous, pardonnez-moi, et si c'étaient des filles, elles seraient catholiques. Le dernier Bingham devait être un homme honnête. En un sens. Et aussi un homme malheureux. Car la pauvre femme n'a eu que des filles, et je me rappelle mon père disant qu'il les avait connues pendant sa jeunesse. Le vieux Bingham ne voulait pas revenir sur sa parole. Les filles ont grandi en catholiques et le vieux Bingham est donc devenu le dernier protestant de Mullet.

— Il était sévère, vous comprenez, dit la vieille Mrs. Noone. Il s'est attiré le malheur.

— Oui, les protestants sont partis, reprit Bernie. Je n'en vois plus. En fait, je ne crois pas qu'il en reste. » Il réfléchit un instant. « Oui, Bingham était bien le dernier. » Il sourit avec gentillesse à Jonathan. « Jusqu'à votre arrivée, révérend. »

Ils avaient choisi une presqu'île où il n'y avait plus que des catholiques. Les Carter, les Bingham étaient partis. Les protestants de Rossport, de Rinroe, de Portacloy, de Laughmurray et de Gorteadilla, tous partis. Ou s'il y en avait encore, il ne savait pas où. Les Adams étaient seuls. Il mettait par écrit des histoires qui, pourtant, s'opposaient à son caractère logique et tourné vers l'ordre, comme si les fées n'existaient que dans l'esprit des autres. Le sien, croyait-il, était une place forte apolitique gardée par la santé mentale.

Des gens peu recommandables parvenaient à s'introduire chez eux et jetaient des regards troubles sur les filles. À l'aide de boissons alcoolisées, le brigadier leur arrachait des couplets scandaleux sur les propriétaires du pays. Des récits de malédictions, d'anciens remèdes. Des chants sur les naufrages en mer, des poèmes historiques *as Gaelige*. Il acheta pour ses filles des livres en irlandais que personne ne pouvait lire, même avec un dictionnaire. Puis il commença une histoire des noms des lieux où les anciens évangélistes et missionnaires avaient vécu. Dans America Street, Maisie et lui visitèrent les ruines de la chapelle méthodiste wesleyenne. À l'intérieur, il ne restait que des bancs empilés contre le mur. Le toit fuyait, et la lumière qui filtrait par les fenêtres condamnées tombait sur une flaque d'eau.

Maisie s'arrêta au centre de la chapelle et dit : « Mon père mourrait s'il voyait ça. »

« America Street ? demanda Jonathan Adams à Joe Love.

— Oh, un gars de Muings nommé Seán Reilly a acheté la rue entière. Avant, c'était Ballyglass Street. C'est lui qui l'a appelée America Street. Il avait fait fortune aux États-Unis. Dans le coin, on l'appelait, vous vous en doutez peut-être, Seán America. »

Grâce à Joe Love, il eut accès à une liasse de lettres écrites par des émigrants presbytériens partis pour l'Amérique à bord d'un des bateaux de la Grande Famine. Il lut la liste des morts et des épreuves en mer comme un poème. Pour la première fois de sa vie, il eut l'impression que la littérature pourrait lui ouvrir la porte que la politique lui avait fermée.

Jonathan Adams sillonnait le pays, dessinant des cartes et traçant les limites des anciennes propriétés pendant que Maisie, assise dans la voiture, lisait des ouvrages de jardinage. Chaque nom de lieu avait une sonorité différente selon la personne qui le prononçait. Il notait toutes les versions, puis les répétait à son voisin Joe Love pour qu'il lui en donne la signification. Il regardait Bernie Burke passer devant la maison, un sac en plastique rempli de poissons à la main. On le saluait en irlandais. Sa méconnaissance de la langue commençait à l'irriter. Les portes sur le passé de la presqu'île lui étaient fermées. Le gaélique lui en barrait l'entrée.

« Il me faut des livres, dit-il à Maisie. Et des cartes qui ne soient pas des cartes catholiques. »

Il décida d'aller consulter les autorités au palais des Douanes ou tout autre endroit où elles se trouvaient. Il écrivit d'abord aux dignitaires des Églises presbytériennes, protestantes et méthodistes pour demander des informations sur leurs anciennes congrégations en pays d'Erris. Après quoi, il envoya le résultat de ses recherches au National Museum et guetta en vain une réponse. Il ne pouvait plus attendre. Il prit son Livre de Mullet et organisa un voyage à Dublin.

Jonathan Adams se sentait terriblement embarrassé à l'idée de n'être jamais allé à Dublin. Il prépara de l'argent, un horaire des trains et des vêtements de rechange. Il se rendit en voiture à Castlebar. L'érudit avait prévu de s'absenter une semaine. Il revint au bout de trois jours. Furieux, il poussa la porte, répondit par un cri sauvage lorsqu'on l'interrogea et, l'œil noir, se retira dans sa chambre. Plusieurs jours de suite, aucun mot ne fut prononcé pendant les repas.

Ses filles craignirent qu'il fût redevenu un loyaliste.

Il finit par se résoudre à expliquer : « Mes découvertes ne présentent apparemment aucun intérêt scientifique. Et tout ce que j'ai appris a déjà fait l'objet d'une publication. » Il leva les yeux sur Maisie. « Tu crois que je suis trop vieux pour apprendre une nouvelle langue ?

— On va en France ?

— Ne dis donc pas de bêtises ! »

Les femmes ne l'avaient jamais vu à ce point bouleversé.

« Ils m'ont pris pour un excentrique ! s'écria-t-il. Pour un guignol ! J'ai ramassé les miens dans des flaques de sang, et ces nationalistes ont l'audace de se moquer de moi ! » Le vieux policier était rouge de colère.

Il était blessé à jamais dans son orgueil. De temps en temps, son menton se mettait à trembler et ses filles détournaient le regard. L'homme plutôt convivial, bien que taciturne, qu'il était depuis sa retraite redevint le policier rigide d'autrefois. « Enlevez-moi ces vêtements impudiques ! » hurlait-il. Il semblait aussi déprimé, aussi perdu qu'après Duke Street. « Je mourrai dans ce hameau du bout du monde, se plaignait-il auprès de Maisie. Et, pire, sans en connaître la nature profonde. » Il redoutait de passer d'une chambre à l'autre. Mais les femmes ne le laissaient pas tranquille. Elles se conduisaient comme avant.

« Est-ce que tu sais que nous sommes la seule famille protestante de toute la presqu'île ? Est-ce que tu t'en rends compte ? criait-il à Maisie. Et toi, tu nous as fait venir ici ! J'aimerais bien savoir ce qu'on fabrique dans ce trou ! Tu peux me le dire ?

— Non, Jonathan. Si tu veux que nous partions, nous partirons.

— Oui, je veux partir ! » s'exclamait-il avec fureur.

Ses colères étaient soudaines, dévastatrices.

Ils étaient revenus des années en arrière quand, tenaillé par la peur et la rage, il s'enfermait dans sa chambre du Fermanagh. Il menaça de déménager. De vendre la maison des gardiens de phare. Il se plaignit de souffrir des intestins, ce que les filles ne crurent pas. C'était une excuse pour quitter Mullet. Ils allèrent à l'hôpital de Castlebar où on lui fit passer des examens sans rien trouver. Sa colère s'accrut. Les filles et Maisie appréhendaient ses brusques emportements à table.

« Je ne veux plus jamais revoir cet endroit, s'écriait-il. On m'a pris pour un imbécile. »

« Vous avez parlé de moi ? lança-t-il aux filles. Je vous avais bien dit de ne jamais souffler mot de la RUC !

– Je n'ai rien dit ! protesta Catherine.

– Quelqu'un en a parlé !

– Personne n'est au courant, Jonathan, intervint doucement Maisie.

– On va partir. Tout de suite ! »

Du jour au lendemain, l'âge ravagea ses traits. Ses joues s'affaissèrent. Et puis, un matin, les filles le virent qui les attendait devant le hangar à bateaux sur la plage de Scotchport, ce qu'il n'avait jamais fait auparavant. La peur ancienne et la peur nouvelle s'alliaient pour lui donner un air égaré, mais il garda le silence. Il n'était plus possédé. Il les raccompagna à la maison comme pour se faire pardonner. L'après-midi, il brûla ses papiers dans le jardin. « Attention à ne pas mettre le feu aux cabinets », lui cria Maisie. Les cendres de l'histoire qu'il avait tenté d'écrire planèrent au-dessus des saxifrages dénudés. Des bouts de dialecte s'envolèrent au-dessus du toit de la maison.

« Pourquoi tu détruis tout ce que tu as fait ? demanda Maisie.

– Parce que ç'a déjà été fait », répondit-il. Il regarda sa femme. « Tu aurais dû me le dire, reprit-il avec tristesse. Quelqu'un aurait dû me dire d'arrêter. »

Le lendemain matin, il y avait des fleurs des champs sur l'oreiller des trois femmes.

Avant même d'arriver en bas, elles surent que la persécution avait pris fin. Il lisait dans son bureau. Il avait adopté le rôle d'ancien d'où le mot « presbytère » tire son origine. En passant devant la porte, elles l'entendirent qui lisait à voix haute ce qu'elles prirent d'abord pour du grec ancien. *Vee shay, vee may, vee tu ; vee shiv, vee ameed, vee adder. Cod taw harlaw ? Cod ay sin ? Kay will asti ?*

Et ainsi toute la journée. Questions. Exclamations. Supplications.

En 1710, les premiers prédicateurs presbytériens, harcelés par la Haute Église, entreprirent de traduire la Bible en irlandais. Fidèle à ce républicanisme ecclésiastique permettant à chaque individu de constituer son propre gouvernement, Jonathan Adams avait fondé sa propre république.

Dans la Résidence, il entama sa première traduction en irlandais à l'aide des manuels scolaires prêtés par les enfants de Joe Love. Il commença par le commencement. *Il était, j'étais, tu étais. Nous étions. Ils étaient. Nous étions tous. Qu'est-il arrivé ? Qu'est-ce que c'est ? Qui est là ?*

Un matin d'été, Jonathan Adams demanda qu'on ajoutât un couvert pour le dîner. On allait avoir de la visite. La famille passa la maison au peigne fin pour s'assurer qu'il ne restait aucune trace de la vie antérieure du brigadier. Après quoi, ses filles et lui partirent pour Belmullet en voiture.

Mr. Thomas MacDonagh, arrivé un peu plus tôt, attendait à l'arrêt de bus.

« Mr. MacDonagh ? demanda Jonathan Adams.

– *Sin ceart* », répondit l'homme du Kerry.

Il était corpulent, avec des cheveux blonds clairsemés, des lunettes sans monture, des lèvres sensuelles. Jonathan lui présenta les filles. L'homme tendit à Catherine une main molle et moite, regarda Sara comme s'il la voyait en double.

« Allons, Sara, dit son père. On ne t'a donc pas appris qu'il ne fallait pas dévisager les gens ? »

MacDonagh agita le doigt d'un air désapprobateur. « *As Gaelige, maith se do thoil* », dit-il. En irlandais, s'il vous plaît.

Sara, morte de honte, devint écarlate.

Ce n'était pas un bon début. À dater de ce jour, les mots *As Gaelige* résonnèrent constamment dans la maison, tel un terrible commandement issu du l'Ancien Testament. Ils finirent par les prendre en horreur. Thomas MacDonagh ne tarda pas à s'apercevoir que la connaissance de la langue vernaculaire se situait à son niveau le plus bas chez les Adams de Corrloch. Bien qu'il eût été engagé pour l'enseigner aux deux sœurs, son élève le plus assidu se révéla être le père. Le vieux Adams ne possédait aucun vocabulaire et son accent tenait plutôt de l'arabe. Et lorsque MacDonagh la saluait, ainsi que le voulait la coutume, d'un bref *Dia guit* nasillard, Maisie Adams répondait n'importe quoi.

« Je n'ai pas compris. »

Ou alors : « Excusez-moi, Mr. MacDonagh », et elle s'éclipsait.

Quant au brigadier, il l'appelait ironiquement *A mhaister.* Maître, s'exclamait-il d'un air faussement contrit. Pendant les repas, il essayait de mener la conversation en irlandais, mais ses tentatives avortaient toujours, en sorte que ses questions bien modulées se faisaient de plus en plus abruptes et agressives. Il insistait cependant. Ne recueillait pas la moindre réponse. Rien qu'un silence timoré. Leur retenue empreinte de bonne éducation laissait le professeur d'irlandais perplexe, tandis que les repas constituaient une épreuve pour le brigadier. Il feuilletait à toute allure le dictionnaire anglais-irlandais posé sur ses genoux et, après avoir choisi un mot, entamait une conversation qui n'avait rien à voir avec le sujet en cours.

« Je m'étonne que nous n'ayez pas pris un professeur d'irlandais du pays, dit MacDonagh.

— Je ne voulais pas attirer l'attention sur nous, expliqua le Maître.

— Ah vraiment ? » Une expression de mépris se lut sur le visage inquisiteur.

À cela, Jonathan Adams réagit avec une politesse glacée : « À votre place, Mr. MacDonagh, je surveillerais mon expression.

— Pardon ? »

MacDonagh prit les filles de haut, mais dès le début elles refusèrent de se soumettre à quelque langage que ce fût et parurent se liguer pour comploter contre lui. Elles utilisaient un code de gestes et de rires qui le hérissait. Elles étaient trop âgées pour être précoces, trop jeunes pour être averties. Le parfum de sexe que dégageait leur présence le choquait profondément. Les premiers temps, il eut souvent envie de les secouer. Il finit néanmoins par s'en accommoder.

Les leçons avaient lieu dans la cuisine de dix heures à midi les matins de juillet. Parfois, pour le faire enrager, les deux sœurs échangeaient des propos obscènes en français, ce qui le laissait aussi désarmé qu'elles devant une tirade en irlandais.

« Qu'est-ce que votre père faisait là-bas, dans le Nord ? demanda-t-il, l'air de rien.

— Il était représentant en chocolats, répondit Sara.

— Ah bon ? » fit MacDonagh.

L'après-midi et une bonne partie de la soirée, le professeur les passait à l'étage dans la chambre du Maître, et ensuite, vers neuf heures, déconfit et consterné, il se rendait au pub O'Malley. Le brigadier ainsi que ses filles considéraient MacDonagh comme un type très sévère. Chaque cours débutait par un « Je vous salue Marie » et se terminait par une étrange prière au Seigneur, totalement intraduisible. On avait souvent l'impression que la langue irlandaise n'existait que pour rendre un culte à Dieu. Dès que les filles se dissipaient, il sortait pour se plaindre. Il semblait avoir une dent contre Catherine, surtout, parce qu'elle préparait ses leçons, répondait d'un ton sarcastique et, durant tout le cours, gardait une attitude hostile de femme. Il fit tout pour gagner sa faveur et, à défaut, pour l'humilier en s'humiliant lui-même. Sa voix se brisait à la fin d'un poème d'amour. Il levait les yeux, mais elle détournait le regard. Sara, il la traita d'abord avec neutralité, puis il essaya, en la couvrant d'éloges, de s'en faire une alliée. Ses tentatives pour séparer les deux sœurs ne contribuèrent qu'à les rapprocher davantage. Il demeura extérieur, simple création de l'imagination de leur père.

Son échec auprès des filles faisait de lui un étranger. Le pire était encore à venir. Il ne se gêna pas pour dire à Maisie Adams son horreur à la vue de la reine Victoria et autres souvenirs royaux qui trônaient sur la cheminée. Ce n'était qu'une plaisanterie, mais la maîtresse de maison le prit au sérieux. Il commença alors à comprendre pourquoi ils n'avaient pas fait appel à quelqu'un du pays. Les Adams avaient des penchants royalistes. Ils cachaient un secret. Maisie alla trouver son mari qui alla trouver MacDonagh pour lui expliquer que la reine était le passe-temps de sa femme.

« Son passe-temps ! » s'exclama MacDonagh, sidéré. Il regarda la reine d'un air amusé.

Il ne tenait pas à engager une polémique. À l'heure du thé, il les régala du récit de la visite accélérée du régent en Irlande deux générations auparavant. « Dans mon village, les gens avaient préparé des bouquets de fleurs. Les métayers étaient en rang comme des idiots devant l'estrade. Une fanfare attendait le moment de jouer un air colonial. Tout le monde avait répété pour bien agiter la main en chœur. Et le prince, ce salaud, est passé sans même ralentir.

— Vous avez de la chance, dit Maisie. Il n'est jamais venu à Rathkeale, d'où je suis originaire.

— J'imagine, dit-il en plaisantant, que vous habitiez une vaste demeure et que vous régniez sur le village.

— Mon père était un ouvrier. Et son père avant lui, Mr. Mac-Donagh, répliqua Maisie Adams. Avant que je rencontre cet homme, je n'existais pas. » Elle se tourna vers ses filles. « Oui, il a fallu que je rencontre votre père. C'était un homme du Nord. Je croyais que les hommes du Nord avaient quelque chose de spécial. Ils étaient beaux. » Elle revint au professeur d'irlandais. « Si je place la reine sur ma commode, ma cheminée ou tout autre endroit de mon choix, c'est parce que j'enviais les princesses.

— Ce n'est pas le cas de toutes les femmes ? risqua MacDonagh.

— Si, dit Maisie d'un ton moqueur. Sinon, elles seraient rois. »

MacDonagh partit d'un grand rire. Puis, incrédule, il suivit le vieux Adams dans l'escalier afin de reprendre la leçon d'irlandais.

Pour la première fois, MacDonagh découvrait ce qu'était un foyer conservateur. Il ne parvenait pas à croire qu'une famille comme celle-ci pouvait vivre en Irlande dans une telle ignorance de ce qui se passait à moins de cent cinquante kilomètres de chez elle. Pourtant, tout en se sentant supérieur aux Adams, leur vie domestique désuète et leur absence d'amertume, d'une certaine manière, le séduisirent. Pas longtemps, cependant. Quand il apprit chez O'Malley que, en plus d'être protestant, Jonathan Adams aurait occupé un poste gouvernemental important, il comprit tout.

« Vous m'en direz tant ! s'exclama-t-il. Je me disais bien qu'il n'avait pas l'air d'un vendeur de chocolat.

— C'était une huile.

— J'aurais dû m'en douter. Il en a bien la tête.

— Oh, mais ce sont des gens respectables, des gens de bonnes mœurs », dit O'Malley.

L'intérêt de maître Adams pour l'irlandais et l'Irlande, MacDonagh le considérait maintenant comme indigne. Qu'est-ce qui poussait ce vieux con ? Son sentiment de culpabilité, probablement. Il avait dû commettre quelque vilaine action dans le passé. Il ne cherchait pas la réconciliation, mais à se dissimuler au sein d'une autre culture. Il n'y avait pas d'autre explication.

« Est-ce que vous savez qu'une guerre ravage ce pays ? demanda-t-il le soir au dîner.

— Oui, répondit tranquillement Jonathan Adams. Merci. » Il adressa à MacDonagh un regard lourd de mépris.

Le professeur eut un sourire gêné.

« Oui, répéta Jonathan Adams. Nous le savons, je vous remercie, monsieur MacDonagh. »

Il y avait dans ses paroles un côté si définitif, si vibrant de rage contenue, que MacDonagh ne désira plus du tout poursuivre sur ce terrain.

Mais le brigadier, en proie à une colère grandissante, se leva et reprit : « Je vous rappelle que vous êtes dans cette maison en tant qu'hôte et que nous vous payons. Vous vous tromperiez, Mr. MacDonagh, si vous vous imaginiez comprendre les gens de mon peuple. »

MacDonagh porta à sa bouche un morceau de pomme de terre beurrée.

« Je n'oserais pas prétendre vous comprendre », dit-il calmement, et il commença à mâcher.

Après cet affrontement, il s'occupa davantage des filles. Il se prit petit à petit à détester leur léger hâle, leurs conversations infantiles, leurs manières sournoises, minaudières, leur emploi de mots comme *extase, sensuel, sinistre, tordu, dur, provocant, sensé, assuré, catégorique, solitude.* Un langage qu'il traitait avec une condescendance polie. Son irlandais devint évangélique. Il faisait allusion à des connaissances historiques qu'elles ne possédaient pas.

Il débitait des tartines de mots gaéliques. Ressortait tous les termes sexuels auxquels il pouvait penser afin de leur faire honte et les amener à se soumettre. Lisait des pages entières de prose sans s'interrompre. Prononçait d'une voix geignarde des discours sans queue ni tête sur les garçons – le gars Noone, le jeune Love, le *gasur* des Lavell – avant d'éclater d'un rire diabolique. Son regard, son ton laissaient entendre qu'il condamnait moralement les filles.

Son ingérence dans leur vie prit un tour sexuel.

Ensuite, quand on lui rapporta les rumeurs qui circulaient au sujet des sœurs Adams, il eut honte de l'excitation qu'il ressentait en dormant dans le lit de Sara et en pensant combien elles étaient proches de lui. Derrière la cloison qui séparait sa chambre de la leur, il les imaginait qui dormaient nues. Elles l'entendaient bouger. Se lever. Le bruit d'une bouteille qu'on débouche. Le craquement du matelas. Le froissement des draps de Sara. Il fantasmait sur les filles protestantes, mais son membre s'amollissait dans sa paume sans même s'être dressé. Elles le sauraient le lendemain matin, grâce à ce sentiment de tristesse indignée que les filles éprouvent pour les hommes malheureux. Les yeux rougis par le manque de sommeil, les joues blafardes agitées de tics, l'écharpe qui pend autour du cou comme une excroissance de peau. Et puis le souffle court, la voix pâteuse. Il disait des choses, se livrait à des insinuations leur prouvant qu'il était au courant de leurs faits et gestes, mais il veillait à demeurer dans le vague. Il abandonnait le reste à leur imagination. La manière dont elles le rejetaient l'entraînait dans des séances de masturbation effrénée au creux du lit de Sara. Parfois, épuisé, il contemplait le plafond, la bouche ouverte comme une poupée. L'espace d'un moment, il connaissait la paix, il percevait sa respiration calme et régulière, et puis l'une des filles envahissait ses pensées, bientôt suivie de l'autre, et il avait beau essayer de toutes ses forces, il n'arrivait pas à empêcher leurs personnalités – leurs vrais moi – de s'introduire ainsi dans ses pensées. Son imagination ne pouvait pas les garder enfermées à clé. C'est seulement quand il approchait de l'orgasme qu'elles s'allongeaient devant lui, dociles. Elles l'entendaient soupirer. Il ne parvenait pas à les soumettre plus longtemps. Le visage de l'une apparaissait dans son esprit, puis celui de l'autre, et toutes deux détournaient le regard. Son sexe mouillé s'affaissait dans sa main. C'était fini.

Le matin, Mr. MacDonagh descendait l'escalier, honteux, craignant que toute la maison eût deviné les orgies auxquelles il se livrait sur sa propre chair. Il redoutait ce qu'on pourrait lire dans son regard. Il commençait la leçon avec les filles, l'esprit confus.

« *As Gaelige* », murmurait-il.

Son sentiment de culpabilité le rendait plus sympathique. À la vue des deux sœurs dont il avait rêvé de manière si licencieuse, sa voix se brisait sur des mots comme *pog, sneachta, taithneamh*. Baiser, neige, brillant. Il se demandait d'où provenait l'hostilité qu'il avait manifestée. Il semblait à présent que Catherine ne le détestait plus. Que Sara ne se méfiait plus de lui. Pourtant, son optimisme ne dura guère. Des embryons, baignant dans une lumière verte, hantaient ses matins difficiles. Il ne supportait pas l'impunité que leur attitude conférait aux filles. Ce n'est qu'en s'apitoyant sur lui-même face à l'ennemi qu'il parvenait à se normaliser. Au-delà s'ouvrait un espace que son esprit ne pouvait remplir. C'était un homme qui domptait le langage, aussi se cantonnait-il résolument dans les limites de la grammaire irlandaise, car s'aventurer plus loin serait invoquer le sang menstruel, le ver à soie, l'odeur de champignon. À mesure que la journée avançait, ses anciens préjugés reprenaient le dessus, et son sentiment de culpabilité sexuelle cédait la place à un puritanisme qui amenait Jonathan Adams, pourtant lui-même enclin à un excès de zèle religieux, à le lui reprocher.

Un après-midi, le Maître affirma, alors qu'une fois de plus le cours de langue s'était transformé en débat politique, que les presbytériens s'étaient alliés aux catholiques contre les protestants.

« Ils avaient leurs raisons, dit MacDonagh avec un sourire.

— Je constate que vous ne faites aucune différence entre l'histoire des presbytériens et celle de l'Église d'Irlande.

— S'il y en a une, je dois avouer qu'elle m'échappe. »

Le vieux policier n'était pas disposé à s'en tenir là. Il déclara que les premiers presbytériens d'Irlande — arrivés dans le Nord — avaient apporté avec eux le concept de république. Ha! ha! ha! fit MacDonagh. Ils ne sont pas venus comme colons mais comme colonisateurs. Et quelle est la différence? demanda le professeur. Les presbytériens voulaient oublier l'Angleterre. « Ils désiraient repartir de zéro, conclut Adams. Dans un nouvel environnement, plus agréable.

— Dois-je en déduire que vous jugez le catholicisme corrompu?

— Non, se reprit Jonathan Adams tout en se demandant ce qui dans ses paroles aurait pu le laisser entendre.

— Eh bien, continuez. »

Le vieil homme garda le silence, comme si, pour lui, la discussion était close. MacDonagh se leva et dit : « Je crains, maître Adams, que vous n'ayez mal compris. Vous êtes bien loin de la vérité. » Le Maître lui fit signe de poursuivre. « Vous défendez des idées que je respecte. » MacDonagh présenta la paume de sa main. « Mais pour ma part, je sais de quel côté je me situerais.

— Vous êtes libre de vos opinions, Mr. MacDonagh.

— Il me semble que votre penchant pour l'autorité est fondé sur la rapidité avec laquelle vous pouvez confisquer cette même autorité pour une autre.

— Pourriez-vous répéter ? demanda Mr. Adams avec un sourire. La dernière phrase, je vous prie ? »

Mr. MacDonagh posa sa cigarette.

« Vous plaisantez, *a mhaistir.*

— Je suis un peu trop âgé pour aborder Dostoïevski. J'ai toujours pris mes ordres d'en haut.

— Et je présume que vous croyez à la loi et à l'ordre défendus par l'armée britannique et la RUC ?

— En effet, Mr. MacDonagh.

— Ah ! » s'écria le professeur d'un air triomphant.

Ils se mesurèrent un instant du regard.

« Nous pourrions peut-être faire une pause ?

— Comme vous voudrez, dit MacDonagh en se dirigeant à grands pas vers la porte. Vous êtes complètement à côté de la question. » Derrière ses lunettes, la colère faisait étinceler le blanc de ses yeux. Il descendit l'escalier avec un petit rire, à la manière de celui qui se rappelle les violences qu'il a subies. Il entra dans la cuisine, drapa sa veste sur le dossier d'une chaise et resta planté là, se tordant les mains.

« Vous avez recommencé ? demanda Mrs. Adams.

— Votre cher époux n'a pas le sens de l'histoire, dit-il avec une grimace.

– C'est un homme exigeant.

– Il me pousse à dire des choses que je ne pense pas. » Le professeur s'assit et leva les yeux au plafond. Au moment où il s'emparait de sa tasse, on entendit la porte s'ouvrir au premier étage.

« *Tarraing anseo, Mac an Du,* fit la voix du brigadier.

– Ah! s'écria le professeur, confus. Quel ennui. »

Il secoua la tête comme pour s'éclaircir les idées, émit une espèce de gargouillis qui obligea Maisie à porter une serviette à sa bouche pour dissimuler son amusement, puis remonta subir sa pénitence. À l'heure du thé, MacDonagh eut sa revanche. Il revint à son sujet favori : la haine des prostituées. Il était sûr de faire ainsi sourciller Jonathan Adams. Ensuite, au lieu de la vieille Irlande, ils parlèrent d'événements plus récents. MacDonagh énonça l'idée que la langue irlandaise naissait au fond de l'âme, à l'instar de toutes les passions pour les belles choses. Ce que le vieil érudit ne pouvait nier.

Jonathan Adams comprit bientôt que, comble de l'ironie, ses recherches dans le domaine de l'Antiquité et des mythes irlandais, bien que sources de plaisir, l'avaient conduit inexorablement à l'Irlande contemporaine, ce qu'il désirait à tout prix éviter dans la mesure où il en avait eu plus que sa part dans des existences antérieures. Il lui fallait écouter sa fille Sara l'interroger sur la syphilis, sa fille Catherine sur les prisons républicaines. S'ils n'avaient pas décidé un jour au dîner d'apprendre l'irlandais, rien de tout cela ne serait arrivé. En anglais, langue où l'on avait l'habitude de censurer certains souvenirs et certaines idées préconçues, les choses se seraient peut-être déroulées dans le calme. À table, même entre eux, ils ne parlaient jamais du Nord.

On n'achetait pas de journaux. On n'allumait pas la radio. La télévision était bannie de la maison. Le Nord était réduit au silence. C'est seulement le soir, dans leur lit, que Maisie et Jonathan se rappelaient. Puis ils mettaient ces pensées de côté jusqu'à l'automne et le retour dans le Fermanagh. Une fois là-bas, tout revenait très vite.

Se réadapter au Fermanagh leur prenait cependant une éternité. Alors, Jonathan Adams se remémorait ce que MacDonagh lui avait appris à Mullet. Tout lui paraissait irréel. La poésie de Dail Ó Higgins, la poésie de Eogan Ó Rathaille. Un peu du poème « *Cuirt an Mhean Oiche* » de Ó Raifteirí et de Brian Merriman dont les filles avaient beaucoup apprécié l'obscénité et le féminisme vulgaire, tandis que le brigadier, s'attendant à la douceur lyrique habituelle, était resté confondu. Quant à MacDonagh, il avait appris d'eux que les presbytériens du Nord formaient une tribu dangereuse. Ils poussèrent tous un soupir de soulagement quand, après avoir été attaqué par un troupeau d'oies furieuses, MacDonagh décampa au bout de deux semaines au lieu de trois. Sara récupéra sa chambre, dans laquelle elle vaporisa du désodorisant pour chasser toute trace du professeur d'irlandais. On fit bouillir les draps du lit et on rapporta chez O'Malley les bouteilles de stout vides entreposées dans l'armoire.

« Je me demande à quoi va ressembler le prochain », dit l'été suivant le brigadier d'un ton pensif. Les trois femmes échangèrent un regard inquiet, se demandant ce que leur réservait encore Jonathan Adams dans sa quête d'une impossible réconciliation.

15

O'Muichin et la *cléirseach*

Quand il arriva, Catherine était sur le seuil de la maison, occupée à désherber les jattes de terre et de fleurs emprisonnées dans des filets, suspendues de chaque côté de la véranda. Thomas O'Muichin était en nage et encore sous le coup de ce qu'il avait vu pendant le trajet entre Castlebar et Westport, puis entre Westport et Belmullet. De là, il avait pédalé jusqu'à Corrloch sur son vélo bleu trois vitesses qui l'avait accompagné, se balançant entre des chaînes dans le wagon du chef de train à l'arrière de l'omnibus de Castlebar en provenance de Dublin. Il tapa sa casquette contre son genou, appuya son vélo au pilier du portail et salua Catherine en effleurant un sourcil de l'extrémité de son index. « Bonjour, miss. » Puis il étudia l'intérieur de sa casquette avant de jeter un regard timide derrière lui.

« Je suis au bon endroit ? demanda-t-il.

– Oui, mais mon père n'est pas là. Il est parti faire des examens à l'hôpital.

– J'espère que ce n'est pas grave. Je m'appelle Thomas O'Muichin.

– Je sais. Pourvu que vous ne soyez pas comme celui que nous avions l'été dernier.

– Pourquoi ? Qui était-ce ?

– Il s'appelait MacDonagh. » Puis elle ajouta comme un reproche : « Il se prénommait Thomas lui aussi. »

215

« — Oh, fit O'Muichin, émettant un petit sifflement de surprise. Quelle coïncidence ! »

Le nouveau professeur était un petit homme à l'allure réservée et d'une douceur, ou d'une délicatesse, incroyable. Cette année, on avait pris quelqu'un de Dublin parce que l'irlandais qu'on y parlait, bien qu'impur, était censé être plus facile à apprendre.

Une fois encore, Jonathan Adams essayait d'éviter de nouer des relations trop personnelles avec les habitants de la presqu'île. Son échec auprès des pouvoirs en place à Dublin lui restait sur le cœur. En outre, il avait envoyé au rédacteur en chef du *Western People* des entretiens qu'il avait réalisés avec des personnes du pays, et celui-ci venait de les lui retourner, accompagnés d'une note disant qu'*il ne pouvait pas les publier car ils seraient un peu trop obscurs pour les lecteurs de la région*. De fait, il sous-entendait que cette histoire d'idolâtres sur la côte ouest de l'Irlande était à dormir debout. Eh bien, Jonathan Adams lui prouverait le contraire. Il avait l'intention de s'immerger si profondément dans l'ancienne langue qu'il sortirait un beau matin de chez lui, capable de parler à tout le monde sur un pied d'égalité.

À leur retour de l'hôpital, Maisie et Jonathan trouvèrent O'Muichin derrière la maison, en train de réparer un mur de pierres sèches qui s'était effondré. L'aspect physique du professeur les décontenança. Les Adams ne s'attendaient pas à un lutin arrivé tout droit de Dublin. Les pieds de O'Muichin touchaient à peine le sol et ses gestes étaient ceux d'un homme qui nage sur place dans l'eau. Il passait son temps sur sa bicyclette à rendre visite aux gens de la région qui parlaient irlandais, droit comme un i, la tête légère ou peut-être trop pleine ; c'était un homme dont l'âme et le corps semblaient toujours en mouvement. On lui avait donné la chambre de Catherine. « Pour changer », avait décrété Jonathan Adams. On avait donc déménagé la garde-robe de Catherine chez Sara, et tous les soirs, elles tiraient à pile ou face pour savoir laquelle ne coucherait pas contre le mur.

Le brigadier n'alla pas tout de suite saluer O'Muichin, sentant peut-être que les événements commençaient à échapper à son contrôle et qu'il aurait sans doute dû marquer une pause dans ce défilé de professeurs d'irlandais chez lui, des hommes déterminés à transformer le mythe en réalité qui, en raison de leurs natures frustes et instables, troublaient sa tranquillité. O'Muichin se présenta de lui-même à la porte de son bureau et déclara : « Je déteste cette situation, je n'ai jamais fait ça avant. » Cet aveu consola Jonathan Adams. Il envisageait maintenant de passer des heures fructueuses quand, après avoir retrouvé sa place légitime de maître de maison, il pourrait enfin sonder le chaleureux esprit irlandais au lieu de subir la difficile personnalité de MacDonagh.

O'Muichin lui paraissait être dégagé de toute rancune. Il ne lui restait pas une once d'amertume. Le brigadier s'intéressa donc à son hôte. Et celui-ci trouva également un allié en la personne de Maisie Adams lorsque, le soir après le dîner, il se leva pour porter la vaisselle dans l'arrière-cuisine à la manière d'un homme qui vivait seul.

« C'est une question d'habitude », expliqua-t-il, puis, prenant un air distant, il monta dans sa chambre.

Pour quelqu'un de si petite taille, il ronflait si fort qu'on l'entendait à travers toute la maison. Au contraire de son prédécesseur, il ne demeurait pas des heures aux cabinets dans le jardin à lire les carrés de papier journal découpés, ni à griffonner de curieux commentaires politiques dans la marge des livres, ni à angoisser les filles en trahissant ce penchant masculin pour l'insinuation et la domination. Sa timidité ne faisait que le servir. C'était un homme, convenaient-ils tous, que la familiarité effrayait. Et pourtant, en particulier aux yeux de Mr. Adams, un homme dont les paroles étaient à la fois rassurantes et intelligentes.

Et, à l'instar de tous ceux qui pensaient en deux langues, il était enclin à tenir l'étrange discours que cela impliquait.

217

La langue est conçue pour penser, avait affirmé O'Muichin pendant le dîner. Il était devenu prolixe, soudain animé. Les premières images viennent parfois en irlandais, dit-il, et l'anglais simplement en guise d'explication. Avec les concepts, c'est souvent l'inverse qui se produit. Une nouvelle langue, ce n'est que l'apprentissage d'une ancienne discipline éprouvée que nos sens — lassés de la langue dans laquelle on s'exprime d'ordinaire — réclament à cor et à cri. La langue retournera à sa source, même dans la tête d'un étranger. Le grand plaisir, c'est de choisir parmi plusieurs langues celle qui exprime le mieux le contenu de l'esprit. « Je suis perdue », dit Catherine. Aussitôt, le nouveau professeur eut des vapeurs, comme pris dans un corset, et l'ennui s'installa, auquel se mêlait une nervosité palpable. Le silence malsain dura jusqu'à ce que Sara dise quelque chose à Catherine et que, frappé par quelque obscure pensée, O'Muichin tire un carnet de sa poche et se mette à écrire furieusement. Il leva les yeux, s'aperçut de l'endroit où il se trouvait et reprit son expression distraite.

« Nous tenons compte des formes, déclara-t-il tout à coup. Pas des couleurs. Autre chose, on ne peut pas dire "Je t'aime" en irlandais. Ne croyez pas ceux qui vous affirmeront le contraire. En irlandais, l'amour est en vous. Il ne se commande pas. Non, non », ajouta-t-il, l'air pensif.

O'Muichin, originaire des quartiers pauvres du centre-ville, gaélisant issu de la classe ouvrière, était ravi de quitter Dublin pour un temps. Son salaire d'instituteur, il le dépensait pour publier ses propres livres. « Yeats le faisait bien, alors pourquoi pas moi », expliqua-t-il. *Fantaisies*, ainsi se nommait son premier ouvrage.

« Fantaisies ? s'étonna le brigadier.

— Oui, et je travaille en ce moment à la deuxième partie.

— Il ne s'agit pas de grivoiseries, je suppose.

– Les légendes des Fianna, Mr. Adams. *Le Táin.* Je m'en suis servi comme points de départ.

– J'aimerais beaucoup que vous m'indiquiez vos sources, dit le brigadier en veine d'érudition. Si vous avez le temps.

– Avec grand plaisir », répondit O'Muichin.

Pour un homme qui s'occupait de fantaisie, il était formidablement pragmatique. L'été précédent, il avait traversé l'Irlande à bicyclette, de Malin Head au Nord à Mizzen Head au Sud. Ce qu'il avait vu en route, il le décrivait de manière détaillée et pittoresque. Quand il prenait son vélo, ainsi qu'il le faisait chaque jour, il mettait le matériel nécessaire à réparer une éventuelle crevaison non pas sur le porte-bagages comme un campagnard, mais dans un sac bleu en toile qu'il portait en bandoulière. Il y logeait également une bouteille d'encre, un stylo, deux carnets et de quoi boire. Soufflant, haletant, il soulevait les filles, les installait à tour de rôle sur le cadre pour les descendre à la plage et les remonter. D'abord Sara et ensuite Catherine essayaient de faire du vélo, une jambe glissée sous le cadre pour atteindre la pédale, et elles roulaient ainsi, à moitié en amazone, sur le sable dur. On considérait peu féminin d'enfourcher un vélo d'homme. Il fallait au moins mettre un pantalon. Et O'Muichin, en pantalon, se rendait tous les jours dans un village voisin chercher, disait-il, des informations. C'était un lève-tôt, aussi. Le premier jour, Maisie Adams, entrant dans la cuisine, constata qu'il avait déjà rallumé le feu sur les braises de la nuit, fait du thé, et qu'il attendait, le journal de la veille étalé sur ses genoux.

Ce n'était pas donné à tout le monde de pouvoir se lever avant le père des filles.

Jonathan Adams avait pour habitude d'être le premier debout, de sortir dans le jardin, puis de réveiller ses filles et sa femme au parfum des fleurs des champs qu'il venait de cueillir. Elles émergeaient lentement des profondeurs du sommeil et découvraient une fleur, une églantine peut-être, posée sur leur oreiller. Nombre de matins, le dernier rêve de Catherine prenait une douceur exquise, un goût d'étrangeté, et la chambre, dans son rêve, s'emplissait d'un bleu indécis, d'une brume délicate qui lui échappait. Et puis, tout doucement, elle flottait vers elle pour venir l'envelopper. Catherine, pâmée de bonheur, se réveillait alors, une primevère pressée contre sa narine.

« On n'a pas vécu tant qu'on n'a pas respiré une primevère », affirmait Jonathan Adams.

Le lendemain de l'arrivée de O'Muichin, c'est un brin de lilas que trouvèrent les femmes. Descendant en chaussettes, le professeur croisa le brigadier dans l'escalier, un bouquet de lilas à la main. Adams baissa les yeux, gêné d'être surpris d'humeur aussi sentimentale à une heure aussi matinale.

« *Is fior*, dit O'Muichin, désignant les fleurs, *nach bhfuil blath nios cumhra na i.*

– Pardon ?

– Il n'y a rien de plus doux que le lilas », dit O'Muichin.

Pour les deux hommes, la journée commençait somptueusement.

O'Muichin alluma le feu, déposa une tasse de thé à la porte du bureau de Jonathan Adams, puis feuilleta quelques livres — *Réflexions sur la lecture* de L. H. M. Soulsby, *Jardiner au bord de la mer* que lisait Maisie et *Les Poètes de Liverpool* dans la collection Penguin « Les poètes contemporains », appartenant à Catherine — en attendant que les filles descendent. Comme elles ne venaient pas, il sortit désherber un peu le jardin et jeter du grain aux oies. Les filles tardaient, car elles parlaient avec cette langueur propre à ceux qui ont la chance d'être en vie sans le savoir.

Leur univers n'était que sensations.

C'était au tour de Catherine de chatouiller sa sœur. Cela prenait toujours des heures, car Sara était une hédoniste, prête à faire des promesses impossibles pour échanger quelques secondes de plus son corps contre cet autre où les sens s'aiguisaient comme ceux d'une biche en alerte. Elle se coucha sur le ventre et Catherine lui effleura la nuque et la colonne vertébrale du bout des doigts, plaqua ses paumes dans le creux de ses reins, puis s'arrêta sur le renflement de ses fesses. Sara se retourna. « Encore un peu », dit-elle. « Tu es drôlement exigeante », répliqua Catherine, qui, l'esprit ailleurs, promena les doigts sur les seins et les bras de sa sœur. Ensuite, sachant où se situait chaque centre de plaisir du corps de la femme, et avec un narcissisme teinté d'une pointe d'égoïsme, elle se consacra à frustrer Sara. Elle frôla, papillonna, se retira vivement, puis, regardant par la fenêtre, elle effleura les tempes de sa sœur du bout des doigts, tandis qu'elle laissait son autre main jouer sur ses cuisses. Enfin, elle lui massa le cuir chevelu avant de déclarer :

« Ça suffit, je me lève. »

Sara se dressa sur un coude. « Tu peux me passer mes chaussettes ? » demanda-t-elle. Puis, pendant qu'elle les enfilait sous les draps, elle reprit négligemment : « J'ai rencontré un homme qui ratissait des algues à marée basse pour en faire des tas. Il était très beau. "Vous êtes d'ici ?" je lui ai demandé. "Non, du Leitrim, il a répondu. On est tous fous dans le Leitrim." Et il a éclaté d'un rire cruel.

– Leitrim ? fit Catherine. Je doute qu'il soit beau.

– Si, affirma Sara. À sa manière.

– Les hommes du Leitrim me font toujours l'effet d'une fleur rouge toute seule sur le géranium en bas dans la véranda. Je ne peux pas m'empêcher de la regarder tout en étant triste et en ayant envie de fuir.

– Il me plaît bien.

– Vraiment ?

– Oui », répondit Sara.

Catherine, comme souvent, considéra sa sœur avec inquiétude, car il lui semblait que Sara avait franchi une frontière invisible qui les rendait toutes deux totalement indépendantes l'une de l'autre, ce qui, en soi, et malgré ce que cela pouvait avoir d'effrayant, les ennoblissait. Sara descendit la première, suivie de Catherine.

221

« Bonjour, mesdemoiselles », les accueillit O'Muichin. À dater de ce jour, elles seraient donc des demoiselles, semblait-il. Quand, après le petit déjeuner, elles s'installèrent comme d'habitude devant leurs cahiers et leurs stylos, O'Muichin suggéra d'aller plutôt faire une promenade dans la campagne. Il prit un livre d'ornithologie et un herbier, mais il n'en eut pas besoin, car les filles – depuis longtemps poussées par leur père – étaient capables de tout identifier, aussi bien les fleurs d'été que les fleurs d'automne. Elles les nommaient, et il leur donnait la traduction.

La reine-des-prés s'appelait *airgead luadra,* le jonc d'argent. La primevère, *bainne bo bleachta,* le lait de la vache. La jonquille, la fleur qui baisse la tête, *lus an chron chinn.* Les fossés étaient pleins d'herbe à Robert qui devenait *lus coille,* la fleur des bois, quoiqu'il n'y eût pas un seul arbre en vue. Et puis il y avait la pâquerette, *noinin,* petit midi.

Les filles restaient stupéfaites devant cet homme d'une telle douceur, avec ses chaussures dont le bout rebiquait, ses yeux tendres et son col de chemise effrangé, capable de donner aux fleurs qu'elles connaissaient une définition différente dans une autre langue. Ils allèrent de champ en champ, s'arrêtant devant le bouton-d'or, la salicaire rouge, la fleur violette du chardon, la feuille enserrant la fleur phallique de la ciguë, et de nouveau devant une touffe mauve d'herbe à Robert dans un fossé. Certaines plantes, il ne pouvait les traduire que par la couleur, car elles ne possédaient pas de noms en irlandais. Ils passèrent ensuite aux oiseaux : le rouge-gorge, *spideog,* un morveux ou un petit effronté ; la corneille mantelée, *preachan na gearcha,* corneille des poules ou corneille des poulets ; le merle, *londubh,* le bec noir de musique. Les femelles du merle et de la grive avaient le même nom, dit-il.

« Lequel ? » demanda Sara.

O'Muichin hésita.

222

« Pour certains oiseaux, on ne sait plus quelle est exactement l'origine de leur nom. Si vous prenez le mâle, c'est *smollach*, ce qui pourrait se traduire par charbon enflammé, mais si vous prenez la *cléirseach*, cela pourrait signifier autre chose.

– C'est-à-dire ? demanda Catherine.

– C'est délicat. »

O'Muichin consulta son livre où la grive femelle était représentée et en vol et perchée, en aquarelle délavée. Il regarda son plumage tacheté et se demanda où le vieil irlandais avait pu trouver une analogie avec le mot servant à la désigner.

« Le con », lâcha-t-il enfin et, sans leur laisser le temps de réagir, il passa à la page suivante où figurait une pie. « *Snag breac*, dit-il très vite. *An snag breac* », répéta-t-il pendant qu'elles retournaient dans leur tête les consonnes explosives et les voyelles douces du mot *cléirseach*. O'Muichin, souriant intérieurement, épela *snag breac*.

« Ce qui se traduit par voleur pie, au sens de couleur pie », expliqua-t-il. Elles regardèrent la pie en pensant à la grive. « C'est intéressant, non ? » demanda-t-il, puis il leur montra le crave à bec rouge, le râle des genêts et le faucon pèlerin.

« Il y en a un pour lequel il ne doit pas exister de mot en irlandais, dit Catherine. Le phalarope.

– Je crains de n'en avoir jamais entendu parler.

– C'est peut-être, dit-elle en soutenant son regard, le contraire de la *cléirseach*.

– Ah bon ?

– Un tout petit échassier, en fait.

– Oh, fit timidement leur professeur. Vraiment ? »

Des nuages menaçants s'amoncelaient à l'horizon. Un vent pénétrant se leva, aussi brutal que de la grêle. Quelques secondes plus tard, une violente averse s'abattait sur les îles. Les filles conduisirent leur professeur vers un fossé à sec qui courait sous une arche de denses arbustes fouettés par les bourrasques.

Cependant que de grosses gouttes de pluie s'écrasaient autour d'eux, ils s'engagèrent, tout courbés, dans le tunnel avec son toit mordoré, transpercé par les cristaux de pluie et les rayons de soleil qui tombaient sur leurs visages. O'Muichin était comme hypnotisé. Sara, qui ouvrait la marche en sifflotant, se retournait de temps en temps pour s'assurer que les autres suivaient. Lorsqu'ils émergèrent, le soleil illuminait les montagnes et la mer, et leur conférait une beauté pour laquelle il n'existe pas de mots. Le paysage baignait dans la lumière hallucinatoire qui précède l'arc-en-ciel, tuant toutes les couleurs à l'exception du vert élémentaire qui se définit non seulement comme une couleur, mais aussi comme l'état de ce qui est juste après la pluie d'été.

Et, comme toujours dans une pareille lumière, Catherine eut l'étrange sensation d'être dans un monde d'illusions. Elle participait au tournage d'un film. Le visage de Sara surgissait, puis devenait flou. Quant à O'Muichin, il était sans visage. Tous les deux se parlaient d'une manière familière qu'elle n'arrivait pas à comprendre. Je brûle, pensait-elle, que quelqu'un me dise combien je suis belle. De l'herbe mouillée s'élevaient des cris d'oiseaux évoquant le bruit de dés qu'on secoue. Catherine accéléra le pas pour rattraper les autres. Elle trébucha et sa main, par inadvertance, effleura les fesses de O'Muichin, et elle la retira vivement, non parce que c'était un geste involontaire et grossier, mais parce qu'elle avait été étonnée de constater à quel point son pantalon était glacé.

On se serait attendu, dit-elle des années plus tard à Jack Ferris, à ce que le cul d'un professeur d'irlandais soit bien chaud.

« Je vais préparer le thé », dit O'Muichin à Jonathan Adams.

Il était sept heures du matin. Le ciel était sable et la journée s'annonçait humide.

« Merci », dit le vieux presbytérien.

Il revenait du jardin, un bouquet de marguerites à la main. Il avait la figure et les cheveux mouillés. Il posa avec soin les fleurs sur l'évier. Pivota et se retint à la table. « Oh », fit-il comme s'il se rappelait soudain quelque chose. O'Muichin s'aperçut alors que Jonathan Adams était mortellement pâle. « Mr. Adams ! » s'écria-t-il. Le vieil homme secoua la tête. Une nouvelle douleur le traversa. Il plaqua ses deux mains sur la table, baissa la tête et resta figé ainsi, comme un homme dans les starting-blocks.

Quelques instants plus tard, il leva les yeux et regarda le professeur.

« Excusez-moi, dit-il. J'ai parfois des petits problèmes de digestion. Je vais monter dans mon bureau, à présent.

– Je peux vous apporter quelque chose ?

– Non, je vous remercie, dit Jonathan Adams. Je monte. »

Il s'arrêta au pied de l'escalier. Une autre crampe le cloua sur la première marche. Puis elle passa.

Les seuls défauts de O'Muichin étaient déposer ses cendres de cigarette sur la table de la cuisine, fredonner des chansons en gaélique à toute heure de la nuit, jurer soudainement en aparté dans son jargon dublinois et fuir toute intimité avec les filles en dehors de celle que nécessitait son rôle de professeur. Le matin, Maisie trouvait son lit fait, l'âtre jonché de mégots et les bougies qu'il avait apportées presque entièrement consumées sur le manteau de la cheminée.

« Pourquoi les bougies ? lui demanda-t-elle.

– Pour la même raison que j'adore écouter la pluie », répondit-il.

La religion était un autre problème. Chaque dimanche, il allait dans une église différente. Pourtant, quand on l'interrogea, ce que fit Catherine, pour savoir s'il croyait en Dieu, il répondit : « Nous avons été seuls si longtemps et, un jour, un homme est apparu. Oui, le Christ. Je suppose que cela doit avoir un sens. » Puis, réfléchissant à la question : « Mais Dieu ? Eh bien, j'aime l'homme qui a créé le monde, mais je ne crois pas en lui. » Il fit mine de vouloir ajouter quelque chose, mais il se contenta de faire un clin d'œil et de sourire. Sara pinça les lèvres pour s'empêcher de rire, car il semblait homme bien timoré pour se mesurer au monde entier. En revanche, il n'abordait jamais de tels sujets lorsqu'il s'enfermait dans le bureau du Maître pour lui parler de Sweeney, de la poursuite de Diarmuid et Grainne ou des Enfants de Lir.

« Vous êtes allé à l'île de la Pureté ? demanda le brigadier.

– Où est-ce ?

– Inishglora.

– Je crains bien que non.

– Vous devriez, car c'est là que ces cygnes ont terminé leurs jours.

– Je l'ignorais. Il faut admettre certaines choses.

– C'est là votre erreur. Vous n'admettez rien. Absolument rien. »

Ces contes mythologiques que le brigadier connaissait en anglais gagnaient une épaisseur physique frustrante dans la langue vernaculaire, de telle sorte que dans ses rêves un étranger – O'Muichin peut-être – poussait devant lui un troupeau de moutons à tête d'homme, ou alors des humains qu'il pensait avoir déjà vus prenaient la forme d'animaux qu'il ne parvenait pas à identifier ; MacDonagh revenait sous l'apparence d'une oie ; dans un rêve saisissant, il vit sa fille Catherine chevaucher un bouc au bord d'une falaise cependant qu'il l'appelait en vain. O'Muichin, outre qu'il lisait les lignes de la main, interprétait les rêves, et à propos de celui du bouc, il expliqua qu'il tirait son origine de la mythologie grecque dont Jonathan Adams s'était imprégné. Ce rêve, dit-il, procède de deux choses, comme tous les rêves.

« Et quelles sont-elles, si je puis me permettre ? s'enquit le Maître.

– D'abord, dit O'Muichin en souriant, êtes-vous bien sûr que c'était un bouc et non une chèvre ? »

Jonathan Adams considéra un long moment l'homme imperturbable qui laissait entendre que ses rêves découlaient non pas des légendes classiques mais du genre des animaux.

« Vous ne jugez pas cette interprétation quelque peu farfelue ? s'étonna-t-il.

– La prochaine fois que vous verrez le bouc, murmura O'Muichin en se penchant vers le brigadier, la prochaine fois, excusez-moi, vérifiez s'il possède bien ses attributs.

– Je vois. »

O'Muichin fit un clin d'œil, puis revint au cycle d'Ossian.

« Des fois, c'est difficile de le croire, dit Sara un autre jour.

– En tout cas, il n'a pas peur », dit Catherine sur un ton suggérant qu'elle était prête à prendre sa défense.

On était dimanche et, un peu plus tard dans l'après-midi, l'homme qui parlait irlandais parut de nouveau déprimé. L'ennui régna dans la maison. Ce jour-là, il n'y eut pas de cours. Au dîner, on ne tira pas un mot de lui, et même quand, adossé au pilier du portail, il regarda les habitants du village vaquer à leurs occupations, son moral sembla toujours aussi bas.

« Vous n'allez parler à personne ? lui demanda Sara.

– J'ai l'impression d'attendre quelqu'un, expliqua-t-il.

– Il y a un bal vendredi prochain à Bangor-Erris, ça vous plairait peut-être de venir.

– *B'fheidir*, murmura-t-il. J'aime bien les demoiselles de l'Ouest. Avant d'arriver ici, je n'avais jamais entendu prononcer le mot "demoiselle" autrement que par dérision. J'aime bien les demoiselles de l'Ouest, je dois l'avouer. Elles ont l'esprit ouvert.

– Vous trouvez ?

– Assurément. »

Toujours préoccupé, il se borna à acquiescer à tout ce que Sara disait. Elle s'assit sur le portail et se mit à donner des petits coups de pied sur le pilier. Catherine passa devant eux et monta vers le village en songeant : Où est ce connard d'abruti qui m'aimera ? Les deux autres demeurèrent près du portail, silencieux.

« Quand je vois quelqu'un comme vous, j'ai toujours le sentiment d'être responsable de son état », dit Sara.

Tiré de sa rêverie, O'Muichin pensa à voix haute : « Il me semble avoir déjà connu cela avant. »

O'Muichin, précurseur des amants à venir dans la vie des filles, leva les yeux sur le ciel blanc amidon au-delà duquel il devinait la mer en mouvement. Un nuage traversa l'horizon, pareil à une vague mourante. Il contempla un casier à homards abandonné sur l'appui d'une fenêtre d'un appentis au toit effondré et, plus loin, un amas de tôles déchiquetées. Des mouettes tournoyaient dans le ciel, puis les corneilles mantelées se mirent de la partie et, l'espace d'une seconde, il se dit que les oiseaux ne se regardaient jamais les uns les autres pendant qu'ils volaient ou lorsqu'ils se perchaient sur les fils télégraphiques, ni même quand ils étaient en cage. Voilà une notion à approfondir, pensa-t-il.

Il en parla à Sara.

Elle déclara : « Je n'aime pas les gens qui ne vous regardent pas dans les yeux. »

La fenêtre du bureau s'ouvrit soudain. « Teehaw, lança le brigadier, utilisant le petit nom de Sara. Laisse Mr. O'Muichin tranquille et va faire ce que tu as à faire.

— Elle ne me dérange pas, Mr. Adams », dit l'homme qui parlait irlandais puis, nerveux — une créature venait sans doute de lui serrer de nouveau son corset —, il partit se promener vers le nord de la presqu'île.

À Belmullet, le type de Dublin faisait l'objet d'une grande curiosité, de même que l'homme qui l'avait précédé, mais O'Muichin davantage encore dans la mesure où il ne fraternisait pas. Pas plus qu'il n'appréciait l'intérêt qu'on lui portait. C'était un homme qui cherchait constamment à fuir. À disparaître. À devenir transparent. On avait ici un nom pour cela, dont la traduction était « tête de paille ». Penché en avant, dressé sur la pointe des pieds, il resta un moment à contempler la mer, caressant le parapet du vieux pont.

« Quand on construira le nouveau, il faudrait qu'il puisse s'ouvrir pour laisser passer les bateaux, dit un vieux bonhomme à côté de lui. Comme ça, on pourra faire le tour de la presqu'île par la mer. »

O'Muichin sortit son carnet de sa poche et griffonna quelque chose. Il fit un pas en direction de la maison, puis s'arrêta une fois de plus pour écrire. Le maléfice était rompu. Il se sentait d'humeur bienveillante. Il ressortit son carnet, se ravisa, repartit. Catherine apparut. Sa promenade les conduisit vers la grève. Catherine marcha d'abord derrière lui, puis à ses côtés.

Ses bas noirs étaient soulignés d'une couture infinitésimale. C'était une jeune fille de haute taille en pull gris, informe. Mince, athlétique, assurée. Jupe noire, mules noires. Les cheveux blonds qui lui tombaient dans les yeux, elle les repoussait d'un geste vif. « Dieu est bon, dit O'Muichin. Il vous a envoyée à moi. » Catherine était contente de voir qu'il se déridait. Ils parlèrent des disparités entre différents endroits, des événements qui se produisaient en même temps dans des lieux distincts. Ils franchirent un ruisseau, éprouvant un sentiment de liberté. Des nuages laineux flottaient dans une brèche entre les montagnes d'Achill Island. Une brusque rafale.

« Le comté de Mayo, dit Catherine.

— Oui. Et qu'est-ce que vous avez l'intention de faire plus tard ?

— Être actrice, répondit-elle.

— Eh bien, vous avez une très belle voix.

— Merci. » Elle se pencha pour déposer un baiser sur la joue de son professeur. Un aboiement furieux retentit. Ils durent grimper sur un muret de pierres pour échapper aux crocs d'un chien, jusqu'à ce qu'un garçon, jailli d'une maison voisine, rappelle le molosse.

« Ici ! Enculé de chien ! hurla le garçon. Et cet enculé est même pas à nous. Un bâtard, en plus. Regardez-moi c'te tête ! Allez, fous le camp ! » Sans cesser de crier après l'animal, le garçon disparut. O'Muichin prit une nouvelle fois son carnet et, en quelques phrases laconiques, nota tout ce qu'il avait vu et entendu.

La semaine suivante, O'Muichin passa au nom des arbres en irlandais, mais il était évident qu'il apprenait plus des filles qu'elles n'apprenaient de lui. Il apprenait un langage du Nord devenu archaïque. Comme Jack Ferris longtemps après lui, il les écoutait, effaré, parler dans leur vocabulaire succinct imprégné d'érotisme, de séduction, d'humour grinçant ainsi que d'un curieux désespoir sous-jacent. Il ne perdait jamais de vue qu'il ne fallait pas qu'il succombe. Il devenait un drôle d'oiseau. Le carnet tout le temps à la main, il se lançait dans de longs discours abstraits dont l'essentiel se résumait à dire aux filles qu'elles devraient tenir un journal, parce qu'il estimait qu'elles avaient davantage de talent que lui, ce qu'il reconnaissait volontiers.

Il n'arrivait cependant pas à ce qu'elles le prennent au sérieux.

« Nous ne sommes pas bêtes au point d'écrire ce que nous pensons vraiment, dit Sara.

— Nous ne faisons que passer, dit Catherine, alors que O'Muichin serait le premier nom qu'elle inscrirait dans son journal.

— Mon problème, c'est que j'ai écrit un livre en irlandais. Et en irlandais, il est sobre et vrai. On me le demande en anglais, et en anglais j'ai ajouté des choses que je n'ai pas vues.

— Je ne comprends pas, dit Catherine.

— Alors voilà, expliqua O'Muichin. Toutes les deux, vous êtes entrées dans mon histoire. Vous ne me quitterez jamais. » Puis il cita Kafka : « Tu sais, moi pour ma part, je serais perdu depuis longtemps. »

Après quoi, leurs esprits et leurs corps se séparèrent, si bien qu'il ne lui fut plus possible de tirer quoi que ce soit des filles. Et comme sa vie lui donnait l'impression d'être un roman, ces personnes réelles, ces femmes réelles lui évoquaient un bien-être physique et mental qu'il avait rarement connu. Il observa une vache endormie qui ne dormait pas, car un instant plus tard elle agita la queue et leva la tête pour regarder par-dessus un muret couronné de genêts. Le vent produisait des mélodies aiguës. Des chiens dormaient sur le seuil d'une maison, qui ne dormaient pas. Il plongea son regard dans les yeux inquiets d'une ânesse, des yeux pleins de pitié, comme si l'ânesse s'approchait de quelqu'un plutôt agressif qu'elle craindrait, certes, mais qu'elle mépriserait en secret. On sentit le mépris dans le braiment à écorcher les oreilles que poussa l'animal ; et qui marqua le retour à l'asservissement.

« Parvenu à la moitié de l'écriture d'un livre, demanda Catherine, il ne vous est jamais arrivé de vous apercevoir que vous faisiez fausse route ?

— Non, je touche du bois. »

Ainsi prirent fin les leçons sur les arbres. Et c'est dans cet état d'esprit que O'Muichin aborda sa dernière soirée chez les Adams.

Après le dîner, le brigadier voulut lui payer ses deux semaines de salaire.

« La moitié suffira, dit O'Muichin. Pour moi, ce furent des vacances. »

Mr. Adams lui fourra l'argent dans les mains. C'était la première fois que O'Muichin touchait le vieil homme et il fut étonné de constater qu'une force délicate courait dans le bras de Jonathan Adams pour se transmettre à sa main.

« Je souhaite bien du succès à vos fantaisies, dit le brigadier.

— Merci », répondit le professeur.

Au bal ce soir-là, O'Muichin abandonna toute réserve. Il dansa tour à tour avec chacune des deux sœurs, pratiquant les pas qu'il avait appris dans un dancing de Parnell Square. « Vous devriez y aller. Moi, j'y vais tous les jeudis soir », dit-il en évitant de son mieux les évolutions chaotiques des garçons, car O'Muichin était un homme ingénieux et patient qui n'ignorait pas qu'ici l'étranger était un objet de mépris aux yeux de tous les autres hommes. Il s'éclipsa avant la fin du bal, feuilleta une version de la légende de Maire Rua, et il était déjà couché, une bougie allumée, envahi d'un sentiment d'euphorie, quand les filles, engagées dans une longue conversation, rentrèrent. Le lendemain matin, il était triste à l'idée de s'en aller. Il traîna dans la maison. Il laissa partir le bus du matin. Ensuite, il fut trop tard pour se rendre à bicyclette à Castlebar et prendre le train. Il ne cessait de remonter dans sa chambre chercher des choses qu'il avait oubliées. Il avait la voix épaisse et il tremblait à la manière d'un homme ayant pris une cuite mystique. Les filles étaient fascinées par son besoin de romantisme. Il but d'innombrables tasses de thé. Et puis, lorsqu'ils se retrouvèrent seuls dans la cuisine, il posa doucement les mains sur l'arrière du crâne de Catherine.

« Voyons, dit-il, s'il y a des puces. »

Il passa les doigts dans ses cheveux, les écarta.

« Oh, oh, fit-il avec une surprise feinte.

— Vous en avez trouvé ? demanda Catherine.

— Ne bougez pas, j'ai l'impression qu'elles sont descendues dans votre dos.

— Vous croyez ? » fit Catherine. Elle regarda sa sœur puis leva les yeux au ciel, ravie de jouer le jeu.

« Oui, il y en a énormément, je le crains », répondit-il d'un air grave.

Un instant plus tard, il la chatouillait sous les bras, et elle se roula par terre avec des rires et des cris, tandis que O'Muichin se jetait sur elle. Sara lui sauta dessus à son tour. Maisie Adams entra. Fort gêné, l'homme qui parlait irlandais se remit debout. « Sara Adams, ordonna sa mère. Lève-toi. » O'Muichin voulut dire quelque chose et les filles s'esclaffèrent. Maisie Adams se retourna, les épaules secouées de rire.

« Êtes-vous un homme respectable, Mr. O'Muichin ? demanda-t-elle.

– Oui, madame, murmura-t-il, tout penaud.

– Encore là, O'Muichin ? » s'écria le brigadier en pénétrant dans la cuisine.

Le professeur prit congé à contrecœur, empoigna son sac bleu par la sangle, le mit en bandoulière et partit en direction de Belmullet. Il s'arrêta une fois pour agiter la main, puis il roula jusqu'à Maumaratta, le col des Jeunes Lièvres. Il dormit là, dans son sac de couchage, parmi les pierres qui sifflent dans le vent.

16

Le saumon de la connaissance

Le brigadier Adams tomba malade au printemps suivant dans le Fermanagh. Les résultats des analyses n'étaient pas bons. On l'hospitalisa et, trois semaines plus tard, quand il comprit que son état ne s'améliorerait pas, il demanda à ce qu'on le transporte dans la maison des gardiens de phare de Mullet. Maisie téléphona à Willy, le frère de Jonathan, pour qu'il les y conduise. On confia les oies à un voisin. On accorda aux filles la permission de manquer l'école. Willy, qu'ils n'avaient pas revu depuis des années, jugea désastreuse la décision de partir pour la République du Sud. Mais Jonathan demeura inflexible.

Willy les emmena donc vers l'ouest de l'Irlande, où il n'était jamais allé, au volant de la voiture des Adams, et il repartit aussitôt par les transports en commun. C'était un printemps rude, perfide, et les coups de vent ne cessaient de balayer la côte. Le sable des dunes s'envolait. Le varech s'entassait dans les champs. L'écume qui jaillissait d'un trou parmi les rochers retombait sur Aghadoon. Les femmes firent des stocks de provisions. Joe Love et Bernie Burke apportèrent du charbon et de la tourbe. Ils allumèrent de grandes flambées. On engagea une infirmière locale. Jonathan était scandalisé à l'idée d'être soigné par une catholique. Il réclama son départ. Le lendemain matin elle était toujours là. Elle l'accompagnait aux toilettes et attendait à la porte.

« Ça va, Mr. Adams ? criait-elle.

— Oui, oui », répondait-il, furieux.

Tous les matins et tous les soirs, elle lui faisait une piqûre de morphine. Il se réveillait glacé dans son lit, et son regard se posait sur elle, un objet humain dans le froid, qui lui disait bonjour, plantée au milieu de la chambre.

« Vous êtes encore là ?

— Oui. Et vous aussi.

— Quelle heure est-il ?

— L'heure de la toilette.

— Je ne veux pas me laver.

— Il le faut. On ne tient pas à ce que l'infection se propage, n'est-ce pas, Mr. Adams ? »

Il présentait à contrecœur une main molle après l'autre. Quand elle lui lavait la figure, il tremblait de rage contenue. Elle avait cette habitude de le serrer contre elle qu'il trouvait déplaisante. Pour lui laver la nuque, elle enfouissait son visage contre son épaule. Assis au bord du lit, le menton dans le creux derrière la clavicule de l'infirmière, il regardait la porte de la chambre avec un sentiment d'impuissance pendant qu'elle lui frottait le dos.

« Ça va, Mr. Adams ?

— Oui, sifflait-il entre ses dents.

— C'est presque fini. »

Elle vaporisait du désodorisant. Cirait la table de nuit. Passait l'aspirateur autour du lit. Mettait du désinfectant dans les toilettes.

« Voilà, Mr. Adams. Vos filles peuvent venir vous voir. »

Elles entraient et s'asseyaient à son chevet.

« Demandez à la bibliothèque quelque chose sur l'eau. Écrit en grosses lettres », dit-il.

Couché dans son lit de malade, cependant que rugissaient les vents de l'Atlantique qui soufflaient du nord-ouest, Jonathan lisait l'histoire des grands fleuves d'Irlande dans un livre scolaire posé sur sa poitrine. Des bruits de coups résonnaient partout. La maison tremblait sous l'eau. Il était si mal qu'on envoya quérir un médecin. On n'en trouva pas au pays. Puis l'infirmière Noone arriva en compagnie d'un certain docteur Ferris en visite chez des parents qui habitaient la presqu'île. Quand il s'assit au bord du lit, l'odeur du whiskey assaillit Jonathan Adams.

« Mon Dieu », fit-il.

Le docteur souleva la main du vieux policier et lui prit le pouls. « Sale temps », dit-il. Il lâcha le mince poignet et ouvrit sa trousse. « On ferait bien d'augmenter la dose », dit-il. Il tendit les petits flacons de morphine à l'infirmière, puis se pencha au-dessus de l'homme agonisant et le regarda dans les yeux.

« Je vous souhaite bonne chance », déclara-t-il.

« Maisie, appela Jonathan Adams. Il est parti ?

– Oui.

– Ne courez pas dans la chambre », dit-il aux filles.

Jusqu'à la fin, il alla seul aux toilettes, même après que l'infirmière eut essayé de le convaincre d'utiliser un bassin en inox. Il se glissait à bas de son lit, s'appuyait au montant, au fauteuil, à la rampe de l'escalier. « Oui, oui », disait-il à l'infirmière Noone au travers de la porte fermée de la nouvelle salle de bains. Ensuite, il s'arrêtait un instant sur les marches comme un somnambule. Entrait dans sa chambre et courbait la tête pendant que l'infirmière, sans cesser de bavarder, faisait son lit. En proie à un désespoir absolu, il entendait le sac qu'on lui avait attaché sur le ventre après son opération à Enniskillen émettre des bruits de pets retentissants. Il fermait les yeux, confus. À mesure que son état empirait, sa peau prenait un aspect bronzé, comme s'il revenait de vacances au soleil, et le blanc de ses yeux était éclatant. Des marques rouges, pareilles à celles d'un buveur de whiskey, apparurent sur ses joues. Il souleva de nouveau le livre de classe, mais depuis que le médecin avait augmenté sa dose de morphine, il était incapable de lire. Aussi l'infirmière Eitne Noone lui faisait-elle la lecture, et après son départ Sara, Catherine, puis Maisie.

Il existait plusieurs variantes de l'histoire du Saumon de la

Connaissance, découvrit Jonathan Adams lorsqu'il entreprit d'en rechercher la version définitive parmi les poèmes en prose.

Certains racontaient la naissance des grands fleuves. Les eaux qui cascadaient au flanc d'une montagne pour former une mer. D'autres, la quête de la lumière. De même que le flétan porte la marque du pouce du Christ, le saumon, disait-on, porte l'empreinte d'un païen depuis longtemps oublié qui a glissé sous sa nageoire une connaissance touchant à la dualité des choses, l'éternel départ et l'éternel retour.

Le saumon transporte cette connaissance à travers les océans du monde, et elle peut se transmettre au moindre contact.

Toute connaissance, dit le saumon, est un voyage.

Un saumon avait échappé des jours durant aux pêcheurs, feignant d'être une ombre sur le lit du fleuve. On finit par le capturer sur les berges de la Boyne après sept années de traque ; on prépara un feu et Aengus, le héros, était prêt à recevoir la lumière. Son esclave Fionn alla chercher du bois. Aengus se prépara avec soin, vida ses pensées de tout plaisir matériel. Il accepterait comme son destin tout ce qui lui arriverait ce jour-là. Le feu flamba, et il attendit la connaissance. Or, la connaissance ne vient pas aisément à celui qui la sollicite. Se prélassant, humant l'odeur du poisson, Aengus songeait aux merveilles à portée de main quand il entendit un cri aigu. C'était le serviteur du héros qui venait de trouver la lumière. En effet, lorsque Fionn tâta le poisson pour vérifier s'il était cuit, des écailles adhérèrent à son pouce. Saisi de panique, il se recula vivement, se lécha les doigts, et la connaissance, bondissant dans tous les sens, pénétra son âme.

Ainsi Fionn, sans le vouloir, devint plus intelligent que son maître.

Après cela, ni l'un ni l'autre ne furent plus jamais pareils. Aengus resta inconsolable. Il en est ainsi de cette connaissance : elle vient à ceux qui l'attendent le moins, et la première leçon qu'elle donne, c'est en apportant la consolation à ceux qui ne la possèdent pas. Aengus était d'humeur à tuer. Et Fionn, avec tact et humour, entreprit de l'apaiser.

Il se métamorphosa en fille.

Ce qui n'arrangea guère les choses. Car Aengus tomba amoureux de Fionn. Il la suivait pas à pas. Quand elle se couchait pour dormir, il se couchait à ses côtés. Quand elle allait se dissimuler derrière un buisson, il la précédait. La voix d'Aengus, autrefois virile, se mua en une longue plainte. La connaissance que lui avait transmise le saumon, réalisa alors Fionn, ne servait à rien si on ne l'utilisait que pour consoler. Étendue près d'un petit feu allumé au bord d'un bassin à saumons, Fionn-femme réfléchissait à tout cela. Les yeux de fouine d'Aengus étaient braqués sur elle dans l'obscurité. Elle comprit qu'une telle connaissance ne pouvait s'acquérir que par une longue et dangereuse équipée solitaire à travers le monde.

Il lui fallait quitter son maître, même si ce dernier lui interdisait toute évasion. Il lui fallait apprendre à dominer sa passion et sa fragilité. Elle se tourna et se retourna, soupira. Mesurant les différentes responsabilités qui lui incombaient, elle constata avec tristesse que la connaissance signifiait la fin de l'amitié. Ils se trouvaient alors sur le flanc d'une colline à Knockbride. Elle prit sa décision. Le soleil traversait le comté de Meath quand Fionn se métamorphosa en oiseau, s'envola droit vers le ciel, puis vira à peine. Aengus bondit sur ses pieds. Les parois de son estomac tremblaient comme la toile d'une tente sous un vent violent. Les ailes déployées, le martinet descendit en planant puis, rasant le sol, disparut à l'horizon.

Aengus, en proie à un grand trouble, fouilla le ciel à la recherche du martinet noir qu'il avait aperçu un instant auparavant.

« Faites-la partir », dit Jonathan Adams quand il vit l'infirmière au pied de son lit.

Cela peut arriver n'importe où, s'efforçait d'expliquer Aengus. Mais personne ne le croyait. Depuis qu'il était revenu seul, tout le monde pensait qu'il avait tué Fionn, son serviteur. À s'échiner à dire la vérité, Aengus vieillissait de jour en jour.

À tous ceux qu'il rencontrait, il s'évertuait en vain à raconter son histoire. Qui a envie d'entendre la version de l'histoire telle que la présente un homme ? Quelle lumière cela apporte-t-il ? Aussi Aengus, perplexe, l'esprit confus, retourna-t-il sur les berges de la Boyne où il compta les ombres et nota l'odeur de ses selles. Là, il recueillit une autre version du saumon de la connaissance. Un inconnu arriva. Qui était de Dromahair. Aengus, ravi d'avoir un auditeur, entreprit sur-le-champ de raconter comment il avait attrapé un poisson après avoir, cinq années durant, pêché des ombres, comment il l'avait fait cuire et avait vu son serviteur lui voler la connaissance. Le malotru, jura l'homme du Leitrim, que l'éclair lui brûle le trou du cul ! Amen, fit Aengus. Et pire encore, cet homme, Fionn, s'était métamorphosé en fille, si bien qu'il était tombé amoureux d'elle, ignorant s'il l'aimait parce qu'elle était femme ou parce qu'elle possédait la connaissance à laquelle il aspirait. Et ce n'était pas tout : avant qu'il ait eu le temps d'assimiler cette connaissance, la fille était partie, transformée en oiseau.

Et maintenant, me voilà le cœur brisé, conclut Aengus.

Tout dépend, dit l'homme du Leitrim, si le saumon arrive ou part. Il scruta les eaux du fleuve. Vous avez peut-être pris un saumon agonisant. L'inconnu réfléchit à cette malheureuse perspective. Il poursuivit : Pour l'homme qui interrompt le voyage du saumon mourant, la connaissance sera d'une triste nature. Cela explique la malédiction qui touche tout ce qu'on ne peut jamais atteindre.

Aengus fit claquer sa langue.

Si vous rencontrez le saumon agonisant, rien ne viendra s'ajouter à vos connaissances, reprit le sage du Leitrim. Vous serez arrivé sans même avoir accompli le voyage.

Pauvre Fionn, dit Aengus, soulagé.

Car, voyez-vous, un tel poisson est épuisé, prêt à muer.

Maintenant que j'y pense, dit Aengus, il semblait en effet sur le point de muer.

Il vaudrait mieux, dit l'étranger, que vous trouviez un saumon qui se prépare à faire le voyage afin que votre quête coïncide avec la sienne.

Certes.

Alors, au lieu du poisson, c'est vous qui, par l'embouchure du fleuve, gagnerez la mer.

Ô merveille.

L'Atlantique s'ouvre devant vous.

Je le vois.

Ainsi que la certitude que le voyage dans l'inconnu mène au connu.

Bonté divine ! s'exclama Aengus.

De même, le voyage dans le connu ramène à l'inconnu.

En effet ! Certainement ! s'écria Aengus avec exaltation.

Le voyage est la quête.

Ah ! Eh bien ! Alors, et Fionn ?

Il ne retrouvera jamais forme humaine. Il deviendra peut-être ce qu'il n'est pas. Cela, la connaissance le permet. Il pourra être une fille aujourd'hui, un oiseau demain. Et après-demain, un sapin. Il pourra adopter toutes les formes possibles, mais plus jamais celle d'un homme.

Aengus émit un petit sifflement. Pauvre Fionn, dit-il, songeant qu'il aurait très bien pu être à sa place.

Mais Fionn, contrairement à ce qui se disait, s'aperçut que son voyage était en réalité une tentative en vue de découvrir la dimension et la portée de sa conscience.

Puis vint le jour où il comprit ce qu'était le langage – un pont entre la chair et l'esprit.

Au début, il avait cru que la connaissance s'étendait au corps souple de femme qu'on lui avait donné afin d'échapper au courroux d'Aengus, mais il se rendait compte à présent qu'elle n'allait pas au-delà de la petite forme noire de l'oiseau qu'il avait prise pour fuir les caresses d'Aengus dans l'obscurité et le poids de son amour. Devenu au fil des jours une biche, un sapin et un chien méchant, il réalisa que le souvenir des autres contribuait à ce qu'il était à présent, un cheval qui vivotait dans les îles d'Aran au milieu d'un champ cultivé par l'homme. Autour de lui, les chèvres et les boucs chantaient. Chaque touffe d'herbe, il le savait, était le fruit d'une journée de travail dans le passé. La terre que labouraient ses sabots était sans doute arrivée du continent par bateau. Les graines de l'herbe qu'il mangeait avaient sans doute été jadis soigneusement semées dans le sol enrichi d'algues. Cela, l'homme qu'il avait été le savait. De même que tout ce qu'il regardait, il le voyait d'abord comme Fionn, puis comme la femme, l'oiseau, l'arbre, la biche, le chien et enfin le cheval l'auraient vu. C'était le cheval qui broutait l'herbe, mais c'était Fionn en personne qui l'avait semée. Sa conscience englobait maintenant tout ce qu'il avait vu. Mais de ce fait, il endurait la solitude. Quand Fionn s'interrogeait sur Fionn.

Il désirait parler à quelqu'un. Et c'est pourquoi le paysan qui aperçut cette étrange bête dans son champ de printemps se sentit contraint d'approcher. À chaque pas en avant, il avait l'impression de s'étirer. Tomber sous le charme de l'animal, c'était courir à l'anéantissement du soi. L'îlien continuait à avancer malgré lui. Le cheval leva un œil triste, aussi brun qu'une tourbière. L'homme se tenait immobile, seul, reflété dans une mare profonde. Un frisson de plaisir anticipé parcourut les flancs du cheval. Il eut beau essayer, Fionn ne parvint cependant pas à entrer dans le corps du paysan. Il ne pouvait retrouver d'autre forme humaine que la sienne.

Il hennit son désespoir.

Pas plus qu'il ne pouvait réellement renoncer à la présence physique du cheval. Il était devenu à jamais un animal. Il lâcha un pet sonore.

La sale bête, dit le fermier. J'ai ben cru que tu m'avais possédé.

La nuit était blanche et chaude comme le lait juste tiré du pis de la vache. Pendant des jours et des jours, l'homme du Leitrim avait raconté des histoires de saumon à Aengus, et celui-ci, maintenant qu'il avait appris de l'étranger ce qu'il désirait savoir, commençait à se lasser de sa présence et à souhaiter qu'il poursuive son chemin.

En son for intérieur, Aengus était bien décidé à capturer un autre saumon mais, au souvenir de ce qui était arrivé à Fionn, il voulait agir seul. Chaque fois qu'un saumon jaillissait, il orientait la conversation sur un sujet autre que celui qui occupait son esprit. Et, invariablement, il choisissait un thème sur lequel ses idées divergeaient de celles de son compagnon. Ainsi, ils se disputèrent sur le concept de possession.

À l'aube, une vache, impassible, le regard fixé droit devant elle, passa sur un radeau. Un homme, le fermier de l'île, drapé lui aussi de mystère, était assis entre ses pattes antérieures. Cette vision, dans la brume du petit matin, réduisit les deux hommes au silence.

Qu'est-ce que c'était? demanda Aengus.

C'était la vache, répondit l'homme du Leitrim.

Le radeau disparut, la brume se leva et les dernières lueurs de la Voie lactée dansèrent à la surface du fleuve. Je n'aurais jamais cru voir la vache ici, fit remarquer l'homme du Leitrim. Aengus, étonné d'un tel savoir, laissa l'information pénétrer en lui, mais il était profondément troublé par le spectacle de cette majestueuse créature qui, camouflée pour passer inaperçue dans les pâturages, avait glissé sur l'eau devant lui. Il ne saurait jamais qu'il avait entrevu Fionn sous un autre aspect, et ce qui ne cesserait de le tourmenter, c'était le refus de la vache de tourner la tête et de reconnaître son existence, ne fût-ce que par une légère inclination.

Il se leva, incertain, comme sous le coup d'une perte cruelle.

C'est l'eau sur laquelle la vache est apparue pour la première fois, dit l'homme du Leitrim.

Ainsi en serait-il. Le fleuve prit le nom de Boyne, tiré de *Bo,* la vache, et de la Voie lactée, *Bru an Boinne,* le chemin de la vache.

On aurait dû tuer l'homme, dit Aengus, et manger la vache.

Il y en aura d'autres, dit l'homme du Leitrim.

Aengus s'allongea, content de dormir maintenant que son besoin de discussion était assouvi. Dans certaines histoires, dit l'homme du Leitrim, le saumon se transforme en une jeune femme qui éclaire le voyageur sur la nature de sa quête et le soumet à une série de questions relatives à la logique de l'esprit et la magie des sens. Comme le voyageur est en général un homme et le saumon une femme, le premier tombe sous le charme de la seconde. Il se la représente comme la *cara m'anam,* l'âme sœur.

L'homme du Leitrim leva la main et continua de parler en se massant légèrement le front. Il pense que par elle, il connaîtra tous les secrets de la connaissance, dit-il. Particulièrement les secrets de la femme qui lui sont refusés depuis la nuit des temps.

Elle, son désir caché est de retrouver la jeunesse. Mais lui, il l'ignore. Ou prétend l'ignorer. Il accepte sans poser de questions la nature du voyage qu'elle lui impose, car il fait partie de la quête qu'il doit entreprendre.

Une vague de nostalgie déferla sur Aengus. Il écouta ainsi que l'on écoute une voix provenant d'un rivage lointain.

Tout comme Jonathan Adams. Dans la version que Catherine lui lit, le héros a accompli deux des travaux exigés par le sort que la femme lui a jeté et, inconsolable, découragé, il s'attaque au troisième. Le monde dans lequel il erre est un monde où rien n'est ce qu'il paraît être. Sur toutes les anciennes pierres, il y a des croix gravées au milieu des spirales afin d'annoncer la venue du Christ. Tous ont été exorcisés. L'écriture, menace pour la mémoire, a fait son apparition. Hommes et animaux, dans une dernière fête païenne, se mélangent et changent sans cesse de forme – *je deviens toi, et tu deviens moi.* La grande erreur, c'est de traiter un homme comme s'il n'était qu'un homme, ou une femme comme si elle n'était qu'une femme, car chacun a accès à nombre de rôles, si bien que maintes épreuves du voyageur ont tenu aux humiliations qu'il a subies à cause de ses préjugés.

Chacun succombe jalousement à chaque blessure. Le voyageur est frappé de constater qu'il revit l'existence de la jeune femme. Elle a dû connaître tout cela, songe-t-il. Puis, pour se pousser à continuer, il la recrée dans son esprit telle qu'il l'a rencontrée la première fois. Quand elle s'est métamorphosée de poisson en femme, avant de frétiller en un lieu sacré de sa conscience. C'est un long voyage. Il arrive dans un endroit qui lui rappelle son pays. On dirait l'Irlande. Il n'est pas sûr que ce soit un bien. Il craint d'être vu. Il comprend que, pendant qu'il cherchait la connaissance, d'autres élargissaient la leur. Il n'a pas écouté. Il est parti dans le monde de la sensualité. La dernière chose dont le voyageur a conscience, c'est son intelligence. Ce qu'on n'admet pas.

Ce sont de belles pensées, se dit-il. Il ne mentionne pas la folie tapie dans le cœur. Tristement, mais justement.

Oui, pensa Jonathan. Et il buta sur un mot qui en contenait un autre, et puis un autre, en sorte que le vieil érudit dut tout recommencer depuis le début, composant ainsi une nouvelle version cependant que les traits obliques d'une pluie torrentielle noyaient Mullet.

Le voyageur arriva soudain devant la tour de Babel qui, en vertu de sa quête, était son pays. Il reconnut aussitôt les toits rouges et les colombages de Cullybackey. Il écoutait et comprenait tout ce que les gens disaient à l'intérieur. Leur intelligence, leur discernement le stupéfiaient. Les choses ont dû changer durant mon absence, se dit-il.

Il s'agissait pour lui d'une expérience religieuse.

Jonathan Adams sentit des gènes presbytériens depuis long-temps perdus émerger à la surface de sa conscience. Maintenant, je vais savoir si le corps est la source du mal ! Dans ses yeux passè-rent les lumières lointaines de Calvin, du Christ et d'un *dissenter*, puis les visages aux traits bien dessinés de ses filles. Il fit entrer le voyageur.

J'ai enfin trouvé mon foyer, dit celui-ci.

Pénétrant dans la tour, il ne rencontra pourtant que chaos, pandémonium et indifférence totale. Le discours qu'il avait eu l'intention d'adresser aux lettrés se figea sur ses lèvres. Son cœur cogna dans sa poitrine cependant qu'il errait dans l'œil de l'hal-lucination. Affolé, il crut qu'il ne réussirait jamais à s'en échapper. Il tenta d'abord de parler en irlandais aux gens rassemblés là, mais tous exprimaient leur détresse en diverses langues. Par sens du devoir, il persista afin de capter leur attention. Il vit la porte ouverte, mais pensa qu'il ne l'atteindrait jamais. Néanmoins, sans aucune difficulté, il se vit traverser le mur qui n'existait que dans son esprit. Parvenu de l'autre côté, il constata que le chaos avait de nouveau un sens. Aussi, il regagna la tour, encore qu'une partie de lui-même lui criât de n'en rien faire. Une fois de plus, il s'efforça de prêcher, de prononcer le mot qui ne pouvait être dit. De donner forme à ce qui ne peut être dit. La confusion devenait indescriptible. Son menton tremblait de manière incontrôlable. Ses boyaux se tordaient. Si bien qu'il sortit et, de nouveau, il entendit les gens à l'intérieur discuter clairement en latin, en grec et en hébreu.

Ils parlaient du caractère sacré de la vie, de la vie éternelle, de la violence et de la paix.

Il entra, comme un nageur qui plonge pour la troisième fois. Il aurait continué ainsi, à entrer et à sortir, jusqu'à la fin des temps, si, après avoir émergé humilié, un autre homme – un voyageur, lui aussi – n'était pas venu qui, captivé, avait écouté les discours parfaitement intelligibles que tenaient les bavards à l'intérieur de la tour.

Pendant quelques minutes, les deux étrangers écoutèrent les arguments limpides, exposés par chacun dans le plus pur des langages, à propos du maintien de l'occupation de l'île.

Tout comme le voyageur avant lui, le nouveau venu était fasciné par la disparité et le bon sens des idées exprimées. En leur sein existait la version parfaite de l'histoire. Peut-être cet homme avait-il entrepris une quête identique, envoyé par la même femme, songea notre voyageur. Le nouveau venu, transcendé et en paix, entra dans la tour de Babel. Un instant, notre homme attendit d'être une fois de plus possédé, mais il se trouva soudain libéré du sortilège. L'arrivée d'un autre lui permettait de poursuivre son voyage. Il était délivré. Quelqu'un avait pris sa place. Heureux de sa liberté recouvrée, il laissa l'homme se débattre entre les controverses sur la santé mentale et la folie, jusqu'à ce qu'un pauvre voyageur arrive pour le libérer à son tour.

Maisie vit les yeux de son mari fixés sur elle.

Elle s'arrêta de lire.

« Ce doit être terrifiant, dit le brigadier Adams, de sortir dans l'espace. »

Le voyageur arrive ensuite au pied d'une montagne plantée çà et là d'arbustes rabougris. Une alouette volette et siffle la chienne de berger avant, soudain, de piquer, ailes repliées, comme une feuille qui tombe, et de se poser à un endroit que la chienne semble ne pas garder. L'alouette protège de son chant ce qui n'est pas son nid. L'alouette, tel le poète, chante non cet endroit, mais ce qui se cache dans les hautes herbes.

Aussi l'histoire a-t-elle pris une autre voie.

Le voyageur emprunte le bon chemin qui serpente au flanc de la petite montagne et atteint un bosquet de sorbiers et d'aubépines. Comme il s'y enfonce, il est à l'abri du soleil et perçoit le murmure d'un ruisseau. Il débouche devant un étang tacheté de lumière et de feuilles. Il se repose là.

Songeant à sa quête, il se penche pour boire et surprend l'éclair du saumon.

Fasciné, il scrute la surface. Puis, dans les profondeurs sombres, il voit le saumon, la femelle au ventre blanc, redevenu saumon. Le héros est envahi d'une nostalgie empreinte de sensualité. La quête que la femme lui a fait entreprendre, réalise-t-il alors, le ramène vers elle. La peur le gagne et il se tord les mains.

Maintenant, je dois affronter mon destin, se dit-il, et cette femme me refusera peut-être la paix.

Ce qu'il doit faire lui apparaît alors, clair comme le jour. Il décide de rester éveillé toute la nuit près de l'étang. Il lui faut d'abord se refuser au sommeil, car l'une des tentations semées sur la voie de la connaissance est la lassitude. Il se lave dans le ruisseau. Ensuite, il se place de manière à ne pas percevoir le reflet de son propre visage à la surface de l'eau, sinon il risquerait de perdre le poisson de vue. Il dit à la saumonne combien elle est belle. Et enfin, il ne faut pas qu'il pense à ce qu'il a fait avant.

Il pense donc à autre chose.

Après avoir surmonté ces trois obstacles, le voyageur a l'espoir qu'ici, au bord de l'étang, il apprendra tant la nature de sa quête que celle de la malédiction qui l'a envoyé errer trente ans sur la terre pour y vivre diverses aventures auxquelles il ne doit pas penser. Car il s'agit de la troisième et dernière épreuve, la plus difficile de toutes, et, comme il ignore en quoi elle consiste, peut-être la passera-t-il avec succès.

Tout ce qu'il sait, c'est qu'il porte le fardeau de sa quête et qu'une fois celle-ci achevée, il aura peut-être accompli son destin.

Il lance une ligne faite du crin d'un cheval dans les profondeurs de l'eau. L'hameçon argenté brille comme un œil. Nerveux, il se concentre sur l'œil du saumon pour que, quelle que soit la forme qu'il adoptera, il puisse être toujours conscient de sa véritable identité et garder ainsi son sens de lui-même et de la fille qui existe dans une autre dimension. Seulement, comme cela s'est si souvent produit, le voyageur oublie la nature des choses. Sur l'étang, trois yeux d'argent scintillent dans le noir comme des étoiles. Puis, un œil se ferme. Le voyageur perçoit le poids du saumon au bout de la ligne. Instinctivement, il ferre et entreprend de ramener le fil. Puis, craignant de blesser la bouche de la fille, il donne du mou. Le poisson s'échappe. D'un petit coup de queue, le saumon se transforme du tout au tout, et le voyageur, pour continuer, doit lui aussi perdre le sens de lui-même.

Il se sent coupable d'être arrivé si près du but. Et sa dernière pensée avant que le saumon redevienne femme a été celle-ci : j'aurais dû aller au bord de l'étang et l'attendre de l'autre côté. J'aurais dû ramener ma ligne. Maintenant, je n'ai plus d'identité et c'est ainsi que l'on perd ceux qu'on aime. Parce qu'on ne leur laisse rien à voir hormis un miroir qui les déforme en images grotesques.

C'était le voyageur qui se changeait en ce qu'il voyait, et non pas le reste qui changeait. Il le comprit lorsque le saumon creva la surface dans un éclaboussement puis, se métamorphosant, nagea vers lui.

Misérable, triste, Jonathan Adams flottait près du plafond. En dessous de lui, il entendait sa fille continuer à lire l'histoire. Il entendait le vent. Les coups. Il eut de nouveau l'impression d'être sous l'eau. Le voyage l'avait épuisé. Il descendit lentement, puis remonta. Dehors, une voiture tourna, soulevant une gerbe d'eau de pluie. L'espace d'un instant, il lui sembla être le voyageur devant la tour de Babel qui allait et venait dans la conscience de lui-même et des autres. Il attendait que quelqu'un prenne la relève, afin qu'il puisse poursuivre. Personne ne vint.

Ainsi Jonathan Adams mourut, miné par un cancer des intestins qu'il affronta avec courage. Les femmes lui firent la lecture jusqu'à la fin. Jusqu'à l'aube. Et chaque fois qu'elles s'arrêtaient, il ouvrait les yeux et fouillait la chambre du regard pour savoir pourquoi la voix s'était soudain tue.

« Vous êtes un homme bien, dit l'infirmière Eitne.

– Pourquoi ? demanda-t-il. Pourquoi dites-vous cela ? »

Elle ne sut quoi répondre.

Le marathon de lecture sur la mythologie irlandaise se poursuivit nuit et jour, bien après qu'il eut sombré dans l'inconscience, car les femmes savaient qu'il ne lui restait plus que le son de leurs voix. La dernière fois qu'il reprit connaissance, ce fut deux jours avant sa mort. Il regarda les chaussures de Catherine. « Fais quelque chose pour tes chaussures, dit-il. Elles ont besoin d'être cirées. » Il se leva avec difficulté et réussit à aller aux toilettes. À son retour, il vit Maisie à côté du lit, et dit : « C'est fini, je n'irai plus. » Elle continua à lire.

Au cours de ses deux derniers jours, une voix de femme ne cessa d'habiter son subconscient. Et puis ce fut le silence.

III
Les lièvres

17

Le deuil

Jonathan Adams fut enterré dans le Fermanagh. Il n'y avait que
là, finit-on par décider, qu'on pourrait inscrire sur sa tombe qu'il
avait été brigadier dans la Royal Ulster Constabulary. Le corbillard
qui le ramena dans le Nord était de Belmullet. La famille suivait
dans une voiture de location. Et derrière, dans une Fiat rouillée
par le sel de la mer, venaient Joe Love, Bernie Burke et Eitne
Noone. En dépit des supplications de Maisie, les gens de Mullet
avaient tenu à assister aux funérailles dans le Nord.

Après Blacklion, sur la route de Florence Court, une fois en
sécurité dans le Nord, le cortège s'arrêta.

« On dirait un barrage, dit Bernie Burke qui conduisait.

– Surtout, pas de gestes inconsidérés, conseilla Joe Love.

– Qu'est-ce qui se passe ? » demanda Eitne.

Incrédules, ceux de Mullet virent alors un autre corbillard arriver
par une route transversale, escorté de trois voitures blindées Saracen
de la police. Des soldats émergèrent de derrière une haie.

« On va nous kidnapper, ou quoi ? dit Bernie.

– Regarde droit devant toi, c'est tout », murmura Joe.

Un soldat se pencha vers la vitre. Bernie la descendit.

« Bonjour, dit-il.

– O.K., dit le soldat. Vous êtes de l'enterrement ?

– Oui.

– O.K. »

Un homme en chapeau melon noir et long manteau noir se présenta, accompagné de deux autres hommes en costume noir qui leur allait mal. Ils s'empressèrent de transférer le cercueil de Jonathan Adams dans le corbillard du Nord. On plaça dessus ses gants et sa casquette de policier ainsi qu'une brassée de fleurs et de couronnes mortuaires. Le corbillard de Belmullet reprit le chemin du Sud tandis que le nouveau cortège s'engageait dans le Nord. « Par Jésus-Christ, dit Bernie, qu'est-ce qu'y foncent ! » Ils empruntèrent des routes secondaires, évitant les villes, et atteignirent enfin la caserne du village où le défunt avait fait son temps de service. Les véhicules ralentirent et s'arrêtèrent devant la forteresse, moteurs tournant au ralenti, pendant un long moment surréaliste.

Joe se tourna vers Bernie : « Je t'avais bien dit que c'était un homme important. »

On ne voyait de la caserne qu'un haut mur de béton hérissé de barbelés, un immense portail en fer galvanisé peint en vert et une petite porte, à demi masquée par des sacs de sable, découpée dans le mur. Derrière, on distinguait des toits d'ardoises recouverts d'un filet protecteur vert et un mirador. L'homme au chapeau melon descendit de voiture et se plaça sur le flanc droit du corbillard. Il fit un signe de tête. Les Saracen et les deux voitures repartirent, roulant au pas. D'autres voitures vinrent se joindre discrètement au convoi qui prit la direction de l'église. Là, entre deux haies de policiers en uniforme eux-mêmes protégés par des soldats britanniques armés, le cercueil de Jonathan Adams, porté sur les épaules de quatre jeunes policiers, entra dans le modeste cimetière.

« Ça alors ! s'exclama Joe Love. Il était dans la garde royale !

– La RUC, ce n'est pas la garde », murmura Eitne.

Willy attendait à côté de la tombe. Il choisit de lire le même verset, extrait de l'Évangile selon saint Matthieu, que le prêtre lors des funérailles de Matti Bonner : *Il n'est pas mort. Il n'est qu'endormi.*

Il n'est pas mort. Il n'est qu'endormi.

« Tu te rends compte, chuchota Bernie Burke, effaré. Il est parti sans boire un dernier verre. »

Maisie, coiffée d'un chapeau noir à large bord, accepta la casquette et les gants de son mari, ainsi que l'Union Jack. Elle serra la main des gens de Mullet et du chef de la police. Puis elle monta dans la voiture. Catherine et Sara s'avancèrent au bord de la tombe. Justin Ruttle de Rathkeale passa le bras autour de leurs épaules. Les policiers se tinrent au garde-à-vous pendant la minute de silence. Ils semblaient attendre un ordre qui ne vint jamais.

La maison, après l'enterrement, était froide et inhospitalière. Les filles circulaient avec des plateaux de sandwichs parmi le groupe de policiers réunis dans le living-room et les quelques parents debout dans le couloir et la cuisine. John Lavell, qui avait conduit les Adams depuis Mullet, Bernie Burke, Joe Love et Eitne Noone étaient assis sur un canapé, nerveux et mal à l'aise, l'impression d'être des intrus. Quand on leur adressait la parole, ils se contentaient de répondre par des sourires embarrassés. Une tasse de thé sur les genoux, ils déposaient la cendre de leurs cigarettes dans une soucoupe.

« Un mot à l'oreille », glissa Bernie à Catherine.

Elle se pencha.

« Il n'y aurait pas une petite goutte à boire dans la maison ?

– Peut-être un peu de sherry.

– Ce serait parfait.

– Tu t'es une fois de plus couvert de honte, déclara Joe Love. Réclamer à boire à cette pauvre fille. »

À l'écart des autres, ils regardaient les revolvers dans leurs étuis, les photos des membres de la loge d'Orange sur les murs, les extraits des Écritures au-dessus de la cheminée. Et les autres les observaient à leur tour – les visages burinés par l'air marin, les mains ridées, les ongles incrustés de terre, les doigts jaunis par le tabac, les costumes bleus démodés, les voix calmes et monotones.

«Ainsi, vous étiez des amis de Jonathan, dit Willy avec un brusque sourire.

— Je ne dirais pas ça.» Bernie se caressa la nuque et se contraignit à sourire. Il jeta un coup d'œil inquiet en direction de Joe Love.

«Je suis son frère, voyez-vous, reprit Willy.

— Ahhh! Je me disais bien.

— Vous lui ressemblez, dit Joe.

— Les yeux, dit Bernie.

— Et le menton.

— Oui, et aussi quelque chose dans le regard.

— Je ne me rendais pas compte que je lui ressemblais.

— Mais si, mais si, affirma Eitne.

— C'était un brave homme.» Bernie prit avec reconnaissance le verre que Catherine lui présentait sur un plateau. Il en vida la moitié d'une seule gorgée. «Il nous manquera beaucoup.

— Et dans quelle branche vous êtes? s'enquit Joe Love.

— L'Église.

— Très bien, mon père.

— Je peux te proposer quelque chose? demanda Catherine à son oncle.

— Non, non, je te remercie.» Willy pinça les lèvres pour bien montrer que lui, il restait sobre, puis il s'éloigna.

Justin Ruttle accepta un verre et vint s'asseoir dans un fauteuil à côté des gens de Mullet. Ils parlèrent du temps et comparèrent les vents de l'ouest à ceux du sud. Il s'ensuivit une conversation au sujet de l'endroit exact où le Gulf Stream touchait les côtes d'Irlande. Ils parlèrent de la terre, des cochons, du bétail et des tempêtes. À l'autre bout de la pièce, les policiers parlèrent des complications entraînées par les nouveaux formulaires pour les témoignages qui devaient être remplis en trois exemplaires; les jeunes écoutèrent leurs aînés évoquer avec nostalgie le temps des anciens postes de police ; ils parlèrent d'ordinateurs, de tondeuses à gazon, des Canaries, des juges et des voitures. Ils se souvinrent de Jonathan Adams, figure d'un autre âge.

Maisie, l'esprit encore marqué par les histoires que, les jours précédents, elle avait lues à voix haute jusqu'à l'aube, offrait aux hommes de la RUC du thé et des gâteaux, envahie par le sentiment d'avoir d'une certaine manière trahi son mari, de l'avoir laissé mourir non pas en tant que brigadier de police, mais en tant que quelqu'un d'autre, un quelqu'un qu'elle n'arrivait pas pour le moment à définir.

Après être restés le temps qui convenait, les policiers prirent congé tous ensemble. Elle leur serra la main sur le pas de la porte. « Si je peux faire quelque chose… » « Prenez bien soin de vous », répondait-elle. Ils dévalèrent le chemin vers les voitures qui attendaient. Une haie de fusils couvrait leur retraite. Ensuite, les gens de Mullet se levèrent pour partir à leur tour.

« On vous reverra cet été, dit Joe Love.

— J'espère. »

Maisie, plantée au milieu de la route, agita la main jusqu'à ce que les deux voitures aient disparu.

« On n'a pas pu les empêcher de venir, expliqua-t-elle à son père. Je suis sûre qu'ils ont été très troublés. Tu comprends, on ne leur avait jamais dit qu'il était dans la police. Maintenant, tout le monde va savoir qui nous sommes.

— Tu devrais t'installer quelque temps chez nous à Rathkeale.

— Et les filles ?

— On est assez grandes pour rester seules, dit Catherine.

— Je n'en doute pas. J'avais à peine plus que votre âge quand j'ai épousé votre père. »

Elle ne retourna pas à Rathkeale. Son père pensait qu'elle devrait vendre la maison et partir maintenant que rien ne la retenait plus dans le Fermanagh, mais elle préférait attendre. Cette année-là, un an après Catherine, Sara devait passer ses

257

examens de fin d'études secondaires. Ensuite, elle verrait. Et puis, ajouta-t-elle, il y avait toujours leur refuge de Mullet. Dès le départ de son père, elle s'occupa des affaires en cours.

Elle écrivit pour bénéficier de la pension de réversion de son mari. Elle consacra un tiroir marqué *Jonathan* au classement de toute la correspondance échangée avec les compagnies d'assurances, la sécurité sociale, les services de police d'Irlande du nord. Entre-temps, elle se tenait à l'écart de la guerre qui ne cessait de s'intensifier au Nord et attendait que ses filles aient terminé l'école. Il s'écoulait parfois des semaines entières sans la moindre visite.

Elle vendit les oies.

Pendant un temps, elle se rendit régulièrement à l'église avec Catherine et Sara pour tâcher de renouer des relations mais, le service fini, les gens s'empressaient de rentrer chez eux. Les trois femmes étaient seules. Elles arrêtèrent alors d'aller à l'église. Sans Jonathan, ce n'était plus pareil.

L'après-midi où Sara passa son dernier examen, Maisie loua une voiture avec chauffeur pour emmener tout le monde à Belmullet. Elles pensaient trouver la maison en piteux état. Les murs suintant d'humidité. La nourriture abandonnée dans la cuisine, avariée. Les sièges de la vieille voiture, déchirés. Mais Eitne Noone avait tout rangé et Joe Love était venu régulièrement allumer le feu. Bernie Burke leur apporta du poisson pour le dîner. La maison était telle qu'elles l'avaient laissée à leur départ pour l'enterrement. Elles coupèrent l'herbe, aérèrent, lavèrent la Ford de Jonathan garée devant l'appentis en tôle. Ainsi, elles portèrent le deuil.

Maisie souffrit d'asthme et, plus tard, Catherine perdit ses cheveux. Puis, toutes deux, soignées par Sara, restèrent à Mullet pour se rétablir. C'était une vaste et haute maison, une maison bien silencieuse pour des malades. Pendant de longues périodes de désincarnations et de rechutes, la Résidence leur apparaissait comme une demeure sur pilotis. Sans compter le bruit exaspérant des corbeaux. Ils faisaient un véritable vacarme. Dehors, c'était l'enfer. À longueur de journée, ils lissaient furieusement leurs plumes, perchés sur les quelques sycomores battus par les tempêtes, puis ils s'arrêtaient, dressaient soudain la tête, croassaient et recommençaient leur manège.

Dedans, les trois femmes pleuraient.

À mesure que les semaines s'écoulaient, leur mère s'imposait à l'esprit des filles comme un être unique, neutre et détaché d'elles. Leur ancienne relation n'existait plus. La mort avait mis de la distance entre elles. Elle devint une femme qui, comme elles, avait été maternée, avait eu une enfance, une adolescence, avait encouragé ses soupirants. Sa féminité les choquait. Les secrets qu'elle confiait à Jonathan, elle les leur confiait maintenant. Une lueur de colère dans le regard, elle exigeait leur attention. Devenait comploteuse et dépendante de manière flagrante. Et ensuite, elle les bannissait.

« Les volatiles me manquent, disait-elle. Les oies me manquent. Ce n'est pas pareil. »

Les filles s'aperçurent avec stupéfaction que leur mère était devenue froide et distante, égoïste même, cependant qu'elle s'abandonnait à la maladie et à l'identité que sa condition de veuve lui procurait.

En perdant Jonathan Adams, elles perdirent pour un temps Maisie, aux prises avec les sentiments que les vivants attendent de ceux qui portent le deuil d'un être cher. Des femmes du voisinage qu'elles connaissaient à peine entraient pour présenter leurs condoléances. La langue irlandaise d'abord, la mort ensuite ouvraient leur maison aux étrangers. Les femmes, apportant du pain encore chaud, enveloppé dans un torchon, s'asseyaient au chevet de Maisie pour bavarder et célébrer la mort durant des heures et des heures. Elles lançaient des malédictions et réclamaient la protection de Dieu. Elles parlaient de leurs intestins, décrivaient leurs hommes avec une franchise effrayante. Elles parlaient de leurs dépressions et des visions qu'elles avaient eues au cours de leur enfance. Elles apportaient des fleurs des champs et des boîtes de chocolats Cadbury. On trouvait le lait devant la porte. Les draps repassés. Des avis de messes que les filles ne comprenaient pas bien. On leur envoya un garçon pour nettoyer les gouttières. Un homme venait prendre leurs commandes d'épicerie. Bernie Burke ramona les cheminées. Le marchand ambulant passa deux fois par semaine au lieu d'une. Et Maisie tirait un immense plaisir à être ainsi l'objet de toutes ces attentions, elle qui s'était tenue à l'écart du monde depuis le jour de son mariage avec Jonathan Adams.

Elle se mit à évoquer avec un serrement de cœur l'époque où son avenir n'était pas encore tracé. Elle ressuscita du passé des tantes de Limerick ; des personnages, de jeunes soupirants qu'elle avait connus au cours de son adolescence à Rathkeale ; des nuits à danser le step-dance à Askeaton avec les catholiques ; de vagues histoires racontées dans sa cuisine au sujet de Cromwell qui aurait donné à leurs ancêtres hollandais la terre qu'ils possédaient à Ballingrane. Elle se revoyait marcher derrière sa mère dans Adare – sa voix prenait alors les accents vulgaires d'une fille de quinze ans. Ces discours épouvantaient Catherine. C'étaient les histoires que leur père avait sans doute écoutées, dites par une jeune fille qui s'éveillait à la vie, et en les entendant, les deux sœurs se sentaient gênées et blessées, car il s'agissait de légendes, de contes destinés à séduire un homme.

Et puis, son humeur se modifiait d'un seul coup.

« Vous voyez », disait Maisie, ouvrant le poing pour montrer les pierres. Elle le refermait aussitôt. Elle les emportait partout. Même en dormant, elle gardait dans un mouchoir serré dans sa main quelques éclats de marbre récupérés sur la tombe de son mari.

« Ce que je remarque en premier chez les gens, dit Maisie Adams, ce sont les lèvres. » Elle prit un air rêveur. « C'est peut-être pour ça que je l'ai choisi. » Elle rit. « Il était délicieux sous tous les aspects.

— Tu étais heureuse avec papa ? l'interrompit Sara.

— J'ai épousé votre père, répondit-elle avec véhémence, et c'est comme ça. Il avait deux fois mon âge. Et il était si… » Elle hésita. « Si correct ! Si intelligent ! » Elle rit de nouveau, sans retenue. « Je pense qu'il se croyait éternel. »

Elle regarda ses filles.

« Je n'avais aucune ambition pour moi-même. »

Pareil esprit de sacrifice rendait les deux sœurs furieuses. Mais le ton de leur mère changeait afin de les mettre en garde. Elle prenait une allure différente, comme si elle avait passé ces vingt-huit dernières années à jouer un autre rôle. Elle semblait maintenant décidée à se présenter telle qu'elle aurait pu être. Si bien que le Jonathan Adams qu'elles connaissaient, en quelque sorte, disparaissait. Elle se tamponnait délicatement les lèvres de son mouchoir, prenait deux profondes inspirations et toussait, les jointures pressées contre sa poitrine.

« Je me faufilais par la fenêtre de la cuisine à Brookborough pour aller le rejoindre, dit-elle, remontant les genoux sous les couvertures. J'ai toujours eu un faible pour les hommes en uniforme. »

Retentit de nouveau son rire sonore, malsain.

« Pauvre Jonathan. » Puis elle ajouta : « Et pauvre Matti Bonner. »

Bien qu'elle parlât de leur père, Catherine et Sara sentaient la menace de cet amalgame entre sa vie actuelle et sa vie antérieure. Elle commença à leur réclamer des détails intimes sur leur vie amoureuse. D'en haut, elles entendaient les visiteuses partir de grands éclats de rire. Maisie Adams, et c'était en un sens effrayant, se remettait à grandir en même temps que ses filles.

Elle comptait les mailles de son tricot. Elle respirait avec peine. « Je n'ai pas encore cinquante ans. » Elle pressait de nouveau son poing contre sa poitrine. « Je ne le laissais pas en paix. » Elle riait. Secouait la tête pour indiquer que tout cela la dépassait. Ses désirs à elle. Ses désirs à lui. Les désirs du monde. Longtemps après le départ des femmes, elle s'en prenait à elles, les catholiques. Comment un homme pouvait s'y intéresser ? Si vulgaires ! Si grosses ! La condescendance qu'elle manifestait à leur égard comportait une pointe d'hystérie qu'elle s'efforçait d'étouffer. « Vous avez remarqué combien elles manquent de goût ? répétait-elle aux filles. Vous avez vu leurs tapis ! Comment peut-on... dessin cachemire sur dessin cachemire ? » Elle affichait un méchant petit sourire, un sourire narquois. « Ces catholiques sont affligeantes. Elles n'ont aucune notion des motifs et des couleurs. Aucune. Ce que j'aimerais savoir, c'est comment elles peuvent dormir dans ces chambres ! Et la façon dont elles dépensent leur argent – un vrai péché. » Elle frissonnait, croisait avec hésitation les mains sur sa poitrine, puis se tournait vers les dunes.

« Enfin, ce sont nos voisines, concluait-elle en riant. Vous savez, votre père était un homme merveilleux. » Et elle tapotait le genou de Sara.

Il n'y avait rien à faire contre l'asthme. Lorsque Maisie interrogea le médecin pour en connaître la cause, il répondit : « Le chagrin. » Il revint à l'aînée de rester à la maison pour soigner sa mère durant ce long été. Un matin au réveil, Catherine s'aperçut que tous ses cheveux étaient tombés.

« Dans le Nord, dit Maisie, rien de tout cela ne serait arrivé. Quelqu'un a dû jeter un sort sur cette maison. »

Il fallut attendre avant d'emmener Catherine chez le docteur. L'une des conséquences de la mort de Jonathan Adams, c'était que la famille dépendait maintenant des transports en commun, car aucune des trois femmes ne conduisait. Et sur la presqu'île, il n'y avait pas de bus. Aussi Sara, la seule à être à la fois présentable et en bonne santé, prit-elle des leçons de conduite avec un pêcheur

rencontré sur le quai. C'était l'homme du Leitrim dont elle avait
déjà fait la connaissance sur la plage des années auparavant.

« Qui ? demanda Catherine.

– Le géranium », répondit Sara.

Le premier jour, il lui avait donné quatre turbots, et en d'autres
occasions des maquereaux et du cabillaud. Puis, sachant dans
quelle situation elles se trouvaient, il proposa de lui apprendre à
conduire. Deux fois par semaine, il montait jusque chez elles,
s'installait au volant de la vieille voiture, klaxonnait, puis se
glissait sur le siège passager. Sara accourait, lançait un coup d'œil
par-dessus son épaule en direction du deuxième étage de la
maison où les deux autres femmes l'observaient avec un mélange
de fierté et d'anxiété.

Après quoi, fermant les yeux, elle tournait la clé de contact.

« Il va la tuer », disait Maisie.

Une fois que le moteur avait démarré, Sara regardait de
nouveau en direction de sa mère et de sa sœur, le visage éclairé
par un sourire. Se mordant la lèvre inférieure, elle relâchait
lentement l'embrayage, agrippait le volant. La voiture faisait un
bond en avant et calait. Aussitôt, elle recommençait. Et peu
après, sautillant, cahotant, la vieille Ford avec ses plaques d'im-
matriculation jaunes et ses portières rouillées, s'engageait à faible
allure sur la route.

« Qui est-ce ? demanda Catherine.

– Jack quelque chose.

– Peut-être ne s'exprime-t-il pas très bien ?

– Quand il consent à parler.

– Et de quoi parlez-vous ?

– Eh bien, si tu tiens à le savoir, dit Sara, il a une passion pour
les chiens.

– Tu dois adorer ça.

– Et aussi pour le cinéma et les comédies musicales. » Sara se
tordit les mains. « Tu veux que je te le présente ?

— Non, merci. »

Catherine, chauve, les yeux qui lui mangeaient le visage, refusa de sortir avant que ses cheveux aient repoussé. Elle n'alla pas à la plage. Elle passa les vacances comme en prison. Sara disait que c'était les nerfs. Les femmes du voisinage disaient que l'alopécie était une séquelle de la dépression. Et Catherine concédait qu'il lui arrivait une chose terrible.

Cet été-là, elle lut beaucoup de romans. Elle lut *Les Aventures de David Balfour*, *Les Hauts de Hurlevent* et *Moby Dick*. Elle lut *Jane Eyre* et commença le premier de ses nombreux journaux intimes avec une pensée pour O'Muichin, l'homme qui parlait irlandais. Elle nota ses rêves scandaleux de scènes d'amour, ses images érotiques, lesquelles étaient totalement égocentriques, et parfois ses portraits injurieux des gens du Mayo et des villes catholiques.

À mesure que les semaines s'écoulaient, elle devenait de plus en plus morose et désagréable, parce qu'elle passait à côté de la vie.

Sa mère ne pouvait pas la consoler. À cause des médicaments qu'elle prenait, Catherine avait des taches noires qui dansaient devant les yeux. Lorsque l'une disparaissait, une plus large la remplaçait qui lui masquait parfois tout un pan de paysage. Elle avait l'impression que durant son sommeil, les taches envahissaient sa peau. Ses règles se prolongeaient des jours et des jours. Elle se croyait atteinte d'une maladie génitale. Chaque matin, elle examinait ses seins, car si des taches apparaissaient là, sa vie serait finie. Tous les deux ou trois jours, elle se rasait le crâne avec le rasoir de son père pour que ses cheveux repoussent plus vite. Avec ce même rasoir, on avait rasé son père après sa mort, et la première fois qu'elle l'utilisa, Catherine vit, coincés sous la lame tranchante, quelques poils de barbe provenant de la joue du mort. Le rasoir avait gardé son odeur, froide et intime.

Dans ses rêves, tout cela se mêlait confusément, le rasoir de son père et son crâne chauve.

Quand elle ne pouvait faire autrement, elle marchait jusqu'à la route, un foulard enroulé deux fois autour de la tête. Dehors, l'été était pour elle comme une pièce éclairée dans une autre maison. Elle voyait les gens descendre à la plage avec leurs serviettes. Les garçons passer, leurs cannes à pêche à la main. La voiture arriver pour Sara. Elle restait cloîtrée à l'intérieur. Elle ne supportait pas l'idée qu'on la voie.

« Tu vas devenir bizarre », disait Sara.

« Montre-nous ta tête », disait Lizzie Summers.

Les filles du coin se réunissaient dans sa chambre pour parler des hommes avec fièvre. Après leur départ, Catherine se regardait dans la glace qui lui renvoyait l'image de son crâne disproportionné. Longtemps, cette image demeura imprimée sur sa rétine et, malgré l'humiliation qu'elle éprouvait, elle finit par aimer la pureté que cela conférait à son visage, car l'absence de cheveux en concentrait toute l'expression dans les grands yeux noirs, la bouche et le nez. La perte des cheveux, c'était le deuil. Son crâne nu et la respiration difficile de sa mère étaient l'extériorisation du chagrin. Plus tard, au crépuscule, quand il n'y avait presque plus personne, elle allait se promener sur la grève, accrochée au bras de Sara, des serviettes enroulées autour de la tête à la manière d'un turban. Elles étaient liées l'une à l'autre. Sous l'eau, à certains endroits, les galets miroitaient.

Catherine se mit à porter des écharpes noires, une habitude qui lui resterait bien longtemps après que ses cheveux auraient repoussé. La tête enveloppée d'une écharpe noire, elle se plongeait dans la lecture dès qu'elle avait une minute. Sara et Catherine passaient depuis toujours beaucoup de temps dans leurs chambres. Elles avaient hérité cela de la nature solitaire de leur père. Cet été-là, cependant, un changement se produisit.

Sara commença à mener sa vie. Elle rentrait tard, ne racontait pas grand-chose de ce qu'elle avait fait. Avant, elles affrontaient ensemble le monde extérieur, et maintenant Catherine s'absorbait seule dans les livres. Il ne s'agissait pas uniquement de se perdre – elle y parvenait sans difficulté, mais quand elle émergeait, elle se sentait transformée. Une nouvelle dimension s'ajoutait à sa conscience. Les personnages existaient davantage dans son esprit que les personnes réelles. Elle mesurait sa vie et sa valeur en tant que femme à leurs émotions et leurs critères. La sensation de plaisir persistait et l'angoissait – au point qu'elle relisait le livre. Et finir un livre, elle détestait cela. Pas seulement parce qu'elle s'immergeait dans l'intrigue ou les personnages – elle craignait que même une piètre histoire ne contienne une vérité qui représente beaucoup plus que le sens des mots sur le papier.

Elle entrait dans les personnages. Elle parlait avec leurs voix. Quand ils mouraient ou qu'ils connaissaient des déceptions amoureuses, elle avait le sentiment que cela pourrait très bien lui arriver. Lisant les livres de son père, elle le pleurait. C'étaient les pages qu'il avait tournées et savourées. Les empreintes et les odeurs étaient les siennes. Une conjecture figurant dans un coin était rédigée de sa propre main. Une petite fleur séchée qui lui avait servi de marque-page accompagnait maintenant Catherine dans sa lecture de l'anthologie de poésie de Palgrave, glissée la nuit durant parmi les poèmes de Thomas Hardy, ou nichée entre les pages de *Crime et Châtiment*. Au cœur de *Huckleberry Finn*. Dans sa vie future, chaque fois qu'elle prendrait un nouveau livre, il s'ouvrirait sur cette fleur. C'était là que son père s'était couché pour mourir. Là où la voix qu'il avait écoutée s'était tue. Elle marquait l'endroit où l'histoire s'était arrêtée. Elle marquait l'endroit où elle reprendrait.

18

Le plus grand homme de Ballyconeely

« Il paraît qu'ils ne repoussent jamais, dit Lizzie Summers. Le docteur a dit à ma mère que même s'ils repoussaient, tu aurais toujours une tonsure.

– Ah bon ? fit Catherine d'une voix cassante. Tu crois qu'il pourrait me pousser une nouvelle tête ?

– Quelle horrible idée ! » dit Sara en riant.

Catherine prévint sa sœur qu'elle ne voulait plus voir Lizzie Summers dans la maison. Elle lui interdisait l'entrée de sa chambre.

« Bien sûr, tu as maman, n'est-ce pas, Cathy ?

– Je ne comprends pas ce que tu veux dire.

– Je suis jalouse de voir combien maman et toi êtes devenues proches, dit Sara d'un ton pensif.

– Tu ne parles pas sérieusement ?

– On dirait que vous êtes de mèche toutes les deux.

– Tu ne fais qu'imaginer des choses. »

Maisie Adams était désormais condamnée à garder le lit. Elle avait attrapé une grippe qui, dans le courant de l'été, s'était transformée en pneumonie. « Être comme ça en plein été, tu te rends compte ! » protestait-elle. Chauve, Catherine passait le plus clair de ses journées au chevet de sa mère à lui faire la lecture. Elle avait du mal à s'éloigner d'elle. Maisie Adams était très souvent sujette à des crises d'asthme. Elle avait le nez violacé, les joues sillonnées de petites veines éclatées.

Son visage autrefois ferme se lézardait.

« Je suis une femme jeune », se plaignait-elle à sa fille.

Finalement, pour apaiser le sommeil de sa mère, Catherine dormit dans le lit à côté d'elle, les fenêtres ouvertes, même par les nuits les plus venteuses.

Elle dut ensuite enlever de la chambre tout le linge parfumé, débarrasser la coiffeuse des poudres et flacons à parfum, laver la figure de sa mère avec du savon naturel. La moindre odeur un peu suave provoquait une crise violente. Peu à peu, il ne resta plus un seul parfum dans la maison. Les filles cachaient leurs crèmes et leurs shampooings. Les pots de fleurs disparurent, les fenêtres se barricadèrent contre les graines de foin et les pollens. La maison perdit toute féminité, redevenue la demeure spartiate des gardiens de phare. C'était une maison d'hommes en deuil, et parmi ceux-ci l'un était chauve, l'autre respirait avec peine et le troisième, une fois suffisamment loin de la maison, se parfumait en secret la naissance des seins. Sara rentrait à pas d'heure. Catherine entendait la voiture franchir le portail, puis s'arrêter avec un petit soupir malveillant. À la lueur d'une cigarette rougeoyante, elle apercevait la tête de Sara sur l'épaule de l'étranger. Elle n'arrivait pas à en détacher son regard. Elle imaginait un tas de choses sordides. Le rideau tremblait dans sa main. Plus tard, elle distinguait le claquement des talons de sa sœur sur les marches, puis, sifflotant, Sara passait à grand bruit devant la porte de Catherine.

« Tes leçons de conduite, dit un matin Catherine avec sarcasme, elles durent pratiquement toute la nuit.

— Il faut apprendre le code, répliqua Sara. Et aussi à faire marche arrière, ajouta-t-elle, ironique.

— Ah vraiment ?

— Tu pourrais venir, si tu voulais », reprit Sara sans lever les yeux de son assiette. Elle se lovait comme un chat autour de son petit déjeuner.

« Tu vas acquérir une mauvaise réputation.

– Écoutez-moi la sainte-nitouche !

– Elle a redemandé après toi la nuit dernière, déclara Catherine, la voix mouillée de larmes.

– Je suis rentrée à deux heures. » Inflexible.

« Elle s'est levée. Elle est allée voir dans ta chambre.

– Je ne suis pas en prison.

– Ce n'est pas pour toi que je m'inquiète, c'est pour maman.

– Tu préférerais que je le ramène à la maison ? demanda Sara, méprisante.

– Pourquoi pas ? Au moins, tu serais là quand elle appelle.

– Et toi, tu te cacherais où ?

– Tu es cruelle », répliqua Catherine.

Quelques soirs plus tard, après avoir nourri et couché sa mère, Catherine était assise près du feu. Elle tenait deux miroirs, l'un devant elle, l'autre derrière pour voir son crâne. Soudain, elle entendit la voix de l'homme dans la véranda, des rires. Il suppliait Sara, puis il y eut de nouveau des rires, hystériques. Catherine ne bougea pas. Sans raison véritable, elle éprouvait une terrible angoisse. Elle lâcha les miroirs et tendit le bras pour bien tirer les rideaux, mais à cet instant la porte de la cuisine s'ouvrit et Sara entra.

« Je l'ai amené », proclama-t-elle. Riant toujours, elle fit signe par-dessus son épaule. L'inconnu refusait d'entrer. Elle insista.

« Allez, viens, dit-elle.

– Sara ! » hurla Catherine.

L'étranger entra, ôta sa casquette et la tint contre son entrejambe dans l'attitude d'un homme en prière. Il salua Catherine d'un hochement de tête. Elle nota d'abord qu'il était vieux, puis elle empoigna son écharpe.

« Bonjour, mademoiselle, dit-il d'une voix forte, peu naturelle, comme s'il interpellait quelqu'un. Vous avez entendu le râle des genêts ce soir ? »

Catherine, tremblante de rage et de désespoir, dévisageait Sara.

« Dis bonsoir, Catherine », fit celle-ci, défiant sa sœur.

Au bord des larmes, Catherine, d'une voix tout aussi peu naturelle, murmura : « Bonsoir.

— Maintenant que vous avez fait connaissance, reprit Sara, légèrement ivre, je vais monter voir maman. »

« Belmullet est l'un des derniers coins d'Irlande où l'on trouve encore le râle des genêts, expliqua-t-il.

— Vraiment ?

— Oui, vraiment. » Il marqua une pause. « C'est triste. Mais que pourrais-je dire qui n'ait pas déjà été dit ?

— Notre Sara nous cause des soucis.

— Ah bon ?

— Vous avez une mère ?

— J'ai toujours voulu avoir une mère. »

Il s'assit et reprit :

« Quand j'étais petit, un minuscule bonhomme est apparu par une fissure du plafond. Un plafond comme le vôtre. En vieilles frisettes peintes de couleur crème, il me semble. Il s'est baladé la tête en bas. Quand j'y repense, j'ai dû le prendre pour un type marrant, parce que je n'étais pas le moins du monde effrayé. Il est arrivé devant une autre fissure, a jeté un coup d'œil autour de lui et s'est glissé dedans.

— Vous ne l'avez jamais revu ?

— Non. »

Il examina le plafond.

« Alors, où en est Sara de ses leçons ?

— Elle fera une excellente conductrice, répondit-il avec un fort accent.

— Vous croyez ?

— Malgré, peut-être, une certaine tendance à rêver.

— En particulier depuis qu'elle vous connaît, répliqua Catherine.

270

– Je dirais que c'est de famille, dit-il gaiement, croisant les jambes.

– Vous m'étonnez ! » Elle ricana. « Et où donc l'emmenez-vous ?

– Nous faisons le tour des boîtes de nuit du Mayo, répondit-il. Il lui fallait un chaperon, m'a-t-elle expliqué. Bien sûr, je ne suis qu'un alibi. Je sers seulement de chauffeur. » On entendit du bruit à l'étage. Il regarda Catherine. « Je peux partir à présent ?

– Restez où vous êtes ! » ordonna-t-elle sèchement.

L'homme se mit debout, porta la main à sa tempe pour prendre congé.

« J'ai été ravi de faire votre connaissance.

– S'il vous plaît, restez.

– Quelque chose ne va pas ?

– Oui.

– Alors, je m'en vais. »

Il souleva le loquet et disparut dans la nuit. Les yeux brillants, l'air d'avoir tout entendu de l'escalier, Sara entra dans la cuisine et, très grande dame, racla un croûton de pain sur la motte de beurre.

« Il n'est pas mignon ? demanda-t-elle.

– Il doit avoir près de trente ans.

– En tout cas, tu lui as fait peur et il est parti. » Sara eut un petit rire et, comme à son habitude, bondit soudain sur ses pieds et remonta sa robe au-dessus des genoux pour vérifier si elle n'avait pas récolté de la terre sur les mollets en marchant. « Elle m'a dit, reprit-elle en imitant sa mère, que je ne devais "rien faire que Catherine ne ferait pas". J'ai répondu : "*Ara !* maman, je n'aime pas les hommes." "Peut-être, elle a fait, mais tu ne peux pas non plus les éviter."

– Tu es perverse, dit Catherine.

– Ne va pas t'imaginer que je ne te vois pas espionner à la fenêtre.

– Je n'espionne pas !

— Les hommes ont raison sur un point.

— À savoir ?

— Ce sont les femmes effacées dont il faut se méfier », dit Sara.

Un fin duvet apparut bientôt sur le crâne de Catherine. Avec une immense joie, elle vit ses cheveux commencer à repousser en touffes et boucles blondes, d'abord au-dessus de la nuque. Le mélange des deux l'enchantait. Une éternité sembla s'écouler. Elle s'installait sur une chaise dans le jardin et Sara lui massait le cuir chevelu à l'aide d'un onguent pour accélérer le processus.

Maintenant qu'elle retrouvait ses cheveux, elle avait honte de s'être ainsi repliée sur elle-même, par contre elle n'avait pas honte de se découvrir une vanité de femme. Avoir de nouveau des cheveux lui donnait l'impression d'être saine d'esprit.

Redevenant normale, elle faisait des promesses à sa mère et lui disait *J'ai trop longtemps porté le deuil de mon père*, et à la pensée de la femme à l'étage qui dormait en serrant dans son poing des éclats de marbre, elle tressaillait, envahie par un douloureux sentiment de nostalgie et de culpabilité.

Le crâne ainsi hérissé d'épis, Catherine alla bravement ouvrir à Jack Ferris. Il avait une paire de chaussures de football nouée autour du cou et une lampe électrique à la main.

« Elle n'est pas là.

— Sara ?

— Qui d'autre ?

— Vous avez l'air en pleine forme.

— Vous ne manquez pas de culot !

— C'est pareil avec la barbe. Plus je me rase, plus elle devient dure. » Il se tâta le menton. « Non que j'en aie beaucoup. Quand j'étais jeune, je me rasais les jambes. Et vous pouvez me croire, ça repoussait toujours. »

Il rit, se moquant de lui-même. On aurait dit que ses cheveux étaient teints en noir de jais. Ses yeux ensommeillés, espiègles, d'un gris clair et sensuel, semblaient voir au-delà de ce qu'ils regardaient jusqu'au moment où ils se fixaient, et il disait : Rien de tout cela n'est vrai, ce ne sont que des absurdités.

« Il y a une tempête qui s'annonce, dit-il.

— Vous croyez ?

— Très violente. Venant du nord-ouest.

— Je note.

— Vous pouvez.

— Pourquoi vous ne prenez pas une chaise ? »

Il épousseta ses genoux avec sa casquette, s'assit, promena son regard autour de lui et chantonna quelques mesures. Serait-ce lui ? s'interrogea Catherine.

« Sara est à Belmullet, je crois, dit-elle d'un ton cassant. En fait, je pensais qu'elle était avec vous.

— Ah. » Il continua à chantonner.

« Et vous êtes beaucoup trop vieux pour elle.

— Ah bon ? Trop vieux pour quoi ?

— Vous le savez fort bien.

— Je vois ce que vous insinuez, mais vous vous trompez.

— Ce n'était donc pas vous, dit-elle en protectrice de la vertu, qui étiez avec elle toutes les nuits dans la voiture devant la maison ?

— Malheureusement pas.

— Vous êtes sûr ? insista-t-elle, incrédule.

— Oui. Je crois qu'il y a erreur sur la personne. »

Ils demeurèrent silencieux cependant qu'elle se remémorait les images lubriques qui lui avaient traversé l'esprit et qu'il relaçait une chaussure qui n'en avait nul besoin.

« C'est extraordinaire, déclara soudain Catherine.

— Oui, en effet », acquiesça Jack. Il secoua la tête, serra les lèvres et, de manière inattendue, risqua un sourire amical. « Je connais à peine Sara. Je n'ai fait que lui apprendre à conduire.

— Alors pourquoi venez-vous encore à la maison ?

– Parce que je connais très peu de gens. » Il indiqua l'étagère derrière Catherine. « Vous avez une sacrée collection de livres.

– C'étaient ceux de mon père », dit-elle distraitement.

Il la dévisagea. Elle le regardait avec un franc intérêt. « Je passais juste, expliqua-t-il.

– Qu'est-ce que vous faites ?

– J'écris un peu. Et l'été, je pêche en mer. »

Cela donna à réfléchir à Catherine. « Vous écrivez, dit-elle, sceptique. Et qu'est-ce que vous écrivez ?

– Des pièces, pour le théâtre.

– Quel genre ?

– Des chants. Des chants de boucs.

– Pardon ?

– Oui, des chants de boucs.

– Ah bon ?

– Ce sera l'apogée. »

Catherine le considéra un instant. « Voilà qui est passionnant, mais je ne sais absolument pas de quoi vous parlez.

– De tragédies. De *tragos* – bouc. Et d'*oide* – chant. En grec.

– J'ignorais.

– Maintenant, vous savez. Chaque fois que vous pleurez au théâtre, vous écoutez un bouc chanter.

– Vous plaisantez.

– Pas du tout. Dans l'Antiquité, les chevriers mettaient les boucs sur une île et les chèvres sur une autre. Et quand celles-ci étaient en chaleur, la brise apportait leur odeur aux boucs qui bêlaient à fendre l'âme.

– Les pauvres.

– C'est bien ce que je pense.

– Et pourquoi ils ne sautaient pas à l'eau pour nager les rejoindre s'ils étaient à ce point frustrés ?

– Ah, mais c'est le nœud de l'affaire, dit Jack Ferris. Vous comprenez, les boucs ne savent pas nager. »

Il y eut soudain un grand choc contre la porte, accompagné d'un sourd gémissement. « Mon Dieu, fit Jack Ferris. C'est mon chien.

— Laissez-le donc entrer.

— Vous êtes sérieuse ? » Il ne la quitta pas des yeux cependant qu'il ouvrait la porte à un chien de berger couleur mandarine qui se précipita aussitôt sous la chaise de Jack et se mit à observer Catherine entre les jambes de son maître.

« Je n'ai pas de chance avec les chiens. Celui-là, c'est un chiot que j'ai ramené de chez moi. Il s'appelle (il baissa les yeux sur la truffe frémissante de l'animal), et ce à son grand désespoir, Daisy. N'est-ce pas, Daisy ? »

Le chien se frotta l'échine contre le dessous de la chaise. La caresse que Jack lui donna sur la patte arrière droite sembla le transporter de bonheur. Sa queue battait le sol de ciment comme une baguette de tambour. Incapable de se contrôler, il fila vers la porte, revint et se laissa de nouveau tomber sous la chaise.

« Pauvre Daisy. Daisy, Daisy, fredonna Catherine. Quel nom fâcheux pour un chien. » Elle reporta son attention sur Jack. « D'où êtes-vous ?

— À mon grand désespoir, je suis de Kilty, dans le comté de Leitrim. »

« Les chiens du Roscommon, commença Jack Ferris en regardant Daisy, ont des yeux de couleurs différentes. Un marron, un bleu. C'est difficile à croire. D'où ça vient, d'après vous ?

— Je n'en ai pas la moindre idée, répondit Catherine.

— Dans le Leitrim, il y en a un certain nombre qui ont un défaut à l'œil, et on compte aussi quelques albinos.

— Vraiment ?

— Bien entendu, dit Jack Ferris, le chien de berger tel que nous le connaissons n'est pas le véritable chien de berger.

— Non ?

— Certainement pas, ce n'est pas du tout le colley.

— Ah bon ? » Elle se caressa la joue. « Comme c'est intéressant.

— J'ai toujours eu le truc avec les animaux, poursuivit Jack. Mais pas avec les chiens. J'ai toujours aimé les chevaux et le bétail, c'est vrai. Et les moutons, peut-être. On ne trouve pas beaucoup de pupilles de différentes couleurs ici. » Il tapota sa cigarette pour en faire tomber la cendre dans sa paume. « Il n'y a pas beaucoup de chevaux d'où je viens. Vous lisez ces livres ?

— Non, je regarde juste les images.

— On se moque de quelqu'un ici, dit Jack, jetant la cendre dans le feu. Je suppose que vous étiez des enfants entêtées.

— Je le suppose aussi.

— Et Sara est partie pour l'Abbey Theatre faire une carrière de comédienne, je crois.

— En effet.

— Tout le monde s'en va. » Il entendit la mère de Catherine tousser à l'étage alors qu'elle traversait le palier. « De quoi souffre votre maman ?

— D'une congestion pulmonaire. Elle dit que c'est comme si quelqu'un était assis sur sa poitrine.

— Donnez-lui du lait de chèvre.

— Du lait de chèvre, répéta Catherine qui pensa aussitôt à Matti Bonner. Vos pièces ont déjà été jouées ?

— Quelques-unes, oui. »

Le silence s'installa. Daisy sortit de dessous la chaise, jeta un regard autour de lui, promena sur le sol une langue mouillée très hésitante, puis voulut enfouir son museau dans l'entrejambe de Catherine. « Couché, espèce de malotru, dit Jack. Il est tout le temps en train de renifler où il ne faut pas. » Le chien reprit sa place sous le siège de Jack et, à la grande confusion de Catherine, entreprit de se lécher les parties génitales, puis, après avoir terminé, il se mit aussitôt à rêver.

Jack Ferris partit, balançant ses chaussures de football au bout de son bras. Il se dirigea vers un terrain situé en contrebas, en partie inondé, délimité par des cailloux et des touffes de bruyère. Il n'y avait qu'un seul but, car les poteaux de l'autre côté s'étaient effondrés et, à l'endroit où ils s'étaient tenus, des cygnes glissaient sur l'eau. Il se baissa, sortit sa chemise de son pantalon, enfila les chaussures à crampons, fourra le bas de son pantalon dans ses chaussettes de football puis, assis dans un fossé, il alluma une cigarette et attendit. Il commença à se répéter distraitement, modifiant à son gré le rythme, l'accentuation, les pieds, une phrase qu'il avait entendu un homme de l'île d'Inishmaan hurler alors qu'il rentrait chez lui sur Inisheer en titubant :

Je suis le plus grand homme de Ballyconeely
Je suis le plus grand homme de Ballyconeely

et ainsi de suite, en se moquant de lui-même comme le veut la tradition.

Le lendemain matin, après la tempête, le ciel était tout noir. Elle monta à Glenlara à bicyclette. Des villageois étaient rassemblés au bord des falaises qui offraient une vue trop large sur l'horizon. Elle fit à pied la dernière partie du chemin. Les vagues qui dessinaient des motifs à carreaux moutonnaient aussi loin que portait le regard. Les bateaux de pêche au saumon filaient les uns derrière les autres sous une lumière plombée. La marée avait amené des débris jusqu'à la route.

Les gens regardaient en silence. Les brèches dans les murets brillaient comme des miroirs et réfléchissaient le ciel noir bleuté. La terre paraissait dangereuse.

À gauche, la mer balayait la cale de halage. Les vagues se brisaient avec un bruit de tonnerre. Des rafales de pluie s'abattaient. Elle se sentait à la fois grisée et apeurée. Elle descendit dans un creux sous le vent où les derniers œillets maritimes en fleur formaient de petites touffes roses. Le poids des falaises pesait sur ses épaules. C'était un pays de pierre, et chaque pierre reposait sur un lit d'ardoises. Et sur chaque lit d'ardoises, des lignes droites et brisées enregistraient les distances, les niveaux de la mer et de ses assauts, ainsi que la marque des graviers projetés par le vent.

Le rivage était semé d'énormes rochers apportés par la tempête. En équilibre instable, ils attendaient d'être repris par la mer. Elle regardait, émerveillée par la puissance de l'océan.

Un garde arriva à vélo, qui se joignit aux autres au-dessus d'elle. Il fuma cigarette sur cigarette. Une pluie fine tombait. Les mouettes criaient. Soudain le soleil, d'un blanc éclatant, apparut. Stupéfaite, Catherine vit les gens de Glenlara baigner dans une lumière hallucinatoire. Les rayons du soleil qui perçaient au travers des nuages teintaient de pourpre, de rouge puis d'orange la mer frissonnante d'ombres.

Un bateau surgit dans une flaque de lumière. Il se souleva sur une vague étincelante, demeura un instant suspendu en l'air, puis plongea et disparut. Des acclamations jaillirent. La foule était rassurée d'avoir vu le bateau ne fût-ce qu'un instant. Un vieil homme debout à côté de Catherine dit : « Y a rien de plus beau. Se lever à cinq heures du matin à la naissance de l'aube et rien d'autre que le ronronnement des machines.

— Qu'est-ce qui s'est passé ? demanda-t-elle.

— Un bateau est-allemand était en difficulté, mais il est sauvé. » Ils regagnèrent la route en poussant leurs vélos. Ils arrivèrent devant une haute haie qui se dressait, incongrue, au milieu des champs dénudés battus par le vent. « Chut ! » fit soudain le vieil homme. Ils s'arrêtèrent. « Tu les entends ? » Ils tendirent l'oreille. « Les pigeons des frères Coyle. Tu les entends ? » Il se dressa sur la pointe des pieds, ravi. « Ils en ont des centaines en cages. »

Debout sur la route, à l'abri d'un immense massif composé d'olerias, d'escallonias, de cordylines, de griselinias, de bambous, de lins de Nouvelle-Zélande, de mimosas et de sycomores, ils écoutèrent le bruit miraculeux des pigeons, des colombes et des pintades dans un pays où il n'y a pas d'arbres.

Pour son traitement, Maisie suivit un régime quotidien à base de lait de chèvre et de fromage de chèvre que les filles achetaient à des hippies allemands habitant sur le continent. Quelques jours plus tard, elle apparut dans la cuisine.

« Je crois que j'ai passé le plus dur », dit-elle.

Elle se déclara guérie. Elle allait parfaitement bien et elle n'avait jamais rien eu. Tout l'été, elle était restée alitée, souffrant de cauchemars en relation avec le Nord. Maintenant, elle descendait l'après-midi et s'activait dans la cuisine avec tant de maladresse qu'elle ratait d'une fraction de seconde tout ce qu'elle entreprenait. Certains soirs, elle préparait des plats d'une extraordinaire simplicité : puddings, tartes à la confiture, tourtes aux harengs. L'ancienne Maisie était de retour.

Au vent froid du temps qui soufflait dans la chambre, elle se retournait, portait une cuillère à ses lèvres et se trouvait emportée à des lieues de là.

Elle finit par descendre tous les jours, toute la journée. Elle cousait le matin, clignait furieusement les yeux devant son ouvrage et commençait à se rappeler les années où elle avait été cuisinière chez lord Brookborough.

En vérité, Maisie semblait aller mieux.

« Oui, disait-elle. J'ai passé le plus dur. Je ne suis pas impotente. » Elle époussetait les photos des vieux orangistes confiants et souriants réunis dans quelque salle paroissiale lambrissée de bois de l'ancien comté de Tyrone. Au dernier rang, son mari, tout pimpant, souriait lui aussi à l'objectif. Il avait l'air beaucoup plus âgé qu'elle, d'une autre génération. Elle soufflait sur les cuillères en argent, demandait à Catherine de lever les verres à sherry à la lumière pour vérifier qu'il ne restait pas la moindre trace.

« Je ne sais pas ce qui m'est arrivé », disait-elle. Et elle secouait la tête, perplexe, incrédule, un peu pâle.

Lorsque Jack repassa chez elles, il pleuvait, aussi Catherine le fit-elle entrer et, sans manifester le moindre embarras, il salua Mrs. Adams qui, en épaisse chemise de nuit de coton, était assise près du feu.

« C'est Jack, je crois, dit Catherine.

— Oui, Jack Ferris.

— De quel côté êtes-vous ? demanda Mrs. Adams.

— Catholique, je le crains.

— Ce n'est pas votre faute », dit Maisie. Elle rit et ajouta : « Tant qu'on a la santé.

— En effet.

— Asseyez-vous, Jack, dit Catherine, lui désignant une chaise.

— C'est une nuit épouvantable, dit-il.

— Ainsi, vous êtes l'écrivain. » Maisie l'examina. « Celui qui courait après notre Sara. »

Jack lança un regard gêné à Catherine. Le paquet volumineux qu'il portait, il le posa par terre.

« Où est Daisy, ce soir ? demanda Catherine, volant à son secours.

— Dans le coin.

— À votre place, je ne perdrais pas mon temps avec Sara, conseilla Mrs. Adams. Notre Sara a de l'ambition. Elle est partie pour devenir célèbre.

— C'est ce qu'on m'a dit.

— Les hommes catholiques ont toujours l'air de ne pas s'en faire, expliqua Maisie à sa fille.

— Nous avons aussi nos problèmes », dit-il.

Maisie répliqua : « Je n'en doute pas. Je suis moi-même tombée amoureuse d'un catholique autrefois.

— Et ça n'a pas marché ?

— Il a dû avoir des ennuis. Un jour, il n'est pas revenu.

— C'est vrai que ça arrive parfois. »

Ils éclatèrent de rire, scandaleusement complices, songea Catherine. Comme s'ils se connaissaient depuis longtemps.

« Je suppose donc que le mariage est hors de question, s'enquit-il avec un sourire.

— Il me semble que vous vous êtes trompé d'adresse, dit Maisie, riant de bon cœur. Mes filles ne tiennent pas à s'engager. »

Elle se pencha familièrement vers lui et le dévisagea sans vergogne. « Regarde, Cathy, les beaux cheveux noirs et bouclés qu'il a.

— Oui, acquiesça Jack. Et des cils dont une femme serait fière, m'a-t-on dit.

— Écoutez-le ! Quelle modestie ! fit Maisie. Un vrai Irlandais. »

Jack reprit son paquet.

« Bon, dit Catherine, finissons-en.

— De quoi parlez-vous ? demanda-t-il d'un ton rude, jetant un coup d'œil dans sa direction.

— Qu'y a-t-il dans ce paquet ?

— Oh, ça, répondit-il, désinvolte. C'est quelque chose que j'ai apporté pour la maison.

— Voyons », dit Maisie en pouffant.

Il demanda à Catherine de poser le paquet sur la table avec précaution. « Doucement », dit-il. Elle défit la ficelle qui entourait le papier journal. Puis elle sortit du carton l'objet encore enveloppé. « C'est un peu vieux et fragile », prévint-il. Catherine écarta l'emballage et découvrit le verre d'une lampe à huile, décoré de fleurs rouges et bleues.

« Eh bien, si je m'attendais à ça ! » s'exclama Maisie.

Sa surprise étonna Jack. Il tira du carton le réservoir en cuivre et glissa une mèche dans le manchon. « Éteignez la lumière », dit-il à Catherine en lui tendant le verre. Elle s'exécuta. Il gratta une allumette. Catherine fixa le verre. La grande cuisine baigna dans une profonde lueur rose.

« C'est magnifique, dit Catherine.

– J'en ai trouvé deux dans un appentis. J'ai réparé celle-là – il hésita – tout spécialement. C'est une très belle lampe. »

Il alluma une cigarette et agita inutilement l'allumette avant de la jeter dans l'âtre.

« Vous êtes doué, dit Maisie. C'est une merveille. Les hommes aussi ont leur place dans l'ordre des choses. »

Jack regarda un instant la lampe, puis reporta son attention vers le feu.

« Ce n'est rien », dit-il, croisant les jambes.

Un malaise s'installa, comme s'ils se découvraient soudain totalement étrangers les uns aux autres. Les préludes faciles du langage papillonnèrent puis s'envolèrent. Personne ne savait plus quoi dire. La lampe emplissait la cuisine d'ombres. « Voulez-vous un thé ? » proposa Catherine. Jack refusa. « C'est une lumière pour amoureux », dit-il. À cet instant, Sara entra dans la cuisine, l'imperméable au-dessus de la tête. Elle alla le secouer dans la véranda, puis elle s'immobilisa et promena son regard autour d'elle.

« Qu'est-ce que c'est ? demanda-t-elle.

– Jack nous l'a apportée, répondit Catherine. C'est beau, non ?

– Jack ? Alors, c'est Jack, maintenant ? » dit Sara.

« Je sors, dit Sara.

– Comme tu voudras, dit Catherine.

– Écoute, je sors juste un moment, c'est tout.

– Où ?

– Me promener.

– Te promener où ?

– Je ne sais pas.

– Eh bien, je ne peux pas t'en empêcher.

– Essaie un peu pour voir ! »

Sara boutonna son cardigan. Elle se regarda dans la glace posée sur l'appui de la fenêtre et écarquilla les yeux cependant qu'elle tirait du bout des doigts sur ses joues. Elle se tint devant la porte, hésitant à partir.

« Je te trouve déprimante, dit-elle sur un ton d'intimité inattendu, étrange.

– Où vas-tu ?

– Je rentrerai de bonne heure », plaida Sara.

Catherine continua à fixer le feu, le visage sombre.

« Tu vas retrouver Jack ? » demanda-t-elle. Sa lèvre supérieure tremblait.

« Ça ne te regarde pas.

– Non, en effet.

– Puisque tu refuses de me parler normalement, je m'en vais », dit Sara.

Catherine lui décocha un regard où brillait une lueur de folle jalousie, encore que sans objet précis.

« Je ne veux pas d'une atmosphère de rancune dans cette maison », dit-elle, le teint blême.

Catherine parlait toute seule à voix basse. Après le départ de Sara, son visage était devenu horrible. Elle pleurait doucement. Attendait que la voiture démarre. Elle jeta un coup d'œil par la fente des rideaux. La voiture restait immobile, plongée dans le noir. Elle prit une décision, alla se poster au pied de l'escalier et écouta. Elle ne perçut aucun bruit sinon celui des incessantes sautes de vent et du martèlement de la mer, comme si l'on plantait des piquets de tente dans la terre. Elle enfila un imperméable, ouvrit la porte en silence, la tira derrière elle puis se dirigea vers le portail.

Elle se pencha pour regarder par la vitre, côté passager.

Elle était embarrassée. Cela faisait une éternité qu'elle n'était pas sortie seule le soir. Elle s'avança sur la route, l'air d'une malade, la démarche incertaine, attentive à tout ce qui l'entourait. Sara était déjà à mi-pente de la colline. Quatre cygnes, pareils à des draps claquant dans le vent, traversèrent le ciel du soir. Il y avait une odeur de pluie sur les pierres, de végétation touffue dans les fossés. La valériane défraîchie avait tout envahi. Elle attendit que Sara eût disparu de l'autre côté de la colline, puis elle se précipita derrière elle. Du sommet, elle vit sa sœur longer à pas lents la plage de Scotchport. Après le hangar à bateaux, elle ne fut plus qu'une ombre marchant au bord de la route. Arrivée aux maisons, elle se mit à courir, un bras qui se balançait, l'autre plaqué contre son ventre, la tête baissée.

Lorsqu'elle tourna à un croisement, elle lança un regard par-dessus son épaule en direction des maisons.

Catherine, terrifiée à l'idée d'être découverte, hésita.

Le jour déclinait. Les ténèbres déferlaient, apportées de l'océan par des nuages noirs qui avançaient peu à peu. L'horizon luisait, électrique. Soudain, sur une note donnée, tous les oiseaux se turent. Catherine, imaginant le sarcasme dans la voix de Sara si celle-ci la surprenait, avait envie de faire demi-tour. Elle continua cependant. Trois éclairs en provenance de Eagle Island illuminèrent le ciel. Hors d'haleine, elle examina la route qui s'étendait devant ses yeux, mais ne vit pas trace de sa sœur. Un nœud à l'estomac, elle se représenta Sara dans les bras de Jack Ferris. L'obscurité enveloppa l'espace jusqu'au retour des trois pinceaux lumineux. Déçue, inquiète, elle ralentit le pas. Elle craignait que Sara se fût cachée, et elle s'attendait plus ou moins à ce qu'elle surgisse à tout instant devant elle. Catherine s'arrêta, indécise.

À droite, une allée de sable blanc conduisait jusqu'aux dunes. Catherine, les poings serrés dans les poches de son imperméable, l'emprunta sur une centaine de mètres, jusqu'à ce que l'herbe balayée par le vent cède la place aux ajoncs de la tourbière.

Le vent glacial de la mer lui fouetta le visage. Toujours aucun signe de Sara. « Sara ! » appela-t-elle tout à coup, oubliant sa duplicité. « Sara ! » hurla-t-elle. Dans une bouffée d'angoisse, elle hurla de nouveau. En vain. Il ferait bientôt noir comme dans un four. Elle courut sur le sable blanc rejoindre la route. Sentant le macadam sous ses pieds, elle tourna à droite, puis à gauche. Elle ne savait plus très bien où elle était. Elle tourna encore à droite et, gardant en point de mire le sommet de la colline devant elle et la lumière de chez O'Malley sur sa gauche, elle prit la direction de la Résidence. Elle contourna le Termoncarrach Lough, effrayant au passage les oiseaux lacustres. Le haut mur de pierres évoquait une sombre présence humaine. Le chemin de retour jusqu'à Corrloch lui parut durer une éternité. La nuit était remplie du bruit d'animaux qui toussaient et tout le temps, cependant qu'elle franchissait en courant les dernières centaines de mètres, il lui sembla que quelqu'un de plus fort et de plus puissant qu'elle allait la rattraper.

19

« *Oh No, Don't Stop the Carnival* »

Quelques années plus tard, le soir de la Saint-Jean, les feux célébrant le solstice d'été trois jours auparavant brûlaient à travers tout le grand Ouest. Le long des côtes, alors que le soir tombait, on mettait le feu à des piles de pneus, de vieux meubles et de tonneaux de goudron. Sur Mullet, les feux aussi brûlaient, auxquels répondaient ceux d'Achill Island, de Nephin, de Benwee Head, de Carrowteige et de Sheskin. Les flammes bondissaient dans les ténèbres tandis que les filles Adams roulaient en direction de Barnatra.

Des pluies d'étincelles jaillissaient de toutes parts.

En travers de la barrière qui ouvrait sur un champ, l'immense banderole annonçant le festival folk se déployait dans le vent comme un parachute derrière un hydravion qui amerrit. Une guirlande d'ampoules était tombée dans un coin du champ au milieu d'un kaléidoscope de lumières.

Le vent soufflait en tempête. Le chapiteau se gonflait. Les filles gravirent la route entre deux rangées de voitures. Au-delà de quelques hectares de sol pierreux s'étendait l'Atlantique. Les filles avançaient, accrochées aux bras l'une de l'autre, riant et s'arc-boutant contre les rafales. Le chapiteau avec ses voiles illuminées tremblait comme un vaisseau échoué. « Qu'est-ce qu'on ne fait pas ! » cria Sara. « Quoi ? » hurla Catherine. Le générateur bourdonnait et dégageait une vilaine odeur de pétrole brut. Les membres du service d'ordre, plaisantant entre eux, balançaient dans leurs mains une longueur de ficelle avec une aiguille à repriser au bout, destinée à perforer les billets. Ils buvaient tour à tour au goulot d'une bouteille et débinaient les gens qu'ils connaissaient.

Des couples apparaissaient soudain dans les rayons de lune incertains avant de replonger tout aussi soudainement dans l'ombre. Les organisateurs du festival examinaient tout, veillant à ce que les étincelles n'atteignent pas le chapiteau. Ils discutaient des tarifs de certains artistes qui devaient se produire dans les jours à venir, tenaient des propos cyniques sur le président du comité et se reprochaient par avance les accidents qui pourraient arriver. On avait dressé de petites tentes dans un champ voisin à l'intention des amateurs de *fleadh* venus de tout le pays, et le paysan propriétaire du champ exigeait soit qu'on le paye, soit qu'on les démonte.

« C'est rien que des voyous, se plaignait-il. Y vont me bousiller mon champ.

— Pour le paiement, on verra à la fin du festival, dit le secrétaire.

— Ben merde, alors ! » répliqua le fermier.

Le comité local, mortifié par les attaques dont il avait été l'objet, se faufilait, tout sourire, parmi la foule étrange des fans de musique folk. Chaque fois que claquait une toile de tente, ils tournaient nerveusement la tête ; ils aboyaient des instructions à l'intention des membres du service d'ordre, tripotaient le carton posé sur une table à l'intérieur qui faisait office de caisse et où les billets d'une livre et plus étaient glissés sous une boîte remplie de clous. Les conducteurs des voitures klaxonnaient ou criaient en les dépassant, mais Catherine et Sara n'y prêtaient pas attention. Leur solidarité de filles du Nord leur conférait un air de conspiratrices et une allure de snobs. Les hauts talons maculés de boue, elles entrèrent sous le chapiteau, la démarche élégante. Elles eurent l'impression de se glisser dans un sac en papier et d'avoir la surprise d'y découvrir d'autres personnes se comportant de manière naturelle. Les planches qui, comme sur un vieux chalutier, recouvraient le sol s'affaissaient au milieu sous le poids des gens.

Jack Ferris, les yeux brillants, passa à quelques pas d'elles. Il lissait ses cheveux ébouriffés.

« Bonsoir, dit-il.

— Tiens, c'est vous », dit Catherine.

Il continua son manège, tâta ses poches, secoua son pantalon, refit le nœud de son lacet.

« Et la fille de l'Abbey Theatre, comment va-t-elle ?

— Bien, Jack, très bien », répondit Sara.

Catherine le trouva un peu bizarre dans son pantalon à pattes d'éléphant. Repensant à la façon éhontée dont elle avait fantasmé sur lui quelques étés auparavant, elle se sentit prise de faiblesse. « À tout à l'heure », dit-elle. Il se dirigea vers l'endroit où les hommes, comme sortis d'un autre siècle, s'élevaient ou descendaient, les planches s'affaissant sous eux lorsque, plus loin, quelqu'un bougeait.

« T'as vu comment il te regardait ? dit Lizzie Summers.

— Qui ? demanda Sara.

— Ton homme, Ferris.

— Oh, lui. »

Lizzie reprit : « C'est toi, Catherine, ou c'est Sara qui l'intéresse ?

— Pose-lui la question, dit Catherine.

— Sûr, ce gars-là, y doit s'en servir que pour remuer son thé », dit Lizzie Summers en secouant son imperméable.

Bien qu'il s'agît d'un festival folk, le comité d'organisation avait décidé que le premier soir il y aurait de la musique pour les gens du coin. Aussi, avant que les groupes folks se produisent, il était prévu un *céilí* et un orchestre de country. Un crooner des années 1950, en costume blanc, interpréta la version de Walter Glynn de « Where My Caravan Is Resting », puis un groupe de violoneux de la région joua, trop vite pour qu'on puisse danser, après quoi les membres d'une petite formation country de Castlebar depuis longtemps à la retraite montèrent sur scène et, se regardant dans les yeux, entamèrent une succession d'airs populaires. Ils se tenaient derrière des panneaux à mi-hauteur qui représentaient des couchers de soleil, des palmiers et des étoiles du matin peintes en bleu. Le chanteur, un homme d'un certain âge, chantait avec l'accent américain et portait une chemise à sequins argentés. À l'annonce de chaque chanson, la foule poussait des acclamations outrées et condescendantes. De temps en temps, un prêtre coiffé d'un chapeau à large bord et vêtu d'un ample manteau, accueilli par de bruyants applaudissements, proposait une tombola en faveur de l'aéroport de Knock. À mesure que la soirée s'avançait, il apparaissait entre chaque chanson, parfois un peu en retard, et ordonnait le silence d'un geste de la main, de telle sorte que l'orchestre s'arrêtait de jouer avant même d'avoir véritablement commencé.

Il offrait des vases de cristal, des cigarettes, une bouteille de Black Bush. À un moment, alors qu'il brandissait au-dessus de sa tête un plateau de chocolats Bournville, quelqu'un, a-t-on dit, trafiqua le générateur, un de ces enculés venus de Dublin, a-t-on dit, si bien que les lumières s'éteignirent et lui, imperturbable, il continua de parler sans que personne le voie ni l'écoute, cependant que le plancher du chapiteau tressautait sous les pas précipités des danseurs. Il y eut des éclats de rire. Des cris. Des hurlements. La lumière revint comme le rideau d'un confessionnal que l'on ouvre brusquement.

Les danseurs, âgés de trente, quarante ans et plus, de vieux couples venus là, poussés par la nostalgie des groupes des années 1960, s'embrassaient. Des hommes étaient tombés à genoux. Un autre avait le pantalon enroulé autour des mollets. Le prêtre secoua les chocolats au-dessus de sa tête. « N° 242, billet rouge », tonna-t-il dans le micro. La danse continua. Les amoureux des années 1960 dans leurs vêtements démodés dansaient furieusement.

Le vent s'engouffrait dans l'entrée. Les membres du service d'ordre tiraient sur leurs cigarettes. Le président du comité paroissial prit la parole.

Invitées à danser, les filles Adams refusèrent.

Sara portait un chemisier vert à col haut, une jupe grise évasée et des talons aiguilles blancs. Catherine, une robe à fleurs désuète qui lui arrivait aux chevilles et, en hommage à sa mère, de ces bonnes grosses chaussures de femmes qui vont à l'église. Ses cheveux blonds, noués par une écharpe rouge, étaient coiffés en queue-de-cheval. Elle avait, Jack le savait, des jambes superbes. Les filles avaient le visage peint. Les ongles vernis. L'esprit maquillé. Pendant le *céilí* et le crooner, elles restèrent assises. Elles ne dansèrent que sur la country, et encore n'était-ce que pour rire. Au lieu de choisir un partenaire, elles s'avancèrent bras dessus, bras dessous sur la piste, ignorèrent les hommes qui les invitèrent et rejoignirent au pied du podium les femmes d'un certain âge qui, alignées, dansaient entre elles, gauches et maternelles, les coudes grassouillets en l'air et les yeux timides baissés. Mince et athlétique, le port de tête altier, Catherine dansa lentement avec sa sœur.

Les filles s'encanaillaient avec les gens du pays.

Les lumières s'éteignaient et se rallumaient. Le chapiteau oscillait. Chaque fois qu'on demandait quelqu'un de Mullet, les bergers de Binghamstown poussaient des acclamations. Des femmes furent entraînées dans un tourbillon. Un chien errant, un terrier, entra, pivota et se mit à aboyer furieusement après l'orchestre. Un curieux rugissement s'éleva de dehors où les jeunes aux longues barbes attendaient le début du vrai festival. Des cigarettes rougeoyaient dans les ténèbres. Des joints circulaient. Des feux flambaient le long de Broad Haven Bay. Les étrangers venus de l'est du pays se demandaient ce que ces feux signifiaient. Ne pas le savoir ne faisait qu'accroître leur sentiment d'euphorie. La mer était collée ventre contre ventre à la terre. On avait l'impression que la musique sortait d'un poste de T. S. F. pas tout à fait réglé sur la bonne station. C'était une musique d'un autre temps, sans cesse interrompue par des conversations d'un autre temps, elles aussi – disputes, grognements exagérés d'hommes qui luttaient, femmes qui lançaient des cris stridents. C'était quelque chose de dangereux, quelque chose de païen ; les rafales de vent qui soufflaient de la mer emportaient les notes, les micros semblaient ne capter qu'un seul instrument – et tout ce bruit, ce mélange agressif, parvenait jusqu'à un petit troupeau de bétail qui, les oreilles dressées, regardait par-dessus un fossé.

Il parvenait également aux vieillards qui étaient sortis un instant sur le seuil de leurs maisons dans les faubourgs de Barnatra pour admirer les feux de joie que les enfants avaient allumés. Il parvenait à une femme qui rentrait chez sa fille. Je me souviens de ces airs, se disait-elle. C'était un son humain discret, insignifiant, porté par-ci, par-là. Quelquefois inaudible, même pour ceux qui écoutaient avec attention.

L'orchestre joua une ballade de Slim Whitman. Puis un autre air du passé :

And most of all I miss her lips
A shade of eiderdown

suivi de deux chansons des Beatles. À un bout de la piste, près de l'entrée, les étrangers ivres vociféraient tandis qu'un peu plus loin les gens du pays dansaient tranquillement. Les filles valsaient sur le plancher qui résonnait, se lançaient dans des figures intrépides, évitaient les femmes d'une cinquantaine d'années qui dansaient le twist et le huckle-buck et qui, en nage, attendaient entre les morceaux pendant que les jeunes réclamaient le groupe Planxty. Une chanson d'Elvis fit tomber à genoux le crooner au visage marqué par l'âge que tout le monde encouragea, alors que des hommes encore plus vieux que lui, au saxo et au trombone, continuaient comme si de rien n'était. Les danseurs, toutes générations confondues, hurlaient « Encore! encore! », et les souffleurs corpulents, blottis les uns contre les autres, jetaient des riffs endiablés dans un unique micro. Puis le guitariste, cheveux gris et ventre rebondi, tournant le dos aux danseurs, entama son solo face à la toile qui claquait. L'atmosphère sous le chapiteau crépitait d'électricité statique. Jack Ferris dansa avec toutes les femmes venues de la presqu'île en minibus. Les filles l'aperçurent dans les bras d'une femme mariée, Annie Burke, dont le mari était le patron de l'*Inishglora,* puis dans ceux de Josie Malley qui était belle et dans ceux de Mary Noone qui était grande.

Quand on annonça que c'était au tour des femmes de choisir leur cavalier, des hourras s'élevèrent, empreints d'un mélange de nostalgie, de gaieté et de lubricité.

Jack se tenait derrière la foule des hommes seuls qui attendaient, comme des ouvriers dans l'espoir d'être embauchés. Ils ne cessaient de se bousculer joyeusement. Ceux que l'on poussait en avant essayaient ensuite de reculer. Jack regardait par-dessus leurs têtes. Il ne quittait pas des yeux les filles Adams. Il s'efforçait de calmer les battements de son cœur. Profitant de la mêlée, il glissa la main dans son pantalon pour remettre son pénis en place contre son ventre baigné de sueur. Il avait les paumes moites. Et puis Sara s'avança, impatiente, sûre d'elle-même, et l'entraîna sur la piste parce que Catherine n'avait pas voulu. Elle plaqua son ventre plat contre le sien. « Il faut être gentil avec ma sœur », dit-elle. Il la sentait espiègle. Elle le regardait droit dans les yeux, effrontément, tandis qu'elle le conduisait en dansant vers l'endroit où était assise Catherine, à qui elle remit Jack. Dissimulant sa honte, celle-ci se leva. « Vous êtes un homme à femmes, on dirait », fit-elle. La pointe de ses seins effleurait la poitrine de Jack. Le léger contact de la main de l'homme sur son épaule. Catherine le rendit ensuite à Sara, et ainsi, le temps de plusieurs danses, il passa d'une des jeunes filles à l'autre. « J'aime beaucoup Catherine », dit-il à Sara. Elle s'excusa avec une petite révérence de condamnée. Il esquissa un sourire, puis se fit tout orgueil et douceur lorsque Catherine se nicha entre ses bras. « Cette horrible musique doit dater de votre époque », dit-elle en souriant. Son front perlé de transpiration se logea dans le creux de l'épaule de Jack tandis que son bras gauche lui encerclait la taille. Avec les deux rubans de dentelle qui pendaient des manches de sa robe, elle se noua les poignets derrière la nuque de Jack, et ils évoluèrent ainsi entre les deux poteaux qui soutenaient le chapiteau.

Elle se libéra de ses liens et passa une main sous la veste de Jack.

« Où êtes-vous, maintenant ? demanda-t-il.

– Belfast », répondit-elle.

Son autre main rafraîchissait la sienne le long de sa cuisse. Elle plongea son regard dans celui de Jack, trois danses durant. Après quoi, elle le laissa. Il demeura planté au milieu de la piste, l'air hésitant, comme un homme qui sort d'une séance de cinéma.

Jack alla rejoindre les autres hommes. Et les deux sœurs, l'esprit à présent plus léger, comme si elles venaient d'apprendre quelque terrible secret le concernant – avaient-elles senti l'arc mince de son sexe ? –, se remirent à danser ensemble.

Après cet intermède, l'atmosphère changea. La tension parmi la foule retomba. Les femmes avaient parlé. Ceux qui se retrouvaient seuls promenaient autour d'eux un regard consterné. Ils fixaient avec désespoir ceux qui, comme eux, avaient été dédaignés. L'orgueil souffrait à l'idée de nouveaux refus. Ils s'assirent en attendant le concert de Planxty. Quelques couples restèrent accrochés dans les bras l'un de l'autre comme des gens qui se noient.

« Oh, mon Dieu », murmura Jack.

Les filles ne firent pas mine de se séparer. En vérité, elles semblaient de plus en plus gaies et indifférentes. Jack laissa passer des tangos, des twists, des swings. Il regardait les sœurs Adams. Les danses s'achevèrent et les jeunes traditionalistes occupèrent la piste. Dans les toilettes de fortune, debout à côté des hommes de son âge, il fut incapable de pisser dans l'herbe détrempée où l'on avait répandu des seaux de sciure. « C'était une putain de sacrée soirée », lui dit quelqu'un. Baigné d'une sueur froide, il s'enfonça dans les ténèbres, écoutant le vent, le doux zézaiement des pneus de vélo, le gémissement des moteurs, les voix des couples.

À l'intérieur, la nouvelle génération réclamait Planxty à cor et à cri. Les musiciens durent arriver, car il y eut un énorme rugissement. Par les haut-parleurs, on entendit le bodhran et la mandoline, le bouzouki et les cornemuses. Puis Andy Irvine entama « A Blacksmith Courted Me ».

Le faisceau tressautant de la lampe que Catherine tenait à la main balayait le chemin et Sara riait.

« Catherine ! cria-t-il.

— Qui est-ce ?

— Moi, Jack.

— Comment vous rentrez ?

— Avec le minibus.

— On peut le ramener, non ? demanda Catherine.

— Oui, bien sûr, répondit Lizzie Summers.

— Tu sais, il m'a appris à conduire », dit Sara.

Il monta à l'arrière de la voiture des Adams, à côté de Lizzie et d'un homme. Ils roulèrent en silence parmi la foule des festivaliers en direction de la route. Lizzie Summers s'effondra sur les genoux de Jack. Il la releva doucement et lui posa la tête sur l'épaule de son petit ami. « Merci infiniment », dit-elle. « Alors, qu'est-ce que vous faites, maintenant ? » demanda-t-il à Catherine. « Eh bien, Sara va tourner dans un petit film à petit budget, et moi, je travaille dans un théâtre et j'étudie à Queen's University. Et vous ?

— Je pêche le saumon, répondit Jack.

— Vous pouvez vous arrêter un instant, demanda le copain de Lizzie. J'ai besoin de pisser un coup. »

Il se planta au bord de la route.

« On devrait démarrer et laisser ce connard ici, dit Lizzie. Je sais pas ce qui m'a pris de sortir avec ce type-là. »

Ils le regardèrent se secouer, se pencher légèrement en avant et rentrer les fesses. Après quoi, il se retourna et se tapota l'entrejambe.

« Pourquoi les hommes font ça ? demanda Catherine.

– Pour le plaisir, dit Jack.

– Pour voir si elle est toujours là », hurla Lizzie. Elle se poussa pour faire de la place à son petit ami, puis lui donna une claque sur le genou. « T'as de la chance que je sois là, Fintan, dit-elle. Y voulaient repartir sans toi. »

Ils roulèrent à la lueur des feux qui brûlaient sur la presqu'île. Près de Belmullet, les trois passagers assis à l'arrière descendirent sous une pluie battante, et Jack s'apprêtait à prendre le chemin d'Annagh Head quand Catherine l'appela. Elle courut derrière lui. Les phares éclairèrent sa joue mouillée. Il vit les gouttes de pluie glisser sur son front, ralenties par les sourcils, puis briller sur ses lèvres et dégouliner de son menton sur sa gabardine.

Elle lui sourit. Dans le faisceau des phares, elle l'embrassa sur la joue.

« Eh bien, bonne nuit, dit Jack.

– Bonne nuit », dit Catherine. Immobile sous la pluie, elle le regarda s'éloigner.

Il cessa de pleuvoir. Il était dans un pays sans horizon. Il avançait, revenait sur ses pas. Il fuma une cigarette, se maudit à voix basse, puis poussa un long soupir. Il se raidit. Il aboya et renifla furieusement. Ses aisselles se creusèrent. Il tourna les talons et, quand il s'arrêta, son esprit s'emplit des images chaotiques de l'intérieur du chapiteau.

« Qui est là ? cria quelqu'un dissimulé dans l'ombre. Qui est là ? répéta l'homme.

— Jack Ferris, murmura Jack.

— Je suis Fintan Carmichael, dit l'homme. J'étais avec vous dans la voiture. Cette salope de Lizzie Summers m'a foutu dehors dès que j'ai voulu passer aux choses sérieuses. » Il s'approcha. « Vous allez bien ?

— Formidablement bien, merci.

— Les blondes, ça vous file de sacrées leçons.

— Vous m'en direz tant !

— Faut connaître les femmes. » Il donna une claque dans le dos de Jack. « Faut leur tenir tête. Sinon, elles vous piétinent.

— Vraiment ?

— Celles-là, je les connais. Les Adams de Corrloch. » Fintan adopta un ton de conspirateur. « Faut se méfier des poulettes d'un poulet.

— Qu'est-ce que vous voulez dire ?

— Le père était dans la RUC.

— Je sais.

— Ouais, mais qui va le leur reprocher ? Y a rien de mal à prendre un peu de bon temps. »

Les deux hommes continuèrent à marcher dans la nuit.

« Je pourrais vous en raconter de belles, reprit Fintan Carmichael.

— Je vous écoute.

— Si vous saviez tous les hommes avec qui elles ont couché ! L'horreur ! Les filles protestantes sont drôlement en avance sur nous ! » s'exclama Fintan d'un ton indigné. Il eut un chatouillement dans la gorge. Gagné par l'excitation. « Un homme comme vous, dit-il à Jack, devrait faire attention où il met les pieds. Mais c'est des cavaleuses, ça, c'est sûr. » Il s'écria : « Ces filles-là, elles vous feraient devenir protestant !

— Eh oui.

— Ouais, ouais. Les femmes, en général, elles ont honte de rien », déclara Fintan.

Ils arrivèrent près du feu allumé sur Annagh Head. Des gens

assis en cercle buvaient et chantaient. D'autres dormaient, allongés à quelques mètres des flammes. Une femme jouait d'une guitare à quatre cordes. Fintan et Jack s'installèrent. Deux garçons traversaient le champ, poussant une roue de tracteur. Ils la jetèrent dans le feu. Des étincelles jaillirent. Une odeur de caoutchouc brûlé se répandit.

« Venez voir par là », dit Fintan.

Il produisit une demi-bouteille de whiskey Paddy et, debout sur une pierre, ils la vidèrent en regardant les flammes.

Plus loin dans un champ, ils aperçurent une chèvre. Jack resta près de la barrière pendant que Fintan partait à la recherche de l'animal. « Allez, debout, allez! » cria-t-il. Il réapparut quelques minutes plus tard, poussant la biquette blanche devant lui. Ils lui attachèrent autour du cou la corde qui maintenait la barrière en place, puis ils prirent ainsi la route de Corrloch.

« On va leur montrer », dit Fintan.

L'aube commençait à poindre. Les feux étaient éteints. La chèvre allait d'un pas tranquille, régulier. Ils la suivaient en riant. « Si on rencontre quelqu'un, on est déshonorés », dit Fintan. La maison des Adams était plongée dans le noir. Ils s'arrêtèrent un instant près des piliers du portail pour écouter.

Fintan réussit à faire avancer la chèvre rétive, et Jack noua la corde au marteau de la porte. Discrètement, ils allèrent se cacher derrière le muret en pierres, et Fintan appela la chèvre.

« Billy », souffla-t-il.

L'animal ne bougea pas d'un pouce, ajusta ses pupilles en forme de coracle, puis se coucha sur la marche.

« Cynthia », souffla-t-il un peu plus fort.

La chèvre ne bougeait toujours pas.

Jack lui lança une poignée de gravier. Elle se leva en se secouant et s'avança pour brouter une touffe d'herbe. « Seigneur Jésus! » murmura Jack. Les deux hommes, ne se tenant plus de joie, attendirent. Le marteau résonna. « Encore ! » dit Fintan, étouffant son rire. La chèvre tira plus fort. Boum ! boum ! boum ! frappa le marteau. Les lumières s'allumèrent. La porte du vestibule s'entrebâilla et la corde reliée à l'animal se tendit. Le battant s'ouvrit plus grand, attirant la chèvre vers l'intérieur. Catherine, vêtue d'une longue chemise blanche d'homme, la tête inclinée, contempla avec stupéfaction les oreilles roses de la bête blanche qui se tenait sur le seuil de la maison.

En se réveillant le lendemain matin, Catherine eut la surprise de voir que la chèvre était toujours là qui mâchonnait l'herbe dans le jardin. Elle descendit et alla examiner l'animal. Ses pis ballottaient comme des cordons de sonnette. Elle avait un cou gracile. Un regard distingué. Catherine tressaillit en constatant que la chèvre avait les yeux levés sur elle. Ses pupilles vertes tremblotaient et flottaient comme des flocons de neige. Ses iris semblaient s'être comme détachés. Sa toison était humaine et blanche. Son regard, ancien.

Derrière le miroir des yeux de la chèvre, Catherine devinait un royaume neuf et barbare. Elle se perdit un instant dans le regard d'une pureté et d'une douceur saisissantes de la chèvre aux allures féminines.

« Et comment es-tu arrivée ici, je te prie ? » demanda Catherine. Elle la conduisit vers le portail et la regarda s'éloigner d'un pas tranquille dans le soleil.

20

Les Illustres Fils d'Irlande

L'été qui suivit l'obtention de son diplôme, Catherine descendit seule à Mullet. Elle alla se promener sur la grève. Au loin, elle aperçut quelqu'un qui, arc-bouté contre le vent, venait dans sa direction. La silhouette s'arrêtait, se penchait en avant, repartait. Une éternité durant, sembla-t-il, ils se dirigèrent ainsi l'un vers l'autre. Elle constata qu'il s'agissait d'un homme, l'air débraillé, qui, un sac-poubelle à la main, ramassait des morceaux de bois au milieu du varech. Ils se croisèrent enfin.

Il portait un duffle-coat sans chemise en dessous.

« Comment allez-vous ? cria-t-elle.

– Je suis vivant, je crois, hurla-t-il. Vous êtes d'où ?

– Belfast.

– Il y a du vent, là-bas ?

– Parfois, répondit-elle, interloquée.

– C'est bien triste, cria-t-il. Je croyais qu'il y aurait au moins un endroit de cette foutue planète que le vent épargnerait. » Sur ce, il continua son chemin, et elle aussi. Au pub du coin, elle demanda où Jack Ferris vivait. « Il habite là-haut, chez Thady », lui répondit-on. Elle s'examina dans la glace des toilettes, se regarda un instant dans les yeux.

Elle traversa le *gaeltacht*, envahie de ces mêmes sentiments mélangés qui la déconcertaient quand elle marchait dans Belfast-Ouest.

Des volutes de fumée s'échappaient des cheminées. Les hommes la détaillaient sans vergogne cependant qu'elle s'avançait au milieu des petites chaumières. Ils se tournaient vers elle, la saluaient timidement, et elle répondait avec nervosité. Elle atteignit l'allée indiquée par le barman sur l'itinéraire qu'il lui avait tracé. Une rafale de vent l'accueillit, qui s'éleva d'entre les étroits fossés. Des bouses de vache fraîches fumaient sur l'herbe. Un filet d'eau chaude coulait sur sa gauche. Curieuse, elle s'approcha.

Quelques olerias rabougris, inclinés vers l'intérieur des terres, signalaient la présence de la maison basse de trois pièces au toit de tôle et aux murs blanchis à la chaux. Regardant par la première fenêtre étroite devant laquelle elle arriva, elle distingua deux lits placés à angle droit autour d'une belle flambée. Des pantalons et des chemises étaient suspendus à une corde au-dessus de la cheminée. Dans la pièce du milieu, les reliefs d'un petit déjeuner étaient éparpillés sur la table de cuisine. Des vêtements de pêche, bottes et cirés jaunes, jonchaient le sol. À l'autre bout, sous une fenêtre, un vélo était posé à l'envers sur le guidon et la selle, et à côté, deux fusils non armés étaient appuyés contre le rebord. Dans la troisième pièce, aux murs couverts de livres, une vieille machine à écrire, énorme, de la taille d'un tracteur presque, trônait sur une table verte. Catherine recula, alla frapper à la porte.

« Entre, Josie, lança une voix inconnue.

— C'est moi, Catherine.

— Quoi ? s'écria Jack.

— Catherine Adams.

— Mon Dieu », l'entendit-elle murmurer.

Elle poussa le battant et se dirigea vers la pièce du fond où Jack était assis en caleçon sur l'un des lits.

« Approchez, mam'zelle », dit Thady, la regardant par-dessus la tête de lit.

Une odeur sèche et animale de célibataires à laquelle se mêlaient de forts relents de poisson imprégnait l'atmosphère, cependant que sifflait la tourbe humide. Jack, blême, ses cheveux noirs bouclés tout ébouriffés, enfilait un pantalon qu'il venait de décrocher de la corde. « Laissez, dit Catherine. Il doit être encore mouillé.

— On s'est fait tremper ce matin, dit Jack.

— Et pour rien, merde, ajouta Thady.

— Ne bougez pas », dit Catherine.

Elle s'assit à droite de l'âtre, sous une photo de la bande de Jesse James et une reproduction jaunie par l'âge du discours prononcé par Emmet devant le tribunal.

« C'est donc là que vous habitez, dit Catherine.

— Oui, répondit Jack. Et voici oncle Thady.

— Enchanté », fit celui-ci, tandis qu'elle lui serrait la main.

Un peu plus loin, il y avait une immense photo encadrée représentant des hommes grisonnants de l'époque victorienne en bottes de cheval ou chaussures à boucles et hauts talons. Tous portaient une cravate foulard ainsi qu'une perruque. On aurait dit que les visages avaient été ajoutés après coup sur des corps identiques. La photo paraissait totalement déplacée sur ce mur nu et incurvé.

« Qui sont ces personnes ? demanda Catherine.

— Les Illustres Fils d'Irlande, comme ils se baptisaient eux-mêmes, répondit Thady. J'ai trouvé ça chez un brocanteur à Longford.

— Ils ressemblent à de vieilles caricatures anglaises.

— C'est exactement ce qu'ils étaient, mam'zelle, dit Thady. Des caricatures. Des Irlandais à l'étranger.

— Et pas de femmes, constata Catherine.

— Non, les femmes étaient parties ce jour-là, dit Thady en riant.

— Major général Patrick Sarsfield, lut Catherine.

— Un boulet de canon eut raison de son crâne, dit Thady.

— Oliver Plunkett.

— Noyé et écartelé.

301

— John Philpot Curran. Hugh O'Neill.

— Lui-même !

— Oliver Goldsmith, Thomas Moore. Archevêque McHale. Père Matthew.

— Mieux vaut n'en rien dire.

— Wolfe Tone.

— Un presbytérien, vous vous imaginez. Et républicain.

— Daniel O'Connell.

— Un catholique.

— Edmund Burke.

— Un parent de Conor Cruise O'Brien, dit Jack.

— Robert Emmet.

— Il aurait dû attendre les Français.

— Richard Lawlor Shield. Henry Grattan. Gerald Griffin.

— Un commis.

— William Smith O'Brien.

— Un membre du Labour.

— Révérend père Burke, John Mitchell.

— Ce doit être l'auteur d'un *Journal de prison,* dit Thady. Un homme très puissant. Il a d'abord été en Australie, puis est devenu leader syndicaliste en Amérique. Vous avez toute la clique.

— Et vous les connaissez tous ?

— Oui, pourquoi pas ? Si y avait eu qu'eux, on n'aurait pas eu besoin de nous. » Il toussa. « Quand on les énumère à la file, c'est dur à retenir. Et puis ça signifie plus rien. Plus rien du tout. »

« Il fait froid, dit Thady, en se redressant dans son lit.

— Qui est Josie ? demanda Catherine.

— Ah, pauvre Josie Drum. Elle devrait y être elle aussi, avec les "Illustres". Celui qu'est là-haut lui a donné une lourde croix à porter.

— Si j'avais su que vous veniez, dit Jack, tirant les couvertures sous son menton.

– Mais est-ce qu'y a seulement quelqu'un là-haut ? » s'interrogea Thady.

Les deux chats couchés devant la cheminée, les flancs creusés, hauts sur pattes, s'esquivèrent lorsqu'elle voulut les caresser, puis, ensemble, se dirigèrent à pas lents et furtifs vers la porte.

« Vous êtes quand même la bienvenue », dit Thady, levant sur elle un petit visage qui respirait l'humour grinçant. Ses yeux marron brillaient de malice. « Y a des verres et une tasse derrière vous. » Puis il désigna le foyer : « Y a aussi de la crème dans une casserole. »

Catherine se tourna vers Jack. En tricot de corps, il avait les épaules frêles et pointues d'un jeune garçon.

« Pourquoi vous ne m'emmèneriez pas pêcher un de ces jours ?

– Ça ne vous plairait pas, répondit Jack.

– Je pourrais peut-être en juger par moi-même.

– Vous voyez la bouteille, dit Thady pointant l'index, là sur l'appui de la fenêtre. »

Pendant qu'il versait une goutte de *poitín* cristalline dans sa tasse, Catherine et Jack se regardèrent. Catherine était une femme à nouer des écharpes autour d'elle, autour de ses épaules, de son cou, de sa tête. Et parfois même autour de ses poignets. Le feu siffla et les flammes vacillèrent.

« La crème, expliqua Thady, c'est pour les chats. »

Il se pencha et mit un doigt de *poitín* dans le verre de Catherine. L'alcool avait une odeur âpre, médicinale. Thady accrocha le regard de Catherine et lui fit un grand sourire. « C'est pas le seul, le Jack, à qui les femmes viennent rendre visite.

– Ah non ?

– Non. J'ai une petite amie en Amérique qui s'est mariée et qu'a eu des enfants, vous savez. Et maintenant que son mari est mort, elle dit qu'elle va revenir. » Il prit une gorgée et la garda un instant dans sa bouche avant de l'avaler. « Et j'ai mis un toit neuf à la maison pour fêter son retour.

— Il ne faut pas construire la cage avant d'avoir attrapé l'oiseau, dit Catherine, l'air très sérieuse.

— Si j'avais quelques années de moins, dit Thady, ce petit gars-là – il indiqua son entrejambe – irait dire bonjour à celui-là. » Et il indiqua l'entrejambe de Catherine.

Cet absurde fantasme masculin la fit rire aux éclats, imitée aussitôt par les hommes.

« Je ne suis pas censée rire à des remarques de ce genre, dit-elle.

— Non, en effet », acquiesça Thady.

Catherine huma son verre, en lécha le bord. Elle cambra le pied, eut un rire léger, plia la jambe. Elle but une gorgée, puis une deuxième.

« Quand êtes-vous arrivée ? demanda Jack.

— Ce matin, dit-elle, étudiant le feu.

— Donc, vous êtes seule, avança-t-il avec prudence.

— Oh, je ne manque pas de compagnie. »

La gouttière branlante du pignon est cogna contre le mur. La pluie frappait les carreaux et tambourinait sur la tôle. Thady mit la main devant ses yeux et bâilla. Puis, de façon incongrue, lâcha un pet.

« C'est le petit déjeuner, s'excusa-t-il.

— Vous devriez essayer les pots pour bébés, dit Catherine, et elle enchaîna : Vous pourriez les manger à la cuillère.

— Gloire à vous ! s'exclama Thady. Vous êtes sûre de la recette ? »

Les chats revinrent, bondirent chacun sur l'un des lits occupés par les hommes et, tandis qu'ils s'installaient, ils se regardèrent en étirant les pattes. Quand le vent faiblit, on n'entendit plus que la pluie qui grésillait sur les flammes et les gouttes qui tombaient des vêtements encore fumants. Catherine sentit un courant d'air sur ses cuisses. Elle ramena son kilt autour d'elle. L'épingle étincela. Thady fut pris d'une quinte de toux, cracha et dit : « C'est à peu près ça.

– Ça y est, j'ai trouvé, dit Catherine.

– Vous avez trouvé quoi ? demanda Jack.

– À quoi vous ressemblez, répondit-elle en riant. Vous ressemblez à un campagnol.

– Qu'est-ce que c'est ?

– Une espèce de rongeur.

– Ce qui, dit Thady, au cas où vous ne le sauriez pas, signifie qu'il appartient à la famille des rats.

– Ça doit faire trois ans que je ne vous ai pas vu.

– Exact.

– Et lors de mon dernier séjour ici, je me suis réveillée pour trouver une chèvre attachée à notre porte », dit Catherine.

Jack pouffa, et elle reprit : « Vous ne savez sans doute rien à ce propos ?

– Le bouc est un vaurien, dit Thady d'une voix songeuse. Il est capable de se couvrir de honte. Il peut boire sa propre urine.

– Vraiment ?

– Oh oui, c'est une canaille. »

Catherine ajouta de la tourbe dans le feu. Thady haussa ses sourcils noirs et tira un bout de langue. « Allez-y, que ça ronfle », dit-il, et il s'empara de la bouteille. Il remplit leurs verres, puis sa tasse. « J'ai dépensé mes derniers sous, le peu que j'avais, à ça », poursuivit-il. Il but avec une série de mouvements désordonnés du visage et des mains, plissa les yeux, hésita, puis sourit et enfin, secouant la tête, fit claquer ses lèvres.

Le silence revint. Le vent changea.

« C'est vous qui aviez attaché la chèvre à la porte, dit Catherine.

– Oui, reconnut Jack.

– Pourquoi ?

– C'est la tournure d'esprit des gens du Leitrim, mam'zelle, dit Thady. Ils ont de l'érudition dans le Leitrim.

– Eh bien, voilà qui promet », dit Catherine.

« On fait juste que passer le temps, *tá*, dit Thady.

– J'ai souvent l'impression de ne chercher qu'à me faire plaisir », déclara Catherine, réfléchissant à voix haute. Elle tendit son verre. « Et j'ai souvent l'impression que ça ne me gênerait pas de ne plus voir personne.

– Vous ne devriez pas dire ça, répliqua Jack.

– Une femme peut dire ces choses-là », affirma Thady. Il servit Catherine. « Vous m'excuserez, faut que j'aille aux toilettes. »

Il glissa ses pieds nus dans ses chaussures, enfila un imperméable et, perché comme un héron sur le pas de la porte, regarda un instant la mer avant de sortir avec un clin d'œil appuyé.

« Tout cela est très civilisé, dit Catherine.

– Je suis content de vous voir, dit Jack.

– Cette mixture, dit-elle, regardant son verre, est une pure merveille. »

Thady rentra et se posta de nouveau à côté de son lit. Une lueur amusée dans le regard, il agita les coudes, leva les talons, haussa ses sourcils de bouc, puis fit mine de cravacher. Et enfin, roulant les épaules comme les roues d'un chariot d'autrefois, il grimpa dans son lit. Catherine alla à la fenêtre. Elle posa son verre sur le rebord, s'assit sur le lit de Jack et regarda dehors.

« Les îles, dit Jack, changent tous les jours de place. »

Catherine scruta la mer immense parcourue d'ombres. Des hommes en cirés déchirés aux cuisses et à l'entrejambe se tenaient sur une table de roc contre laquelle les vagues se fracassaient avec un grondement terrifiant. Son corps obscurcissait la pièce. Silencieusement, sur la droite, sur la plage, l'eau écumeuse léchait le sable puis se retirait. Elle regarda longtemps et finit par dire : « J'ai l'impression que les îles s'en vont. »

Jack se pencha par-dessus son épaule.

Il était évident que des choses invisibles devenaient visibles. Les galets de la plage semblaient à portée de main. Des maisons apparurent soudain. Le ciel était venteux et bleu, la terre, blanche.

« Vous avez raison », dit Jack.

Le chien aboya.

« Ça doit être Josie, cette fois », dit Jack.

Catherine se leva et dut se tenir au mur.

« Je crois que je vais partir, dit-elle.

— Attendez ! s'écria Jack. Je vous accompagne. » Il repoussa ses couvertures.

« Non, dit-elle, têtue. L'air frais me fera du bien.

— Si vous voulez venir pêcher avec nous, proposa Thady, demain matin, six heures, ça vous irait ?

— C'est une heure impossible.

— Il faut profiter de la marée, expliqua Jack.

— À demain, mam'zelle », lui cria Thady.

Débouchant dans la cour, elle sentit la tête lui tourner. Une petite femme venait vers elle dans le chemin, parlant toute seule. Le chien courait de l'une à l'autre. L'inconnue avait un visage beurre frais et des sourcils gingembre, de grosses lèvres et un pas rapide. Elle s'excusait à propos de quelque incartade.

Puis, apercevant Catherine, elle dit : « Je vous demande pardon.

— Bonjour, fit Catherine.

— D'où tenez-vous ces beaux yeux ? Et ces beaux cheveux ? interrogea Josie. Il y a des gens bénis de Dieu. » Après quoi, étudiant Catherine plus attentivement, elle reprit : « Vous avez tâté de la bouteille.

— Je le crains.

— Ça ira, ma chérie ?

— Oui, répondit Catherine, rougissant parce qu'elle se sentait si grande.

— Je suis certaine que vous tenez l'alcool aussi bien qu'un homme », dit Josie avant de poursuivre son chemin.

La lune, pareille à un melon évidé, brillait, bientôt pleine. Perplexe, le souffle court, ivre, Catherine se mit à courir. Elle s'arrêta sur la route blanche qui miroitait. Le soir tombait et la brume qui s'élevait de la mer écumante gagnait l'intérieur des terres. Elle marcha au milieu des nappes de brouillard. Les oiseaux s'étaient rassemblés, couchés à gauche de la jetée, à l'abri du vent. Elle s'imaginait le contact de la tendre poitrine des mouettes sur le sable mouillé. Elle sentait son imperméable, ses lèvres froides, son désir, ses joues et la chaleur de ses aisselles.

Elle porta la main à ses yeux. Ses cils étaient trempés.

Les oiseaux s'envolèrent à son approche pour se poser un peu plus loin, et elle se retrouva tout à coup noyée dans le brouillard humide, ne voyant plus ni devant ni derrière elle.

21

En mer

À environ un mille de la côte, Catherine commença à se sentir malade. Elle passa à l'arrière dans l'espoir que l'air de la mer lui ferait du bien, mais son état empira. Tandis que le bateau plongeait derrière Inishglora, l'horizon se mit à danser devant ses yeux. Une sueur froide coulait le long de son dos. Les planches s'affaissaient sous ses pieds. Elle redescendit dans la cabine où les hommes étaient allongés sur les couchettes.

« Ça va ? demanda Jack.

— Si vous tenez à le savoir, répondit Catherine, non, ça ne va pas du tout.

— C'est pareil pour nous tous au début.

— Voilà qui me rassure. »

Les hommes fumaient dans l'étroite cabine. Jack la présenta à Hugh. « C'est notre cuisinier à bord, dit-il.

— Que Dieu nous bénisse, dit Thady. Des oignons frits dans la graisse.

— Je préférerais que vous évitiez de parler de nourriture, dit Catherine.

— Je vois ce que vous voulez dire, fit Hugh. J'ai souvent la même réaction quand je dois faire frire un steak haché.

— S'il vous plaît », supplia-t-elle.

Les hommes burent du thé et de la limonade, plaisantèrent, dormirent, se réveillant l'espace de quelques secondes au bruit des vagues qui battaient la coque un peu plus fort qu'auparavant. Elle s'assit sur un banc, la tête entre les mains. Les machines gémissaient sèchement, les pistons tremblaient, puis le bruit décroissait, se transformant en un long sanglot à donner le frisson.

« Vous devriez vous étendre.

– Ce n'est pas ce que j'appellerais un voyage romantique », dit-elle.

Elle s'allongea tout au bord d'une couchette supérieure, enveloppée dans un duvet déchiré et une couverture en patchwork pleine d'écailles de poisson. L'odeur de gasoil imprégnait tout. À plusieurs reprises, comme le bateau plongeait, Jack faillit bondir pour la rattraper mais, chaque fois qu'elle était sur le point de basculer, Catherine parvenait à se raccrocher, et elle s'écriait : « Quel enfer ! »

« Vous ne faites que ça, rester couchés et dormir ? demanda-t-elle.

– Jusqu'à ce qu'on arrive, oui. »

Elle se tourna vers la cloison et, petit à petit, roula de nouveau vers le bord. Jack fumait et la surveillait.

Et puis le patron cria depuis le pont : « Jack ! Réveille les gars. On y est. »

Ils jetèrent la première bouée, la corde claqua et, dans une gerbe de pluie, le filet suivit. Catherine, une main agrippée à la rampe, regardait depuis la porte de la cabine. Les hommes se tenaient de part et d'autre du filet qui se déroulait, et Jack et Thady de chaque côté du treuil, tous munis de gants en plastique rouge, par crainte, ainsi que Thady l'expliqua, « de perdre un doigt ou deux dans la bagarre ». Quand le filet s'accrochait, ils s'empressaient de le tirer jusqu'à ce que les câbles prennent du mou.

Une fois qu'ils eurent largué les filets à saumons, Hugh prépara le petit déjeuner. L'odeur de foie faillit la rendre folle. Elle demeura sur le pont en attendant qu'ils aient fini. Ils repassèrent de l'autre côté de l'île et jetèrent leur premier filet à turbots. Lorsque Thady lança la bouée, Jack garda le lest en main jusqu'à ce que la corde se fût suffisamment déroulée.

« Lâche ! » hurla Thady.

À peine l'avait-il fait que la corde filait avec une force et une vitesse capables d'entraîner un homme par-dessus bord. Il s'écarta d'un bond cependant que le filet se déroulait à toute allure. Les deux hommes le regardèrent filer entre leurs doigts, et on arriva de nouveau à la corde et au deuxième lest que Jack garda jusqu'au dernier moment afin de redresser la course du filet. La corde jaillit de l'eau dans une gerbe d'écume. Il plaqua le lest contre la proue et le maintint le plus longtemps possible avant que la corde tendue ne le lui arrache.

« Lâche, nom de Dieu ! » hurla Thady.

Il la lança à la mer.

« Un de ces jours, tu vas partir avec », dit Hugh.

La dernière bouée, surmontée de son drapeau noir qui claquait dans le vent, passa enfin par-dessus bord, destinée à marquer l'emplacement. Le bateau repartit. Ils s'éloignèrent et contournèrent de nouveau Inishglora pour remonter les filets à turbots déposés la veille sur le fond de l'océan. Debout sur le pont qui roulait et tanguait, silencieux, ils tâchaient de repérer les bouées.

« Ça ne finit jamais », dit Hugh à Catherine.

Elle descendit dans la cabine, mais n'arriva pas à dormir. Elle retourna à l'arrière et, au spectacle de tout ce bleu qui se soulevait autour d'elle, elle se sentit dans un état encore plus lamentable. Chaque vague lui donnait des haut-le-cœur. Elle s'apercevait avec horreur qu'à bord d'un bateau en mer, on éprouvait une sensation d'enfermement pire que dans un souterrain. Un espace infini s'étendait à perte de vue, alors qu'on traversait le pont en quatre enjambées. Les couchettes étaient logées dans une cabine qui mesurait à peine quelques mètres de large. À tribord, elle respirait les vapeurs de gasoil. En bas, elle avait des nausées chaque fois que le bateau plongeait.

Le chalutier tourna autour de la bouée. Une brume épaisse descendait. On ramena le filet que Thady débarrassait au fur et à mesure des poissons. Derrière lui, les autres hommes le disposaient en deux tas après avoir enlevé les algues et les galets pris dans ses mailles par ailleurs couvertes d'une extraordinaire végétation. Une puanteur verte issue des profondeurs de l'océan se répandait à bord. D'étranges crustacés rampaient sur le pont. Des fleurs huileuses tombaient du filet. Jack tenait le câble à tribord, Hugh à bâbord. À leurs pieds s'entassait le filet dégoulinant d'une eau visqueuse.

L'opération sembla durer des heures. Les turbots, aplatis par le poids de milliers de brasses d'eau de mer, étaient jetés dans des caisses. La brume devenait de plus en plus dense. Des mouettes survolaient le bateau silencieux. Les vagues clapotaient contre la coque. On aurait dit qu'ils avaient perdu tout contact avec l'humanité. Et puis, telle une voix venue de l'enfer, un message jaillit de la radio au milieu des parasites. Le silence revenu parut assourdissant. Le patron, broyant du noir, se pencha par la vitre pour essayer de voir où ils étaient. Il vira à bâbord et ils poursuivirent lentement leur route dans le halètement du moteur. À travers une trouée dans le brouillard, ils distinguaient parfois une bouée qui disparaissait aussitôt, enveloppée par une nouvelle nappe. La brume humide s'accrochait au bateau en grosses boules ouatées. Catherine monta à l'avant et s'efforça de contenir la bile qui lui brûlait la gorge.

Elle percevait les voix enjouées des pêcheurs, comme si elles provenaient d'une autre dimension. Leur côté familier leur conférait une tonalité discordante, et qu'elles puissent s'exprimer normalement au sein de cet univers fantomatique ne manquait pas de l'inquiéter.

« Aucun signe de la bouée ? » demanda Hugh.

Tout en continuant à ramener le filet, Jack jeta un coup d'œil à tribord.

« Aucun signe ? répéta Hugh.

— Non, rien.

– Tu pourrais m'aider », se plaignit Hugh.

Ils continuèrent à tirer, tirer.

« Toujours rien ? » interrogea de nouveau Hugh.

Jack ne répondit pas.

« Tu m'as entendu ?

– Oui, je t'ai entendu, hurla Jack.

– Putain, pas besoin de te mettre en rogne.

– Putain, arrête de tirer si fort. »

Leurs bras décrivaient de petits cercles rapides cependant qu'ils lançaient les mains en avant pour agripper le filet trempé. Le treuil grinçait. Une éternité s'écoulait. Ils basculaient en avant, en arrière, selon les mouvements du bateau. Le tas de filets leur arrivait à présent à la taille.

« On devrait l'apercevoir maintenant.

– Rien.

– Essaie encore, s'il te plaît. »

Jack s'interrompit un instant pour reprendre sa respiration. Il se redressa, jeta un coup d'œil vers Catherine, puis scruta la mer. Le treuil continuait à tourner, le filet à remonter. Un oiseau cria au-dessus de leurs têtes. Ils étaient seuls au milieu d'une éclaircie. Il fouilla l'océan du regard.

« Je ne vois pas de drapeau de l'Irlande unie, dit Jack.

– Quel con tu fais », répliqua Hugh.

Peu après, ils amenèrent enfin sur le pont les derniers mètres de filet. La corde fouetta la surface de l'eau dans une pluie de gouttelettes. La bouée apparut. Aussitôt, les hommes s'installèrent sur les filets et, têtes baissées, allumèrent une cigarette. Le patron mit la bouilloire à chauffer, puis vint inspecter les caisses de poissons. « Pas mal », dit-il. Il mit en route et le bateau fila sur la mer agitée en direction des zones à saumons.

Catherine vomit tripes et boyaux par-dessus le bastingage. Et lorsque les vagues se creusèrent, ils l'attachèrent pour qu'elle ne

313

risque pas de tomber à la mer. Autour d'elle, les hommes commençaient à vider les poissons. Des raies s'échappait un liquide vert
dont l'odeur forte d'humidité rappelait celle du purin.

« Combien de temps encore ? demanda-t-elle avec désespoir.

— Je vous avais prévenue, dit Jack. Une fois partis, on ne peut
plus rentrer.

— C'est le plus horrible jour de ma vie, murmura-t-elle.

— Je vous avais prévenue.

— Cessez de répéter ça, se plaignit Catherine. Je voudrais
mourir.

— Quittez pas l'horizon des yeux, mam'zelle, lui conseilla
Thady. Votre cerveau reçoit le mauvais signal, voyez-vous. Il
s'imagine, votre pauvre petit cerveau, que vous avez mangé
quelque chose de mauvais. Vous et moi, on sait que c'est pas vrai.
Mais votre cerveau, lui, il le sait pas. Il croit que vous êtes malade.
Mais vous êtes pas malade.

— Si, je suis malade.

— Non, vous l'êtes pas, insista Thady. Votre cerveau fait que
l'imaginer. Faut en discuter avec lui. Regardez l'horizon. Le quittez
pas de l'œil. Voilà, c'est ça, très bien, ma fille !

— Oh, mon Dieu. »

Catherine regarda donc l'horizon. Pendant que les hommes
travaillaient au milieu des caisses dans lesquelles les poissons
frétillaient encore, elle se tenait à la corde attachée à un espar
métallique sur le pont avant et fixait l'horizon.

Ils débarquèrent Catherine et leur pêche à Blacksod. Jack l'accompagna sur le quai. Trempée, livide, elle tremblait de tous ses
membres. Elle portait le ciré jaune de Jack et les vieux gants en
laine de Thady.

« Excusez-moi si je vous ai fait honte.

— Tenez, dit-il en lui tendant un sac en plastique rempli de
poissons.

— Qu'est-ce que c'est ?

— Des lottes ou, comme on les appelle ici, des poissons-moines.

— Regardez, dit-elle. Ces petites mains potelées jointes sur leurs poitrines tremblotantes. Pour prier, je suppose.

— D'où leur nom. »

Elle le considéra un instant.

« Bon, je dois y aller maintenant, dit-il.

— Tout de suite ?

— Les saumons n'attendent pas.

— Vous voulez dire que vous allez rester la nuit entière là-bas ?

— Oui. Si le temps se maintient. Et peut-être demain aussi. »

Elle lâcha le sac de poissons et prit ses deux mains dans les siennes.

« Venez me voir quand vous serez de retour.

— Je viendrai. »

Elle l'embrassa.

« Je dois sentir drôlement mauvais, dit-elle.

— Pas du tout.

— Mon Dieu, reprit Catherine, l'embrassant de nouveau. Je savais que ça finirait comme ça. »

Il retourna vers le bout de la jetée, lui fit au revoir de la main et largua la dernière amarre. Lorsqu'il sauta à bord, le bateau s'éloignait déjà du quai.

De son lit, elle entendit marcher sur le gravier. Elle attendit, mais personne ne frappa. Elle se dit qu'elle se berçait d'illusions. Les graviers crissèrent de nouveau et, tout en sachant que c'était absurde, elle continua à tendre l'oreille.

Chaque fois que les bourrasques ébranlaient le portail, son cœur cognait dans sa poitrine. Quand le vent faisait rouler une boîte de conserve sur la route, elle guettait le silence qui allait suivre et lui apporter le bruit de ses pas.

Elle se représentait le mur qui entourait le jardin derrière la maison de Thady. La tourbe dans l'appentis. Les vieilles bouteilles vertes de Guinness. Les bites d'âne couvertes de verrues et les dents d'âne sur le faîte du muret. Un coup de vent soudain ouvrait toutes les portes de la maison. Elle se levait d'un bond et se précipitait en bas.

Il n'y avait personne.

Elle s'endormit au son de la pluie qui tambourinait sur les cabanons en tôle. C'était la première fois qu'elle se retrouvait seule à Corrloch, et elle était mal à l'aise. Le fracas des vagues qui se brisaient sur la grève lui parvenait, évoquant des camions qui grimpent la colline avec un sourd gémissement. Elle rêva que sa mère entrait dans la chambre toute en longueur et s'asseyait au bord d'un lit minuscule – loin, très loin de Catherine. Extérieurement, sa mère ne ressemblait pas à sa vraie mère, mais intérieurement, elle n'avait pas changé. Sa mère prenait une soucoupe, inclinait la tête et posait la joue sur le fond de la petite assiette. À cet instant, Catherine éprouva le désir ardent d'être serrée dans des bras. Elle connut alors une telle sensation de volupté que cela la réveilla.

La pluie ruisselait sur l'appui de la fenêtre.

Elle dégoulinait des gouttières et emplissait le tonneau placé sur le côté. La porte de la maison d'en face était ouverte, la fumée s'échappait en tourbillons vers le sud-ouest et Joe Love était assis sur le seuil, les mains sur les genoux, un pied rêveur. Des poulets picoraient devant lui au milieu des graviers. Sa maison parut tout à coup se soulever de quelques centimètres, comme si la pesanteur relâchait lentement son étreinte. Entre les murs et le sol, il y avait désormais un espace de deux ou trois centimètres. De même que sous les deux pieds de sa chaise inclinée en arrière. Seuls les poulets demeuraient attachés à la terre. Catherine alla péniblement se recoucher. Elle se disait : De quoi ai-je rêvé pour être dans cet état ?

Plus tard, elle vit une grive à la poitrine toute tachetée qui faisait son marché dans le jardin de devant. Une fille en pantalon bleu vif qui balançait un sac à bout de bras s'avança sur la route gravillonnée. Catherine la regarda, elle regarda Catherine, et elles fusionnèrent un instant. Ça fait deux jours, se dit-elle. Il va venir. Mais les jours s'éternisaient, trois jours, puis quatre jours, et Jack Ferris ne venait pas.

Il va me détruire, songeait-elle.

Elle envisagea de prendre le prochain car au départ de la presqu'île, de regagner Belfast. Elle ne bougea cependant pas. La maison devenait de plus en plus bizarre. Catherine s'asseyait dos à la fenêtre qui donnait sur la route. L'estomac noué. Ainsi, elle entendrait approcher, mais il ne fallait pas qu'elle se retourne. En pensées, elle pressait les visiteurs, quels qu'ils soient, de venir frapper à la porte. Il y avait ce merveilleux moment d'indécision devant le portail. La personne qui s'arrêtait. Non, elle ne devait pas se retourner de crainte d'avoir à s'avouer sa détresse. Elle la suppliait d'avancer. C'était dangereux. Son cœur battait la chamade. Les pas repartaient. Alors seulement elle se retournait pour constater qu'il s'agissait d'un autre, et tout recommençait.

Je ne tarderais pas autant si quelqu'un m'attendait, se disait-elle.

L'attente sembla se prolonger indéfiniment. Et quand quelqu'un s'arrêta et que le portail s'ouvrit un soir vers six heures, Catherine avait déjà entendu passer cinq personnes, les pas repartir. Elle s'abîmait dans le désespoir. Je l'ai perdu. Quand Jack frappa à la porte, elle crut à un tour de son imagination. Elle était au-delà des contacts humains. Ils appartenaient au passé, et c'était irréconciliable. Quand on frappa de nouveau, elle se leva et il lui fallut compter ses pas jusqu'à la porte. Le sang sourdait du dos de ses mains. Et même quand elle ouvrit, son visage familier lui fit l'effet d'une hallucination. Tout comme elle ne sut pas à qui il parlait lorsque, plongé dans la pénombre, il la regarda et dit : « Bonsoir, Catherine. »

317

Saisie de vertige, elle le fit entrer mais, chose curieuse, elle hésita un moment avant de refermer la porte, comme si elle attendait quelqu'un d'autre, comme s'il avait amené quelqu'un d'autre avec lui.

La saison des saumons terminée, il l'emmena chez lui à Kilty. Dans un grand sac en plastique, il y avait deux gros saumons, un cadeau pour ses parents. Ils firent du stop pendant des heures, depuis les tourbières dénudées de l'ouest du Mayo jusqu'aux petits champs détrempés du nord du Leitrim. Ils affrontèrent une tempête sur la longue table d'harmonie sous le Ben Bulben. S'abritèrent de la pluie sous un bouleau au bord de la route entre Buckode et Rossinver. L'odeur du fourrage ensilé se répandait à travers les buissons.

« Je suis sûre que tes parents vont me rejeter, dit-elle.

— Pas du tout, dit Jack. En fait, ils sont séparés, encore qu'ils ne le reconnaîtraient jamais. Mon père dort dans son cabinet de consultation situé en face, mais dîne tous les soirs à la maison.

— C'est un arrangement entre personnes civilisées. »

Quand ils arrivèrent au village de Jack, Catherine était trop nerveuse pour se rendre directement chez les Ferris, aussi ils entrèrent dans un pub boire un whiskey chaud. Trempés, échevelés, ils s'installèrent à l'épicerie-buvette au milieu des boîtes de biscuits colorées, du pain sous cellophane, des bouteilles de vin Bull's Blood, des sacs postaux, des bêches et des sacs d'engrais. Des filles en manteaux de tweed et en robes fendues à mi-cuisses, moutarde ou jaune clair, entraient dans la salle sombre. Toutes saluaient Jack au passage.

« Je ne te savais pas si populaire, dit Catherine.

— Ce n'est qu'un hameau, ici.

— Je croyais que tu étais quelqu'un de timide.

— Oh, mais je le suis », dit-il en riant.

Un petit homme, les traits ingrats, les yeux fous, la démarche mal assurée, accueillit Jack d'un solide coup de poing sur l'épaule.

« Te voilà donc de retour, mon gars, dit-il, détaillant Catherine sans vergogne.

— Voici Catherine, dit Jack, la présentant à la femme derrière le comptoir.

— Enchantée, dit celle-ci, lâchant la main de Catherine. Je vous ai déjà vue, non ?

— Pas à ma connaissance.

— Je dois vous confondre avec quelqu'un d'autre, alors, dit sournoisement la femme.

— Nous avons des saumons dans un sac pour le docteur, déclara Jack de manière incongrue.

— Tu as toujours été un garçon plein d'attentions, dit la femme, qui ajouta avec un sourire salace : Et pour qui les filles avaient plein d'attentions.

— Je vois, fit Catherine d'un ton glacial.

— Tu vas lui donner une fausse image de moi, Mary.

— Il n'aime pas qu'on le lui rappelle, mais il a toujours été un homme à femmes.

— Ah bon ?

— Oui, intervint le petit homme. Et j'ai pas assez de cervelle pour être jaloux.

— Bien envoyé, dit Jack en riant.

— Et quand je pense que j'ai été assez bête, murmura Catherine, pour croire que tu étais l'innocence même.

— Tu as commis une grave erreur.

— Avec combien de ces femmes tu as couché ?

— Quelques-unes.

— C'est répugnant. Et elles parlent toujours comme ça ?

— Oui.

— Eh bien, je ne trouve pas ça drôle. C'est plus sordide que drôle.

— Vous savez, on a tout intérêt à éviter les tribunaux, reprit le petit homme. Si on le peut. C'est des salauds. Moi, j'ai dû aller au tribunal avec un de mes voisins pour une histoire de droit de passage. » Il prit une salière et la posa au milieu du comptoir. « Là, mettons que c'est chez moi. » Il déplaça un cendrier. « Là, c'est le champ. » Une bouteille de stout figura la maison du voisin, et un verre vide, celle de l'Allemand. Il jeta un penny sur le bar, puis le fit glisser. « Et ça, c'est le droit de passage. Bon. » Il étudia les forces en présence. But une longue rasade de bière brune. « Je réclamais le droit de passage pour descendre là, expliqua-t-il en levant la bouteille de stout. Comme il avait toujours existé avant que certains viennent fourrer leur nez là-dedans.

— Excusez-moi, dit Catherine. C'est la maison du voisin que vous avez prise.

— Oh ! » Il examina attentivement le comptoir, posa une main incertaine sur la salière et interrogea Catherine du regard. Elle fit signe que non. « Enfer et damnation ! » s'écria-t-il. Il but une nouvelle gorgée. Souleva le cendrier. « C'est ça, alors ?

— Non, répondit Catherine. Il me semble bien que c'est le champ.

— Nom de Dieu ! Où est-ce que t'as dégotté cette fille ? »

Les bras croisés, il considéra les positions.

« Alors, c'est le penny, non ? » demanda-t-il avec hésitation.

En traversant la rue, Catherine aperçut la mère de Jack derrière la fenêtre dépourvue de rideaux. Elle ne regardait pas dans leur direction et se tenait droite, les bras croisés sous sa lourde poitrine. Quand ils entrèrent, ils entendirent la radio. Des photos de musiciens couvraient les murs. Il y avait un piano à gauche de la pièce, à côté d'un buffet encombré de trophées bizarres. Ils montèrent un petit escalier et débouchèrent dans la salle à manger, dont l'un des murs était orné de médailles, d'autres trophées et de diplômes bordés de franges vertes. La femme continua à regarder par la fenêtre.

« Maman, dit Jack, je te présente Catherine. »

Sa mère se retourna.

« Je vous ai vus entrer dans le pub d'en face il y a des heures, et je me suis dit que je ne vous reverrais pas de la journée. »

Elle serra la main de Catherine, puis baissa la radio. C'était une grande et forte femme qui portait un chapeau accroché comme un poing à l'arrière de son crâne. Elle avait des jambes blanches et lisses. Elle garda un instant la main de Catherine dans les siennes et la pressa entre ses seins. Elle retint l'image de la jeune femme dans ses yeux marron aux reflets mats.

« Vous avez une très belle peau, conclut-elle. Je me souviens du temps où j'étais comme vous. » Elle lâcha la main de Catherine avec un soupir. « Vous désirez boire quelque chose ? »

Jack versa du whiskey dans les verres. Son père apparut au fond de la pièce, suivi par un chien. Le docteur Ferris avait les cheveux soigneusement coiffés à la manière d'un prêtre et un menton grisé de barbe qui remuait tout le temps cependant qu'il ruminait ses pensées. Ses yeux bleus, vifs comme ceux d'une alouette, enregistraient tout ce qui se passait de part et d'autre de Catherine. « C'est un vrai plaisir », dit-il.

« Catherine. » Tenant toujours la main de la jeune femme, il examina un instant Jack. Puis, se tournant de nouveau vers elle, il reprit : « Voici donc Catherine. Vous admiriez notre petite exposition ?

— Je m'interrogeais simplement.

— Vous n'êtes pas musicienne ?

— Enfant, je jouais de la trompette.

— Je fais moi-même partie de l'association des Comhaltas, expliqua-t-il en tapotant l'un des diplômes accrochés au mur. J'y étais dès sa fondation. Et ceux-là — il désigna les trophées —, ils sont à ce garçon.

— Ah bon ? fit-elle, s'approchant pour déchiffrer ce qui était inscrit sur les parchemins.

— Je suis étonné que Jack ne vous ait pas raconté qu'il avait été autrefois un véritable danseur de step-dance irlandais.

321

— Non, il ne m'en a jamais parlé, dit-elle, les yeux agrandis de surprise.

— Maintenant, vous savez. » Il se tourna vers son fils. « Oh, pour danser, il dansait, ce garçon. Quand il avait six ans, on allait ensemble à tous les *fleadh* du pays.

— Oui, toujours sur la route, ces deux-là, confirma sa femme.

— Listowel, Mullingar, Wexford, on n'en manquait aucun.

— On y dansait du matin au soir, dit Mrs. Ferris.

— Nous étions partout. Je jouais et il dansait.

— Oui, c'était comme ça.

— Et puis il s'est mis à écrire, et finie la danse.

— Et la médecine, aussi », dit sa mère.

Le docteur Ferris s'assit. Imité par Jack et Catherine. Elle eut vaguement conscience de la présence du colley qui tournoyait à ses pieds. Il enfouit son museau dans le tapis et roula sur le dos pour lui offrir son ventre. « Toi, je te connais, dit-elle.

— Oui, dit Jack. C'est Daisy. »

Catherine se sentit soudain embarrassée à l'idée que la seule personne de la pièce à qui elle pût parler était le chien. Elle le caressa. Il posa sa truffe humide sur sa chaussure.

« Il y avait du monde chez Leyden ?

— Oui, pas mal, répondit Jack.

— Ce garçon vous a-t-il dit qu'il avait été le play-boy du coin ? demanda Ma Ferris.

— Oui, répondit Catherine, maîtrisant son irritation.

— Il a laissé tomber les autres, reprit la mère de Jack. Et il vous laissera tomber à votre tour.

— Tu ne devrais pas dire des choses pareilles à cette jeune fille ! intervint le docteur.

— Il n'écoutait personne, continua Mrs. Ferris. S'il avait terminé sa médecine, il n'aurait eu que la rue à traverser pour exercer. Mais non ! Tout ça à cause de Galway. Et maintenant, ce coin perdu de Mullet. La pêche ! Seigneur Dieu ! À quoi tout cela rime ?

— J'ai vu les saumons dans le frigo, dit le docteur, cherchant à calmer sa femme.

— Quelle vie épouvantable, n'est-ce pas, ma fille ? » Ma Ferris pressa les paumes sur ses cuisses dissimulées sous une ample robe à fleurs et secoua la tête avec tristesse.

Catherine était comme un grand enfant effrayé.

« Comment va Thady ? demanda le docteur Ferris.

— Bien.

— Encore un cas désespéré, dit Mrs. Ferris. Mon frère avait pourtant tout pour réussir.

— Nous avons vécu des choses terribles dans le temps, déclara le père de Jack. Il y a une question à laquelle on n'a jamais répondu : pourquoi les gens près de la côte sont-ils morts de faim au cours de la Grande Famine alors qu'ils n'étaient qu'à un jet de pierre de la mer ?

— Je n'y avais jamais pensé.

— Eh bien, c'est simple. On ne peut pas pêcher en hiver, à savoir six mois par an. Et sans bateau, vous pouvez toujours courir. Et justement, ils n'avaient pas de bateau. Voilà, vous avez la réponse.

— Vous, vous n'étiez pas sous-alimentés, dit Jack. Et c'est pour cette raison que vous êtes comme ça aujourd'hui. L'équilibre a été rompu.

— Trop de pain blanc, ajouta Ma Ferris. Voilà ce qui ne va pas en Irlande.

— Oui, trop de pain blanc, acquiesça Jack, et le chien aura des convulsions.

— Nous sommes tous touchés, déclara le médecin. Vous savez quelle est la catégorie que les compagnies d'assurances vie en Angleterre considèrent comme présentant le plus de risques ? » demanda-t-il à Catherine.

Elle répondit aussitôt : « Les hommes de la RUC.

— Non, les dentistes. Et vous savez pourquoi ? Eh bien, parce qu'ils ne cessent de se suicider. Car, voyez-vous, passer sa vie à regarder dans la bouche des gens, ça finit par rendre fou.

— Et puis, il y a le gaz hilarant, ajouta sa femme.

— Exactement. Le médecin, par contre, ne subit pas un tel stress.

— Voyez comme notre petit tyran est capable de se dénigrer quand il veut, murmura Ma Ferris.

— L'argent fait-il le bonheur ? Je me le demande souvent, dit le docteur, venant s'asseoir à côté de Catherine. Qu'en pensez-vous, ma fille ?

— Si tu arrêtais un peu d'assommer cette pauvre enfant avec tes questions, dit Ma Ferris. Et si tu allais te mettre au piano ? »

Ils descendirent l'escalier, suivis par le chien. Le docteur enfila une veste verte avec l'écusson des Comhaltas brodé au-dessus de la poche de poitrine, puis s'installa au piano, leur tournant le dos. Aussitôt, il adopta une nouvelle personnalité et plaqua un accord. Daisy se réfugia sous le canapé. Le docteur plaqua un deuxième accord, regarda par-dessus son épaule et hocha la tête. Les deux femmes ne quittaient pas des yeux Jack qui, les bras raides et tendus le long du corps, se tenait au centre de la petite pièce. Son père entama le morceau. Jack se dressa sur la pointe des pieds.

Elle suspendit ses vêtements dans ce qui avait été la chambre d'enfant de Jack et qui jouxtait la salle à manger. Il parlait avec sa mère après que le père avait traversé la rue pour regagner son cabinet. Catherine regarda les photos de lui à sa première communion, à sa confirmation, ainsi que dans les bras de quelques jeunes femmes. D'autres encore le montraient en train de danser en kilt et gilet à carreaux. Tard dans la soirée, il vint la rejoindre.

« Assieds-toi à côté de moi », dit-elle gentiment. Il s'assit au bord du lit. Elle lui caressa l'épaule. « On m'a mise en garde contre les hommes comme toi. » Elle lui prit la tête entre les mains. « Et moi qui m'imaginais que j'avais une famille bizarre. »

Il éclata de rire.

« Tu les aimes bien ?

— Oui, et en même temps, ils me font peur. Tout ça est nouveau pour moi, il faut que tu le comprennes. » Elle marqua une hésitation. « Et ta mère peut se montrer très sévère.

— Je l'ai déçue.

— Elle n'a pas tort.

— Tu veux venir te promener avec moi dans le village ?

— Attends une minute que je te serre dans mes bras. J'ai faim d'un baiser. » Elle l'embrassa tendrement. Délicatement. « Tu viendras vivre avec moi ?

— À Belfast ?

— Oui.

— Pourquoi pas, dit-il.

— Ta chambre me plaît beaucoup. Je suppose que tu t'y livrais à de nombreux et vigoureux exercices à l'époque.

— Si tu commences à parler comme ça, répliqua-t-il en riant, ça risque de te perturber.

— Je fantasmais sur Humperdinck quand j'étais adolescente.

— Je ne te crois pas.

— Si, et sur les lutteurs. Plus ils étaient forts, plus j'aimais.

— C'est honteux.

— J'ai toujours adoré les grands costauds. » Elle lui souffla doucement dans l'oreille. « Je me sens anxieuse quand je t'imagine jeune garçon en train de dormir ici.

— Baisse un peu la voix », dit Jack.

Elle lui embrassa l'oreille. « Ainsi, tu étais danseur. » Elle prit un ton espiègle. « Et tu as des jambes superbes. Tu ne veux pas danser nu devant moi ?

— Chut, Catherine.

— Allez ! Tu es formidable quand tu danses.

— Elle va t'entendre. Elle va t'entendre rire.

— Allez ! Jack ! Rien que pour moi. Enlève ton pantalon et danse !

– Chut !

– Je veux voir tout ça se balancer.

– Ca-the-ri-ne ! »

La terre fumait. Elle sortit chercher ses vêtements suspendus à la corde à linge. Une nappe de brouillard venue de la mer enveloppait Corrloch. Elle lui tendait les vêtements à mesure qu'elle les décrochait. Il constata qu'ils étaient presque tous noirs. Collants noirs, slips noirs, jupes noires. Corsages noirs, châles noirs, T-shirts noirs. Rien que du noir.

« Et j'avais le cœur noir, dit-elle. Jusqu'à ce que je te rencontre. »

Et puis, à travers le brouillard, une bande de lièvres apparut qui sautaient dans le jardin.

« Jack, souffla-t-elle.

– Je les vois », dit-il à voix basse.

Les lièvres s'arrêtèrent un long moment pour contempler le couple, prêts à s'enfuir. Ils étaient bruns, parcheminés, les yeux de miel. Ils commencèrent à s'éloigner, oscillant de l'arrière-train, puis ils s'assirent pour écouter. Ils coururent deux ou trois mètres, s'arrêtèrent de nouveau, s'assirent. Ils avaient l'œil malin et sauvage. Le poil triste et abîmé. Ils disparurent en quelques bonds.

22

Dans le tunnel de Downhill

J'ai trouvé une maison de deux étages en briques rouges avec un jardinet. C'est dans la banlieue est, près de Holywood Road. Il y a deux chambres avec cheminée et un salon avec une grande cheminée à carreaux bleus et une tablette au-dessus. Les murs sont peints d'un rose atroce, mais on pourra changer ça. Devant, il y a de jolies fenêtres à tout petits carreaux.

De la pièce qui te servira de bureau, on voit le Belfast Lough. Est-ce que je la loue ?

Je crois que je devrais. Je sais que tu viendras. J'ai terriblement envie de te voir. La seule chose qui m'inquiète, c'est que le quartier est strictement protestant. Mais personne ne saura que tu es là, tu seras en sécurité. Je te cacherai aux yeux de tous. Est-ce que nous pourrons être heureux ?

Je joue à Derry, au Guild Hall, dans deux semaines. C'est ma grande chance. Procure-toi le Derry Express. *Viens voir le spectacle le soir de la dernière. On pourra rentrer à Belfast ensemble. Je préparerai tout. Un endroit pour tes livres, un bureau. Tu seras content de savoir que j'ai repéré un magasin d'alcools en bas de la rue qui vend à peu près tout.*

Je me réveille parfois la nuit en pensant combien tu me manques. Et avec de sordides images de toi en compagnie d'autres femmes. Mes désirs charnels sont à la fois impérieux et ridicules.

L'été dernier, j'ai connu le bonheur. Je n'arrive pas encore à croire

que nous allons bientôt vivre ensemble. Nous serons fidèles l'un à
l'autre, car c'est ce qui compte le plus.
  Je t'aime,
  Catherine

« Vous attendez le car ? demanda un vieil homme, soulevant sa casquette.

— Oui, répondit Jack.

— Je suis tombé sur un mouton avec les yeux crevés, expliqua-t-il. Ce matin même.

— C'est peut-être un aigle royal, suggéra quelqu'un.

— Un aigle royal ? s'écria le vieil homme. Sacrebleu ! Ils viennent jusqu'ici ?

— À moins que ce soit un vison », suggéra l'autre.

Sur leur gauche, des membres des Frères chrétiens tapaient dans des balles de golf le long des dunes. Dans le ciel, on entendait le cri aigu et incessant d'une alouette. Sortant d'un *bed and breakfast,* un groupe de malades mentaux se déversa dans la rue, chaperonnés par deux infirmières qui, la veille, les avaient conduits en chanson dans un bar. Tous, à présent, baissaient la tête d'un air penaud. Ils s'engouffrèrent dans un minibus. De l'autre côté de la rue, les retraités et Jack montèrent dans le car de Ballina. L'un derrière l'autre, les deux véhicules traversèrent l'ouest du Mayo jusqu'au croisement près de la centrale électrique où ils se séparèrent.

Ils arrivèrent le soir à la gare routière de Derry et s'arrêtèrent en cahotant dans la partie réservée aux cars de Lough Swilly. Le chauffeur triait l'argent, les livres irlandaises d'un côté, les livres anglaises de l'autre, pendant que les rares passagers descendaient. Jack téléphona au Guild Hall pour apprendre qu'en fait la dernière de la pièce où jouait Catherine avait eu lieu la veille. Par quelque malheureux tour du destin il l'avait ratée. Il n'y avait pas de message pour lui. Il s'assit dans la salle d'attente et se demanda ce qu'il allait faire.

Il se rendit au pub le plus proche et appela Catherine à Belfast.

« Où es-tu ? fit-elle d'une voix excitée.

– À Derry.

– Qu'est-ce qui s'est passé ?

– Je ne sais pas. J'ai dû me mélanger dans les dates.

– Bon, écoute, prends un hôtel et arrive par le premier train. Je viendrai te chercher. Ah, et Jack… ?

– Oui ?

– Fais attention à toi.

– Promis.

– Je ne veux pas te perdre si tôt. »

Il retourna à son verre.

« Il y a un hôtel dans le coin ?

– Pas par ici, mon gars, répondit le barman.

– Vous connaissez un endroit où je pourrais dormir ?

– Y a des pensions. Et aussi le Blue Tit.

– Vous comprenez, j'ai un grand concert ce soir en ville, expliqua inutilement Jack.

– Vous êtes quoi, joueur de cornemuse ?

– Plus ou moins. Musicien classique.

– Classique ? » Le barman fit tourner un verre entre ses mains. « Vous jouez au cricket ?

– Non.

– Je n'ai jamais rencontré de musicien classique qui ne jouait pas au cricket. Le cricket est très important à Derry.

– Ah oui ?

– On a un tas de clients sérieux ici.

– Bon, eh bien, au revoir.

– Bonsoir. »

Le temps d'être gentiment ivre, et il avait fait un bond dans la hiérarchie, devenu documentaliste à la BBC. Rétrogradé à la modeste condition de musicien, il prit une chambre dans une pension, non loin de la gare, où toute la nuit il entendit des voix au rez-de-chaussée qui, s'imaginait-il, parlaient de lui.

J'aurais aimé avoir de la compagnie, songea Jack Ferris. Il se dirigea vers la gare. Tout le monde autour de lui avait l'air terriblement normal. La gueule de bois avait laissé un vide dans son esprit. Et l'âme humaine, emportée par les tourbillons, se cognait à ses parois. Une vague crampe nouait le mollet de sa jambe droite. Je boirais bien un verre, se dit-il. Il traversa à grands pas le pont qui enjambait la Foyle. Des rats détalèrent dans la boue en dessous. Un type au crâne rasé s'approcha, l'air d'un vieil homme, venant de Waterside. Un policier penché au-dessus du fleuve s'épongeait le front en soupirant. Une mouette hypertrophiée se posa sur une balustrade et considéra Jack d'un œil mauvais.

Une sueur froide lui dégoulinait le long des bras.

Je suis dans un état lamentable, pensa-t-il.

Il descendit les marches. Un vent glacial soufflait à hauteur de ses genoux. Devant lui, un homme tirait une valise, suivi d'une femme aux cheveux framboise et aux épaules fuselées comme un étourneau qui avançait par petits bonds. Il vit le train entrer dans la gare provisoire. Le bâtiment original en pierre de taille, qui avait été l'objet d'un attentat à la bombe, était désert. Derrière un grillage sur la chaussée, une pelle mécanique s'attaquait aux pavés dans un hurlement. Des éclats jaillissaient, pareils à de la grêle. Mon Dieu ! Il avait l'impression qu'on lui enfonçait un pieu dans le cœur. Sous ses pieds, le sol vibrait.

Il acheta son billet.

« Un aller simple ? demanda l'employé.

— Je suppose, répondit Jack.

— C'est vous, mon gars, qui prenez le train. » L'homme examina Jack. « C'est pas vous que j'ai rencontré hier soir et qui travaillez à la radio ?

– Si, répondit Jack, soulagé.

– Vous n'étiez pas mal, fiston », dit l'employé. Il rit et décrocha un billet.

Le train démarra, longeant le fleuve qui faisait un coude. Jack vit de la fumée s'élever des montagnes sur sa gauche. On brûlait quelque chose là-haut. Des hérons chassaient au bord du fleuve, un vol de canards sauvages explorait la lisière des marais. Un planeur l'accompagna un instant puis, sans bruit, vira et s'éloigna.

Jack était perdu dans ses pensées. Lorsqu'il sortit de sa rêverie, les voyageurs, la mer, lui-même, tout reprit sa place, prisonnier des strates de sa conscience. Il se rendit compte qu'un inconnu en costume gris observait chacun de ses mouvements d'un œil désapprobateur. C'était l'un de ces hommes aux cheveux blancs, aux joues rouges et aux yeux bleus qu'il avait croisés partout au nord. Il tourna la tête, mais l'homme continua à le dévisager. Jack se sentait de plus en plus nerveux sous ce regard scrutateur.

Il alluma une cigarette. Aussitôt, l'autre attaqua :

« C'est un wagon non-fumeurs.

– Mon Dieu ! » fit Jack.

Il éteignit sa cigarette, puis se leva et traîna son sac jusqu'à ce qu'il estime avoir mis une distance suffisante entre lui et l'inquiétant personnage au costume gris. Il transpirait à grosses gouttes. Dans le dernier wagon, il trouva un siège inoccupé dans le sens de la marche.

Sur un chariot à côté de lui, il y avait des mignonnettes de whiskey, de brandy et de gin. Des biscuits sous cellophane. Une fontaine à café qui chuchotait. Une grande pile de gobelets en plastique. Autour, les gens buvaient. Il commanda un café et parla à la femme assise en face de lui. Puis il commanda un whiskey qu'il versa dans le café. Il fit l'éloge du whiskey dans le café. Il fit l'éloge du whiskey. Et bien qu'il ne reçût que des réponses dépourvues de chaleur, il persista. Il enleva sa veste et, tandis que le chef de train actionnait le sifflet, le convoi s'engouffra dans le tunnel de Down-hill, roula en bringuebalant dans les ténèbres, déboucha dans un éclair de lumière et de mer mouvante, puis replongea sous terre.

Lorsqu'ils émergèrent à Castlerock, il commanda un autre whiskey.

« Il est pas mal quand il veut, dit la femme à son amie.

— J'ai parlé à Alice hier.

— Je supporterais pas la moitié de ce qu'elle supporte.

— Il a pris un sacré coup. »

Le wagon trembla.

« Tiens-toi bien.

— Ça ira.

— C'est magnifique, magnifique. Autour de Portstewart, c'est magnifique.

— Maintenant qu'il a terminé, il va tout claquer en Israël. »

Au-delà des rails, la mer ondoyait comme un disque plat. Un mouton paissait à genoux. À Coleraine monta un groupe de supporters de football et de professeurs d'université. Après Coleraine, des bovins broutaient, éparpillés parmi les dunes couvertes d'herbe vert foncé. Le train quitta la côte pour s'enfoncer dans l'intérieur des terres.

« Maintenant qu'il a terminé, dit la femme avec une note de fierté, il va simplement tout claquer en Israël. »

Le plancher vibrait sous les pieds de Jack. « C'est formidable », dit-il, imitant la voix de la femme. Sa vessie se relâcha soudain, et il tâtonna à la recherche de la chaîne qui n'existait pas. Il trouva la pédale. L'eau tourbillonna dans la cuvette. Se tenant à la paroi du wagon, il regagna sa place et s'assit. Levant la tête, il vit des yeux bleu acier rivés sur lui. Il eut un sourire contraint.

L'homme resta de marbre. Jack comprit soudain qu'il était soumis au même regard implacable qu'auparavant. Il avait repris le siège qu'il occupait au début du voyage dans le wagon non-fumeurs, en face de l'homme au costume gris.

Les lèvres de celui-ci se tordirent en une moue qui exprimait tout le mépris des abstinents.

Jack se leva.

« Mon Dieu, au secours », murmura-t-il. Profondément embarrassé, il remonta les wagons, mais fut incapable de retrouver sa place. Il essaya de se rappeler quelles étaient les personnes assises autour de lui, mais il avait un trou de mémoire. Il vit de nombreux sièges vides qui tous auraient pu être le sien. Il explora les deux derniers wagons, mais les visages avaient changé. Il n'en reconnaissait aucun. Puis il aperçut son sac et s'installa de nouveau en face des deux femmes. Dehors, défilaient maintenant de vastes champs de pommes de terre. Fasciné, il contempla les champs en fleur. Les fleurs blanches, les monticules de terre où nichaient les ronds tubercules. Qui seraient bientôt arrachés, alignés dans les sillons et emportés dans des sacs vers un marché quelconque. À Mullet, ils hibernaient sous la tourbe et l'humus. À Inisheer, ils restaient à découvert dans une resserre. À Cleggan, on les mettait sous le sable. Une fois cuits à l'eau, égouttés, versés dans un plat, débarrassés de leur peau encore fumante, un peu farineux, on pouvait enfin les manger.

Les fils électriques montaient et descendaient, stoppés soudain par un poteau, puis le mouvement de balancier recommençait. Ils s'élançaient pour saisir la barre du trapèze, décollaient, plongeaient, et à l'aiguillage suivant, au moment où Jack se laissait hypnotiser, les fils bifurquaient et disparaissaient.

Il est projeté loin dans le temps. Il se voit descendre du train. Chercher son billet. Qui est dans la petite poche de devant. À la sortie sur Botanic Avenue noire de monde, il essaie de repérer Catherine. Elle se tient à un peu à l'écart de la foule et guette sa réaction. Elle éprouve un bonheur immense.

J'arrive, se dit Jack. J'arrive.

Le train allait de gare en gare, reliant les diverses existences, chacune enfermée dans un compartiment, chacune bercée doucement. Il se retrouvait tantôt dans l'un, tantôt dans l'autre. C'était douloureux de regarder en arrière. Et parfois formidablement drôle. Une tache de lumière du Nord accrocha son regard cependant que le train sifflait. Les wagons tentaient de briser les chaînes qui les rattachaient l'un à l'autre. Ils entrèrent dans un nouveau tunnel.

« Où est mamie ? demanda un père de l'autre côté du couloir.

– Une vraie ruine », répondit l'enfant, et tout le monde d'éclater de rire.

Jack craignait de transmettre aux événements futurs tout le désespoir qui l'habitait. Son esprit, aliéné par le voyage, cherchait à saper tout le bonheur à venir une fois le voyage terminé. Il s'efforçait de lutter contre cela en rêvant à l'avenir, mais ses pensées l'emprisonnaient dans le présent. Après, il n'y avait rien. Il tâcha de songer aux wagons devant lui. Et il se rappela le regard de l'homme au costume gris.

J'exagère tout, pensa-t-il. Mon Dieu ! Je me fais peur à moi-même.

Il commanda une quatrième mignonnette et en vida la moitié d'une seule gorgée. Il se disait qu'un jour il regretterait peut-être cela. Il ne se sentait pas ivre, mais vide. Qu'est-ce qui m'inquiète ? se demanda-t-il. Il était incapable de raisonner au-delà du fait qu'on était en Irlande du Nord et que des gens mouraient ici. Pourtant, il y avait autre chose. Qu'est-ce qui pouvait bien l'inquiéter ? Il savait que cette angoisse le rendrait sourd et aveugle aux sentiments d'autrui.

Puis une pensée le réconforta : À mon arrivée, je m'apercevrai que mes craintes étaient infondées. Ma joie n'en sera que plus grande. Néanmoins, plus le train avançait dans la matinée, plus il se sentait étranger. Les veines du dos de sa main se mirent à battre.

Derrière lui, des rires grivois s'élevèrent soudain, et c'est seulement à cet instant que son cerveau enregistra qu'une voix lui parlait. Quelqu'un s'était écroulé contre son siège.

« Pardon, dit le jeune.

— C'est rien.

— Sale *Taig* », reprit le jeune.

Aussitôt, la femme installée à sa gauche se pencha et raconta à Jack qu'elle allait faire un bilan de santé à l'hôpital. Le contrôleur flirtait avec elle, assis côté fenêtre. Il adressa un clin d'œil à Jack. Il avait une figure ronde de buveur de whiskey et de petits yeux. Sa cravate était desserrée et ses lèvres pincées de colère. Le contrôleur ne voulait pas qu'on interrompe sa conversation avec la femme. Mais, tandis que celle-ci continuait à parler à Jack, le contrôleur redevint un contrôleur. Il renonça à son regard concupiscent d'ivrogne. Jack commanda encore à boire au garçon derrière le chariot.

« Et youpi ! applaudit la femme. Une fois qu'on a commencé, autant aller jusqu'au bout. »

Et elle commanda à boire pour elle.

« C'est un remède miracle », dit Jack.

Il s'écarta, et le garçon chargé du chariot s'assit. Ils se mirent à parler lapins.

« Je rencontre rarement des employés du chemin de fer », dit Jack en pensant : Ce garçon doit être un *Taig* comme moi. Pas le chef de train. La femme, peut-être.

« Vous occupez pas de cet enculé qui vient de partir », dit le garçon. Il s'exprimait avec un léger embarras, et il acheva sa phrase dans un murmure à cause du sujet évoqué.

« Ne dites rien », chuchota-t-il.

Un instant plus tard, il ajouta d'une voix forte : « Bon, je ferais mieux de continuer. » Il se leva et posa une petite bouteille gratuite sur la tablette devant Jack.

Une étudiante aux cheveux blonds coupés très court se laissa tomber sur le siège à côté de lui. Il se demanda si elle sentait son odeur de sueur rance. Elle sortit un cahier, puis une calculatrice. Jack s'aperçut soudain que trois ou quatre voix se manifestaient simultanément dans sa tête, alors qu'il n'avait ni envie de parler, ni envie d'écouter. Les gares défilaient. Le Lough Neagh sur la droite ressemblait à une mer de plus. Le temps réduisait les distances.

Le contrôleur réapparut.

« Billets ! cria-t-il. Billets ! Billets ! »

Il disparut.

« J'ai l'impression, dit la femme, s'adressant à Jack, que je l'ai déjà vu.

— Je crois qu'il est de Fitzroy, intervint une autre. Au fait, qu'est-ce que vous avez ?

— C'est mon palpitant. »

La fille leva un instant les yeux de son cahier. Une grande fatigue s'abattit sur Jack. Sa tête cogna contre la vitre. Les gobelets de plastique blanc roulaient sur la tablette. Il entendit les mignonnettes s'entrechoquer sur le chariot qui revenait. Les plaques entre les wagons trépidaient. Voilà des choses qui arrivent aux voyageurs à bord des trains, songea-t-il.

Il essuya la buée sur la vitre pour voir la ville. Des panaches de fumée noire que le vent emportait aussitôt s'échappaient de maisons en cours de démolition. Un cimetière adossé à la route apparut. Les pierres tombales évoquaient des gens à genoux, la tête inclinée. C'étaient des images difficiles. Il les chassa de son esprit. Machinalement, il saisit la courroie de son sac, alors qu'il était bien décidé à quitter le wagon le dernier. Il serra le sac sur ses genoux, puis le reposa quand il se rendit compte qu'ils n'étaient pas encore arrivés. Il ne voulait pas être de ceux qui s'étaient déjà levés pour prendre leurs bagages et qui attendaient, les uns derrière les autres, comme si ces préparatifs furtifs pouvaient leur faire gagner quelques minutes.

Le jeune qui l'avait traité de *Taig* descendit. Suivi d'un groupe d'écoliers qui chahutaient. Jack mit le pied sur le quai. Il ne vit aucune trace de Catherine. Et puis il l'aperçut qui agitait la main tout en haut de l'escalier noir de monde menant à Botanic Avenue. Exactement comme il l'avait imaginé. Elle paraissait à la fois embarrassée, impatiente et étourdie. La trouver là lui procura un immense soulagement.

« Branleur ! » cria un garçon à un autre.

Celui-ci mit son sac en bandoulière. « Ton prof… » répliqua-t-il. Quelques secondes passèrent cependant qu'il cherchait la pire insulte possible. « … il suce des bites… » Il se tourna pour partir. « … en enfer ! » L'écho de son imprécation résonna dans la gare de Belfast.

23

L'Irlandais

« J'aime bien, là », dit-elle tendrement. Il sentit sa caresse au bas de sa hanche. Le creux de sa poitrine. Les endroits qu'elle caressait lui paraissaient étrangers. Et puis il promenait ses mains sur son corps à elle, la douceur de ses fesses, les poils un peu rêches de son pubis. Ses mollets. Ses seins.

Il se produisait ensuite quelque chose de curieux. Catherine s'apercevait souvent qu'il arrêtait de respirer. Elle savait qu'il se détendait à la manière dont il couvrait son corps. Il arrêtait de respirer. Elle avait peur alors. Il l'abandonnait parce qu'elle était trop extérieure, simple spectatrice. Elle le serrait dans ses bras.

Inévitablement, elle était tendre avec lui.

Ce qu'il craignait le plus, c'est que tout devienne tristement familier. Qu'il grossisse, que la fièvre le gagne, qu'il entende un jour quelqu'un dire comment ceci ou cela avait perdu de son charme. Que Catherine soit du genre à s'accrocher à son lieu de résidence, où qu'il se trouve. Cependant que les seins de Catherine effleuraient son torse, Jack se représenta son foyer, un endroit désolé en plein désert. Il se sentait soulevé, transporté. Il croyait aux miracles et détestait ceux qui n'y croyaient pas. De même qu'il détestait ceux pour qui le changement n'était pas seulement impensable, mais aussi regrettable. Il connaissait cela.

Il ne savait jamais avec certitude si c'était bien avec lui qu'elle était quand il la pénétrait. D'abord, cela lui apparaissait comme

338

le parfait chemin perdu à emprunter. Le plaisir de Catherine se muait en luxure. Puis sa luxure en fantasme. Quelques secondes après, elle ouvrait les yeux et le regardait. Il sut alors, ce soir-là, qu'il n'était qu'un parmi d'autres.

À l'idée qu'il puisse ainsi percer Catherine à jour, il s'éloignait d'elle. Égoïstement, il recherchait son propre plaisir. Elle n'était plus la femme avec qui il avait couché quelque temps auparavant. Deux autres personnes, deux étrangers, faisaient l'amour à leur place, tandis qu'eux, ils regardaient, devenus des voyeurs, et les incitaient plus ou moins à la passion.

Catherine retrouvait ensuite sa tendresse, empreinte d'un léger goût de défaite. Il n'ignorait pas qu'il avait adopté un rôle. Et ce n'était pas le seul qu'il jouait. Il y avait aussi celui du personnage public qu'il endossait quand il sortait dans la rue. Les premières semaines, il ne s'était pratiquement pas aventuré dehors, et Catherine rapportait de quoi manger. Ou, le plus souvent, ils téléphonaient pour se faire livrer des plats chinois ou des pizzas. C'était toujours elle qui allait ouvrir quand on sonnait. Il avait alors commencé à se sentir inutile. Il passait du désespoir au désir évangélique de se lier d'amitié avec les inconnus qu'il voyait marcher dans la rue sous ses fenêtres. Il en eut bientôt assez de rester seul à la maison à regarder des rediffusions à la télévision ou à arpenter le petit jardin où poussait la rhubarbe. Il ne pouvait se satisfaire d'être ainsi cloîtré, réduit au spectacle de la rue.

La première fois qu'il alla faire les courses, il se rendit compte à quel point on remarquait son accent du Sud. Aussi, il se présenta sous les traits de quelqu'un de nonchalant, habitué aux lieux, comme pour dire : j'étais déjà là hier, et avant-hier. Vous ne pouvez pas m'avoir oublié. Mais les commerçants, les yeux bouffis, extrêmement polis, le soumettaient à un examen minutieux, ou notaient à peine sa présence. Lui, il relevait leur surprise et leur gêne quand il s'adressait à eux.

Pour compenser, il devint un homme d'habitudes.

À dix heures et demie, il achetait un paquet de dix cigarettes Embassy chez Seymore, puis il entrait au supermarché pakistanais où il faisait provision de fruits, de petits pois et de poisson surgelé. Ensuite, il prenait de la bière blonde au magasin d'alcools, se rendait le cas échéant au bazar du coin, et enfin achetait le *Belfast Newsletter* – le bon quotidien unioniste – chez George, le marchand de journaux. On n'y trouvait qu'un seul exemplaire du journal catholique, et il restait toute la matinée sur le présentoir sans que personne y touche. Il était encore là l'après-midi quand il venait chercher le *Evening News* que lisaient les gens des deux confessions.

« Ne te laisse pas tenter, lui conseilla Catherine. Dans ce quartier, personne pour un empire ne voudrait être vu en train d'acheter le *Irish News*.

– Je ne le ferai pas, ne t'inquiète pas.

– Ils le laissent là exprès, c'est un piège destiné à te démasquer. Il faut que tu sois prudent, insista-t-elle. Je me sens responsable de t'avoir amené ici.

– J'aimerais connaître tous ces gens, dit Jack. Je partage cette île avec eux.

– Oui, mais eux, ils n'ont pas trop l'intention de la partager avec toi, répliqua-t-elle froidement. Ne l'oublie pas. »

Les jours de relâche, elle l'accompagnait.

« Qu'est-ce qu'on va acheter ? demanda-t-elle alors qu'ils se dirigeaient vers une petite quincaillerie.

– Des clous, répondit-il.

– Et pourquoi a-t-on besoin de clous ?

– Pour avoir l'air de gens normaux. »

Il la conduisit ensuite chez le marchand de journaux. Tous deux, la vieille dame qui tenait la boutique et lui, à la stupéfaction de Catherine, se connaissaient bien à présent. Elle lui réserva un accueil chaleureux. « Votre journal, mon chou », dit-elle en lui tendant le *Belfast Newsletter*. Elle l'avait tiré d'un paquet d'exemplaires sur lesquels figuraient les noms de ceux à qui ils étaient destinés. Sur celui de Jack, il était écrit : *l'Irlandais*.

« L'Irlandais ? fit-il, abasourdi, puis il éclata de rire.

— On savait pas votre nom, expliqua-t-elle, embarrassée par son *faux pas*.

— C'est Jack, dit-il.

— Jack. Je m'en souviendrai la prochaine fois. »

Son accent l'avait donc catalogué comme *l'Irlandais*.

« Et maintenant, où tu m'emmènes ? » demanda Catherine.

Il la fit entrer dans un snack-bar sur le trottoir d'en face. Catherine tressaillit à la vue d'un groupe de policiers de la RUC qui, assis au comptoir sur de hauts tabourets, mangeaient des sandwichs et des petits gâteaux. Leurs fusils étaient posés devant eux. Ils saluèrent Jack. En réponse, il porta l'index à sa tempe.

« Je présume que bientôt, vous vous appellerez aussi par vos prénoms, murmura Catherine.

— Donnez-nous deux gâteaux aux raisins et deux cafés », commanda Jack.

Ils s'installèrent parmi des ouvriers du bâtiment qui buvaient dans des bols en plastique de la soupe maison qu'ils avaient apportée et des dames du quartier qui mangeaient des scones, également préparés à la maison.

« Je me sens chez moi, ici, dit Jack à Catherine.

— Ne m'en dis pas davantage, répliqua-t-elle. Ça ne ferait qu'accroître mon inquiétude. »

En début de soirée, la cuisine et le salon baignaient dans les bleus et les rouges diffusés par les petits carreaux en verre coloré des fenêtres de devant. Jack avait installé sa machine à écrire face à une fenêtre aux vitres transparentes qui donnait sur le jardin de derrière. Il avait une vue sur la mer au loin et, au-delà, par temps clair, sur Carrickfergus. Il entendait les sirènes des bateaux qui entraient dans le Belfast Lough, en provenance de Liverpool et de l'île de Man.

L'Union Jack flottait au-dessus des toits des maisons qu'il apercevait, assis à sa machine. Il entreprit de mettre des mots dans la bouche des femmes qu'il voyait, emmitouflées dans des peignoirs ramenés sur leurs seins, tandis qu'elles suspendaient le linge dehors. Leurs voix rauques, lorsqu'elles criaient après leurs enfants, semblaient jaillir du milieu de leurs visages, là où les narines s'enfonçaient dans le crâne. Le son était gras et masculin. Les femmes étaient bourrues, autoritaires, et d'une joyeuse morbidité. Les hommes, certains aux visages étroits, d'autres petits et gros, lisaient le *Sporting Chronicle* et le *Sun,* installés dans des chaises longues. Ils cultivaient des légumes sur le moindre lopin de terre et buvaient des cannettes de bière blonde Tennants. Pauvrement vêtus, ils erraient aux marches de l'Empire, attendant l'appel aux armes.

Le dimanche matin, protestants, méthodistes ou presbytériens se préparaient ; les femmes arboraient leurs fausses fourrures et arrangeaient un assortiment de fruits et de plumes au sommet de leurs crânes ; les hommes, eux, portaient des costumes discrets, des chapkas et des cravates criardes ; puis, parlant un riche patois aristocratique, ils débouchaient des petites rues pour se diriger vers l'église. De son bureau devant la fenêtre ouverte, Jack entendait souvent leurs voix s'élever en un chant qui enflait comme une formidable manifestation de défi contre le désespoir, puis qui retombait dans le banal avant de s'achever en douceur.

Leurs chants exprimaient la même jubilation que ceux qu'il avait entendus dans les églises des quartiers pauvres de Brixton et, à l'instar des Antillais, les pratiquants de Belfast sortaient ensuite en bavardant et en plaisantant, puis marchaient le long des trottoirs avec une nonchalance affairée. Les enfants, garçons en costume de couleurs vives et filles en robe sombre, étaient coiffés de chapeaux de paille. Quelques hommes, le teint pâle, restaient derrière les grilles de l'église et échangeaient des paroles à voix basse comme si, craignant la faillite, ils espéraient échapper une fois de plus au sort incertain propre à la condition humaine.

La semaine, d'énormes camions passaient, qui faisaient trembler la petite maison.

Et la nuit, toujours au milieu d'un rêve, leur parvenait le bruit d'une voiture isolée roulant à toute allure.

Il prenait le bus pour se rendre en ville et faire des courses dans les supermarchés chinois. Chaque fois qu'il allait dans le centre, il remarquait la présence d'un nouveau petit restaurant français ou italien. Là, des hordes de femmes mangeaient des pâtes arrosées de vin italien ou espagnol bon marché qu'on pouvait apporter sans avoir à payer de supplément. Les hommes s'entassaient dans les bars devant des verres de bière blonde et de gin. La lumière des rues était semblable à celle des cités du nord de l'Angleterre : froide, industrielle et grise. Le dimanche, tout était fermé, y compris les pubs. Le vent s'engouffrait dans les rues. La pluie tombait, rassemblant la lumière au-dessus des toits bleus. À l'extrémité de quelques rues apparaissaient les lointaines montagnes. À l'extrémité de quelques autres, les « frontières de la paix » : des murs constitués de blocs de béton nu, éclaboussés de peinture.

Parfois, il retrouvait Catherine après les répétitions dans l'un de ces cafés, ou chez Lavery, ou encore au Crown. Et, de temps en temps, au bar du Lincoln Inn en face de la BBC où se mêlaient avocats et journalistes.

Quand d'autres membres de la distribution l'accompagnaient, Jack, silencieux, les écoutait parler, revendiquer leur féminisme et évoquer avec cynisme la réalité de ce qui se passait – dans le monde de la politique comme dans celui du théâtre. Et plus il écoutait, plus ces deux formes d'activité humaine se brouillaient dans son esprit. Tout pouvait être décrit en termes de représentation.

Elles se référaient sans cesse au « Programme secret ». Il y avait un « Programme secret » pour la politique du théâtre, pour la politique de la BBC, pour la politique de l'Irlande du Nord.

C'était le stimulus du secret qui motivait les conspirateurs. Le « Programme secret » était le camp de base.

L'une des femmes déclara un jour qu'elle avait vu une pièce de Jack à Londres. « Je ne l'ai pas trouvée drôle, ajouta-t-elle.

— Jack est un réaliste, la coupa Catherine.

— J'ai eu l'impression que les personnages jouaient à être paysans.

— En effet », acquiesça Jack.

Elle eut un hoquet. « C'était bien trop romantique, et trop intellectuel. » Elle eut un nouveau hoquet. « Et tous ces primates parlant de philosophie. Je n'ai rien compris.

— Ne vous inquiétez pas, dit Jack. La version pour enfants est prévue l'année prochaine.

— Comment pourriez-vous comprendre — elle attendit un hoquet qui ne vint pas — ce qui se passe ici ?

— Voulez-vous que je vous tape dans le dos ? demanda obligeamment Jack.

— Je vous ai demandé comment vous pourriez comprendre ce qui se passe ici. » L'air tout à fait gracieux, encore qu'empreint d'une pointe d'hostilité, elle leva son verre de bière blonde et dévisagea Jack un instant.

« Pour qui travaillez-vous ? demanda-t-il.

— La RTE, répliqua-t-elle sèchement. Je vous l'ai déjà dit.

— Oui, c'est vrai.

— En réalité, reprit-elle, la véritable question, c'est : qu'est-ce que vous faites ici ? » Elle bâilla poliment. « Ne me racontez pas que vous êtes ici pour votre *art*.

— Je suis venu vous étudier, dit Jack. Tout comme vous avez étudié les gens là-bas, à votre manière.

— Il est avec moi, intervint Catherine.

— Ah, j'avais oublié, dit la femme, affichant un sourire de triomphe.

— Je crois qu'il est temps qu'on parte », dit Catherine.

Ils rentraient en taxi et allumaient un feu. Pendant qu'elle se changeait, elle avait toujours des anecdotes sur des problèmes de metteurs en scène, d'acteurs et de scénarios à raconter. Pour sa part, il parlait de son passé, laissant de côté toutes les choses stupides qu'il avait pu faire. Ils retrouvaient leur intimité. Depuis le moment où ils avaient décidé de vivre ensemble, ils devaient beaucoup s'appuyer sur l'imagination pour tenir. Le charme virait à l'obsession. Chacun attendait avec impatience, et avec une angoisse croissante, les rares heures qu'ils passaient ensemble, et quand elles arrivaient, des démons prenaient leur place. Ces moments-là leur paraissaient trop courts pour qu'ils soient en mesure de réaffirmer chacun leur identité.

Elle vivait dans la crainte qu'il arrive quelque chose à Jack. Ils regardaient les informations du soir dans un silence absolu. À certaines nouvelles, elle manifestait sa dérision par un simple grognement. Puis, une fois établies elle sa peur et lui sa vulnérabilité, ils se rendaient au magasin d'alcools et, contournant les jeunes qui buvaient tout le temps du cidre sur le seuil, ils entraient acheter du gin et du vin.

« Qu'est-ce qui t'a frappé ici ? demanda-t-elle.

— Les gens te regardent droit dans les yeux, répondit-il. En particulier les femmes. Comme pour voir de quel côté tu es.

— Je fais pareil.

— Et les soldats, aussi. L'autre jour, il y en a un qui m'a fait un clin d'œil. Sur le Lower Falls.

— Et qu'est-ce que tu fabriquais là-bas ?

— Je me promenais.

— C'est vrai, tu ne fais pas de discrimination.

— Et puis, je franchis souvent les barrages.

— Pourquoi ?

— J'adore qu'on me fouille.

— C'est donc ça qui t'excite. » Elle fit tomber la cendre de sa cigarette sur le rebord de la fenêtre. « Je suis sûre que tes copains du Sinn Fein seraient ravis de connaître ta nature perverse. Vous tous, les manifestants pour les droits civiques, vous n'êtes que de vieux hippies.

— En effet, dit Jack.

— Tu as déjà pris du LSD ?

— Oui, il fut un temps, au petit déjeuner.

— C'est bien ce que je pensais, dit-elle. Moi, je n'ai pas pu. Je ne veux pas savoir ce qui se passe au-dedans de moi. » Elle frissonna et se mordit la langue.

Parfois, au théâtre, elle s'imaginait qu'elle rentrait sans prévenir. Elle le trouvait au lit dans la chambre en compagnie d'une femme qui, assise sur lui, le chevauchait avec passion. Devant cette image, elle se sentait prise de faiblesse. Elle téléphonait. « Jack, c'est toi ?

« J'appelais juste pour savoir comment tu allais, disait-elle crânement.

— Ça va. Et toi ?

— Qu'est-ce que tu fais en ce moment ? demandait-elle.

— Voyons… qu'est-ce que tu aimerais que je fasse ?

— Je préférerais ne pas le dire. »

La jalousie l'égarait.

Un soir, elle arriva munie de tout un jeu de nouvelles serrures. Ils vissèrent trois verrous supplémentaires à la porte d'entrée. « J'ai peur pour toi », dit-elle. « Je crois que tu essaies de m'empêcher de sortir », dit-il. Jack savait pourtant qu'ils ne passeraient pas par là. La porte de la cuisine ouvrant sur le jardin était vitrée. Il suffisait de descendre quelques marches, et on était dans le jardin. Auquel on pouvait accéder par une porte branlante qui donnait sur une ruelle. C'est par là qu'ils passeront s'ils le veulent, se disait-il.

Un matin, après le départ de Catherine, il se réveilla par terre. Probablement à la suite d'un cauchemar. Il remonta dans le lit et dormit jusqu'à ce que la sonnerie du téléphone le tire de son sommeil.

« Ça va ? demanda Catherine.

– Oui, ça va.

– La maison aussi ?

– Oui, la maison aussi.

– Tu sembles le prendre avec calme.

– Pourquoi le prendrais-je autrement ?

– Tu n'es pas au courant ?

– Au courant de quoi ?

– Une voiture piégée a explosé juste en bas de la rue. »

Il raccrocha et alla regarder par la fenêtre. La rue était barrée par un cordon de soldats et de policiers qui patrouillaient. Un membre de l'Ulster Defence Regiment leva la tête et l'aperçut. Et, pendant ce qui parut durer une éternité, ils se regardèrent dans les yeux.

Le soir, il ouvrit la fenêtre de la salle de bains qui se referma d'un coup, lui coinçant l'index, tandis qu'il se mordait la langue. Il souffla sur son doigt, crachant du sang. Il s'était cassé une dent, et l'arête déchiquetée agrandit la coupure qu'il venait de se faire à la langue. Il prit une lime à ongles et entreprit de polir sa dent.

« Qu'est-ce qui va encore m'arriver ? » demanda-t-il à Catherine.

Jack se donnait en spectacle pour amuser Catherine. Ne portant que ses bottes de pêche, il dansait la gigue devant elle. Catherine ne s'en lassait pas. Elle caressait sa virilité. Comme elle se métamorphosait ! Une tête lui poussait qui, ensuite, retombait. La tige à la fleur qui pend. *Le phalarope*, l'appelait-elle. Et puis, animal ambigu, elle se durcissait dans sa main. Elle regarda Jack, un homme allongé, en tricot de corps, qui fumait. Elle avait la bouche entrouverte, comme une enfant. Elle pressa son sexe contre sa joue. Elle avait des cernes sous les yeux à cause du manque de sommeil. Et, à cause du froid, elle portait de grandes chaussettes noires qui lui montaient au-dessus des genoux. Elle l'observa. Je n'ai pas dormi depuis que j'ai rencontré cet homme, pensa-t-elle. Elle avait les jambes négligemment écartées sous la robe de chambre de son père.

Elle attira la main de Jack vers elle.

« Sens, dit-elle, heureuse. Sens comme je mouille. »

« Avec le temps, dit-elle, ça m'appartiendra autant qu'à toi. »

Il regretta qu'elle ait dit cela.

« Et tu me racontes, reprit-elle en lui caressant les cheveux, que tu n'as jamais couché avec Sara.

– Non.

– J'aurais voulu te connaître depuis le début.

– Moi aussi.

– Tout ce que je m'imaginais à ton sujet, dit-elle.

– Je pourrais en dire autant.

– Eh bien, dis-moi.

– Attends, laisse-moi voir. »

Il semblait difficile de croire qu'elle quitterait un jour le royaume des sens. Elle le tenait dans un fourreau fait de sa main. Il respirait, le visage enfoui dans son aisselle. Dans le lointain miroir, deux personnes gisaient, enlacées. Le dessin de son sexe à lui. La toison frisée et luisante entre ses cuisses à elle. Il se coucha sur elle. Ses cheveux se répandirent sur l'oreiller. Après s'être représenté ces multiples facettes d'eux-mêmes, ils se retrouvaient l'un avec l'autre. Elle s'ouvrit à lui. On ne pouvait plus comprendre. Ils s'endormirent. Et se réveillèrent dans une chambre glaciale. Dehors, l'horloge silencieuse d'une nouvelle tempête de neige sur Belfast.

Au cours de l'une de ses promenades solitaires, Jack découvrit un vieux magasin de disques dans une ruelle non loin de chez eux. Il acheta un assez bon quarante-cinq tours de Roy Orbison chantant « Pretty Woman ». La fois d'après, un trente-trois tours de Cat Stevens.

Chaque jour, il fouillait dans les cartons de disques.

Le propriétaire de la boutique était assis sur un fauteuil en osier dans la pièce du fond, devant un radiateur à gaz Superser. À travers un rideau de perles, il surveillait ses livres de poche, ses disques et ses vieilles dentelles du Nord avec le regard d'un homme qui tient un kiosque de revues pornographiques. Sur le radiateur, il y avait en permanence une cannette de bière blonde Fosters. Et dans sa bouche, une cigarette roulée à la main. Il prenait l'argent qu'on lui tendait sans prononcer le moindre mot, si bien que, le jour où il parla pour la première fois, ni Jack ni lui ne connaissaient le son de leurs voix respectives.

« Vous vous souvenez de Del Shannon ? demanda-t-il sans bouger.

— Oui, bien sûr, répondit Jack.

— J'ai tous ses albums à la maison.

— Je me souviens de "Kelly".

— "Kelly" aussi, je l'ai.

— Dites-moi, est-ce qu'il vous est arrivé de dégotter un vieil exemplaire de Graham Greene ?

— Vous ne trouverez pas de livres d'occasion de Graham Greene dans cette ville, répondit l'homme. Les catholiques le lisent et le relisent de la première à la dernière page.

— Vous êtes cockney ?

— Ouais. Et vous, vous venez d'Éire.

— Exact.

— Ouais. » Il se leva et alla éteindre la lumière. « Une pinte, ça vous dirait ? »

Ils se dirigèrent ensemble vers le pub situé sur le trottoir d'en face. Le propriétaire du magasin avait la démarche lente du Londonien, comme s'il traversait un désert susceptible d'être miné. Le bar était bas et sombre. Les boules de billard s'entrechoquaient. Des photos de vedettes de football étaient punaisées près du plafond. Un immense drapeau de l'ordre d'Orange ornait l'un des murs. « Qu'est-ce que ce sera, Chris ? » demanda le barman. Christopher Nolan prit un air supérieur. Ils achetèrent une douzaine de cannettes de Fosters, puis allèrent dans la chambre de Nolan remplie de livres sur l'histoire de la Première et de la Seconde Guerre mondiale. Il possédait aussi des études sur les conquistadors et la Révolution mexicaine. La pièce était impeccablement rangée. Le lit était fait à la manière d'un marin. Ils s'installèrent dans cette petite bibliothèque d'ouvrages de guerre pour écouter Gene Pitney, les premiers Elvis, Buddy Holly, Little Richard et les Crystals en buvant de la bière australienne et en fumant du Golden Virginia.

Enfin, Christopher Nolan passa Del Shannon aussi fort que les haut-parleurs pouvaient le supporter.

Il s'endormit, se réveilla en sursaut, vit Jack et dit : « C'est l'IRA qui a commencé à tirer à Londonderry.

— Ah bon ? fit Jack.

— J'étais là-bas le Dimanche sanglant, dit Christopher Nolan. J'ai entendu les coups de feu. »

Il dévisagea Jack un moment, comme s'il s'efforçait de se rappeler qui il était, puis il se rendormit. Jack écouta le disque tourner. Puis il mit Crosby, Stills and Nash. Il feuilleta un livre sur Ivan le Terrible au son de « The Marrakesh Express ». Il finit sa bière, s'éclipsa sur la pointe des pieds et rentra par les rues sombres avant le retour de Catherine. « Qu'est-ce que tu as fait, aujourd'hui ? demanda-t-elle.

— Pas grand-chose », répondit-il.

Le lendemain, il acheta à la boutique un vieux recueil de nouvelles écorné de Somerset Maugham. Quelques jours plus tard, un livre sur les oiseaux. Tous les après-midi, il se rendait au magasin de Christopher. À la fermeture, ils marchaient jusqu'au pub et revenaient au studio. Ils parlaient peu et, quand il arrivait à Christopher de le faire, c'était avec un débit saccadé, haché.

« Je suis content que t'habites ici, Jackie, dit-il. On est rien que deux étrangers dans cette ville, non ?

– Oui, quoi qu'on y fasse.

– Ouais. » Il se leva et, d'un pas traînant, alla changer le disque. « T'as déjà été marié ? » Jack fit signe que non. « Moi, oui, reprit Chris. Mais elle est partie avec un autre type. » Son ventre ballottait. Il ôta la minuscule boule de poussière accrochée au saphir. Après quoi, il remplit deux petits verres avec la vodka russe que Jack avait apportée. « Ouais », fit-il. « Putain de saloperie », fit Jack. « Ouais », fit Christopher Nolan, tapotant son ample bedaine sous son T-shirt.

Catherine jouait dans une pièce dont la première devait avoir lieu à huit heures dans un théâtre du centre-ville, et Jack partit dès trois heures pour s'y rendre. Il marcha un peu, sauta dans un bus, puis descendit à un endroit qui lui plaisait. Il s'arrêta devant un pub dans un quartier où Catherine lui avait déconseillé d'aller. Il étudia la façade en bois de l'établissement, le verre laminé et ses motifs argentés, les lampes à gaz dehors. Un homme en chaussons genre moquette bleu électrique, le visage ravagé, traversa la rue et poussa la porte. Sur une impulsion, Jack le suivit et entra dans le bar interdit.

Il commanda un double gin et prit un air préoccupé.

À côté de lui, l'homme commanda une Carlsberg Special et un Black Bush.

Il se tourna vers Jack. « Une de treize ans, ça vous dirait ?

– Non, merci, répondit Jack.

– Elle a un très beau cul, reprit l'inconnu. Je peux vous trouver n'importe quelle jeunette. Vous avez qu'à demander.

– Bien sûr.

– Jetez-moi un coup d'œil là-dessus. » L'homme lui tendit une pile de photos rangées dans une enveloppe.

Chacune représentait une fille nue âgée de treize ou quatorze ans.

« Vous avez vu leurs petites chattes ? C'est à vous quand vous voudrez.

351

— Rangez ça, intervint le barman.

— Vous inquiétez pas, dit l'homme avec un clin d'œil. Je connais ce garçon. »

Le barman dévisagea Jack.

« Bon, dans ce cas, dit-il, pas convaincu.

— Vous êtes d'où ? demanda l'homme quand Jack lui rendit les photos.

— Du Leitrim.

— Leitrim... y a pas de mal à ça. Ma mère vient de la ville d'Arva dans la République, si vous voyez où c'est.

— Je vois, dit Jack qui, sans réfléchir, ajouta : "L'endroit du massacre."

— C'est bien ça. » L'homme vida son Black Bush d'un trait. « J'aurais cru qu'Arva était un endroit tranquille par rapport à ici. » Il eut un rire ironique. « Ma mère était infirmière. » Il colla son visage contre celui de Jack. « Vous êtes en sécurité ici, murmura-t-il. Vous comprenez ?

— Je comprends, répondit Jack.

— Arva... je me souviens y être allé quand j'étais tout gamin. » Il reprit une voix normale. « Je savais même pas que ça existait toujours.

— Oh, si », dit Jack.

L'homme se pencha de nouveau vers lui. « Si jamais vous avez des ennuis, faites-moi signe. Je m'appelle Henry Fair. » Il se redressa. « Je m'en chargerai.

— Merci, dit Jack.

— Vous aurez qu'à me demander, O.K. ? » Il se leva et, dans ses chaussons bleus, franchit d'un pas traînant les quelques mètres de sol dallé qui le séparaient de la porte sans que Jack pense à le suivre.

« Quelle heure est-il ?

— Six heures », répondit le barman. Puis il posa un double gin devant Jack. « De la part d'Henry. »

Il avait raté l'occasion de sortir discrètement. Il se sentait maintenant incapable de se résoudre à partir. Il devait continuer à feindre. Il resta seul au comptoir, buvant verre sur verre. Quelqu'un alluma la télé. Une femme dans une vallée ensoleillée du comté d'Antrim montrait comment on fabriquait les paniers tressés. On changea de chaîne. Images du congrès du parti conservateur où Margaret Thatcher fermait les yeux afin d'insister sur le sérieux de ses paroles. On changea de nouveau. Images en noir et blanc d'une comédie sentimentale des années 1930. L'espace de quelques secondes, le barman mit son nez sur l'écran muet, si bien que les personnages se reflétèrent sur son visage.

« Oui, oui », dit-il, comme s'il répondait à une question venue du tréfonds de son esprit.

Jack regarda le film. Il avait l'impression d'être à sa place ici, transi de peur et, dans le même temps, à moitié ivre et larmoyant, planté devant un vieux mélo. Oui, il était à sa place. Des mots tombèrent de ses lèvres. Il commanda un gin.

Il voulait éprouver la sensation de l'ivresse, mais l'instant était passé sans qu'il s'en aperçoive. Il ne se rendit compte de l'état dans lequel il se trouvait qu'au moment où il ne fut plus certain de pouvoir soulever son verre.

« Quelle heure est-il ? » demanda-t-il d'une voix forte.

Le barman tripota un bouton sur le poignet de sa veste de cuir.

« Sept heures et demie. »

La partie de son esprit qui avait résisté à l'effondrement général porta son corps vers la sortie. Il héla un taxi. « C'est une sacrée grande ville », dit-il au chauffeur. « Vous croyez ? » répondit celui-ci sans conviction. « Des fois, en tout cas », dit Jack. « Essayez de vivre ici, et vous verrez », répliqua le chauffeur. Jack entra dans le petit théâtre et commanda un verre de vin. Puis un autre, parce qu'il n'avait pas senti le goût du premier. Du coin de l'œil, il vit soudain Maisie Adams arriver, manteau de fourrure et tout. Mon Dieu, s'entendit-il murmurer. Il s'assit au fond. Plus tard, très loin, Catherine monta sur scène. Le texte qu'elle avait répété avec lui soir après soir prit une existence propre.

Il passa un disque de Billie Holiday. Puis de Van Morrison. Il s'installa sur le canapé et regarda autour de lui. Il fouilla laborieusement toutes les pièces de la maison.

Il dénicha enfin une cigarette. Des images criardes et des idées folles lui traversaient l'esprit. Il faisait un froid à pierre fendre. Quand Catherine rentra, elle le trouva dans le bureau, couché sur le lit d'ami.

Dans la machine à écrire, il y avait une feuille couverte de charabia.

Elle le secoua.

« Tu as été formidable, Catherine, marmonna-t-il.

— Pourquoi tu n'es pas venu avec nous ? demanda-t-elle. Tu ne savais pas que ma mère était là ? Nous avons dîné ensemble. On t'a attendu pendant des heures.

— Je suis rentré à la maison.

— Et avant, où est-ce que tu as été ? »

Il mit un moment à répondre. « Boire dans un pub du côté de Our Lady's Road.

— Ce n'est pas *Our* Lady's Road, cria-t-elle. C'est *My* Lady's Road. *My* Lady's Road. *My* Lady's Road. Tu entends ?

— My Lady's Road, répéta-t-il.

— Qu'est-ce que tu faisais par là ?

— Je me promenais, répondit-il. J'ai marché, marché.

— Oh, Jack », dit Catherine.

24

« Madame George »

« Hé, Jack, demanda Christopher. T'es républicain ?

— Non.

— Tant mieux.

— Je ne suis qu'un danseur.

— Ouais, mon pote. N'empêche que tu dois admettre que l'IRA a tout pigé.

— Je ne sais pas.

— Y z'ont la quincaillerie. Y z'ont les hommes.

— J'ignore tout à ce sujet.

— Ces types de l'Ulster Volunteer Force, c'est des nuls. Y z'ont rien qu'un tireur. C'est ce même connard qui fout la merde. Je sais pas, moi, les Provos, ça c'est autre chose, pas vrai, Jack ?

— Écoute, Chris, je te le répète, je ne sais rien là-dessus.

— Tu sais au moins que j'étais dans l'armée anglaise.

— Ça m'est complètement égal.

— J'ai fait mon service, Jackie. Et on apprend des choses. Entre autres, que les Provos, y z'en savent plus que toi. Putain, c'est des putains de techniciens ! » Il but une gorgée de vodka. « Et tu sais ce qu'on a découvert à Ballymena ?

— Je n'en ai pas la moindre idée.

— Une putain d'assemblée de sorcières.

— Quoi ?

— T'avais ces gonzesses à poil qui cavalaient partout et les mecs qui les sautaient sur un autel tout couvert de sang.

– Qu'est-ce que t'avais pris ?

– Rien, mon vieux. J'te jure que c'est vrai.

– Et qu'est-ce que vous avez fait ?

– Rien, putain ! Rien du tout ! Si on avait trouvé le président de ton Sinn Fein les fesses à l'air, je dis pas. Mais là, c'étaient que des putains de businessmen et de paysans. C'est pour ça que le pays, il est comme ça. Vos curés, vos pasteurs, c'est rien que des sorciers. Pas vrai ?

– Si, si.

– C'est pas admissible, hein ? Et tes Provos l'ont bien pigé.

– Pourquoi tu ramènes tout le temps les Provos sur le tapis ?

– Parce qu'on me l'a demandé, Jackie. On me l'a demandé. Comprends-moi bien, j'ai dit que t'étais O.K. On m'a posé des questions sur toi, tu vois ? Et j'ai dit que le vieux Jackie, il était O.K.

– Et je le suis.

– Ouais, "le vieux Jackie, il est O.K.", j'ai dit. » Il bougea son imposante carcasse. « J'y étais le Dimanche sanglant, je te l'ai dit ?

– Non.

– Eh bien, j'y étais, mon pote, et y nous tiraient dessus. Tu savais ça ?

– Je l'ai entendu dire. »

Ils écoutèrent « Nights in White Satin » en regardant au travers des rideaux sombres les gens qui montaient la colline.

Un matin, la voisine vint frapper à la porte de Jack. Il s'était endormi sur le canapé après le départ de Catherine, et il alla ouvrir, enveloppé dans une couverture. C'était une petite femme enjouée d'environ vingt-deux ans aux cheveux bruns ondulés et au rire facile.

« Oui ? fit Jack.

– Vous avez l'air d'avoir eu une nuit agitée.

– Ne m'en parlez pas.

– Auriez-vous un ouvre-boîte?

– Oui. »

Ils entrèrent tous deux dans la cuisine. Il fouilla dans un tiroir. « Excusez-moi », dit-il.

Il fila dans la salle de bains et s'appuya au lavabo. « Mon Dieu », murmura-t-il. Il retourna dans le séjour.

« Vous voulez boire quelque chose? demanda-t-il.

– Certainement. »

Il prit deux verres propres et les posa sur un plateau de part et d'autre d'une bouteille de vodka russe et d'une brique de jus d'orange. La bouteille ressemblait aux vieilles bouteilles de limonade. Il but une rasade au goulot. Dehors, on entendit soudain des tambours. Sous un porche en face de la maison, deux hommes en vêtements de travail tapaient comme des sourds sur des tambours Lambeg.

« Les défilés vont bientôt commencer », dit la femme.

Jack lui servit de la vodka et un verre de jus d'orange à côté. Après quoi, il fit pareil pour lui. Il prit un peu de vodka dans sa bouche, puis l'avala accompagnée de jus d'orange.

« C'est donc comme ça qu'on fait », dit la jeune femme qui l'imita aussitôt.

Il versa deux nouveaux verres.

« Vous êtes catholique? demanda-t-elle dans un murmure.

– Je suis mahométan, répondit-il.

– C'est dommage qu'ils aient raté Maggie Thatcher, déclara-t-elle soudain.

– Chut! fit Jack. Je ne veux pas parler de ça. » Il agita les mains devant son visage. Il s'assit. La vodka dégageait un chemin vers son cerveau.

La femme reprit sur le ton de la confidence : « C'est terrible de vivre ici, non? »

Elle avait les yeux des filles de Derry et de jolies dents blanches. Elle portait une combinaison bleue dont la fermeture Éclair était descendue jusqu'à la naissance de ses seins. Elle avait les cuisses amples. Elle riait.

« Vous semblez aimer ça », dit-elle.

Elle les resservit.

« Comment vous appelez-vous ? demanda-t-il.

— Jill. On doit être les deux seuls fenians dans le secteur. Je connais de vue celle avec qui vous vivez.

— Catherine.

— Oui, Catherine. Ce n'est pas une actrice ?

— Si.

— Elle vous aime ?

— Je crois.

— Dans ce cas, c'est très bien. Parfait. C'est moins dangereux comme ça, si vous êtes heureux ensemble. » Elle versa du jus d'orange. « Vous avez l'air d'aller beaucoup mieux.

— Et je me sens beaucoup mieux.

— Vous avez une sacrée contenance.

— Contenance ? fit-il en riant.

— Oui. C'est pas le mot qui convient ?

— Si, si, dit-il, riant davantage. C'est simplement un peu inattendu.

— Vous auriez préféré que je dise une sacrée descente ? » demanda-t-elle en pouffant.

Elle se dressa sur la pointe des pieds et l'embrassa. Elle lui ferma les lèvres de ses doigts cependant qu'elle l'embrassait de nouveau.

« C'est agréable, ce baiser, non ? » murmura Catherine.

« Si un jour tu me trompes, tu me le diras, hein ? demanda-t-elle ensuite.

— Oui », répondit Jack.

À l'aube, la ville ressemblait à une table de jeu vide. Il pleuvait à verse. Les gens qui partaient travailler avaient mis les mauvais chapeaux et les mauvais costumes. Les premières voitures sonnaient comme les cuivres d'un orchestre de jazz qui se chauffent avant une jam-session. Un chat grimpa dans un arbre et sauta sur le rebord de la fenêtre. Il était trempé. Il avait le poil de la couleur de la moquette. Une veste de smoking était suspendue le long d'un mur. Des galets bleus de Scotchport s'entassaient sur le manteau de la cheminée. Sur la table de nuit, il y avait un recueil de poèmes, *Nights in the Bad Place* de Padraic Fiacc.

« Vous avez déjà porté un sari ? demanda Harry Bunting à Jack.
– Non, répondit celui-ci.
– Vous devriez en acheter un. C'est impeccable. Chez moi, j'en mets un que j'ai rapporté d'Inde. C'est beau et frais sur la peau. »
Les deux autres sourirent. En entrant dans le pub, Jack s'était installé à côté de trois hommes en costume d'été qui regardaient un match de tennis en salle à la télévision. Il se plaisait en leur compagnie, car ils évoquaient entre eux des joueurs de l'ancien temps. Ils parlèrent tennis. Rod Laver. Miss Goolagong. Ilie Nastase. Et avant, John Newcombe. Ils parlèrent restaurants chinois qui, par rapport à la population, étaient plus nombreux à Belfast que dans toute autre ville européenne. Ils disaient que sous le comptoir, les propriétaires dissimulaient des machettes. Ils parlèrent coureurs de fond éthiopiens. Puis de nouveau saris.
« Je devrais vous en acheter un à chacun, reprit Harry Bunting. Ils sont parfaits pour faire la cuisine. »
Les autres sourirent à la pensée de Harry Bunting en train de préparer des scones dans son sari. La pinte de bière blonde que buvait Jack fut bientôt remplacée par un double gin offert par Harry. Un homme plus âgé se joignit à eux, George, qui, au début, se montra distant, puis voulut se retirer en entendant l'accent de Jack.
« Il est O.K., dit Terence Bellue. Il est du Sud. »
Jack leur raconta qu'il écrivait des pièces. Ils lui racontèrent

qu'aucun policier n'était en sûreté dans les rues des quartiers protestants.

« Vous n'avez pas peur de parler de ça devant moi ? demanda Jack.

– Si vous aviez voulu partir, vous l'auriez fait depuis longtemps », dit Freddie.

C'étaient de jeunes policiers, sains, amicaux, ouverts, très portés sur la vodka. Ils refusaient de laisser Jack payer sa tournée. Il leur dit qu'il n'arrivait pas à croire que des protestants puissent s'en prendre aux hommes de la RUC.

« Vous n'avez qu'à venir un soir avec nous, proposa Harry.

– Ce serait possible ?

– Sans problème.

– Après, vous pourriez l'écrire, dit Terence. Et le faire savoir dans la République du Sud.

– Il suffit de nous téléphoner à ce numéro, dit Freddie, l'inscrivant en haut du journal de Jack.

– Comme ça, vous vous rendrez compte par vous-même, dit Harry.

– Ne vous inquiétez pas, vous serez en sécurité avec ces garçons, dit George.

– Vous appelez, et vous me demandez – Freddie Wilson.

– Je n'y manquerai pas », affirma Jack.

Sous prétexte d'aller aux toilettes, il réussit à commander une tournée au bar. Il avait déjà bu cinq ou six doubles gins, il avait faim et il était prêt à partir. Il se rassit et les verres arrivèrent. À cet instant, Catherine entra. Elle s'arrêta à leur table. Il se préparait à la présenter quand elle lâcha d'un ton glacial : « Je vais dans la salle du fond. »

Emportant son verre, il prit congé des hommes qui se montrèrent joviaux et compréhensifs.

« Qui sont ces types louches avec toi ? demanda Catherine.

– Des fans de tennis, répondit-il. Tu prends quelque chose ?

– Comme toi. »

Il alla commander un double gin, puis se rendit aux toilettes. Lorsqu'il revint, il vit que Catherine était mécontente.

« Qui tu connais au poste de police de Donegal Pass ? attaqua-t-elle.

– Personne, répondit-il.

– Alors, qu'est-ce que tu fais avec leur numéro de téléphone ? » Elle désigna le journal où le jeune policier l'avait griffonné.

« Oh, merde, dit Jack.

– Mais enfin, qu'est-ce que tu cherches ? À te faire tuer ? »

Il lui expliqua. Elle se leva brusquement et il la suivit dehors.

« Tu es malade ou quoi ? aboya-t-elle. Le lendemain matin, on retrouvera ton cadavre à la décharge publique.

– Je ne peux pas le croire.

– Je les connais », répliqua-t-elle sèchement. Elle partit à grandes enjambées. Il lui emboîta le pas. Elle s'arrêta et se retourna.

« Mais ton père était policier. »

Catherine eut une grimace de mépris. « C'est bien pour ça que je le sais.

– Il faut que je le fasse.

– Comment peux-tu être aussi stupide. » Elle changea de ton : « Promets-moi que tu n'iras pas.

– Je pense que je dois y aller.

– Dans ce cas, inutile de revenir à la maison », dit-elle.

Brouillés, ils se dirigèrent vers la station de taxis.

Tous les mardis, afin de toucher son allocation chômage, il prenait place en silence dans la queue. Après quoi, il dépensait son argent entre le supermarché chinois et la boutique du Pakistanais qui vendait des épices et parlait avec un fort accent de Belfast. Il ne voulait rien devoir à Catherine. Il avait reçu des avances de deux théâtres pour des manuscrits qui n'existaient pas. Puis, en proie à un sentiment de culpabilité né d'une sévère gueule de bois, il écrivit un vague synopsis et l'envoya à Eddie Brady, qui avait produit deux de ses pièces.

« De quoi ça parle ? lui demanda Catherine.

– Je ne sais pas encore. »

Elle ne voyait pas le moindre texte, et pourtant, chaque fois qu'elle rentrait à la maison, elle le trouvait devant sa machine. « Tu écris quelque chose ? » demandait-elle. « Des fois », répondait-il. Tous les soirs, ils ouvraient une bouteille de vin. Il essayait de remettre de l'ordre dans ses pensées et de parler de manière sensée après ses équipées de l'après-midi. Catherine buvait le soir. La journée de Jack se divisait donc en deux séances de beuverie : celle où il était seul et celle en compagnie de Catherine.

Quand il était sorti, elle examinait les papiers sur son bureau, souvent des bouts de poèmes sans queue ni tête ou des bribes de discours entendus à travers Belfast. Des notes sur le Mayo. Des descriptions de vêtements. Des voix et des personnages sans rapport. Des conversations surprises dans les pubs, dans la rue, dans les jardins, sur les quais.

Elle découvrait quantité de feuillets où le rideau se baissait sur une pièce qui n'avait pas commencé. *Le rideau se lève*, écrivait-il. Ou : *Lumières*. Un mot, quatre mots. Rien d'autre. Jack baissait le rideau, installé dans un fauteuil de jardin. À une table de restaurant. À l'intérieur d'un vieux magasin d'antiquités. Sans personne. Ou dans un bar du village. Et puis plus rien. Un jour, lorsque les projecteurs s'allumèrent, elle vit que c'était une version d'elle-même qui se tenait là, au centre de la scène.

Il bondit sur ses pieds au Hatfield Bar.

« Nommez les trente-deux putains de comtés !

– Vous rigolez.

– Je donne cinq livres à celui qui peut nommer les trente-deux comtés d'Irlande », dit Jack aux buveurs installés au bar.

Aussitôt, les vieux et les jeunes turfistes sortirent leurs stylos, retournèrent les tickets de paris enregistrés chez le bookmaker d'à côté et commencèrent à noter, passant les quatre provinces en revue. Jack regardait par-dessus leurs épaules. Les uns après les autres, ils additionnèrent leurs scores et constatèrent qu'il manquait toujours quatre ou cinq comtés.

« D'où êtes-vous ? cria quelqu'un.

– Du Leitrim.

– Pas mal, dit l'homme. Çui-là, je l'avais oublié. »

Personne n'arrivait à trente-deux. Le Louth, les Irlandais du Nord l'appelaient Dundalk. Le Offaly posait problème. Tout le monde connaissait le Laois parce qu'il abritait les principales prisons du Sud. Le Roscommon était difficile. Par un heureux hasard, ils se souvenaient tous du Carlow. Conjuguant leurs efforts, ils finirent par en trouver trente et un.

« Et vous prétendez être des Républicains ! » dit Jack.

Un jeune type, un peu simple d'esprit, s'assit à côté de lui et dit : « Vous leur avez posé une colle.

– Oui, dit Jack.

– Vous, vous avez la réponse ?

– Non, j'ai oublié.

– Bon, eh bien, va falloir attendre.

– Le Kildare ! finit par s'écrier quelqu'un.

– Exact, le Kildare, dit Jack.

– Maintenant que vous le savez, vous vous sentirez mieux, dit le jeune type. Vous êtes gentil, mais faut que je parte. »

Il se leva et, sans quitter Jack du regard, il sortit à pas lents sur Ormeau Road.

Catherine téléphona : « Je vais à Dublin voir Sara. Sa première à l'Abbey Theatre a lieu demain soir. Tu veux venir ?

– Non, répondit-il. Je travaillerai.

– Tu as la voix triste.

363

— Catherine, je t'aime.

— Moi aussi, je t'aime.

— Quelque chose ne va pas, dit-il.

— Qu'est-ce que tu veux dire ?

— Je le sens. Il se passe quelque chose.

— Viens me voir avant que je parte, dit-elle très vite. On déjeunera dehors.

— D'accord.

— Jack… tu es en colère contre quelque chose.

— Je suis en colère contre moi.

— Tu ne dois pas.

— Je te rejoins dans une demi-heure. »

Il souleva la bouteille et versa deux mesures de vodka dans deux verres. Il les vida l'un à la suite de l'autre pour se préparer au voyage en ville. Il inscrivit le titre de la pièce qu'il n'avait pas encore commencée, puis sortit dans la rue.

Catherine revint le samedi soir par le dernier train et prit un taxi jusqu'à la maison. Jack avait passé la journée à errer dans les rues, traînant une de ces gueules de bois qui vous amènent au bord du désespoir. Tout ce qu'il regardait – les gens, les feuilles, l'eau – le fascinait. Quand elle entra, il lisait au coin du feu.

« Assieds-toi ici », dit-il.

Il posa la tête sur ses seins.

« Comment c'était ?

— Sara a été bonne, je dois le reconnaître. Mais elle s'entoure d'une drôle de faune.

— Tu t'es amusée ?

— Je suppose. Mais tu m'as manqué. »

Il perçut une fausse note dans sa voix.

« Catherine, dit-il. Tu as couché avec quelqu'un. »

Elle eut l'air choquée, un peu effrayée, puis elle avoua que oui, elle avait couché avec quelqu'un. « Ce n'était pas prémédité. Ça ne se reproduira jamais. » Il la regarda de telle manière qu'elle se sentit mourir de honte.

« Je m'en doutais », dit-il.

Elle garda le silence.

« Raconte-moi ce qui est arrivé, sans rien omettre, exigea-t-il.

— Y compris la taille de son pénis, je présume ? »

Il ne répondit pas.

« Il faut vraiment en passer par là ?

— Pour que je puisse oublier, oui. »

Elle lui raconta donc tout, lentement, comme si elle racontait l'un de ses rêves. La seule différence, c'est qu'il se rappellerait les moindres détails. Tout comme lui, elle fut stupéfaite par sa réaction devant ce qu'elle confessait. Il voulut tout savoir, même ce qui touchait aux gestes les plus intimes et les plus libidineux. Il l'interrogea jusqu'à ce qu'il eût l'impression d'avoir assisté en personne à ses ébats amoureux.

« Il n'y a plus rien d'autre, conclut-elle. À moins que tu veuilles que j'invente.

— Je voudrais bien », dit-il avec désespoir.

Elle finit par demander : « Comment tu l'as su ? On aurait cru que tu lisais dans mes pensées.

— Je t'ai toujours soupçonnée. »

Elle se montra d'abord arrogante, très grands principes. Puis douce et triste. Ils commencèrent à se déshabiller mutuellement.

« Je te promets, c'est fini, dit-elle. Je veux aimer chaque pouce de ton corps. Je ne veux plus appartenir à personne d'autre que toi. Je ne pense qu'à toi.

— Tu as rapporté à boire ?

— Il n'y a plus de vodka ? »

Elle ouvrit une bouteille de vin et se mit à pleurer.

« Je veux qu'on soit heureux, en sécurité et libres, dit-elle. Loin de ces combats et de ces querelles. Je sais que j'ai mal agi. Je sais le mal que j'ai fait. » Il se contentait de boire et de la dévisager.

« Je ne pourrai jamais tomber amoureuse d'un autre que toi. Je t'aime, Jack. Ne pars pas avec une autre, je t'en supplie, je t'en supplie.

— Et si c'était déjà arrivé ?

— Tu ne m'aurais pas fait subir tout ça pour me dire ensuite que toi aussi tu m'as trompée ?

— Et pourquoi pas ? »

Assise nue devant la fenêtre, elle regardait dehors. Lui, il était installé dans le fauteuil, le pantalon enroulé autour des chevilles.

« Match nul ? » proposa-t-elle.

Elle se leva et alla jouer au piano « Madame George » de Van Morrison. C'était une longue élégie de Belfast. Jack tâcha de concentrer ses pensées sur Catherine. D'où venait-elle ? Qu'espérait-elle en rentrant à la maison ? Et lui, qu'est-ce qu'il faisait là ? Il avait envie de dire : Écoute, nous avons tous deux été infidèles l'un à l'autre, mais il ne le fit pas. Il ne fit rien. À l'idée de la trahison et de la culpabilité de Catherine, il éprouva un désir d'une force sans précédent. Ils firent l'amour avec une frénésie et une passion destinées à quelqu'un d'autre. Il lui versa un verre de vin, puis se servit à son tour.

« Tu as une autre bouteille ? demanda-t-il.

— Oui », répondit-elle tristement.

25

Qu'a fait Shamey Coyle à sa sortie de prison ?

Seul dans leur maison du Belfast ouvrier, il entendait souvent dans sa tête un son qu'il ne parvenait pas à identifier. Quelque chose qui ressemblait aux parasites de la radio à bord du chalutier. Afin de les noyer, il se parlait à lui-même, ce qui impliquait au moins un échange, un bavardage. De fait, il se livrait à une espèce de masturbation verbale.

En présence de tiers, son monologue cessait.

Par contre, dès qu'il se trouvait devant l'urinoir d'un pub ou sur un banc d'Ormeau Park, cela recommençait. Jusqu'à ce qu'un jour, au Hatfield Bar, il se rende compte que ce bruit se composait uniquement de pensées folles qui se bousculaient dans sa tête. Un acouphène verbal l'accompagnait sur le sol dallé après la porte, puis sur la mince moquette en attendant qu'il prenne un siège et s'installe. Parfois, il persistait dans un silence assourdissant, au point que Jack avait l'impression que les personnes à côté de lui entendaient les échos qui résonnaient sous son crâne. Il se mit à redouter la solitude. Après ses nuits de beuverie, il se réveillait en proie à un tel sentiment de culpabilité qu'il craignait pour son équilibre mental.

Ses matinées débutaient par de tristes rêvasseries et de brutales hallucinations. Son côté romantique s'était toujours rebellé contre les images surréalistes, et voilà qu'il était victime d'abstractions, d'acouphènes, de fantasmes morbides. Il enrageait, il voulait en finir. Arrêter de boire, là, tout de suite ! Aujourd'hui ! Sur-le-champ! Et le soir, il se retrouvait – ses promesses faites à lui-même brisées, oubliées – un verre à la main, guettant le retour de Catherine. Le harcèlement continuait jusqu'au moment où il la voyait descendre du bus.

Et quand la porte d'entrée se refermait derrière elle, le silence revenait mystérieusement. Les furies étaient parties.

« Il y a un groupe associatif qui recherche un écrivain pour travailler avec lui.

– Je ne saurai pas.

– Mais si. »

Par l'intermédiaire de Catherine, il les contacta dans Belfast-Ouest. Ils voulaient une pièce sur un prisonnier républicain fictif libéré après avoir passé quinze ans en prison pour le meurtre d'un policier. Jack serait-il intéressé? C'était peut-être une manière de se sortir du dilemme où l'enfermait sa vie quotidienne sur le Belfast Lough. Il accepta.

Près de l'école privée Sainte-Thérèse à Aitnamona Crescent, ils louèrent une chambre à la limite de Turf Lodge et d'Andersonstown. Le premier jour, il se retrouva en face de gens qui lui ressemblaient – des étrangers d'origine anglaise ou sud-irlandaise. Des bonnes âmes qui désiraient écrire un drame social significatif. Des jeunes auteurs qui, poussés par un intérêt morbide, se plaisaient à imaginer des morts violentes. Des femmes qui avaient des comptes à régler. Des gens qui s'estimaient au-dessus des luttes religieuses. Des travailleurs sociaux incapables de répondre aux demandes de la rue. Des moralistes invétérés qui prétendaient avoir des idées libérales. Des personnes qui se demandaient avec une curiosité malsaine pourquoi les êtres humains s'entretuaient. Et aussi quelques Irlandais du Nord qui venaient et repartaient comme des esprits en quête des corps qu'ils avaient un jour habités.

Catherine acheta pour deux cent cinquante livres une Lada d'occasion grâce à l'argent que lui avaient rapporté deux dramatiques pour la BBC. Chaque week-end, Jack lui donnait des leçons de conduite à Helen's Bay. En première, ils effectuaient le tour du Folk Museum. Il lui apprit à démarrer en côte et à faire demi-tour. Elle se concentrait et manifestait une résolution de fer. Ils emportaient une demi-bouteille de whiskey pour boire entre les leçons.

Tous les matins, elle conduisait jusqu'au Arts Center, suivant les indications qu'il lui criait : Bretelle de Holywood ! Marine Parade ! Pas si vite ! Sens unique ! Station d'épuration ! Le feu rouge ! le feu rouge ! Maintenant, direction l'aéroport. Non, non ! Le port. Doucement, Catherine ! Albert Bridge Road, très bien ! Albert Bridge, à droite, puis à gauche. East Bridge Street. Ralentis ! Tout droit ! L'enculé ! Traverse Cromac Square. Où on est ? Doucement, maintenant, freine ! Shaftesbury Square. Seigneur !

Il s'installait au volant. Ils s'embrassaient, sûrs d'eux et de leur amour. De là, il se rendait à Aitnamona. Il était à peine à son bureau que Catherine téléphonait pour savoir s'il était bien arrivé.

« Sans problème, répondait-il.

– Bonne chance », concluait-elle.

Les membres du groupe, assis en rond, mal à l'aise, s'efforçaient d'inventer un personnage répondant à leurs critères. Leur première tâche fut de donner au prisonnier un nom approprié. Finalement, après une discussion déroutante, Shamey Coyle fit son entrée dans le monde du théâtre associatif. On le dota ensuite d'une vie de famille. Il était né en 1949 dans Hatfield Street, non loin de Ormeau Road. En 1970, il s'installait à Gransha Gardens dans le quartier de Turf Lodge avec sa jeune femme, originaire de Thompson Street, une rue qui débouchait sur Mountpolinger Road dans le North Strand.

« Est-ce qu'il aurait épousé une protestante ? demanda Jack.

– Ne dites pas de bêtises, lui répondit-on. C'est une pièce fondée sur la réalité. »

Où cela me mène-t-il ? s'interrogea-t-il. Le délire recommença dans sa tête. Hep ! 'spèce d'enculé ! Mort aux cons ! Affligeant, non ? *Mea culpa. Mea culpa.* C'est ma faute. *Sacramentum. Conas mara tá ?* Le renard, l'hermine et les poissons. Un étranglement aux confins de l'espace. Passer en flottant. C'est juste un… comment on appelle ça…

« Vous êtes d'accord, Jack ? »

La question se détacha de la myriade des autres voix.

« Absolument », acquiesça-t-il.

Le groupe entama ses recherches. À la fin de l'après-midi de son deuxième jour, Jack se rendit en voiture du côté de Falls Road. On lui demanda d'attendre dans Islandbawn Street. Il resta dans la Lada à fumer et à réfléchir au déroulement de l'interview. Un convoi de l'armée britannique passa tout près. Des soldats marchaient les uns derrière les autres sur le trottoir. Le dernier de la file se baissa vivement à côté de l'aile de la voiture. Des cris retentirent en haut et en bas de la rue. Le soldat était accroupi au niveau de la vitre. Des fragments de la *Symphonie pastorale* de Beethoven s'échappaient de son walkman.

Il poussa un grognement et courut jusqu'au prochain carrefour. Une fois les soldats disparus, on frappa à la vitre de la Lada. « C'est vous qui vouliez voir quelqu'un pour une pièce ? »

« Donc, il tue un policier, dit l'homme.

– Oui, confirma Jack. Mais je commence à me faire du souci pour ce projet.

– Pourquoi ? »

Ils étaient dans une petite salle de séjour sommairement meublée, non loin de Springmartin Road.

« Parce que je ne sais pas si on peut écrire sur des sujets pareils.

– Ma question, c'est pourquoi a-t-il tué ce policier ?

– Parce que, d'après lui, il faisait partie des forces d'occupation, je suppose.

– Vous le pensez, vous ? » L'homme alluma un cigare.

« Je ne fais que le supposer.

– Pour ma part, je croirais plutôt qu'il le tue parce qu'il en a reçu l'ordre.

– Oui, en dernière analyse, sans doute.

– C'est un soldat, non ? Shamey Coyle est un soldat.

– Oui.

– Et s'il l'abat dans Castle Street, ce que j'aimerais savoir, c'est s'il a remonté la rue pour le tuer au point de contrôle.

– Il n'en est pas fait mention.

– Parce que, pour agir, il aurait fallu que le policier soit seul. Et vous vous imaginez qu'un policier se promènerait seul dans Castle Street ?

– Non, pas vraiment.

– Moi non plus.

– Mais ce qui m'intéressait, c'est sa vie après la prison.

– Et moi, ce qui m'intéresse, c'est de savoir si Shamey Coyle a tué ce policier. On en déduira ce que vous vouliez savoir. Et s'il l'a fait, comment il l'a fait. Vous n'avez quand même pas l'intention de le mettre en prison pour un crime qu'il n'a pas commis ?

– C'est-à-dire que les preuves ont été apportées bien après son arrestation. Il a été emprisonné sur de simples présomptions.

– Oui, mais il fait partie de l'armée républicaine, non ? C'est un soldat. Et si c'est un soldat, il a déjà tué quelqu'un ou le fera bientôt.

– Oui.

– Eh bien, dans ce cas, avant de faire arrêter Shamey Coyle, il faut savoir s'il a effectivement tué l'homme qu'on l'accuse d'avoir tué, et ensuite, vous devrez trouver de qui il s'agit.

– Qu'est-ce que vous voulez dire ?

– Qui était le policier qu'il a abattu ?

– Un policier, rien de plus, répondit simplement Jack.

– Il a bien un nom ?

— Ce serait un nom imaginaire.

— Shamey Coyle aussi, non ?

— Oui.

— Inventez-lui un nom, alors. Faites-en un être de chair et de sang.

— Je pense qu'on pourrait l'appeler Christopher... Little.

— Bon, mettons.

— Et maintenant ?

— Qui est Christopher Little ?

— Il a dix-neuf ans. Il est protestant. Il est policier.

— Et il a été tué.

— Oui », dit Jack. Il réfléchit un instant. « Mais comment ?

— Exact. C'est la question que vous devez vous poser. Pourtant, ce n'est pas ce que vous m'avez demandé en passant la porte. Je ne vous ai pas entendu dire : voyez-vous, je n'arrive pas à déterminer comment Christopher Little a été tué par Shamey Coyle, je me trompe ?

— Non.

— C'est moi qui vous ai mis ça en tête.

— En effet.

— Et vous reconnaissez que c'est important ?

— Oui, je crois.

— Eh bien, maintenant, j'espère que vous comprenez mieux la portée de la propagande. »

Jack était très surpris. Il considéra un long moment l'homme au teint frais qui se tenait adossé à la porte du séjour, un pied posé sur la plinthe. Pour la première fois, il commençait à entrevoir comment il avait été amené à réfléchir à un concept qu'il n'avait même pas nourri.

« Si vous voulez écrire une pièce sur nous, il faut partir du point de vue de la propagande. Par exemple, est-ce que nous avons besoin de votre pièce ?

— Quand elle sera finie, peut-être.

— Si nous l'aimons, ce sera parce qu'elle est conforme à nos idées.

— Donc, à vos yeux, tout ce que nous pourrons faire ne sera authentique que si cela reflète vos opinions?

— Pour certains, authentique signifie des lambeaux de chair et du sang répandus dans une ruelle. » Il alla regarder par la fenêtre. « Pour moi, authentique signifie fidèle à la cause républicaine. Si vous écriviez une pièce sur une autre catégorie d'êtres humains, les choses prendraient une tournure différente. Mais ici, soit les gens sont fidèles aux traditions républicaines ou loyalistes, soit ils ne le sont pas. Shamey Coyle aurait dû le savoir.

— Alors, qu'est-ce que je fais?

— Eh bien, si je voulais vous raconter une histoire qui me conviendrait en tant que républicain, je commencerais par faire de Shamey Coyle un anti-Provos. Et puis les Anglais tuent son frère et il s'engage dans l'armée républicaine.

— Oui, mais ce serait par esprit de vengeance.

— C'est parfois plus compliqué. On ne naît pas avec des convictions nationalistes. Les gens s'engagent dans l'armée républicaine pour des raisons simples.

— Et Shamey Coyle, ça a donné quoi, dans ce cas?

— Un pur et dur. Votre problème, c'est que vous essayez d'en faire un héros. C'est le mauvais scénario. Je vous donne le bon. Vous voulez un Shamey Coyle doté de toutes les qualités. Moi, je préfère un homme en qui je puisse croire. » Il éteignit son cigare et épousseta son pantalon. « Vous ne me paraissez pas convaincu.

— Je réfléchis.

— Il est vrai que c'est un homme complexe, notre Shamey Coyle. Il faut un sacré bout de temps pour l'inventer. Vous aurez besoin de quelques siècles d'histoire pour bien le cerner. » Il serra la main de Jack. « Je n'aimerais pas faire votre boulot. »

Le groupe se réunit quelques jours plus tard. Ils continuèrent à élaborer le personnage de Shamey Coyle, lequel devait représenter

un membre de l'IRA sous le moindre de ses aspects et qui, en conséquence, se transformait en outil de propagande. Sinon, il n'aurait
pu faire ce qu'il avait fait, ni tenir aussi longtemps en prison. Shamey
Coyle ne tarda pas à devenir une source continuelle de chamailleries.
Chacun avait son idée sur ce que devait être un républicain. Ils
voulaient qu'il soit ou un idiot, ou un génie. Ou beau, ou laid. Et
puis, de patriote, ils envisagèrent d'en faire un indicateur.

« Merde! qu'on le foute juste dans l'armée républicaine, dit l'un
des types d'Irlande du Nord. Laissons tomber l'informateur.

– Il faut être précis.

– Allez vous faire voir! Qu'il se paye un mauvais trip à l'acide.

– Oui, peut-être qu'il devient indicateur, reprit le travailleur
social. Mais quel est le genre d'homme qui devient indicateur?

– Un sale connard, si vous voulez mon avis.

– Quelqu'un qui, en fin de compte, ne croit pas à la violence?

– Non, corrigea Jack. Quelqu'un qui ne croit pas à l'IRA.

– Est-ce qu'on parle bien d'un homme qui a de hautes moti-
vations?

– Merde, vous avez tout faux, intervint un rouquin. Dès le
début, Shamey Coyle rêve de quitter Belfast. S'il s'engage dans
l'armée irlandaise, c'est qu'il se voit un jour en homme libre en
train d'arpenter les rues de New York.

« Ce n'est pas étonnant, dit Jack, qu'on appelle l'endroit où
nous sommes "le lieu de la tourbière".

– Qu'est-ce que vous voulez dire?

– Aitnamona – ça signifie "le lieu de la tourbière".

– Vous parlez irlandais?

– Oui.

– Eh bien, mon gars, vous pourriez vous faire quelques shillings
un peu plus loin dans la rue. Paraît qu'on recherche un prof
d'irlandais au Mills. »

Et c'est ainsi que Jack Ferris, après avoir consacré quelques
semaines à esquisser le profil de Shamey Coyle, quitta le groupe

qui travaillait sur la pièce pour aller enseigner l'irlandais à Conway's Mills dans Falls Road. Il ne sut pas ce que Shamey Coyle fit à sa sortie de prison mais, d'une certaine façon, il apprit à pleurer la mort de Christopher Little, auquel il n'aurait jamais pensé s'il n'avait eu une conversation avec un homme qui aurait pu le tuer.

Son poste de professeur d'irlandais ne lui rapporta pas une fortune. Sa classe se composait de deux ex-prisonniers, de quelques fils du Comhaltas, de deux poètes républicains, d'un jeune auteur de nouvelles en quête de gloire et de deux filles qui apprenaient l'irlandais à l'école en tant que langue étrangère.

Par les sombres soirées d'hiver, il garait la Lada dans une rue transversale qui donnait sur le Falls, devant la porte d'un couple charmant, et il effectuait à pied le reste du trajet. Il se souviendrait toujours de ces petites rues, des quelques silhouettes qui attendaient dans la pénombre devant la salle, cigarette aux lèvres, du radiateur à gaz qui s'allumait, de la pause café et de l'étrange impression qu'on éprouvait à entendre l'irlandais du poète O'Ríordán parlé par des adultes de Belfast, tandis que passait un convoi de l'armée britannique ou que le projecteur d'un hélicoptère balayait les tonneaux de Guinness dans la cour.

Il n'avait jamais enseigné, et ne tenait pas à le faire, mais Catherine l'avait poussé.

« Tu ferais un formidable DJ, lui dit-elle. Si tu étais à la radio, je t'écouterais tout le temps. Et tu feras un professeur encore plus formidable.

— J'aurai trop le trac.

— Tu t'y habitueras. »

Il s'y rendait deux fois par semaine puis, en compagnie de quelques élèves de son cours, il allait dans un pub des alentours. Ils se racontaient des épisodes de leurs vies qu'ils déversaient dans un anglais simple et cru. Le jeune écrivain désirait savoir comment écrire un livre qui ferait de lui un homme riche. Regardez Jeffrey Archer! Et Barbara Cartland? À quoi bon s'occuper de Belfast, qui a envie d'écrire sur Belfast, disait l'auteur de nouvelles, j'en ai jusque-là de Belfast.

Jack s'apercevait avec stupéfaction qu'il était redevenu un membre utile de la société. L'après-midi, il buvait avec des protestants peu recommandables, ensuite il traversait la ville pour apprendre la langue irlandaise à des nationalistes puritains et des auteurs de best-sellers en herbe. Après quoi, rentrant vers minuit, il trouvait Catherine qui attendait son retour, assise près de la fenêtre, une demi-bouteille de vin posée sur le réfrigérateur, et les textes qu'elle travaillait éparpillés sur la moquette du séjour.

« Tu veux bien me lire ce rôle? demandait-elle pendant le dîner.

– Qu'est-ce que je suis censé jouer ce soir?

– Une femme qui accepte de devenir informatrice de la RUC.

– Ah bon? Le problème, c'est que je ne sais plus très bien qui je suis. »

Elle était si charitable qu'il se sentait béni des dieux. Au lit, il retomba dans une de ses anciennes habitudes dont Catherine l'avait pourtant guéri. Il recommença à crier comme un animal blessé au moment de jouir. « Chut! » disait-elle. Mais ce son effrayant s'échappait malgré tout de sa gorge. Une telle détresse la bouleversait, et elle frissonnait à l'idée qu'elle pourrait le perdre. « Tu es unique », disait-elle. Elle le serrait dans ses bras, répétant sans cesse : « Je t'aime, je t'aime… » Et puis, constatait-elle, il était très généreux envers elle. Il semblait avoir oublié sa trahison.

Timidement, elle l'embrassait.

Elle songeait à quel point elle aurait été furieuse si l'inverse était arrivé.

« Je t'aime, disait-elle. Je t'en supplie, soyons heureux. Avec toi, je ne pense qu'à être heureuse. »

Catherine traversait cependant une période semée de dangers.

En effet, bien que cherchant encore à obtenir le pardon de Jack, la pensée de son infidélité lui apportait de grandes satisfactions. Le fait de lui avoir tout raconté sur sa nuit d'amour avec un autre homme mettait une espèce de distance érotique entre elle et Jack, ce qui rappelait à ce dernier qu'elle existait dans un monde autre que celui dans lequel il la connaissait. Elle pouvait sortir du contexte où il la cantonnait. Elle pouvait commander son désir à toute heure. Pourtant, alors qu'ils semblaient être de plus en plus proches, elle ne trouvait aucun fantasme susceptible de la nourrir. Afin de préserver son identité au sein de leur relation, elle tenait à garder une part de liberté. Et cela impliquait la possibilité de trahir. Que Jack l'ait percée à jour la libérait de toute nécessité de duplicité. Jamais auparavant elle n'avait eu à affronter ainsi un amant.

Elle le lui dit, et elle le tint dans ses bras tout en se demandant en son for intérieur comment cela allait se terminer.

Des projets ridicules lui passaient par la tête. Cet été, ils quitteraient Belfast. Il le fallait, affirmait-elle. Ils iraient en Europe. Ils pouvaient aller où ils voulaient. « Tu vois, dit-elle, je ne peux plus le supporter. Je ne veux pas devenir cynique. Quand on se dispute, j'ai souvent envie de me tuer. Mon travail souffre de nos querelles. Je souffre et tu souffres. Le cauchemar ne fait qu'empirer. Tous les jours, j'ai de nouveaux motifs de me plaindre. On pourrait aller dans le Sud.

— Tu crois ?

— Je trouverais peut-être du travail dans un théâtre.

— Et ton travail ici ?

— Qu'est-ce que tu en sais ? Je ne te vois jamais. Tu débarques ivre le soir de mes premières et tu fais des choses que je désapprouve Moi qui m'imaginais que tu t'occuperais de moi. Tu m'écoutes ? Oui, je croyais que tu t'occuperais de moi.

— Je t'écoute.

— Il y a des limites à ce que je peux endurer.

— J'en suis conscient.

— On pourrait vivre ensemble et avoir des enfants.

— Tu veux des enfants ? »

Elle se raidit. « Pourquoi ? s'écria-t-elle avec colère. Qu'est-ce qu'il y a de mal à ça ? Tu ne veux pas d'enfants ? »

Elle s'écarta de lui. Il resta allongé à contempler le plafond.

« On mène une vie terrible, tu sais, dit Jack.

— Tu crois que les autres sont comme nous ?

— Si c'est le cas, répondit Jack, je les plains. »

Elle ne poursuivit pas la discussion, car elle se souvenait que peu de temps auparavant, s'il l'avait voulu, il aurait pu se montrer à son égard d'une cruauté sans égale. Couchée à côté de lui, elle s'abîma dans un désespoir de femme qui paraissait tout englober.

« Hugh ! hurla-t-il. Il y a de l'eau dans la salle des machines !

— Jack, murmura-t-elle. Jack. »

Il se débattit furieusement.

« Il faut qu'on sorte d'ici ! » Il descendit du lit et commença à le tirer sur le plancher de la chambre.

« Jack ! » cria-t-elle.

Elle alluma la lumière et il cessa aussitôt.

« Jack, reprit-elle. C'est moi, Catherine. » Elle s'approcha de lui avec crainte.

« Je t'ai entendue crier », expliqua-t-il.

Il se recoucha et se rendormit.

IV

Le pont musical

26

Voler dans Belfast

Désœuvré, tenaillé par une rage de dents, il contemplait sa machine à écrire quand le téléphone sonna.

« Salut.

— Tiens, Eddie.

— Paraît que tu fais un peu de théâtre à Belfast-Ouest.

— C'est tombé à l'eau.

— Ah ? Et tu as fini la nouvelle pièce que tu m'as promise ?

— Pas encore.

— Je pourrais voir ce que tu as déjà fait ?

— Pourquoi ?

— On m'a proposé de mettre en scène une pièce de mon choix dans le courant de l'année prochaine.

— Je n'ai rien fait.

— Bon. Et comment tu passes ton temps ici ?

— Le matin, je ne suis pas très en forme. L'après-midi, pendant que Catherine sillonne la province en minibus pour jouer des pièces politiques, je m'installe dans un vieux magasin de disques et j'écoute de la musique des années 60. En compagnie d'un ex-soldat de l'armée britannique. Le soir, je donne des cours d'irlandais.

— Très bien. Parfait. Dès que tu auras avancé, tu me l'envoies, d'accord ?

— Oui, bien sûr.

— Salut. »

Jack glissa une feuille blanche dans la machine et regarda les drapeaux anglais s'agiter dans le vent.

Il s'enferma trois jours dans son bureau. Elle rentrait tous les soirs au son de la machine qui crépitait.

Les démons que libéraient la jalousie et l'alcool étaient apaisés. Les quelques heures de sobriété les rendaient sages, indulgents et nostalgiques. Un nouveau départ semblait possible. Ils s'autorisaient deux verres entre onze heures et minuit et trinquaient ensemble. Une allégresse quasi religieuse s'emparait d'eux.

« Tes personnages sont heureux, satisfaits ?

— Ils sont pacifiés.

— Je m'inquiète pour eux.

— Tu as bien raison. »

Il posait devant elle les pages qu'il avait tapées et guettait sa réaction avec anxiété. Elle lisait quelques lignes, puis levait les yeux.

« Qu'est-ce que tu en penses ?

— Je me demande ce que tu fais de tes journées quand je ne suis pas là. Il y a un tas de situations érotiques qu'en tant que femme je n'ai pas connues avec toi. Alors, je m'interroge. »

Jack éclata de rire. « Ça s'appelle l'imagination.

— Ah bon ? Je trouve ça troublant sur le plan sexuel. »

Et c'est au cours de l'une de ces soirées que Jack, l'espace de quelques secondes, débarrassa son corps du sexe qui le contrôlait.

Il y parvint par le biais d'un dangereux frisson de l'esprit. Quelque chose qui le propulsa dans un état de désir incertain. Étendu à côté de Catherine, il sentait sa présence dans le lit, longue, grande et blonde, une silhouette féminine endormie près de lui. À tous égards disposée à subir sa volonté dès lors qu'elle pourrait à son tour l'humilier. Un instant, il pensa qu'elle était un homme. Et elle, naturellement, quand il le lui raconta, elle rit, ravie à cette idée, heureuse de le savoir capable de pareils désirs.

Car elle croyait au fond d'elle-même que les hommes ne désiraient que les hommes.

Quant à Jack, il ressentit de la tendresse à se trouver ainsi couché à côté de quelqu'un qui riait.

« Catherine », dit-il.

Et c'est ainsi qu'il quitta son corps. Pour une minute seulement. Ce fut comme s'il devenait la femme près de lui. Alors qu'elle se levait et marchait dans la chambre en chemise de nuit, il prit possession de son corps de femme. Il éprouva jusqu'à la sensation d'avoir des seins. Le contact doux du tissu contre sa peau. La nuit autour de lui. Ce qui l'effleurait. Un instant, il porta quelque chose d'informe. Agréable cependant.

Et, lorsqu'il expliqua à Catherine ce qu'il ressentait et qu'il vit son plaisir, il sut qu'il venait de réussir une épreuve que son esprit et son corps lui avaient ménagée.

Le lendemain, comme il descendait seul la rue pour aller acheter le journal, il eut de nouveau l'impression de sentir le poids de ses seins. Suivie de celle, ténue, d'être possédé. Un quart de seconde, une jupe fantôme se gonfla derrière lui. Il s'arrêta et secoua la tête. Catherine s'était emparée de lui. Il retrouva presque aussitôt son identité, avec soulagement, car il n'aurait pas eu le courage de supporter un instant de plus ce sentiment diffus. Il savait ce qui était arrivé : il était devenu Catherine, pas vraiment elle, mais une autre femme qui avait pris possession de lui, une figure idéale qui avait effectué quelques pas en sa compagnie. Il s'était senti à la fois généreux et terrifié en enfilant dans la rue cette jupe fantôme. Et puis plus rien. Il ne se trouvait cependant pas appauvri après ce qu'il avait vu et vécu, et il lui importait peu de savoir qu'il n'avait franchi qu'une infime fraction du grand vide.

« Comment ça va, Jack ? lui demanda la vieille marchande de journaux en se tamponnant les lèvres d'un kleenex.

— Je vole », répondit Jack.

Lentement, sa métamorphose en Catherine se poursuivit. Puisqu'il ne pouvait la conquérir en tant que lui-même, il deviendrait tout ce qu'elle aimait en elle. Certes, il ignorait que cette transformation se produisait, mais il se surprenait souvent à se lever de sa chaise en même temps qu'elle, à tenir une cigarette comme elle. Il sentait son dos se raidir soudain à l'exemple de Catherine. Ces petits indices lui laissaient néanmoins entrevoir que quelque chose échappait à son contrôle.

Autrefois, quand il écrivait, il ne buvait jamais afin de rester concentré devant les images folles qui défilaient dans son esprit. Maintenant, assis près du feu, son travail de la journée terminé, un verre de vin à ses pieds, un verre de vin aux pieds de Catherine, il éprouvait un plaisir qui le stupéfiait. Tout paraissait possible. La pièce prenait forme selon les thèmes et les obsessions de Catherine jusque dans leurs moindres nuances. Il écrivait sur son entêtement à s'approprier tout ce qu'elle estimait lui revenir de droit.

« N'oublie pas, dit-elle, que tu n'es pas moi. »

Il laissa un moment s'écouler. Puis il dit : « Je viens juste de réaliser que tu ne crois pas en la fiction.

— Tu te trompes, répliqua-t-elle d'un ton convaincu. Mon problème, c'est que j'y crois soit totalement, soit pas du tout. » Elle le considéra avec un feint mépris. « Sur ce point, je suis comme mon père. »

Ils se rendirent à une soirée que donnait une amie de Catherine, Helen. Jack se tenait à côté de celle-ci, un grand verre de vin blanc frais à la main.

« Toi aussi, tu es féministe ? lui demanda-t-il.

— J'aime trop les hommes pour ça, répondit-elle. J'ai besoin de gentils machistes pour me porter mes achats.

— Tu me fais honte », dit Catherine en riant.

La chambre d'Helen était pleine de dessins représentant le corps et le cerveau humains.

« Serais-tu astrologue, par hasard ? s'enquit Jack.

— Pas tout à fait. Je suis infirmière psychiatrique, on pourrait dire.

— Ne l'entreprends pas sur ce sujet, intervint Catherine. Quand on parle du cerveau, j'ai des étoiles qui clignotent devant les yeux. À l'école, face à certaines questions, j'étais à deux doigts de m'évanouir.

— Maintenant, c'est le sexe, dit Jack.

— Suffit », dit Catherine en le gratifiant d'un coup de coude.

Puis elle devint sérieuse.

« Toute ma vie, j'ai craint la folie, reprit-elle.

— Et moi, je voulais me suicider, dit Helen.

— Charmante conversation, dit Jack.

— Et puis, continua Catherine, il y a la jalousie.

— Oui, acquiesça Helen.

— Avant de le rencontrer, pendant toute une année j'ai négligé le sexe parce que mes amours me conduisaient à de tels actes de jalousie irraisonnés que j'avais peur d'en arriver à tuer quelqu'un.

— Attention à toi, Jack, dit Helen.

— En fait, poursuivit Catherine, quand je me suis retrouvée seule, j'ai pensé que je pouvais prendre moi-même du plaisir mieux qu'avec quiconque. Je me caressais les seins.

— Oui, mais on finit par épuiser rapidement les possibilités, dit Helen.

— En effet, dit Catherine, prenant le bras de Jack.

— Je donnerais tout pour être aussi heureux que vous, dit Helen.

— On a nos problèmes », dit Jack.

Helen se mit sur la pointe des pieds, jeta les bras autour du cou de Jack et l'embrassa. Un grand baiser fraternel. Puis elle embrassa Catherine. « Vous avez de la chance de vous être rencontrés, dit-elle. Et n'oubliez pas, je vous aime tous les deux. »

Catherine resta tout le temps à côté de Jack. Helen chanta.

Catherine chanta. Jack dansa. Vers l'aube, ils prirent un taxi pour rentrer. Le chauffeur les connaissait. Jack descendit pour aller ouvrir la porte, et pendant que Catherine payait dans la pénombre qui régnait à l'intérieur de la voiture, le chauffeur lui souffla : « Il est en danger ici, vous savez.

— Quoi ? fit-elle, terrifiée.

— Je veux pas vous faire peur, mais j'ai entendu des histoires comme quoi il fréquentait des pubs avec des gens pas recommandables. Ça me regarde pas, mais vous devriez lui dire d'être plus prudent. Toutes ces histoires de religion et de sectes peuvent recommencer n'importe quand. »

Catherine était clouée sur son siège.

« Cette ville est le mal personnifié, dit-elle.

— Il a été imprudent. Il ne comprend pas. »

Elle le remercia. Elle ferma tous les verrous de la porte d'entrée. Elle poussa la table de cuisine contre la porte de derrière. Étendu sur le canapé à côté d'une bouteille de vin ouverte, Jack écoutait une version a cappella de la « Complainte pour James Connolly », interprétée avec un accent de Dublin prononcé. Elle ôta le saphir du disque.

« Pourquoi tu fais ça ?

— Parce que c'est dangereux », répondit-elle.

Il l'observa un instant. « Mais c'est ton disque.

— Je sais très bien. »

Quand ils se couchèrent, elle guetta les bruits en provenance de la rue. Comme avant elle Jonathan Adams, elle attendait le bruit d'un carreau cassé. Elle se réveilla d'un cauchemar, se pencha au-dessus de Jack et scruta son visage. Elle demeura longtemps ainsi, à écouter sa respiration. Elle vit des rêves agiter ses yeux sous leurs paupières closes. Elle se rendormit en lui tenant la main. Lorsqu'elle partit travailler le lendemain matin, elle lui demanda de ne pas sortir. De rester près du téléphone.

Plus tard, elle appela. Pas de réponse. Elle essaya tout au long de la journée, gagnée par l'affolement. Elle imagina qu'il était arrivé quelque chose de terrible à Jack. Elle imagina rentrer à la maison et voir un flot de sang couler sous la porte qui donnait dans le living. Elle imagina qu'il était allongé là, par terre, les yeux paisiblement fermés. Les détails sanglants défilaient dans son esprit en proie à la terreur. Et puis, vers la fin de l'après-midi, son téléphone sonna. Jack était dans un pub, chez Lavery.

« Oh, Jack, si tu savais tout ce que je me suis imaginé, dit-elle. Ne bouge pas, j'arrive.

— Attends, j'ai rencontré des gens que je connais, on part faire un tour dans les Glens.

— Mais il faut absolument que je te voie !

— On n'en a pas pour longtemps.

— Qui sont ces amis ?

— Des gens de Dublin. Eddie, mon metteur en scène, est avec eux. Je veux lui montrer une version de ma pièce.

— Promets-moi d'être de retour ce soir.

— Je te le promets. »

Quand il rentra, elle le renifla. Après quoi, perchée sur un coin du lit, elle le regarda, assis le dos tourné vers le mur. Il se rendait compte qu'elle avait beaucoup bu. Elle se leva pour aller à la fenêtre.

Elle revint et reprit sa place. Elle alluma une cigarette. Ses mains tremblaient.

« Tu as couché avec une fille.

— Je n'ai couché avec personne.

— Ne prends pas tes grands airs.

— Je ne prends pas mes grands airs.

— Moi, je le sens. Ne te figure pas que tu peux faire tout ce que tu veux avec moi.

— Je ne me figure rien de tel.

— Tu as rapporté à boire ?

— Non. Je vais en chercher.

— Laisse tomber. » Elle tapota nerveusement sa cigarette. « On ira dans le Mayo à Noël ?

— Il faut que j'aille voir ma famille dans le Leitrim.

— Voir toutes ces chères âmes sensibles.

— Arrête, Catherine.

— "Arrête, Catherine", le singea-t-elle. Espèce de salaud. »

Il la dévisagea en silence.

« Eh bien, dans ce cas, inutile de revenir. Tu n'as qu'à rester là-bas. Et ne remets plus jamais les pieds ici. Tu m'entends !

— Sale fasciste ! » cracha-t-il.

Il bondit sur elle, la saisit aux épaules et la plaqua contre lui. Ils roulèrent au sol, haletants.

« Laisse-moi me relever », dit-elle.

Il relâcha sa prise. Elle boutonna son manteau. Renfila ses chaussures. « Tu as couché avec elle, hein ?

— Oui, répondit-il simplement.

— Elle t'a sucé comme moi, ordure ? » hurla-t-elle, poings dressés. Il lui saisit les poignets. « Lâche-moi ! » cria-t-elle. Elle sortit. Il l'attendit longtemps. À trois heures du matin, on sonna. Elle était à la porte, très soûle, les yeux humides, tremblante.

Il la fit entrer. Il se remit au lit. Elle le rejoignit.

Le lendemain matin de bonne heure, il se réveilla, le bras de Catherine passé autour de lui. Elle le tourna sur le dos.

« C'est moi qui t'ai fait ça ? » demanda-t-elle, effleurant un bleu qu'il avait à la joue.

Il ouvrit les yeux.

« Pardonne-moi, Jack. Je crois que je deviens folle.

— Je crois que moi aussi.

— Mon Dieu, je suis dans un état épouvantable. »

Elle se leva et chancela. Il contempla ses longs bras blancs, ses épaules blanches. Sa toison délicate. Elle avait l'air vulnérable, pitoyable. Elle s'assit au même endroit que la veille, sur le coin du lit. Rongé par un sentiment de culpabilité, il attendit qu'éclate la colère de Catherine.

Elle se borna à dire doucement : « Je m'excuse de t'avoir frappé.

– Moi aussi, je m'excuse de t'avoir frappée.

– Je suppose que tu te figures m'avoir soumise. Pouvoir faire de moi ce que tu veux.

– Non, pas du tout.

– Maintenant que tu as eu ta revanche, tu veux bien faire quelque chose pour moi ?

– Oui.

– Promets-moi de m'être fidèle. »

Il le lui jura. Et elle fit de même. « À présent, dit-elle, tu es à moi. Ne l'oublie jamais. »

Ils sortirent ensemble dans les rues du petit matin. Des mouettes jacassaient au milieu d'un rond-point. « Viens me chercher vers une heure », dit-elle en l'embrassant sur la joue. Il acheta un quart de gin dans un pub qui ouvrait tôt et alla le boire dans un parc parmi les chômeurs protestants. À onze heures, il rentra. Il s'immobilisa sur le seuil. Un exemplaire du *Irish Press* envoyé par Eddie l'attendait. Il y avait une photo de Jack en page intérieure.

« Ne va pas là, dit-elle. On prendra un verre à la maison.

– Rien qu'un, dit-il, se dirigeant vers le bar.

– Je rentre, menaça-t-elle.

– J'arrive tout de suite.

– S'il te plaît, Jack, cria-t-elle. On vit des temps dangereux.

– Rien qu'un, répéta-t-il.

– On ne devrait pas se séparer.

– Eh bien, viens avec moi.

– Non. »

Seule et désemparée, Catherine s'enfonça dans la nuit.

Aussitôt, Jack se mêla à la conversation entre deux hommes installés au comptoir sur sa droite.

« Vous avez déjà fait quelque chose de stupide ? demanda-t-il.

— Du genre ? fit l'un des deux inconnus.

— C'est ma photo, là dans le journal, dit Jack, montrant le *Irish Press*.

— Je lis pas ce journal, dit l'autre, repoussant le quotidien.

— Moi non plus, dit Jack. Sauf qu'on voit ma tête dedans. »

Il désigna de nouveau la photo. Sans même la regarder, l'homme le plus proche de lui demanda : « Pourquoi ?

— J'ai été assez stupide pour déclarer que j'écrivais une pièce sur Belfast, alors qu'en réalité je n'en ai pas écrit un seul mot. » Jack regarda derrière lui les gens assis autour des petites tables, leurs sacs de provisions posés à leurs pieds. C'était le jour où l'on touchait les allocations de chômage. Il ne savait pas trop quoi ajouter. « J'ignore tout de Belfast, finit-il par dire.

— Ah oui, fit le premier homme.

— Mais nous sommes ici chez nous, dit le second.

— Où vous habitez ? reprit l'autre.

— Sur My Lady's Road, mentit Jack.

— Très bien, dit l'homme à côté de lui, se radoucissant. Moi, c'est Bertie. »

Ils inclurent Jack dans les tournées. Ils parlèrent des centres sportifs de la ville, de la machine à faire les vagues dans la piscine de Shankhill. De Belfast que Jack aimait beaucoup plus que Dublin. « Depuis quand t'habites My Lady's ? » lui demandèrent-ils. « Depuis quelques années », répondit-il, continuant de mentir. « Alors, tu connais bien le coin. » Ils trinquèrent. « Tu t'intéresses à la religion ? lui demanda l'un des deux hommes.

— Non, répondit Jack.

— Finalement, ça vaut peut-être mieux », dit Bertie.

Ils burent. On ne laissa pas Jack payer. Il leur apprit qu'il était du Leitrim.

« Alors, t'as failli naître en Ulster », dit Bertie. Il se tourna vers son compagnon qui portait des lunettes, secoua la tête. « On n'aurait jamais dû leur rendre Cavan non plus, hein, Willy ? La République aurait jamais dû récupérer Cavan. C'était une erreur. » Tandis que le nommé Willy allait rejoindre un autre groupe, Bertie poursuivit à l'intention de Jack : « Le Leitrim, c'est différent. On n'est plus très nombreux, là-bas.

— Si vous me laissiez vous offrir celle-là ? proposa Jack.

— Pas question, mon gars. On est entre amis, ici. Je m'occupe de toi. » Il commanda deux Malt Bush.

« Je commence à être un peu ivre, dit Jack.

— Tant mieux. »

Ils parlèrent de la qualité de la vie au Nord.

« Donc, t'es depuis des années sur My Lady's ? dit Bertie.

— Ouais.

— Alors tu connais bien le coin ? répéta l'homme d'une voix lourde de menace voilée.

— Oui.

— Qui est le commissaire de police du quartier ?

— Je ne m'intéresse pas à ces choses-là. »

Bertie appela son camarade. « Hé, Willy, viens voir un peu. » L'homme aux lunettes se leva. Tous deux s'entretinrent quelques instants à voix basse. Jack, mal à l'aise, contemplait les deux verres devant lui.

« Ça va ? lui demanda Willy, s'installant à la place de l'autre.

— Oui, répondit Jack. Je peux payer une tournée ?

— Sûr. Vas-y. »

Jack commanda trois Malt Bush.

« Quel genre de trucs t'écris ?

— Des histoires d'amour, répondit-il.

— T'es quoi comme religion ? » lança Bertie, planté derrière lui.

Jack réfléchit longuement à la question.

« Protestant, finit-il par répondre.

— Non, t'es pas un parpaillot! hurla Bertie. Te fous pas de moi!»

Jack vit que les gens s'empressaient de quitter le bar. Dans son dos, les tables se vidaient. Le barman rangeait les bouteilles. L'homme se tourna vers Jack. « T'es sans doute un de ces enculés de Provos. C'est inscrit sur ta gueule.» Il se pencha plus près. «J'ai vu plein de terroristes, en Israël et à Chypre, et je sais les reconnaître.» Jack se récria. « Tu vois ce flingue? continua Bertie, soulevant le pan de sa veste pour montrer un revolver glissé dans sa ceinture. Tu vois ce flingue? Je vais bientôt savoir qui t'es.» Willy le prit par le bras, et tous deux allèrent s'asseoir un instant pendant que le barman ramassait furtivement les verres dans la salle à présent déserte.

Willy, remontant de l'index les lunettes sur l'arête de son nez, revint vers le bar, tandis que Bertie, frustré et furieux, restait attablé. Willy commanda de nouveau à boire.

« On ferme, Willy, dit le barman.

— Sûr, Simmons. Trois Bush, O.K.?» Il se tourna vers Jack et reprit comme si rien de ce qui précédait n'avait eu lieu. «Alors, t'es une espèce d'écrivain?

— Je suis un imbécile, répondit Jack. C'est écrit là, noir sur blanc.» Il désigna le *Irish Press*.

« Je lis pas ce journal.

— On parle aussi de moi dans le *Belfast Newsletter*.

— Et qui te connaît là-bas?

— Ils ont publié un article sur une de mes pièces.

— Avec qui tu vis dans My Lady's Road?

— Une de mes tantes », répondit Jack. La sueur perlait sur son visage. « Elle est âgée. Mrs. Brooke, elle s'appelle. Elle était mariée à un membre de la RUC.

— J'en connais pas beaucoup dans le quartier.

— À la tienne, dit Jack.

— Ouais, à la tienne. »

Jack but les trois whiskeys alignés devant lui, ne laissant qu'une gorgée dans le dernier verre. Durant tout ce temps, Willy, impassible, ne le quitta pas des yeux.

« Excusez-moi, dit Jack. Faut que j'aille pisser.

– Sûr. »

Les toilettes pour hommes étaient situées tout au fond, très loin. Il sentit le regard de Willy fixé sur lui dans la glace derrière le comptoir, le regard du barman qui balayait par terre, le regard de l'homme qui lui avait montré son revolver, assis dans un coin près de la porte. Entrant dans les toilettes, Jack plaqua ses paumes contre le mur carrelé. « Mon Dieu », murmura-t-il. Les acouphènes qu'il n'avait plus entendus depuis si longtemps s'élevèrent dans sa tête, menaçants. Il n'arriverait pas à uriner et il n'essaya même pas. Il se lava la figure, se sécha avec soin. Il but au robinet. S'essuya les lèvres. Il s'examina un instant dans la glace. « Bon », fit-il. Il ferma les yeux. Se recoiffa. Il regagna la salle, l'air de celui qui n'a pas le moindre souci au monde. Il constata que le barman se tenait près de la porte, ses clés à la main. Il se dirigea vers l'homme aux lunettes et finit le restant de whiskey.

« Je crois que je vais y aller, maintenant, Willy », dit-il, tendant la main.

Willy, par habitude, la prit. Jack, souriant comme un malade, se tourna pour partir.

Du coin de l'œil, il vit que Bertie avait été rejoint par un jeune homme en jean. « Attendez-moi ! » cria Jack au barman qui s'apprêtait à sortir.

« Bonsoir, Bertie », dit-il ensuite avec un grand geste amical. L'homme consulta Willy du regard. Le barman tenait la porte ouverte. Il jetait des coups d'œil inquiets autour de lui. Profitant de ces quelques instants d'incertitude, Jack fila dans la rue. Deux taxis étaient garés devant le pub. Il ne perdit pas une seconde, ouvrit la portière arrière du premier et s'installa sur la banquette. « My Lady's Road », lança-t-il. « Impossible, patron.

Je ne suis pas libre, dit le chauffeur. J'attends deux clients qui sont à l'intérieur.

— Oh, excusez-moi. » Jack descendit.

« Essayez Norbert », conseilla le chauffeur.

Jack se précipita vers l'autre taxi. « J'ai dix livres, Norbert, dit-il. Déposez-moi sur la route de Holywood.

— Huit suffiront.

— Vous pouvez m'y emmener ?

— Ouais, sûr. Prenez votre temps. »

Jack monta devant, à côté de lui.

Le chauffeur le considéra un moment.

« Holywood, vous avez dit ?

— Ouais, confirma Jack.

— Vous savez que Holywood est la seule ville d'Irlande où on trouve un mât avec des rubans pour danser autour ? demanda gentiment le chauffeur en mettant le moteur en marche.

— Non, je ne savais pas, répondit Jack, s'efforçant de maîtriser sa panique.

— Maintenant, vous le savez. Bon, on y va. »

Norbert enclencha la première, ajusta son rétroviseur, regarda derrière lui et démarra. C'est un piège, ou quoi ? se demanda Jack. Le chauffeur fit demi-tour comme au ralenti. Ils s'engagèrent dans la circulation et Jack lança un coup d'œil par-dessus son épaule. Personne. Ils traversèrent lentement Belfast-Est.

« Vous êtes de la République ? demanda Norbert.

— Oui, répondit Jack.

— Et ça vous plaît ici ?

— Oh, c'est formidable.

— Quand on sait s'y retrouver. »

Ils n'échangèrent plus une parole. Pendant tout le trajet, Jack garda les mains sur ses cuisses qu'il agrippait à s'en faire mal. Il donna une fausse adresse. Lorsque le taxi s'arrêta, il tendit au chauffeur le billet de dix livres.

« J'ai dit huit et c'est huit », dit Norbert. Il rendit deux livres à Jack, lui sourit. Jack le remercia puis, affectant une allure décontractée, tourna dans une rue transversale. Il se précipita vers une ruelle et attendit de voir s'il était suivi. Il prit une autre rue, attendit de nouveau. Après de multiples détours, il regagna la maison quelques heures plus tard. Une lumière brillait à l'intérieur. Il entra en courant et poussa tous les verrous.

« Mon Dieu », fit-il, et il s'assit par terre. Le *Irish Press* dépassait de sa poche.

Du seuil de la chambre, Catherine le regardait.

« Je savais que ça arriverait, dit-elle. Je savais que ça arriverait. »

Quelques jours plus tard, alors qu'ils se rendaient dans un cinéma du centre-ville, un homme s'arrêta et se moqua de Jack. Jack l'imita, et l'homme dit : « Ce sera plus très long maintenant, mon pote. »

Ils repartirent.

« Qui c'était ? Qu'est-ce qu'il voulait dire ? demanda Catherine.

— C'était lui. Bertie.

— Qui ?

— L'homme qui m'a menacé.

— Et tu te moques de lui ?

— Qu'est-ce que tu voulais que je fasse ?

— Je ne sais pas.

— Eh bien, moi non plus. »

27

En passant le pont musical

Une nuit, quelque temps après, la fenêtre du living se mit à battre. Pétrifiés, ils écoutèrent.

Jack se leva.

« N'y va pas !

– Je n'entends personne. »

Ils restèrent un instant silencieux.

« Il n'y a personne, redit-il.

– Si », murmura-t-elle d'une petite voix aiguë.

Il ouvrit la porte de la chambre et s'avança à tâtons dans l'obscurité. Un vent glacial balayait le couloir. Dans le séjour, les papiers volaient partout. Il sentit du verre brisé sous ses pieds. Il lança un manteau par terre. Arriva à la fenêtre. Il regarda dans la rue. Personne.

Revenant sur ses pas, il alluma la lumière. Les rafales s'engouffraient dans la pièce, mais il n'y avait aucune pierre qu'on aurait jetée.

Il cria à Catherine : « C'est le vent. »

Il cloua une pièce de moquette dans le cadre du carreau cassé. Catherine le rejoignit.

« Mes nerfs n'en supporteront pas davantage, dit-elle. Il faut qu'on parte. »

« Et maintenant, qu'est-ce qu'on va faire ? demanda Catherine.

– S'installer dans Belfast-Ouest ? »

– Non, répondit-elle.
– Je n'ai plus d'argent, dit Jack.
– Alors, où ?
– Mullet, je suppose.
– Tu ne crois pas que c'est un rêve d'imaginer qu'on pourrait vivre ensemble tranquillement au Sud ? »
Il répondit : « Ce que je devrais faire, c'est y aller d'abord et me trouver du boulot sur les bateaux.
– Tu pourrais habiter à la maison.
– Je préférerais qu'on ait un endroit à nous.
– Moi, je ne sais pas ce que je pourrais faire comme travail. »
Elle le regarda. « On va vraiment déménager ?
– Oui.
– Et tu vas me laisser ici.
– Je suis fauché. Même si je le voulais, je ne pourrais pas rester.
– Où comptes-tu aller ?
– Je ne sais pas.
– Et tes cours ? Qu'est-ce que tes élèves vont penser ? Eux aussi, tu vas les abandonner ? »
Elle ôta un éclat de verre tombé dans son paquet de cigarettes.
« Tu crois qu'on est faits pour vivre ensemble ? demanda-t-elle.
– J'aimerais bien.
– On a traversé des moments épouvantables.
– Il y a pire.
– Mais on ne l'a pas vécu. »
Elle repoussa ses cheveux en arrière.
« Tu sais qu'Helen Wynne va à la messe ? Je commence à penser qu'elle a raison. On ne croit en rien, mais ça ne nous empêche pas de souffrir quand on enfreint les règles. » Elle considéra Jack l'espace d'une seconde. « Ce qu'on devrait faire, c'est arrêter de boire pendant quelque temps.
– Oui.
– Notre vie nous échappe.

– C'est vrai.

– Tu le reconnais ?

– Oui, je le reconnais. »

Le premier matin après qu'ils avaient cessé de boire, Jack reçut un coup de téléphone de Sara lui demandant de prévenir Catherine de regarder *Glenroe* sur RTE le lendemain soir.

« Elle a dit pourquoi ?

– Non.

– Est-ce que ça pourrait être ce que je pense ?

– Tu devrais appeler ta mère. »

Catherine composa le numéro de Maisie, laquelle lui apprit que Sara lui avait déjà téléphoné.

« Et où va-t-on pouvoir regarder RTE ici ? demanda Catherine à Jack.

– Je connais un club qui l'a.

– Dans Falls Road ?

– Non. En fait, c'est tout près d'ici.

– Un club protestant ?

– Oui.

– Et ils ont RTE ?

– Oui. Pour regarder les courses le samedi. »

Le dimanche soir, ils étaient installés devant deux pintes de bière blonde dans le club désert. Un radiateur électrique était allumé derrière le bar et, sur leur gauche, un feu de cheminée ronflait. Une émission religieuse passait sur la BBC quand Jack demanda au barman de mettre RTE.

« Sa sœur, dit-il en désignant Catherine, joue dans un feuilleton irlandais.

– Vous vous foutez de moi ?

– Pas du tout.

– Bon, et merde. » Il mit RTE et vint s'asseoir à côté d'eux. « C'est quoi l'histoire ?

— Je ne sais pas. Avant, ça parlait d'éleveurs de moutons dans le Wicklow.

— Ben merde », fit le barman.

Catherine, sobre et digne, ne bronchait pas.

« C'est elle ? demanda le barman dès que le feuilleton commença.

— Pas encore », répondit Jack.

Une dispute conjugale avait éclaté dans une ferme. Elle accusait son mari d'avoir une maîtresse. Le mari s'enfonça dans la nuit.

« Là, y s'est fait baiser », dit le barman. Le mari chassé du foyer entra dans un pub. Les consommateurs l'accueillirent avec des regards entendus. « À mon avis, y doit pas se priver, conclut le barman.

— Quelle histoire formidable », dit Catherine.

Après la coupure publicitaire, le mari quitta le pub. Aussitôt, les clients se mirent à parler de lui et de sa maîtresse présumée en apartés chargés d'hostilité. On le critiqua vertement. On l'avait vu sortir d'un cinéma de Dublin main dans la main avec elle. On plaignait sa pauvre femme. Et puis la porte du pub s'ouvrit.

« C'est elle ? cria le barman.

— Malheureusement, oui, répondit Catherine.

— Elle est mignonne, dit l'homme. Mais pas plus que vous. »

Sara, en minijupe et hauts talons rouge vif, s'avança. Elle portait une choucroute de cheveux roux. « Mon Dieu », fit Catherine, prenant une grande gorgée de bière. Avec un sourire étincelant, Sara s'installa au bar sur un tabouret. Un silence réprobateur planait dans le pub du feuilleton. « Sainte mère de Dieu », dit un nommé Miley. « C'est elle, la traînée », cracha un autre. « Ça, oui », dit le barman en riant. Puis, avec un petit sourire effronté, Sara commanda un gin tonic. Tous les gens du coin lui adressèrent des regards malveillants cependant qu'elle tirait un miroir de son sac pour examiner son visage outrageusement maquillé.

« Et vous vous appelez comment ? demanda le patron du pub.

— Bridie Smith, répondit Sara. Je suis seulement de passage. »
Souriant innocemment, Bridie Smith tendit la main. Mais le
patron ne la prit pas. La main demeura suspendue en l'air et la
caméra s'attarda longuement sur la bague et les ongles peints.

« Mon Dieu, répéta Catherine, se couvrant le visage.

— Enchantée, dit Bridie Smith avec un fort accent d'Irlande du
Nord.

— Bridie est donc une fille de chez nous, conclut le barman
comme passait l'indicatif du feuilleton et que se déroulait le
générique. C'est pas si nul que ça. »

Au cours de ces dernières semaines, Jack fut soûl pratiquement
du matin au soir. Au Crown Bar, il aperçut Helen Wynne installée
avec un groupe d'amis. Il se dirigea vers elle, titubant un peu. Elle
se leva et l'entraîna au bar.

« Je n'aime pas te voir comme ça, dit-elle.

— Excuse-moi.

— Tu n'es pas toi-même quand tu as bu.

— Je deviens fou, dit-il.

— Elle t'aime.

— Malheureusement, ça n'aide en rien.

— Vous étiez heureux avant et vous le serez de nouveau.

— Pardonne-moi de t'imposer ça.

— Il faudra que vous régliez ça entre vous, dit Helen. C'est votre
affaire. »
Elle le regarda.

« Tu es ivre bien plus vite ces temps-ci, risqua-t-elle.

— Je peux me joindre à vous ? demanda-t-il.

— Je préférerais que tu t'en dispenses. Elle te voit en noir et
blanc, et en ce moment elle te voit tout en noir.

— Bon, répliqua Jack avec colère.

— On ne peut pas te parler quand tu es dans cet état.

— Merde, fit Jack. Merde et merde. »

Il prit un taxi pour Helen's Bay, puis il monta dans Crawfordsburn Country Park. Il s'allongea sur le dos et contempla le ciel. Un peu plus tard, il escalada la grille et rentra en taxi. De jeunes protestants arborant les couleurs loyalistes étaient, comme d'habitude, rassemblés non loin du magasin d'alcools. « N'approche pas, c'est des membres de l'UVF », l'avertissait toujours Catherine. Cette fois, il s'avança vers eux.

« Vous voulez quelque chose de plus costaud que le cidre ? leur proposa-t-il.

— Pourquoi pas, patron. »

Il entra acheter une bouteille de Black Bush. « C'est Noël », dit-il. Ils se groupèrent et firent circuler le whiskey.

« Qu'est-ce qui vous amène dans le coin ? demanda l'un d'eux.

— C'est moi qui ai élaboré le traité anglo-irlandais, répondit-il. Vous croyez que ça va marcher ?

— T'es O.K., mon pote. En tout cas, tu craches pas sur la bouteille. Je te vois tout le temps rapporter chez toi de quoi bien picoler, dit un autre.

— L'hiver a été long », dit Jack.

Il alla voir Christopher Nolan. Celui-ci était assis dans l'arrière-boutique sombre de son magasin près du radiateur à gaz.

« Jack.

— Chris.

— Alors ?

— Je m'en vais.

— Tu pars ?

— Ouais.

— Je ne te le reproche pas. Ça va de nouveau mal aller ici. On le sent dans l'atmosphère. Avec l'été. C'est toujours la pire des périodes. » Il ouvrit une cannette de bière blonde. « Tu veux passer dans ma piaule tout à l'heure ?

— Pas aujourd'hui. Pourquoi tu ne viendrais pas chez nous ?

– Tu crois que ce serait raisonnable ? Ton amie n'aimerait peut-être pas.

– Ça ne la dérangera pas. »

À six heures, ils étaient à la maison en train de boire de la vodka en écoutant Cat Stevens près de la fenêtre condamnée par des planches quand Catherine rentra. Elle s'assit sur le canapé et croisa les jambes.

« C'est quoi… Une soirée d'adieu ?

– Quelque chose comme ça.

– C'est vous l'homme de la librairie ?

– En personne. Christopher. Ce vieux Jackie va me manquer.

– Comme à nous tous, Christopher.

– Je croyais que tu venais avec moi, dit Jack.

– Sara a téléphoné pour m'inviter à Dublin.

– Et qu'est-ce que tu as répondu ?

– Que j'allais réfléchir. Que j'envisageais de t'accompagner dans le Sud.

– Et qu'est-ce qu'elle a dit ?

– Que j'étais folle.

– Ça ne m'étonne pas.

– Elle ne pense qu'à mon bien. » Elle prit une cigarette et le regarda. Puis elle prit une bière sur la table. « J'aurais la belle vie à Dublin.

– Je n'en doute pas.

– Moi non plus. Et je pourrais trouver quelqu'un pour veiller sur moi.

– Parfait, fit-il amèrement. Tu vas à Dublin et je vais à Belmullet.

– Pourquoi pas ? Il faut voir. Je suis sérieuse, ajouta-t-elle un instant plus tard.

– Je sais.

– Il serait peut-être préférable que je me sauve, non ? les interrompit Christopher.

– Non, non, répondit Catherine. Vous pouvez rester là tous

les deux et continuer à écouter de la musique. En attendant, je pourrais avoir un peu de vodka?

— Mais certainement », dit Nolan. Il se leva de son fauteuil et, dérouté, demeura un instant planté au milieu de la pièce. Il versa un doigt de vodka dans un verre qu'il tendit à Catherine. « À la vôtre! dit-il, buvant à sa santé.

— Donc, tu pars, reprit Catherine.

— Thady m'a dit qu'il y avait une place sur un bateau.

— Et tu pars quand?

— Demain.

— Eh bien, c'est gentil à toi de m'en informer.

— Tu peux m'accompagner.

— Es-tu sûr qu'on puisse vivre ensemble là-bas? demanda-t-elle.

— Pourquoi on ne le pourrait pas?

— Et tu nous trouveras une maison?

— Oui.

— C'est donc décidé », dit-elle avec tristesse. Elle se tourna vers Christopher Nolan. « Il m'abandonne. »

Le lendemain matin, il se réveilla allongé sur le sol de la salle de bains. L'ex-soldat dormait sur le canapé. Catherine était dans la chambre, assise dans un fauteuil. Bien réveillée, elle fumait. Il se pencha pour l'embrasser. Elle ne prononça pas un mot. Il prit le car pour Enniskillen, et de là pour Ballina. En passant le pont musical à Bellacorrick, il comprit qu'il était de retour en pays d'Erris.

Quand Jack posa son sac chez Thady et regarda la presqu'île de Mullet par la fenêtre, il eut l'impression qu'il venait de redescendre l'escalier pour la première fois après une longue maladie. Il passa quelques jours à ne rien faire, attendant qu'on rééquipe les bateaux en vue de la saison des saumons maintenant que celle des poissons plats était terminée. En cette fin du mois de mai, il resta des heures assis sur les marches de la maison de

Thady à contempler les dunes, préoccupé uniquement par des problèmes simples et personnels.

C'était comme si Catherine n'avait jamais existé. Il était content de s'être échappé. Il se sentait honteusement libre. Lorsqu'il ouvrait les pages qu'il avait écrites à Belfast, il lui semblait qu'il ouvrait le couvercle d'un cercueil. À l'intérieur, un cadavre se putréfiait. Il les mit de côté pour plus tard.

Il se servit une tasse de thé et s'installa dehors. Puis il alla se recoucher dans son lit chez Thady, redoutant le moment où celui-ci viendrait lui annoncer l'heure à laquelle ils devaient quitter le port.

Il s'inventait toutes sortes d'excuses : je suis malade, je ne peux pas, j'ai les jambes en compote, je ne pourrais jamais passer ne serait-ce qu'une journée en mer. Thady arriva vers minuit et ne dit rien. Jack sombra dans un profond sommeil. À cinq heures du matin, il traversait à tâtons la maison plongée dans l'obscurité sur les talons de Thady.

« Allez, dépêche-toi, lui dit l'homme âgé.

– Je me dépêche, répondit Jack.

– C'est bien. »

Un peu plus tard, ils longeaient le quai grisâtre de Ballyglass au milieu des mouettes furieuses et des marins-pêcheurs silencieux. Hugh arriva au volant d'un Toyota bleu.

Le *Blue Cormorant*, un douze mètres à coque en acier, quitta le port de Killalla. Jack avait emporté un équipement neuf, quelques carnets enveloppés dans de la cellophane, des bottes achetées chez Lavell et un jean neuf bien solide.

La cale du *Blue Cormorant* contenait des filets à saumons multimailles interdits par la législation. Lorsqu'ils remontèrent le premier d'entre eux au large d'Achill Island, un requin se glissa sous l'enrouleur. D'un coup de dents, il trancha en deux un saumon pris dans le filet. Le patron se précipita à l'arrière armé de son fusil, mais le requin avait disparu.

« Putain de salopard », jura l'homme.

Plus tard dans la journée, un phoque joueur fit surface à côté de la bouée d'accostage. Le patron lui logea une balle en plein cœur.

« Putains de phoques, jura-t-il.

— Si vous tuez les phoques, vous pouvez me débarquer tout de suite, dit Jack.

— Qu'est-ce que tu te crois ? rugit le patron. T'es quoi, un écolo à la manque ?

— Il a raison, intervint un homme du Nord qui hissait le filet à côté de Jack. On est là pour pêcher le saumon, pas pour tirer sur les phoques.

— Tu parles d'un équipage, cracha Daley, le patron. Bon Dieu, j'ai jamais vu ça. » Il reposa le fusil. « Bande de fumiers ! » Il mit en route. « Connards ! » Le bateau vola sur les vagues. « Des pêcheurs, mon cul ! » gronda-t-il. Il tourna autour de la bouée et coupa le moteur. Ils dérivèrent ainsi un moment pendant que Hugh faisait cuire des harengs dans une poêle, beurrait des tranches de pain et surveillait les côtes de porc qui nageaient dans la friture. Daley se tenait à la barre, les bras croisés, le regard méprisant tourné vers l'Amérique.

Il fallut à Jack plus de quinze jours pour s'acclimater à la vie à bord. Ses mains étaient redevenues tendres et le filet lui entaillait les paumes. Ses rêves n'étaient pas des rêves. Son sommeil n'était pas du sommeil. Ce n'étaient que longues réminiscences hallucinatoires d'une ville indéfinissable où les gens haranguaient, raillaient. Geignaient. Venaient ensuite des murmures tels qu'on en entend dans une maison en deuil. Une maison à fenêtres à petits carreaux et à vitraux perchée au bord de la réalité dans une rue quelque part au-delà de la conscience.

Tandis que, allongé sur sa couchette, il attendait le sommeil, des images en noir et blanc défilaient sur quelque écran psychique de son esprit. Cela commençait toujours en mer. Les reproches. Le chagrin. L'allégresse. Il se rappelait la chaleur des omoplates de Catherine contre lui. Une douceur insupportable. Les odeurs de l'amour. Les odeurs de femme. Le creux de ses reins. Tous deux qui se retournaient en dormant pour prendre la même position.

Il ouvrait les yeux et constatait qu'il était dans le noir, en mer, par un vent de force sept. Le bruit du moteur était monstrueux. En face de lui, Hugh et Thady roulaient sur leurs couchettes. L'homme tranquille de Belfast, Theo De Largey, dormait la bouche ouverte. Chaque fois que le bateau plongeait, De Largey luttait pour empêcher le moteur de faire intrusion dans son subconscient. « Daley! hurlait-il. Je te tuerais si je te tenais! » Comme Jack, il s'efforçait d'habiter un paysage paisible. Mais on ne pouvait pas se sortir de la tête le bruit du moteur.

« Je l'avais presque, disait De Largey.

– Où étais-tu?

– Ça ne te regarde pas. » Il se tournait face à la cloison. « Peut-être que je te dirai un jour.

– Ouais, sûr. »

Ils reprenaient leur position et essayaient de se rendormir.

Jack comptait les tours du moteur et cherchait à retrouver son monde imaginaire par une petite brèche dans le bruit. Laquelle apparaissait cependant que le chalutier se perchait au sommet d'une longue lame. On avait l'impression qu'il allait rester là pour l'éternité et, au moment où sa conscience s'engouffrait dans la brèche, une nouvelle série de déferlantes faisait dangereusement gémir le moteur. Sept vagues plus tard, la brèche réapparaissait. Comme il se précipitait vers elle, il ressuscitait Catherine. Et à l'instant où il l'atteignait, l'Atlantique frappait la proue et le jaillissement d'écume noyait sa conscience. Sous l'effet du tangage, il se mettait à glisser. Il se raccrochait à la dernière image de Catherine imprimée dans son esprit, tandis que le bateau tremblait et dégringolait une volée de marches de pierre.

Quelque part durant la chute, chaque fois il la perdait, et le sentiment de perte était aussi douloureux que déconcertant. Puis, bénéficiant encore de deux ou trois secondes du calme promis, il pouvait la regarder sous un nouvel angle, plus chaleureux. Le sac de couchage graisseux, la laine rêche du pull qui lui servait d'oreiller devenaient aussi légers que l'air. Le sommier de la couchette au-dessus de lui, qui n'était qu'à quelques centimètres de son visage, se transformait en un haut plafond. Tout s'éloignait. L'épaule blanche de Catherine surgissait. Ses jambes à la beauté scandaleuse. L'esprit de Jack s'attardait.

« Nom de Dieu ! s'écria De Largey comme le chalutier faisait une nouvelle embardée. Enculé de Daley ! »

28

À la recherche de Jack dans le comté de Yeats

Catherine emménagea dans une chambre au confort spartiate située au-dessus du Arts Center. Le lit à une place était logé sous le toit mansardé. Le soir, elle était le seul être humain de tout le bâtiment, ce qui, parfois, l'effrayait. Elle entendait des bruits dans les cuisines du sous-sol. Une lampe qui grésillait dans le théâtre. Des pas dans l'escalier qui s'immobilisaient sur le palier. Et puis elle s'interrogeait sur ces hommes sans visage, ces créatures violentes nées de son imagination qui se bousculaient derrière sa porte.

Elle s'occupait de la régie. Servait au bar. Préparait des plats végétariens. Fermait le théâtre le soir, puis s'installait avec une bouteille de vin et un livre d'Anaïs Nin. Elle se plongeait dans *La Prisonnière des Sargasses* et se délectait à la lecture des détails érotiques de la conspiration féminine.

Depuis le départ de Jack, elle était hantée par le souvenir terrifiant des risques qu'ils avaient courus en vivant ensemble.

Elle rêvait du continent. De noyade. Alors qu'en mer le rugissement du moteur provoquait chez les marins-pêcheurs des rêves de profond silence, comme si leur subconscient s'efforçait de chasser l'ahan des pistons, sur terre, les bruits de la mer semblaient atteindre directement l'oreille interne du dormeur. Catherine rêvait de désertion, de trahison et de sexe scandaleux. Tous les hommes qu'elle avait connus revenaient sous forme de démons ayant perdu de leur pouvoir et qu'elle contrôlait entièrement.

Le réveil était toujours pénible. Tendre les bras à Matti Bonner dans un rêve scabreux. Être cachée dans sa petite chambre sous les étoiles et se réveiller pour entendre arriver les premiers théâtreux. Ou bien, de temps en temps, se réveiller, désorientée, sur le canapé d'une amie à côté de la cuisine où l'on entendait la radio, où un chat inconnu était perché, dédaigneux, sur le rebord d'une fenêtre, et où une robe de femme était suspendue au dos d'une porte. Elle considérait comme un acte de trahison le fait que toutes ses possessions – livres, disques et journaux intimes – se retrouvent stockées dans les coulisses à la vue de tout le personnel du théâtre.

Certains soirs, elle s'apercevait qu'on avait utilisé quelques-unes de ses affaires comme accessoires. Ses livres s'alignaient sur une étagère dans une pièce en un acte de Sean O'Casey. Une femme portait l'une de ses écharpes dans *The Factory Girls*.

Le prestige que lui avait conféré naguère son féminisme commençait à fondre. Elle pouvait encore se servir avec cruauté de ses principes pour railler les hommes auprès de qui elle travaillait au théâtre ou à la BBC où, de temps à autre, l'après-midi, elle allait enregistrer de courtes dramatiques. Elle passait devant des studios où s'entassait du nouveau matériel qui ne verrait jamais la lumière du jour. Son cynisme lui valait de nombreux ennemis, mais ses principes veillaient sur les blessures qu'on pouvait lui infliger.

« Tu utilises le féminisme, lui dit un producteur, comme ces salauds utilisent le royalisme. Dans quelques années, tu auras honte de tout ça.

– Je n'ai pas à te répondre, répliqua-t-elle.

– En fait, tu es une romantique.

– Ça a encore une certaine allure », dit-elle. Puis, le fixant droit dans les yeux, elle demanda : « Pourquoi tu ne me donnes pas quelque chose de solide à faire ? »

Il pressa la touche « exit » de son ordinateur.

« Tu vois ? dit-il. C'est ce que je fais à longueur de journée. Je

409

ne lis pas. Je scrute. J'ajoute. Je coupe. Je travaille pour la BBC.
Je rentre chez moi. Quand je me réveille la nuit, je regarde par
la fenêtre pour vérifier si ma voiture est toujours là. Je vois mes
voisins allongés par terre qui regardent sous la leur. Je sais ce qu'ils
font. Mon beau-frère cogne à la porte. Il est policier. Qu'est-ce
qu'il veut ? À boire. Je vais me coucher pendant qu'il reste en bas à
passer des vidéos. Il boit du gin. Sa sœur, ma femme, boit du gin
à côté de lui. Ils font la fête. Tu vois, tu n'es pas la seule. Tu as ton
problème, Catherine, et moi j'ai le mien. Ma vie se résume à ça.
Exit. Enter. D'accord ?

— Je comprends », dit Catherine.

Elle longea un couloir et s'arrêta devant une vitre qui donnait
sur le studio des informations. Une fille avait déjà le doigt sur le
bouton qui libérerait une chanson de Michael Jackson quelques
instants plus tard, dès qu'on aurait diffusé les dernières nouvelles
de la province et dénoncé le dernier crime. Ivre, un rédacteur
passa devant elle sans lui prêter attention, le nœud papillon de
travers, imbibé de porto. Assis dans une pièce, Ian Paisley attendait
d'être interviewé sur les subventions agricoles au sein de la CEE.
Sa serviette, bourrée à craquer de discours sur l'Europe, reposait
sur les genoux du jeune expert en économie qu'il employait.
Celui-ci avait l'air minuscule à côté du révérend grand et mince.
On aurait dit deux passagers d'un avion. Dans le studio adjacent,
des élèves d'une école catholique en tunique et uniforme se
levèrent soudain pour entonner un extrait d'*Annie du Far West*.
Catherine, au bord des larmes, resta à écouter.

Un portier lança une noix en l'air et la rattrapa dans sa bouche.
Puis il se mit à chanter avec les enfants.

Catherine prit un café et alla attendre devant le studio où l'on
devait enregistrer la pièce dans laquelle elle jouait. Des gangsters
et leurs nanas arpentaient le couloir, répétant leurs répliques de
mafiosi avec des accents de Belfast. D'autres usaient d'expressions
des débuts du rock'n'roll. Telles étaient les fabuleuses métaphores

auxquelles étaient réduits les auteurs dramatiques de la province. Elle était furieuse de constater que dans ces moments de concentration, juste avant d'entrer en studio, ce qui lui venait à l'esprit n'était pas la poésie qu'elle lisait, ni ce passage dans un roman qu'elle avait adoré, ni même un extrait du texte qu'elle s'apprêtait à dire. Non, elle se rappelait simplement une série de mots qu'elle crut d'abord sortis d'un livre de comptines qu'elle avait lu pendant son enfance. Et puis la phrase, teintée d'un accent biblique, s'inscrivit avec netteté dans son esprit : *Cherche le refuge dans le Seigneur et non dans les princes.*

« Cherche le refuge dans le Seigneur et non dans les princes », s'entendit-elle prononcer à voix haute.

Au comptoir de vente des billets, elle se remémorait comment les yeux gris de Jack prenaient de dangereux reflets violets quand il s'énervait. Elle pensait à ce violet et jetait un regard arrogant autour d'elle pour le cas où quelqu'un remarquerait l'aura de tendresse qui l'enveloppait.

Ensuite venaient les sombres tourments, l'amertume qu'elle ressentait face à cette perte de temps. Je suis contente qu'il soit parti. Il y en a d'autres, s'acharnait-elle à penser. Elle regardait les jeunes gens de Belfast qui faisaient la queue devant son guichet et bavardaient comme s'ils se trouvaient dans n'importe quelle autre ville du monde, et elle s'interrogeait sur leurs vies avec malveillance. Qu'est-ce qui les motivait ? Elle se sentait détachée d'eux, les amateurs d'art. Tout comme elle se détachait d'elle-même et des piètres conspirations de la ville assiégée. Il paraît que c'était normal. Après un certain temps à Belfast, on en avait assez. C'était normal. Naturel. Lorsqu'elle s'asseyait pour écrire à Jack, toutes ses peurs s'étaient envolées. Quand les portes du théâtre se fermaient sur la nuit hostile et que les panneaux rouges « SORTIE » luisaient dans les ténèbres de la salle, elle s'installait pour écrire dans sa chambre au-dessus. Et, bien que chaque lettre lui procurât l'impression de se trahir, dès qu'elle commençait à écrire, toutes les querelles s'apaisaient. Comme si le simple fait d'écrire créait un terrain d'entente. Les ambiguïtés demeuraient, mais atténuées. Bizarrement, coucher certains mots sur le papier lui permettait de franchir le vide, comme s'ils possédaient un pouvoir de guérison. Ce qu'elle cachait, y compris à elle-même, se déversait d'un trait de plume. Elle l'imaginait en train de lire ce qu'elle avait écrit. Elle entreprit de le séduire à l'aide de mots, sachant que chacun remonterait à sa source dans l'esprit de Jack.

Elle le savait avec certitude. Elle ne doutait pas un instant qu'il comprendrait.

Ses lettres étaient de formidables manifestations de confiance, de tendresse et d'enchantement. Assise à la table de sa petite chambre au-dessus du théâtre, une bouteille de vin devant elle, un disque qui passait, le chat de la compagnie qui se frottait contre ses jambes, les phrases coulaient sans effort. Elle parlait de son travail quotidien, éreintait allègrement les nouvelles pièces qu'on montait en ville. Les gens susceptibles de se mettre en travers de son chemin. Sa vacherie se muait en humour fantasque. Elle racontait sa vie. Elle décrivait avec colère et acrimonie le monde d'illusions auquel elle contribuait. Elle reprochait à Jack de l'avoir abandonnée. De l'avoir laissée en plan.

Et puis le ton se faisait laconique et charmant.

Il lisait sa lettre dans un abri près du quai de Killalla et se sentait heureux.

Catherine achetait les revues de théâtre et les épluchait à la recherche des rôles féminins qu'elle pourrait interpréter dans les pièces données en République du Sud.

Elle posa sa candidature au théâtre Druid à Galway. Elle se fit envoyer le *Western People* du Mayo et le *Sligo Champion,* et dans sa chambre elle lisait les papiers sur les procès à Castlebar et à Grange, les marchés aux moutons en pays d'Erris, les pèlerinages à Knock, les foires à Belmullet, les marchés aux chèvres à Foxford, après quoi elle se couchait avec un nouveau texte sur la vie à Belfast qu'elle ne pouvait se résoudre à lire.

Elle se demandait si elle parviendrait à mener ce genre d'existence, là-bas à Mullet. Elle lisait des histoires de voisins qui se disputaient une terre, de soldes dans les magasins Penney, de musique de *céili* à Tubbercurry, de prières pour les morts, d'ateliers de danses traditionnelles, et elle se disait : où est ma place dans tout ça ? Non seulement c'était arrivé longtemps auparavant et dans une autre dimension, mais en outre il y avait un aspect rural, rustique. Sans parler du côté catholique avec des pages de journaux consacrées aux neuvaines et autres stupides prières.

C'était l'étranger, et c'était la paix.

Elle craignait cela plus que tout. Elle persévéra néanmoins. Les réponses arrivèrent. Le théâtre Druid n'avait pas de place dans sa troupe permanente. Le Hawkswell n'avait pas de troupe du tout. Le département théâtre de la RTE n'engageait pas de nouveaux acteurs. Elle reçut également des propositions de diverses agences. À sa stupéfaction, on lui offrit un rôle dans une publicité pour une bière blonde. Et quelques semaines plus tard, elle se retrouva habillée en cow-girl devant une cabane dans les Glens d'Antrim. Une pinte de bière arriva sur un plateau présenté par un homme à cheval. Avec son chèque de mille livres, elle s'acheta une robe, casa tout ce qu'elle pouvait dans la Lada et quitta Belfast.

Je croyais que je ne pourrais jamais, se répétait-elle comme une litanie cependant qu'elle prenait la direction du Sud. Elle s'arrêta dans le Fermanagh voir sa mère.

« Reste, lui dit Maisie. Tu repartiras demain.

— Non, répondit Catherine. Si je m'arrête maintenant, je n'irai jamais. »

En franchissant la frontière à Blacklion, elle eut, sans doute comme son père des années avant elle, le sentiment de déserter.

413

Durant tout le trajet vers Belmullet, elle songea à Jonathan Adams effectuant le même voyage pour échapper à une réalité qui devait le tourmenter. Elle parcourut les petites routes jonchées de cadavres de blaireaux et de lapins et, juste après Bellacorrick, elle vit un renardeau écrasé. Elle s'arrêta et le lança par-dessus une haie blanche d'aubépine tardive. Le cadavre était encore chaud. Le brouillard se levait.

Catherine arriva le soir même à dix heures sur le quai pour apprendre que le *Blue Cormorant* se trouvait plus loin sur la côte. Killalla, lui précisa-t-on. Elle se rendit chez Thady. La maison était ouverte, et vide. Elle poussa la lourde porte de chez elle. L'intérieur était humide et froid en cette douce soirée de juin. Il régnait une étrange atmosphère d'abandon. Elle parcourut les pièces à la recherche d'un endroit par où elle pourrait commencer à ranger. Elle découvrit un peu de vieille tourbe dans une remise ainsi qu'un seau à moitié rempli de charbon par Maisie l'automne précédent. Elle fit un feu dans la chambre du haut et s'installa devant, enroulée dans une couverture.

Les bourrasques soulevaient des tourbillons de sable tout autour de la presqu'île quand, à trois heures du matin, elle se décida enfin à se glisser sous les couvertures et les édredons, réchauffée par la petite flambée. Le lit était glacé. À l'aube, elle prit la voiture, traversa l'isthme et se dirigea vers Killalla. On l'informa que le *Blue Cormorant* n'était pas venu la veille au soir. Assise dans sa Lada devant la clinique de bioénergie, elle se demanda quoi faire.

Un pêcheur passa, la démarche incertaine.

« Quand le *Blue Cormorant* doit-il rentrer ? questionna-t-elle.

— Il peut débarquer sa pêche n'importe où, répondit l'homme. On parle d'un grand banc du côté de Sligo. Vous pourriez essayer Rosses Point, là-haut dans le comté de Sligo », ajouta-t-il, serviable.

Elle remonta en voiture, à la fois déconcertée et consternée par la situation, puis elle partit en direction du comté de Yeats. Elle arriva sur le quai de Rosses Point à midi. On lui conseilla de chercher un chalutier dont le patron s'appelait George Gillan, mais elle ne vit que des petits canots. Elle demanda autour d'elle et apprit que la mère de Gillan habitait le village. Elle se rendit dans son magasin et acheta deux tablettes de chocolat Bournville.

« George est parti depuis deux jours, lui expliqua Mrs. Gillan. Il devrait rentrer cet après-midi vers cinq heures.

– Il y avait un autre bateau dans les parages ? demanda Catherine. Le *Blue Cormorant ?* »

La femme ne savait pas.

Elle invita Catherine à s'asseoir sur une chaise dans l'étroite boutique le temps qu'elle aille téléphoner pour voir si on pouvait contacter George en mer. Elle revint avec une tasse de café pour Catherine. « Non, dit-elle. Il n'a pas entendu parler du *Blue Cormorant*. Le banc est plus au nord. » Les deux femmes burent leur café en mangeant des petits pains. « Ils ont une vie très dure, reprit Mrs. Gillan. Mais ils ne connaissent rien d'autre. »

Catherine se promena autour de Elsinore House où les frères Yeats avaient grandi. Le toit était effondré et les murs couverts de noms, de baisers et d'obscénités. Elle longea la première plage, puis la deuxième et la troisième, jusqu'à ce qu'elle aperçoive la forêt de Lissadell de l'autre côté de la grève. Une lune rouge se levait déjà dans le ciel. Un chien errant fit ami-ami avec elle.

Elle retourna sur le quai et eut l'impression de pouvoir identifier chaque filet et chaque casier à homards. Elle emprunta un nouveau chemin touristique qui offrait une vue sur Coney Island. Le chien la suivait toujours. Des mouettes étaient perchées sur la tête de l'Homme de Métal qui paraissait étrangement bisexuel au-dessus de la marée montante. Revenant sur le quai, elle constata avec gêne que les quelques hommes qui se trouvaient là commençaient à la reconnaître.

« S'il y a beaucoup de poissons, lui dit-on, les chalutiers ne rentreront pas cette nuit. »

Assise dans la voiture, elle surveilla le quai. Quand un bateau arrivait, elle descendait et le regardait s'amarrer, mais il n'y avait toujours aucun signe des chalutiers. Elle roula jusqu'à Dead Man's Point et scruta la mer dans l'espoir d'apercevoir un bateau regagnant le port. À son retour, elle coupa le moteur, car il lui sembla avoir entendu le bruit d'un autre moteur en mer, mais c'était une illusion. À huit heures, la baie se parsema des voiles multicolores de petits yachts qui, en parfaite formation triangulaire, glissaient vers le soleil couchant. Et toujours aucun signe des chalutiers.

Le silence, avec le Ben Bulben au loin et les Knocknarea qui s'élevaient de l'autre côté de la baie, était déconcertant. Une à une, les lumières s'allumaient dans les maisons du village, puis ce fut au tour des lampadaires du front de mer. Et toujours pas de bateaux à saumons. Elle entra dans un pub et commanda un whiskey chaud.

« C'est beau ici, dit-elle à un vieil homme aux yeux bleus qui caressait un labrador sable.

– On s'y habitue. »

Un moment passa.

« W. B. Yeats a vécu ici, reprit Catherine.

– Sa mère aussi, dit le vieux bonhomme. Que Dieu nous bénisse. » Il l'examina des pieds à la tête. « Et qu'est-ce que vous fabriquez dans le coin ?

– Je recherche un pêcheur, répondit-elle. Du Mayo.

– Ça ne va pas être facile, dit-il. Moi, je n'en ai jamais rencontré. » Il rit aux éclats sans même bouger les lèvres, puis se pencha au-dessus du bar. « À boire, s'il vous plaît ! cria-t-il.

– Il paraît que les Espagnols ont débarqué le long de la côte, dit Catherine.

– On les a mangés, répliqua le vieil homme. Et maintenant, on tue tous les lapins. Y en a plus un seul. » Ils burent. Il la regarda pendant une éternité. « Il n'accostera pas ici, finit-il par dire. Celui qui vous a raconté ça n'était pas bien dans sa tête.

– Ah bon ?

– Absolument, dit-il, catégorique. Faudra attendre qu'ils soient à Killybegs avant de le serrer dans vos bras », ajouta-t-il un peu plus tard avec délectation.

Jack était étendu sur sa couchette, les yeux fermés, son bloc-notes posé sur la poitrine.

Il avait oublié. Même quand il observait les gens, il oubliait leur nature profonde. Mais, peut-être, restait-il possible que, quelque part dans le futur, les mots lui reviennent. Encore qu'à cet instant il en doutât. Un visage pouvait à la rigueur réapparaître, non, pas un visage, plutôt une expression, non, pas une expression non plus, mais peut-être une lecture de cette expression, non pas de la chose observée mais de l'observateur.

Le mot ne désignant pas ce qu'il faut.

Il fut soudain saisi par la terreur que les années se soient écoulées, remplies de fausses significations. Il se trompait depuis le début. Il ne savait rien du monde. Il était passé à côté. Tout avait eu lieu dans une autre pièce.

« Salut, dit doucement De Largey.

– Ouais, fit Jack.

– Je crois qu'on arrive. »

Ils lancèrent les caisses de saumons sur le quai. Puis les poussèrent sur un chariot vers l'entrepôt frigorifique. Il s'aperçut avec surprise que la mer avait cessé de bouger sous lui. Thady et Hugh retournèrent dormir à bord. De Largey et lui se rendirent dans le pub le plus proche.

Il huma sa pinte de Guinness, porta le verre à ses lèvres, puis but une longue gorgée. À cet instant, il pensa à Catherine.

« C'est bon, hein ? fit De Largey.

– Oui », répondit Jack.

La légère et tranquille euphorie qu'il ressentait l'amena à bénir le néant. J'ai Catherine, se dit-il.

« Comment c'est maintenant, là-haut ? s'enquit De Largey.

— Je ne sais pas, répondit Jack. Comme avant.

— Bien alors, je suppose.

— Dans ce cas, on se demande pourquoi la guerre a éclaté si tout était si chouette.

— Je n'ai pas dit que c'était chouette, le corrigea Theo.

— Vous vous réfugiez tous dans le passé à Belfast, dit Jack.

— C'est ce que tu dirais ?

— Oui, et c'est grave.

— Je vois. L'immobilisme, tout ça. Il t'arrive quelque chose de mal et tu penses qu'avant, tout était bien.

— Tu as envie d'y retourner, par moments ? »

De Largey rit doucement. « Non, je n'ai pas envie d'y retourner. Même si j'avais le choix. Bien que, pour t'avouer la vérité, j'y sois retourné une fois. Le prochain coup, je ne serai pas aussi bête.

— J'étais triste de quitter Belfast, mais dans le même temps, je me sentais soulagé. »

Comme souvent, De Largey se tenait debout, les bras croisés, accompagnant le roulis du bateau comme si c'était quelque chose de naturel, quelque chose qui se trouvait en permanence sous ses pieds. Même en allant de la table au bar, il avait la démarche d'un homme habitué à se déplacer dans un espace confiné constamment en mouvement. Il revint, portant deux pintes qu'il posa avec beaucoup de soin sur les dessous de verres. Ses yeux ne cillaient pas, qui regardaient attentivement par la fenêtre obscure ou qui, parfois, dévisageaient Jack tout aussi attentivement.

« Ce que je crois, c'est qu'un lieu te façonne, dit-il. Tu grandis en ne connaissant rien d'autre. Et un jour, tu te demandes quand tout ça a commencé. » Ils burent. « Tu as sans doute mauvaise conscience.

418

– Ah bon ? fit Jack sur la défensive.

– À toi de voir, dit De Largey. Tu veux que je te parle de mauvaise conscience ?

– Oui, répondit Jack. Ça changera de l'apitoiement sur soi-même.

– Bon, alors je vais tout te dire. » De Largey fit glisser son verre devant lui. « Ça débute en prison. ›

29

La mauvaise conscience

« C'est pour ça qu'il y a des prisons. La prison fait toute la différence. Elle peut te briser, ou tu peux briser tes barreaux. Ça dépend de ton expérience de la prison et de ton expérience de la vie de famille. J'avais un gamin mais pas de vie de famille. Dès l'instant où j'ai été enfermé, j'ai commencé à culpabiliser. Dès le premier jour, j'ai été obsédé par mon fils.

— Ce sont des choses qui arrivent.

— Tu pourrais croire que j'aurais réfléchi à ce que j'avais fait. Eh bien, non. Je ne me sentais pas coupable d'avoir été incarcéré. En réalité, je me sentais en sécurité.

— J'ai déjà interrogé un homme à ce sujet, dit Jack.

— Et qu'est-ce qu'il t'a répondu ?

— Il m'a parlé de propagande.

— La propagande est une chose. Ça te fout les idées en l'air. On doit tous vivre avec. Personne n'en veut, mais c'est nécessaire. La propagande est une chose, tuer quelqu'un en est une autre. Ça, on ne te le dit pas. Quand on tire, il y a l'exécutant et il y a l'instigateur. L'exécutant peut le faire sans problème, tirer, je veux dire. C'est lui qui risque de craquer en prison. L'instigateur, lui, est tout le contraire. Je suppose, c'est ça que j'étais, un instigateur.

« Peu importe qui appuie sur la détente. L'action remonte loin en arrière, mais la responsabilité pèse tout le temps sur toi. Tu ne peux pas y échapper, mais d'une certaine manière, personne ne peut vraiment dire : "C'est moi qui ai fait ça." On revit l'action dans sa tête, d'accord, mais ce n'est pas d'avoir tué qui te tracasse, c'est ce qui arrivera à ta famille si tu es pris. Tu sais, tu peux être mis à l'ombre pour sept ou huit ans. Et savoir que tu seras un père absent, ça te donne mauvaise conscience.

« Quand on parle de politique dans les journaux, cet aspect-là n'est jamais abordé sous l'angle qu'il faut. Ils se trompent tout le temps sur la vie de famille. C'est là que tout commence et c'est là que tout finit. Ne laisse personne t'affirmer le contraire. La vie privée. Quand tu es enfermé, la vie privée prend des proportions énormes. Dehors, tu étais engagé. Ta vie privée n'existait pas. À l'intérieur, toute activité s'arrête.

« Aussi, tu te mets à culpabiliser. Et les Anglais le savent. Plus ils sont accommodants, pire c'est. Tu rêves de ta petite amie ou de ta femme et de tes enfants à longueur de journée. Alors, il faut que tu compenses. C'est pourquoi la vie militaire doit d'une certaine façon continuer. C'est un premier point. À côté de ça, quelque chose de plus important apparaît. La vie spirituelle. Pendant les grèves de la faim, tu avais quatre à cinq cents prisonniers regroupés dans une même prison. Ils ne pouvaient compter que sur eux-mêmes et leur force spirituelle. Dehors, il y a tellement de distractions. Tu vois, d'où je suis, je peux regarder par la fenêtre. Je peux sortir et me mêler à tout ça, le monde extérieur. Dedans, par contre, tu apprends la valeur, non pas de ce qui est dehors, mais de celui qui est près de toi.

« C'est pourquoi la démotivation peut être contrebalancée par la camaraderie. Ça me posait des problèmes. Je voulais rester couché et continuer à culpabiliser. Mais la camaraderie élargit le champ de tes croyances. Les hommes autour de toi deviennent ta famille. Ça met fin à ton sentiment de culpabilité. Et ces hommes représentent pour toi sur le plan spirituel les idéaux qui t'ont animé. Lorsque tu t'es engagé, tu savais que tu pouvais être tué, mais tu ignorais à quel moment. Tu espérais que tes croyances se trouvaient entre de bonnes mains. Et quand tu es enfermé, tu sais – tu réalises pour la première fois – pourquoi tu te bats et tu commences à envisager autrement la manière dont tu pourrais mourir.

« Bobby Sands savait qu'il allait mourir. Le premier jour où il a refusé de s'alimenter, il fixait la date de sa mort. Il a fini par se sacrifier. Les autres, quand leur tour est arrivé, ils ont discuté. C'était censé se terminer avec lui. Là, ils se rendaient compte que ce serait une longue lutte, un long combat. Je crois qu'aucun d'eux ne s'imaginait qu'il allait mourir. Et c'est ainsi que nous avons commencé à désespérer.

– À désespérer de quoi ?

– À l'idée de mourir en prison. Personne ne souhaite mourir en prison.

– Et tu désespères toujours ?

– Oui, je désespère toujours. Tu te dis que les Anglais ne renonceront pas. Et il y a les veuves. Tu en as assez de voir toutes ces morts inutiles. Périodiquement, quelque chose vient alimenter tes doutes. Ça débute ainsi. J'ai rencontré des gens comme ça quand j'étais un membre actif, des gens qui ne l'étaient pas. Ils venaient me trouver et me disaient : "Je ne fais rien en ce moment." Ils se sentaient obligés de le dire, parce que s'ils avaient fait quelque chose dans le passé, ils songeaient en me regardant : Il se figure que je n'ai rien fait.

« Il fallait donc qu'ils me racontent toutes leurs actions. Tu comprends, eux aussi avaient mauvaise conscience.

« Mais quand j'ai tout laissé tomber, je n'ai pas présenté d'excuses. On s'imagine que si on disparaît de la scène, on n'aura pas la force de continuer à vivre. Que sa vie sera foutue. Mais regarde ce qui est arrivé aux républicains après la guerre civile – des hommes très engagés ont été libérés du camp du Curragh et sont partis aux États-Unis. Ils n'ont pas oublié, pourtant. C'est eux qui ont été à la base du Renouveau irlandais. Partout des soldats se réveillent et s'aperçoivent que la guerre est finie. Ils reprennent leurs métiers. Ils ont fait des choses horribles, mais c'est terminé.

– Quelles choses horribles ?

– Tu commets des erreurs et ensuite tu les regrettes. Plus grave encore, les soldats exécutent les erreurs des autres. Et ils doivent vivre avec. C'est le plus dur.

– Et toi ?

– Ma guerre est finie. J'attends. Je ne réponds à personne, mais je garde un pied chez les Provos, car un jour j'aurai peut-être besoin d'eux. Je ne reproche rien aux dirigeants – j'ai entendu assez de gens le faire. Je ne reproche rien à l'organisation. J'ai donné tout ce que je pouvais. C'est comme ça. J'ai donné tout ce que je pouvais et je n'ai plus rien à donner. Quand tu as été dans le service actif, c'est difficile de s'adapter à autre chose. C'est pour ça que je prends la mer. C'est pour ça que je suis ici avec toi. Mon combat, je le mène désormais au 42, Duke Street, à Ballina. »

« Ma femme a toujours joué un rôle plus important que moi, poursuivit De Largey. Elle a dû prendre de nombreuses décisions. Comme la femme d'un membre de la RUC. C'est un problème pour elles toutes. Et c'est grâce à elle que je m'en suis tiré. Il a fallu que je prenne à mon tour une décision. J'aurais pu me soustraire à la justice, mais je ne l'ai pas fait. Je suis passé en jugement. Mon sacrifice, c'était d'aller en prison. Et puis, un jour, ils ont laissé la porte de derrière ouverte. Je suis arrivé au Sud, à Sligo, à bord d'une vieille camionnette de marchand de glaces.

« Je ne savais pas où j'étais. J'avais peur de sortir. J'ai marché pendant quatre jours à travers la ville, puis je suis retourné dans la chambre qu'ils m'avaient trouvée. J'ai pris un vieux fauteuil que j'ai placé contre le mur pour voir le ciel sous le même angle que celui auquel j'étais habitué en prison. Les types montaient et voulaient m'emmener en boîte. Je croyais qu'ils plaisantaient. Je ne désirais qu'une chose : rester dans la chambre.

« Et puis un jour, j'ai pris le Belfast Express. Je n'ai dit à personne que je partais, et quand je suis revenu, personne n'a su que j'étais parti. Je suis descendu à la station de bus de Great Victoria Street, et l'espace de quelques secondes je me suis senti complètement perdu. Aussi, je me suis dirigé droit vers St. Peters où j'avais été enfant de chœur.

– Pourquoi ?

– Ce sont des choses qui arrivent. On n'y peut rien. On sait que c'est idiot, mais on le fait quand même. Une sorte de mal du pays. La quête de la normalité. J'ai été voir ma mère qui avait eu une attaque. Et enfin ma femme. Et puis mon fils. Ça devait faire trois ans. Dans la rue où j'avais habité, il y avait une fête. Cinq mille personnes qui dansaient au son d'un groupe de reggae non loin de Falls Road. C'était irréel. J'avais si souvent rêvé de mon retour à la maison que je n'arrivais pas à en croire mes yeux.

« Je n'ai contacté personne de l'organisation. Ils ne m'avaient pas beaucoup aidé. Je me conduisais comme un imbécile. J'ai passé deux jours à Belfast-Ouest et la fête n'a pas cessé. Un instant, il y avait ce silence qu'on connaît dans les villes, et l'instant d'après la musique éclatait. J'avais du mal à m'y faire – des gens qui dansaient dans le Falls jusqu'à deux ou trois heures du matin.

« Ensuite, je suis retourné au Sud. Dans ma chambre. Les types venaient me voir, mais je ne supportais pas leur compagnie. Tout ce qu'ils cherchaient, c'était une distraction. Ils ne pensaient qu'à ça. Je devenais fou. Au bout d'un moment, je ne supportais même plus la télé. J'en avais jusque-là des problèmes sexuels de l'Irlandais moyen. Je commençais à croire que Gay Byrne ressemblait un peu à Mister Magoo. Un jour, je suis allé à Dublin. Je voulais mettre les choses au point. J'avais rendez-vous avec quelqu'un dans Parnell Street. J'ai cru repérer un Anglais et je me suis engouffré dans un magasin pour acheter un paquet de clopes alors que je ne fume pas.

– Comment ça ?

— À la manière dont les piétons marchaient sur le trottoir, je me figurais que les Anglais étaient là. Je suis resté dans la boutique, paralysé à l'idée de sortir, jusqu'à ce que, entendant l'accent de la femme qui me demandait si je me sentais bien, je finisse par me rappeler que j'étais à Dublin. Mais je n'en étais pas encore tout à fait sûr. J'avais l'esprit confus. Je suis sorti quand même, prêt à me sacrifier une nouvelle fois. J'en étais là. Je m'imaginais qu'ils étaient venus me tuer, mais d'un autre côté, je savais que tout était normal. Les Anglais devenaient les gens ordinaires de Dublin vaquant à leurs occupations. Et puis, j'ai pensé que c'était fini. Terminé. Pourtant, je me disais parallèlement que je ne risquais rien. Je me suis mêlé à eux. Le temps d'arriver au Shakespeare Bar dans Parnell Street, et je crois bien que j'avais revécu toute ma vie.

« "Je sais que je ne rentrerai pas chez moi", j'ai dit au type.

« Il m'a conseillé de ne pas m'emballer, de réfléchir encore. Mais je me suis montré intraitable. D'accord, il a fini par dire.

« "Je sais que je ne rentrerai pas, j'ai répété. Alors, je veux que ma famille me rejoigne."

« Il m'a regardé et n'a rien dit. Il savait. Aussi, je me suis débrouillé pour obtenir des faux passeports. On a réservé des billets d'avion sous un nouveau nom qu'ils nous ont donné à ma femme, mon fils et moi. Ils avaient des obligations envers moi. C'était dans leur intérêt de protéger leurs activistes. Et un mois plus tard, me voilà à l'aéroport de Dublin avec ma femme et mon fils. La famille De Largey s'envole pour Athènes. De Largey, le nom me plaisait. Nous étions heureux. Parfois, cependant, le fait qu'il ne s'agisse pas de vacances normales me troublait. Finalement, tout se résumait à ça : ce qui était normal et ce qui ne l'était pas.

« Et ne viens pas me demander ce qui était ou est normal. Je ne voulais pas aller aux États-Unis. Je ne voulais pas traîner et pleurnicher dans un pub de Manhattan. On aurait pu aller n'importe où dans les limites du raisonnable, mais on a décidé de vivre en Irlande. Ma femme le voulait et moi aussi. Tu comprends, je m'étais battu pour ça. Pour pouvoir vivre en Irlande. Et je savais où, également. Dans le comté de Mayo. Parce qu'en prenant le nom de De Largey, j'avais commencé à me forger des racines. Qui étaient les De Largey? je me demandais. Une tribu chassée du Mayo par les lois de Cromwell, embarquée de force pour l'Ulster et installée dans les Glens d'Antrim. Alors pourquoi un De Largey ne reviendrait-il pas au pays? Je rentrais chez moi et ce n'était que justice.

« Alors, voilà. On est d'abord allés à Galway. Et quelques mois plus tard, le Mayo. J'aimais bien le Mayo. Grâce à quelques contacts, je me suis installé comme peintre en bâtiment. L'un de mes premiers boulots a été de repeindre le poste de police de Tuam. Et puis les nouveaux bureaux de l'administration à Castlebar. Ensuite, la bibliothèque. Le temps a passé. Les types ne pensent plus à moi et je ne pense plus à eux. Mais je reste en relation. C'est dans mon intérêt.

« C'est de l'histoire ancienne, à présent. Les types peuvent me croiser dans la rue, ils me disent bonjour et c'est tout. Ils ne s'occupent plus de moi et je n'en demande pas davantage. J'espère que ça ne changera pas. Je m'en accommode, mais je ne m'accommoderais pas d'avoir mauvaise conscience. »

De Largey souleva sa pinte de bière.

« Tant que tu ne commences pas à culpabiliser, reprit-il, tout va bien. »

Daley, le patron, s'avança vers leur table, la démarche lourde, et posa la main sur l'épaule de Jack. Dans l'autre, il tenait par le pied trois verres ballons de cognac.

« On peut vous demander de quoi vous parliez, les gars?

— Pas de toi, en tout cas.

— Très bien. Vous êtes de braves types. Pour des défenseurs des animaux », ajouta-t-il ironiquement. Les trois hommes burent leur cognac en silence. « Y a plus que des belles voitures à Killybegs de nos jours, reprit Daley au bout d'un moment. Les gars d'ici gagnent bien leur croûte. »

Juste avant l'heure de la fermeture, Catherine entra dans le pub. Elle traversa la salle en courant pour se jeter dans les bras de Jack. Dès l'instant où elle l'avait aperçu, elle avait été incapable de maîtriser le sentiment de bonheur qu'elle éprouvait malgré elle, frisant l'hystérie.

« Tu ne nous présentes pas à mademoiselle ? » demanda Daley.

Catherine, le geste habile, leur serra la main, puis, vidée par l'émotion, elle lâcha Jack. L'étreignit, puis le lâcha de nouveau. Elle entreprit de raconter son voyage. Les deux autres se levèrent pour les laisser seuls.

Elle considéra Jack avec distance, pesant sa réaction à son apparition soudaine ainsi qu'à ce qu'elle était sur le point de dire.

« Je suis venue vivre avec toi », déclara-t-elle.

Elle tressaillit en le voyant rire.

« Enfin, dis quelque chose, fit-elle, embarrassée.

– Formidable.

– C'est tout ce que tu trouves à dire ? »

Ils frappèrent à la porte d'un *bed and breakfast* qui surplombait la mer de minuit et une guirlande de chalutiers. La propriétaire sembla sourde à leurs excuses au sujet de l'heure tardive mais, en peignoir rose et chaussons bordés de fourrure, elle les conduisit dans une chambre qui étouffait sous les images pieuses, les souvenirs de Los Angeles et les photos des chutes du Niagara. À peine était-elle sortie que Catherine retournait contre le mur la Vierge des sept douleurs et le Christ dans le jardin de Gethsémani.

« Qui c'était ce type au pub ? demanda-t-elle.

– Le patron du chalutier ?

– Non, l'homme tranquille aux beaux yeux.

– Ah, Theo ?

427

— Oui, Theo, dit-elle. Il est de Belfast.

— Oui.

— Qu'est-ce qu'il fait ici ?

— Il pêche.

— Il est dangereux, dit-elle.

— Tu crois ?

— Oui, je crois. D'abord, tu me laisses avec un soldat britannique endormi sur le canapé de la maison de Belfast, et ensuite j'arrive pour te trouver à traîner avec un Provo.

— Ce n'est pas un Provo.

— En fait, j'ai l'impression que tu prends tout sur le même plan. Tu n'établis plus de distinction.

— C'est un type bien.

— Non, ce n'est pas un type bien.

— Tu es paranoïaque.

— Non, répliqua-t-elle sèchement. Je suis protestante. »

D'un même mouvement, elle se débarrassa de son jean, de son collant et de son slip, puis se tint devant lui au centre de la pièce, vêtue de sa seule chemise d'homme.

« Si tu t'écartais un peu de la fenêtre, murmura Jack.

— Le seul qui pourrait être dehors à une heure pareille pour regarder les femmes se déshabiller, c'est toi », répondit-elle.

« Raconte-moi toutes tes histoires de cul, demanda Jack fiévreusement.

— Elles ne feraient que te rendre triste et te donner sur les joues ces taches blanches inexplicables. Ce n'est pas bon pour toi. » Elle attira sa tête sur son épaule. « Si seulement tu me prenais dans tes bras, me parlais et m'embrassais les seins, ça suffirait. »

Il sentait le gasoil, la sueur et le poisson. L'expression lointaine, il fumait une cigarette, allongé à côté de Catherine.

« Tu es sorti avec quelqu'un ? demanda-t-il, le cœur battant.

— Pas consciemment.

428

– Qu'est-ce que ça veut dire ?

– Ça veut dire non. »

Elle prit son poing entre ses mains. Ils respiraient à l'unisson. Leur nuit était pourtant terminée. Il remit les images pieuses à l'endroit. Ils descendirent l'escalier de la maison plongée dans le noir. Il laissa vingt livres sur le guéridon. Elle l'accompagna jusqu'au port. Dans les ténèbres, des hommes passaient devant les cabines éclairées. Les radars tournaient déjà, les radios se réglaient sur les bonnes fréquences. Des caisses de nourriture circulaient. Des bonbonnes de gaz s'entassaient sur le quai.

Personne ne parlait.

Les moteurs commencèrent à bourdonner. Puis à vibrer plus fort. Les pompes de refroidissement crachèrent des jets d'eau de mer. La jetée se criblait de lumières. Avant même que Catherine eût le temps de réaliser, le *Blue Cormorant* larguait les amarres. Au moment où Jack s'apprêtait à sauter à bord, elle lui lança : « Ne pars pas.

– Il le faut.

– On a passé une nuit merveilleuse, dit-elle.

– Oui.

– Quand est-ce que je te revois ?

– Le week-end prochain à Belmullet.

– Quoi ?

– Belmullet ! cria-t-il pour couvrir le grondement des machines. À Belmullet ! » répéta-t-il, les mains en porte-voix.

La mine défaite, elle garda les yeux rivés sur la fumée noire qui s'échappait des registres des cheminées du *Blue Cormorant*. Le bateau paraissait rassembler ses forces. Les marins-pêcheurs se tenaient sur le pont, détournant la tête. Le chalutier s'éloigna dans une gerbe d'écume. On remonta les pneus de tracteur collés à ses flancs. La dernière chose qu'elle entendit, ce fut Daley qui hurlait une obscénité.

30

Corrloch

À peine le *Blue Cormorant* rentré au port, Jack partit de chez Thady en taxi, emportant toutes ses possessions. Il trouva la maison des Adams à Corrloch déserte. Les restes d'un petit déjeuner jonchaient la table de la cuisine. Il fit un feu dans toutes les pièces, installa son matériel de travail dans l'ancien bureau de Jonathan Adams, suspendit ses vêtements dans une armoire de la chambre de Catherine, puis s'attabla dans la cuisine, réfléchissant aux implications de certaines phrases. Des pensées chaotiques se bousculaient dans son esprit, de celles qu'il n'avait connues que lors de ses plus sévères gueules de bois.

Il se releva d'un bond et passa partout l'aspirateur. Il fit le lit de Catherine. Lava la vaisselle.

Puis il ralluma le feu dans sa chambre et dans la cuisine. La tête lui tournait à l'idée du retour de Catherine, comme s'il se tenait sur une hauteur, pris de vertige. Il rassembla des briques de tourbe éparses pour les empiler le long du pignon de la maison.

Après quoi, il prit les cisailles pour tailler la haie d'olerias. Il rentra et entretint le feu. Il s'assit pour rêver. Un peu plus tard, il descendit d'une étagère de la cuisine deux paires de chaussures noires appartenant à Catherine qu'il entreprit de cirer. Il rangea ses vêtements jetés pêle-mêle dans un coin de sa chambre. Il ramassa son petit linge éparpillé sous le lit et alla le laver dans l'évier de la cuisine avant de le mettre à sécher dehors au vent de l'Atlantique.

Il guetta, cependant que le soir tombait, le bruit de sa voiture.

Il fouilla la presqu'île du regard dans l'espoir d'apercevoir la lueur de ses phares.

Un vent furieux soufflait. Les ruisseaux qui dansaient sur les pierres s'étaient transformés en torrents. Les ténèbres bleutées s'avançaient rageusement dans le ciel menaçant. Il s'engagea entre les fossés peu profonds qui bordaient la route de sable blanc. Du bétail apparut qui, cherchant refuge derrière le pignon d'une ruine, le regarda passer. Un chien aboya. Il prit un ancien chemin qui l'amena près des embruns de l'océan. Une odeur de tourbe brûlée lui parvint, portée par le vent, suivie de l'odeur de bouse et de l'odeur âcre du sel. Il entendit un oiseau qu'il n'arriva pas à identifier et crut distinguer une forme non humaine qui filait au milieu des dunes.

« Je suis un peu pétée », dit Catherine en franchissant le seuil. Elle l'embrassa et s'assit.

Jack posa son dîner devant elle, et elle le repoussa.

« J'ai passé une audition pour un film », dit-elle.

Elle ressortit pour aller chercher dans la voiture quelques bouteilles de rioja. Elle versa deux verres de vin.

« Comment c'était ?

— Épouvantable. Et je dois y retourner demain.

— Où ça ?

— Dans une maison d'un luxe scandaleux à Pontoon. »

Ils restèrent silencieux devant le feu, les yeux dans le vague, jusqu'à ce que Catherine demande soudain : « Tu crois qu'on devrait tenir cette stupide promesse de fidélité ?

— C'est toi qui m'as poussé à la faire, répliqua-t-il d'un ton sec.

— Tu vois, je pensais qu'on pouvait être fidèles sans pour autant prononcer je ne sais quel serment préhistorique, reprit-elle. Qu'on pouvait simplement se conduire en personnes responsables.

— Je ne crois pas que nous soyons des personnes responsables, dit Jack. Tu peux laisser tomber si tu veux, mais moi, je m'y tiens.

– Je n'ai pas l'intention de le faire si tu ne le fais pas.

– Ni toi ni moi n'avons assez de volonté pour être fidèles l'un à l'autre.

– Tu as peut-être raison », dit-elle, diplomate.

Ils vidèrent les bouteilles. Ensuite, Catherine se leva et se mit à picorer dans l'assiette.

« Pourquoi tu fais du chou au bacon ? demanda-t-elle.

– C'est un plat traditionnel irlandais.

– Pas d'où je viens, dit-elle. Et certainement pas baignant dans la graisse.

– Je l'aime comme ça.

– Eh bien, moi pas.

– C'est la recette.

– Ça a l'air dégoûtant.

– Va te faire foutre, Catherine. »

Le lendemain soir, elle ne rentra pas. Jack téléphona chez le producteur.

« Je désirerais parler à Catherine Adams, dit-il à la secrétaire.

– C'est l'une des actrices ?

– Oui.

– Je crois qu'elles ont fini.

– Vous voulez bien vérifier ?

– Je suis sûre qu'elles sont toutes parties.

– Elle n'est pas rentrée à la maison.

– Oh.

– Vous pourriez la chercher ?

– Je ne crois pas.

– Qu'est-ce que vous voulez dire ?

– Si miss Adams passe une audition, je n'aimerais pas l'interrompre.

– Ça ne demandera qu'une seconde, le temps de lui dire que j'ai appelé.

– Je peux avoir votre nom ?
– Jack, répondit-il. Jack Ferris. »

Quand Hugh passa le prendre, Jack lui dit qu'il ne partait pas.
Le bateau quitta le port sans lui. Il resta toute la journée à la
maison. Il s'efforça d'imaginer avec qui Catherine était. Il repassa
dans son esprit toute une succession d'images d'elle faisant
l'amour avec un autre. Il mit de la tourbe dans le feu et se planta
devant la fenêtre. Il se décida enfin à sortir et arpenta la route qui
traversait les dunes. Installé dans un creux en bas de la maison, au
milieu des tourbillons de sable, il guetta le passage des voitures.
Chaque fois qu'il en apparaissait une, il suivait sa progression sur
la presqu'île, voyait les phares balayer la route, puis continuer.
Aucune ne s'arrêta chez les Adams. Il avait l'impression qu'il
pourrait la tuer. Il rentra et se servit à boire.
Il tourna en rond sous les étoiles.
« Qu'elle aille se faire voir », dit-il.
Il était dans un pré juste en face, à quatre heures du matin,
lorsque la Lada arriva. Il ne bougea pas. Catherine pénétra dans
la maison en courant. Jack regarda dans quel ordre les lumières
s'allumaient. D'abord la cuisine, puis la salle de bains, et enfin sa
chambre.
Il entra à son tour, trébucha sur le seuil de la chambre.
« Mais enfin, où étais-tu ?
– Je pourrais te poser la même question.
– J'ai téléphoné.
– Je sais.
– J'étais dans tous mes états.
– J'ai travaillé tard. Je ne pouvais plus rentrer. » Elle avait l'air
pragmatique, naturelle. « On m'a convoquée pour un troisième
essai ce matin. » Jack garda le silence. « Tu pourrais au moins me
féliciter. Ils vont même m'envoyer une voiture. Si ça marche, je
décroche le rôle.

— Bravo, sale pute.

— Jack, si tu le prends sur ce ton, je préférerais que tu ailles coucher ailleurs.

— Espèce de salope.

— Maintenant, j'aimerais dormir. Et j'aimerais aussi te rappeler que je suis ici chez moi, tu comprends ?

— Je comprends parfaitement. »

Il commença par la chambre. Il entassa ses vêtements par terre, puis les porta dans la cuisine. Il revint éteindre la lumière. Ensuite, il entra dans le bureau, rassembla ses livres et les empila à côté de ses affaires. Enfin, il alla chercher sa machine à écrire.

Il s'assit et but un verre. Il tâcha d'établir un plan cohérent. Il s'allongea sur le canapé.

Au bout d'un moment, il eut conscience de la présence de Catherine qui le regardait, en chemise de nuit.

« Ne pars pas, Jack.

— Je n'aurais jamais dû venir ici, dit-il. C'est ta maison. C'était une connerie.

— S'il te plaît, reste, s'écria-t-elle. Ne me quitte pas. Je suis sincère. »

Il contempla le feu.

« S'il te plaît, viens te coucher.

— Non. » Il se leva et se planta devant elle. Ils demeurèrent longtemps ainsi, sans prononcer un mot.

« Je n'ai pas pu faire autrement que passer la nuit là-bas, finit par dire Catherine.

— Pourquoi tu n'es pas rentrée ?

— J'avais bu. J'étais trop soûle pour conduire.

— Avec qui tu as bu ?

— Oh, avec quelques membres de l'équipe.

— Je croyais que tu ne pouvais pas les supporter. Il y a quelques jours, ce n'étaient à tes yeux que des bouffons.

— Je cherchais un peu de sympathie. Ce que je ne peux pas obtenir auprès de toi. Au moins, ce sont des gens civilisés.

— Des hommes ou des femmes ?

— Un homme et une femme, en fait, répondit-elle avec circonspection. Ils m'ont beaucoup soutenue.

— Je sais que tu as été avec quelqu'un, affirma Jack. Je le sais chaque fois. L'autre jour, tu as parlé de rompre le vœu que tu voulais que moi, je continue à respecter. Hier soir, tu n'es pas rentrée. Et maintenant, c'est au petit matin. Je sais que tu as couché avec quelqu'un.

— Je refuse d'en entendre davantage.

— Ça ne fait qu'aggraver les choses.

— Il ne s'est rien passé, Jack. Rien, dit-elle, de plus en plus anxieuse. Je n'ai fait que caresser l'idée d'avoir une aventure. Je suis fière de t'être restée fidèle.

— Tu as baisé avec lui ?

— J'ai été heureuse de m'apercevoir que je ne cédais pas aux invites explicites. La première nuit, un homme m'a demandé si je voulais coucher avec lui et j'ai refusé.

— Et hier soir ?

— Hier soir, j'ai commencé à me faire une idée romantique de lui. À cause de toute cette incertitude. J'avais besoin de compagnie. On s'était donné rendez-vous pour prendre un verre. On a trop bu. J'essayais d'oublier le sordide de la situation en flirtant avec lui. Je lui ai dit que je t'avais juré fidélité. Il a répondu que ça faisait très vieux jeu.

— Ah ! vraiment !

— Il voulait coucher avec moi. Je lui ai dit que ce serait à condition que je te le cache. Ce qui voudrait dire que je me servirais de lui.

— Ce n'est pas nouveau pour toi.

— Je ne vois pas l'utilité de poursuivre cette conversation ! » Puis elle hurla : « Et cette salope avec qui tu as baisé ?

– Mon Dieu, tu ne vas pas recommencer.

– Recommencer quoi ? cracha-t-elle. Quoi !

– Baisse un peu la voix.

– Alors, cesse de me questionner. Je serais bien partie, reprit-elle, mais j'étais trop ivre pour rentrer. J'ai dormi là-bas, sur un matelas par terre. C'est aussi simple que ça. Il a dormi dans son lit et moi dans le mien.

– Ah bon ?

– Tu tiens à savoir ?

– Oui.

– Je me suis endormie et je me suis réveillée en le sentant qui s'activait contre moi. On s'est agités un peu, puis on s'est arrêtés.

– Tu as joui ? demanda-t-il d'un ton sec, plat.

– Arrête de me poser des questions, Jack.

– Tu as joui ?

– Arrête ! »

Elle le gifla. Il ne tressaillit pas, ne détourna pas le visage, et elle le gifla de nouveau. Et puis, d'un seul coup, il cogna son front contre le sien. C'était arrivé si soudainement qu'elle ne réagit pas tout de suite. Puis elle ouvrit la bouche pour hurler. Il étouffa son cri avec sa main. Les yeux de Catherine s'agrandirent de terreur. Au bout d'un instant, la peur la quitta. Jack alla s'asseoir dehors sur les marches. Elle le rejoignit sur le pas de la porte.

Elle dit : « Il n'y a pas eu d'orgasme. Personne, je te le jure. Je lui ai dit que je t'aimais. Que nous avions fait un serment. »

En pleurs, elle s'avança vers lui. « Tu me l'as demandé, dit-elle. J'ai été franche. Je ne t'ai rien caché.

– J'ai besoin d'air, dit Jack. J'ai besoin de marcher.

– Je peux t'accompagner ? » demanda-t-elle timidement.

Le brouillard était descendu sur la grève.

La mer faisait un bruit de tonnerre. Ils longèrent la jetée. À mi-chemin, ils s'arrêtèrent, car les vagues déferlaient, passant par-dessus. Ils regardèrent les flots se rejoindre. Soudain, Jack, entre deux énormes vagues, s'élança vers le bout de la jetée. Il cria à Catherine de le rejoindre, mais elle ne l'entendait pas. Il lui fit signe de venir. *Viens! viens!* Mais elle avait trop peur. Il retourna vers elle en courant. Il la prit par le bras. Compte jusqu'à trois, dit-il. Les lames se fracassaient contre les piliers. Non, hurla-t-elle. Il l'entraîna à sa suite. Les vagues se brisaient de chaque côté. Catherine perdit l'équilibre et tomba. Il la releva sans ménagement. Elle s'accrocha à lui. Elle ne voyait plus rien. Le brouillard était dense, humide. À l'extrémité de la jetée, ils se tinrent aux bollards pour résister aux assauts du vent.

Catherine glissa la main sous le blouson de Jack et se blottit contre lui.

« Il faut qu'on arrête de boire, lui cria-t-elle. Chaque fois qu'on boit, il se passe des choses affreuses.

— J'ai peur que si on commence à se bagarrer pour de bon, l'un de nous finisse par tuer l'autre, cria-t-il en retour.

— Non! On n'ira jamais aussi loin!

— Ça peut arriver.

— Non, cria-t-elle. Quelque chose nous en empêchera. C'est obligé.

— Je ne peux plus supporter ces disputes.

— Tu sais salement te battre quand tu veux.

— Je devrais partir, hurla-t-il. On a tort. Un drame se produira un jour ou l'autre.

— Non, dit Catherine en l'étreignant. C'est fini maintenant, Jack. Tout va bien. »

Ils s'aperçurent que les vagues balayaient la jetée à intervalles de plus en plus rapprochés. Ils auraient à peine le temps de passer.

« On est coincés! » hurla Catherine.

Il compta les secondes. Tout à coup, Catherine s'élança. Il l'imita. Ils marchèrent avec précaution dans l'épais brouillard, main dans la main. Le brouillard se collait à eux. Leurs vêtements et leurs cheveux étaient tout blancs.

Lorsqu'ils regagnèrent le rivage, ils portaient un blanc manteau de brume.

Ils allumèrent le feu et se remirent à boire.

« J'ai le cœur brisé », dit Jack.

Il se raidit. Puis il laissa Catherine. Il s'endormit dans le bureau. Des heures plus tard, Catherine apparut comme un spectre.

« Espèce de salaud », lui souffla-t-elle à l'oreille.

Jack se réveilla en sursaut.

Il alla la rejoindre. Elle avait fini toutes les bouteilles et était assise devant le feu éteint. Elle avait un bleu au front.

« Tu vois ce que tu m'as fait ! s'écria-t-elle.

— Excuse-moi.

— Tu es un ivrogne, dit-elle calmement. Tu le sais ? Tu n'es qu'un putain d'alcoolique. »

Il retourna dans le bureau.

Dehors, un cochon émit un bruit de flûte de Pan, ou plutôt, une bagarre éclata parmi les cochons de Joe Love. Il écouta Catherine aller et venir. Des heures passèrent. Il fixa les arbres et les fleurs à l'envers sur le papier peint. Il entendit s'entrechoquer la faïence. Couler les robinets.

« Je t'en prie, Jack, je deviens folle, murmura-t-elle à travers le battant. S'il te plaît, viens dormir avec moi.

— Tu vas recommencer à crier ?

— Non, je te le jure. »

Il se leva et la suivit dans sa chambre. Elle avait un regard apeuré. Ils se couchèrent.

Il examina son visage. Elle avait saupoudré un peu de talc sur l'ecchymose. Le blanc de ses yeux était douloureusement blanc. Elle avait mis du rouge à lèvres.

« C'était ma faute, dit-elle dans un chuchotement.

— Oh mon Dieu, Catherine. »

Ils se réveillèrent à sept heures. Le chauffeur de la voiture venue de Pontoon cognait à la porte.

Catherine dit : « Je ne peux pas y aller avec la tête que j'ai.

— Le taxi attend.

— Je suis dans un état épouvantable, dit-elle. Je ne pourrai jamais me présenter comme ça devant eux.

— Qu'est-ce que tu veux que je fasse ?

— Restons ici, aujourd'hui. N'allons nulle part.

— Qu'est-ce que je lui dis ?

— Dis-lui que je suis malade. Renvoie-le. Dis-lui n'importe quoi. »

La voiture klaxonna.

« Mon Dieu, Jack, renvoie-le. »

Il sortit dire au chauffeur que Catherine ne pouvait pas venir.

« Pourquoi ?

— Elle n'est pas bien.

— Elle aurait pu téléphoner, dit l'homme. Et m'épargner ce foutu trajet. » Il fit marche arrière et partit.

« Qu'est-ce qu'il a dit ? » demanda Catherine.

Il le lui répéta.

« Mon Dieu, fit-elle. J'ai tout flanqué par terre, non ? » Elle éclata de rire. Le talc tomba en pluie.

31

Le coucou imite le râle des genêts

« Viens à côté de moi », dit-elle.

Il s'allongea près d'elle puis, dès qu'il la crut endormie, il quitta le lit et s'habilla.

« Où vas-tu ? demanda-t-elle.

— J'ai des choses à faire.

— Tu les feras après.

— Non, il faut que je m'y mette. »

Il alla dans le bureau. Plus tard, il l'entendit qui s'activait en bas. Elle sifflotait.

« Tu as l'air heureuse ! cria-t-il dans l'escalier.

— Oui », acquiesça-t-elle.

Il éprouvait un immense soulagement à l'entendre chanter. À genoux, portant les gants de jardinage de Maisie, elle commença à désherber les plates-bandes. Le vent chaud de juillet apportait la douceur de l'Atlantique. Hugh arriva à midi. « On ne sort que pour quelques heures », cria Jack à Catherine. « O.K. », répondit-elle.

À quatre heures du matin, elle se réveilla en sursaut.

Un fantôme se tenait dans un coin de la pièce. Elle l'entendait se défaire de ses cirés. Un peu plus tard, elle tâtonna pour savoir s'il était là. Jack Ferris, sur le dos, qui fumait une cigarette dans le noir. Un étranger.

Jack et Catherine étaient étendus l'un à côté de l'autre dans une espèce de stupeur. Lorsqu'ils descendirent, un soleil pâle, énorme, dominait l'Atlantique. Sur le continent, une brume grise enveloppait tout. Des corbeaux filaient au-dessus de l'océan. Un étourneau s'envola d'une pile de batteries de voitures entassées sur le toit en tôle d'une remise. En bas, les algues émergeaient peu à peu du brouillard. Une foulque trottinait le long d'un ruisseau qui se jetait dans la mer. Un coup de feu éclata. La foulque poussa un cri d'effroi et, sans un regard pour les petits et le mâle qui la suivaient, elle plongea.

« J'ai fait un cauchemar, dit Catherine.
– Quoi ? »
Elle referma les bras autour de lui.
« C'est bien de te sentir là, dit-elle.
– Je crois que j'ai attrapé quelque chose », dit Jack.
Il se redressa, terrifié. Elle constata qu'il était trempé. Elle l'essuya, mais ses tempes brûlantes ne cessaient de transpirer.
« C'est dans ta sueur que je devais patauger, dit Catherine. Dans mon cauchemar. »
Insouciante, elle lui lava le visage. Lorsqu'elle se réveilla, il n'était plus là. Elle le trouva agenouillé, nu, dans la salle de bains, le front appuyé contre les carreaux froids du mur.
« Jack… qu'est-ce que tu fais ?
– J'essaie de me rafraîchir. »
Elle s'agenouilla à côté de lui.
« Ne me touche pas, dit-il.
– Je ne te toucherai pas.
– Tu me le promets ?
– Je te le promets.
– Alors, ça va. Tu peux rester. »

« Maintenant, il faut que tu t'occupes de moi », disait-elle.
« Ne me laisse pas seule à la maison, disait-elle. J'ai peur d'être seule en ce moment. »

« Pourquoi on ne reçoit pas de visites ? demandait-elle. Les seules personnes qu'on voit, ce sont des pêcheurs.

— Les gens ont leurs problèmes.

— Tout le monde nous fuit à cause de nos disputes, dit Catherine.

— Nous avons fait des erreurs, reconnut Jack.

— On représente tout ce que je détestais chez les autres couples. » Catherine chercha à accrocher le regard de Jack. « Tu peux imaginer une vie sans qu'on soit ensemble ? »

Il réfléchit un moment.

« Non.

— Pourtant, on devrait l'envisager.

— Je ne peux pas.

— Je n'avais jamais réalisé à quel point on était vulnérables. » Puis elle ajouta : « Sexuellement. »

L'ombre de l'hystérie planait sur tout. Ils parlaient d'arrêter de boire, de rester ensemble toute la vie.

« Dans le Mayo ? demanda Catherine.

— Pourquoi pas ?

— Il faudra que j'y songe, dit-elle, à la fois indignée et amusée. Je me sens assez seule comme ça. L'idée de passer toute ma vie ici me désespère.

— Mais je serai avec toi, dit-il.

— Tu crois ? »

Elle entendit la clé tourner dans la serrure et quelqu'un monter l'escalier en courant. Sara fit irruption dans sa chambre.

« Mon Dieu, Cathy, dit-elle. Qu'est-ce qui t'est arrivé à la figure ?

— Je me suis cognée dans une porte.

— Ce n'est pas vrai.

— Si », dit Catherine, éclatant de rire.

Lorsqu'elles descendirent, Sara remplit le frigo des provisions qu'elle avait achetées.

« Tu as une sale mine, dit-elle. Où est ton copain ?
— En mer.
— Tu as vu un médecin ?
— Non.
— Tu aurais pu y laisser un œil.
— Je vais très bien, Sara. C'était pire il y a quelques jours. »
Sara s'était épanouie, et pourtant elle paraissait manquer singu-
lièrement d'assurance. Elle ne s'exprimait que par à-coups et évitait
toute conversation touchant à sa célébrité récente . Sa voix avait
pris de ces intonations propres aux acteurs.
« Allons nous promener, dit-elle.
— Je ne peux pas.
— Noue une écharpe autour de ton front. Ça me rappellera
l'époque où tu avais perdu tes cheveux. »
Partout sur la presqu'île, les gens s'arrêtaient pour dévisager
Sara.
« C'est vous Bridie dans *Glenroe ?* » demandaient-ils, et quand
elle répondait oui, ils semblaient stupéfaits de la voir ici, marchant
sur une plage au fin fond de l'ouest de l'Irlande.
« Je t'avais bien dit que c'était elle, lança une femme à son mari.
Il ne voulait pas me croire, mais je lui ai affirmé que vous étiez
Bridie. Alors, je n'avais pas raison ? »
Penaud, le mari hocha la tête.
« Vous nous faites honneur à tous, reprit la femme. Vous êtes la
plus jolie fille qui passe à la télévision. Ce n'est pas vrai ? »
Le mari ne put qu'acquiescer de nouveau.
Sara signa des autographes. Elle se laissa prendre en photo puis,
à Eachleim, Catherine et elle posèrent devant une falaise à pic à
l'intention d'un groupe de pêcheurs de requins.
« Vous vous rendez compte ! Bridie Smith ici ! s'écria une fille
du pays lorsqu'elles entrèrent chez O'Malley boire un verre. Vous
vous rendez compte ! » Elle contempla Sara, secoua la tête,
incrédule, puis tendit la main pour la toucher. « Que Dieu vous

vienne en aide, mais on vous en fait voir de belles dans *Glenroe*. »
Elle se frappa les cuisses et, ravie à la pensée que la fiction efface
les souffrances, elle partit d'un grand rire avant de conclure :
« Mais vous manquez pas de répondant. »

« Ainsi, tu aurais pu décrocher un rôle dans un film, c'est ça ? »
demanda Sara qui avait les cheveux courts, séparés par une raie
au milieu. Son coude était planté sur le rebord en bois, à droite
du bras de Catherine.

« Oui », répondit celle-ci.

Elle chercha un peu de sympathie dans les yeux de sa sœur,
mais elle n'y lut qu'un détachement teinté d'ironie.

« Tu devrais le quitter.

— En fait, je respecte ce qu'il fait.

— Ah bon, vraiment ? »

Un pâle rayon de lumière barrait la joue de Sara. Son regard
était centré sur elle-même, plein de mépris féminin, sauf quand,
de temps en temps, il reflétait les lumières qui brillaient au-dessus
de leurs têtes. Les pupilles agrandies, affectant une expression
enfantine, l'air de ne pas y toucher, Sara examina le bar bondé.

« Tu aurais dû être plus discrète, murmura-t-elle, tentatrice.

— Sincèrement, je ne voulais pas le tromper.

— C'est pareil pour nous toutes, Cathy. »

Catherine ne répondit pas. Elle prit une cigarette dans son sac,
l'alluma, et la tint loin d'elle au bout de son bras gauche, la paume
plaquée sur la table. Elle souffla lentement la fumée par le nez, le
regard rivé sur la cigarette. Des lampes s'allumèrent au mur. Sara dit
quelque chose, et Catherine remarqua de nouveau les troublantes
inflexions d'actrice qui modulaient sa voix. Elle attendit en vain
que les mots prennent un sens, cependant que d'autres suivaient,
trop tôt pour qu'elle arrive à se concentrer dessus. Elle se leva
pour aller aux toilettes. Lorsqu'elle revint, Sara avait commandé une
nouvelle tournée et s'était réfugiée dans un silence provocateur.

« Nous avons passé quelques semaines agréables sans boire, dit Catherine au bout d'un moment.

— Les gens qui ne tiennent pas l'alcool, dit Sara, les yeux fixés droit devant elle, me cassent les pieds.

— Je suis pire que lui », dit Catherine.

Le ton désagréable, Sara demanda : « Tu penses vraiment qu'il écrira un jour quelque chose de valable ?

— Oui, je le pense.

— Tu as quitté un boulot pour le suivre. Et maintenant, tu vas en perdre un autre ?

— Je ne sais pas quoi faire.

— Catherine, demanda Sara avec calme, il te frappe ?

— À vrai dire, nous avons rarement recours à la violence.

— Tu ne réponds pas à ma question.

— C'est triste, et je suis sincère. » Elle écrasa sa cigarette. « Tu crois que c'est lui qui m'a fait ça ? » Elle abaissa ses lunettes de soleil.

« Oui.

— Eh bien, non. » Elle remit ses lunettes en place.

Le silence s'éternisa.

« Et toi qui te prétendais féministe, finit par dire Sara. Regarde-toi, maintenant. Regarde-toi bien, Catherine.

— Tu as couché avec lui ? » demanda soudain Catherine. Malgré elle, sa voix avait tremblé et s'était brisée sur une sorte de sifflement comique.

« Après toutes ces années, tu me poses la question !

— Alors, tu as couché avec lui, oui ou non ?

— Je ne le formulerais pas comme ça, répondit vivement Sara.

— Il l'a toujours nié.

— Aujourd'hui encore ?

— Oui, répondit Catherine, sentant son cœur cogner dans sa poitrine.

— Ça n'a pas été très agréable, dit Sara. Les chalutiers ne sont pas des endroits particulièrement romantiques.

— Je vois. Ça s'est donc passé sur un chalutier?

— Je plaisantais. Mais non, on n'a jamais couché ensemble.

— Sara! Tu m'as donné un instant un avant-goût de l'enfer.

— Il faut que tu apprennes à te dominer.

— Est-ce qu'on a le droit de se soûler?

— Je ne vois pas ce qui nous en empêcherait », répondit Sara.

Catherine regarda sa sœur se faufiler entre les tables. Les hommes la saluaient bruyamment au passage. Au fond de la salle, le barman alluma son transistor. On entendit Joe Dolan chanter «A Westmeath Bachelor», puis John Lennon entamer «Imagine». Suivirent les informations. Elle se leva et alla téléphoner à la maison.

«Jack, viens nous rejoindre, dit-elle. Sara est là. J'ai besoin de te voir. Bon… d'accord, amène-les. »

Jack, De Largey, Thady et Hugh arrivèrent ensemble.

«Sara, fit Jack.

— Jack, fit-elle froidement.

— Je te présente Theo, Hugh et mon oncle Thady.

— Enchantée, dit Sara. Vous êtes tous pêcheurs?

— Jusqu'à ce soir, je l'étais, répondit Hugh.

— Hugh a trouvé du travail au Erris Hotel, expliqua Jack. Sa vie de pêcheur est terminée.

— Jack, tu bois quelque chose? » intervint Catherine.

Ils se dirigèrent tous deux vers le bar.

«J'aime bien l'écharpe, dit-il.

— Je lui ai raconté que je m'étais cognée dans une porte. »

Il hocha la tête.

«Je n'ai jamais eu aussi honte de ma vie, dit-il.

— Ce n'est pas ta faute. C'est la mienne.

— On va passer quelques semaines ensemble, maintenant. La saison des saumons est finie. »

Elle l'embrassa sur la joue. Ils rejoignirent les autres. Tandis que les rayons du soleil couchant illuminaient la salle, un orchestre de *céilí* se mit à jouer.

« Il faut vraiment qu'on écoute ça ? demanda Sara.

– Vous n'aimez pas cette musique ? fit Theo.

– Pas spécialement. »

Thady cracha par terre avec prodigalité.

« Comment va, Catherine ? demanda-t-il d'une voix enjouée.

– Très bien, Thady.

– La pluie est quand même arrivée, dit-il.

– Oui, fit Hugh. Juste à temps.

– Quelqu'un a entendu le coucou cette année ? interrogea Jack.

– Moi, répondit Hugh. Et j'ai également entendu le râle.

– Comment tu as pu entendre le râle ? fit Thady. Le râle est en voie de disparition à Mullet, et il a peut-être même déjà disparu.

– N'empêche que je l'ai entendu.

– Je penche pour le râle, dit Catherine.

– Le râle devient le coucou en vieillissant. Pas vrai, Jack ?

– Le coucou cocu avec une barbe, dit Catherine en riant. Et il y en a beaucoup dans le coin.

– Cette conversation est une sorte de rituel ou quoi ? demanda Sara.

– Si on allait ailleurs ? proposa Jack. Qu'est-ce qui te plairait, Catherine ?

– Ce qui me plairait, répondit-elle, c'est me marier et avoir des enfants.

– Tu as entendu ça ? dit Sara avec un grand sourire.

– Oui, j'ai entendu, répondit Jack.

– Ce n'est pas une mauvaise idée », approuva Hugh.

Le lendemain matin, Sara partit. Jack porta ses sacs dans la voiture.

« Prends bien soin de notre Catherine, lui dit Sara.

– Je n'y manquerai pas. »

447

Tandis que la voiture démarrait, Catherine déclara : « Tu ne peux pas savoir combien je l'envie. Elle a tout. »

Il travailla toute la matinée dans le bureau à l'étage, puis descendit faire lire les pages à Catherine.

« Quand on fera la distribution de la pièce, dit-il, tu devrais essayer d'avoir le rôle féminin principal.

– Je ne pourrais pas.

– Si, tu pourrais.

– Je suis trop paumée.

– De toute façon, ce ne sera pas avant plusieurs mois.

– Et puis, j'ai d'autres choses en tête en ce moment.

– Je sais.

– Sara estime que je devrais te quitter. Elle prétend que tu as une mauvaise influence sur moi. Je lui ai répondu qu'on avait tous les deux une mauvaise influence l'un sur l'autre et que c'était ça qui rendait nos rapports si agréables. » Elle sourit. « Tu es certain de vouloir que je joue dans une de tes pièces ?

– Elle a été écrite pour toi.

– Ça ne veut pas dire que je pourrai. Je ne sais même pas si j'aime la femme que tu veux me voir jouer. » Elle alluma une cigarette. « Et si ton Eddie ne voulait pas me donner le rôle ?

– Bien sûr qu'il voudra te le donner.

– Je ne supporterais pas une telle déception après tout ce qu'on a vécu.

– Tu l'auras à tous les coups.

– Si je l'ai, il faudra que je l'aie mérité. La différence entre toi et moi, c'est que tu te fous de ce que les gens pensent de toi, mais moi pas.

– Alors, tu essayeras de l'obtenir ? demanda-t-il, ravi.

– Oui, je suppose que oui.

– Je vais lui téléphoner. » Il se leva de table d'un bond. « Formidable, je l'appelle pour le lui annoncer. »

Sur la route de Belmullet, il rencontra un bouc. Un bouc noir et blanc avec un long museau distingué qui lui emboîta le pas à hauteur de l'église de la Sainte-Famille. Quand il s'arrêtait, le bouc s'arrêtait. Quand il repartait, le bouc repartait. Il s'arrêta, le bouc le regarda, l'air d'un chien de berger. Il reprit sa marche, le bouc le suivit. « Va-t'en », lui cria-t-il, mais le bouc se contenta de cligner ses yeux jaunes et brillants et de l'observer depuis l'autre côté de la route. Jack alluma une cigarette et fit tomber ses allumettes. Lorsqu'il se baissa pour les ramasser, le bouc s'enfuit, craignant de recevoir une pierre.

« Tu as donc subi des mauvais traitements, hein ? » lui lança Jack.

Il se baissa de nouveau. Le bouc se réfugia un peu plus loin et le regarda. Il se baissa encore une fois et le bouc fit un bond en arrière.

« Rentre chez toi ! » lui cria Jack.

Le bouc resta où il était, et Jack se sentit désolé de le perdre. Il arriva en ville et entra au Erris Hotel pour téléphoner à Eddie. Deux gamines portant des vêtements identiques jouaient aux dés, couchées sur le ventre à côté du piano. « Nessie, viens ici », cria Mrs. Moloney, mais les filles ne bougèrent pas.

« Bonjour, dirent-elles en chœur.

– Bonjour, Nessie, répondit Jack. Bonjour, Trish.

– On t'a vu avec Bridie, dit Trish, levant la tête.

– Ah bon ?

– Pourquoi elle est pas avec toi, aujourd'hui ?

– Elle est retournée chez elle. »

Un homme qui travaillait comme jardinier dans divers endroits du continent et de la presqu'île buvait des pintes de Guinness, assis seul au comptoir. Hugh préparait les repas du soir dans une petite pièce derrière le bar. Jack l'apercevait qui décorait des meringues disposées dans un plateau sur une feuille d'aluminium. Les deux hommes parlaient de chevaux de course, de membres amputés et du talk-show de Gay Byrne.

« Sers-nous un cognac, Hugh, cria Jack.

— Bon sang, Jack, fit Hugh. Comment va la vie sur le continent ? Attends que je te parle de mon boulot ici. » Il sortit de la cuisine avec un poste de radio à ondes courtes, tira l'antenne, pressa un bouton et lança à l'intention du *Blue Cormorant* : « Pauvres connards. Terminé. »

« Vous ne vous êtes jamais dit que tout ça n'était qu'une perte de temps ? demanda Jack, tentant de se ménager les bonnes grâces du jardinier.

— Si je pensais ça, je boirais autre chose, dit l'homme en riant, imité par Hugh dans sa cuisine.

— Je prendrai un cognac, dit Jack. Et ressers ce monsieur.

— Non, merci, refusa le jardinier. J'ai ce qu'il faut.

— Je viens d'avoir d'excellentes nouvelles, annonça Jack.

— Ah bon ? fit le jardinier avec un petit rire ironique. On ne le dirait pas à vous regarder.

— Si vous êtes incapable de le voir, répliqua Jack, c'est que ça fait un bout de temps que vous n'avez rien entendu de bien. »

Il déposa les nouvelles pages dans un bureau de Belmullet où une femme reportait ses corrections sur une disquette avant de sortir un tirage papier. Après quoi, il alla se promener à travers la ville. C'est fantastique, pensait-il. Il se refusa à entrer dans un pub parce qu'il voulait garder les idées claires au cas où il aurait du travail supplémentaire. Il mourait d'impatience de voir le texte imprimé. Chaque fois qu'il repassait, la femme était encore sur les corrections. Penché au-dessus d'elle, il voyait avec soulagement des pages entières s'effacer sur l'écran de l'ordinateur. Des nuits et des jours de travail disparaissaient. Les personnages, les répliques et les heures s'évaporaient comme par magie. Il en éprouvait un incroyable sentiment de satisfaction.

Il aurait aimé presser la touche « supprimer » pour voir la pièce entière disparaître de la mémoire. Et voilà le travail ! Plus rien, rien du tout, le néant !

Captivé, il regardait les voix des personnages qu'il avait créés filer comme des trains dans la nuit. Une pression sur la touche, et leurs lamentations sombraient dans le vide.

32

Des jours de mer forte

La première fois que cela arriva, Jack se trouvait dans les bureaux de la mairie qui faisait également office de tribunal et de bibliothèque, occupé à consulter de vieilles cartes marines et des livres sur l'histoire de la région. Il se cala dans son fauteuil pour fumer une cigarette. La fenêtre donnait sur une cour et, au-delà, sur la rue. Il leva les yeux et laissa son esprit vagabonder. Il pensa à quelque chose de banal, d'absurde.

Un homme arpentait le trottoir, suivi d'un autre. Leurs silhouettes passaient et repassaient devant la fenêtre. Bien que ne parvenant pas à les identifier, Jack savait qu'il les connaissait, que c'étaient des êtres humains dont il percevait le souffle de vie.

On était en début d'après-midi, et au-dessus des rideaux, il distinguait un bout de ciel bleu franc. Il pensait dans une autre langue. La langue inquiétante de l'informe et de l'indicible. Il promena son regard sur les murs lambrissés de bois, devinant les jeux de lumière. Soudain, la salle sembla faire un bond en avant dans le temps. Sa vision périphérique disparut d'un seul coup, et tout ce qu'il voyait était situé au fond d'un long couloir haut de plafond. Il redoutait de se tourner de nouveau vers la fenêtre, effrayé à l'idée que le soir ou la nuit fussent mystérieusement tombés. Lorsqu'il regarda cependant, la vue des ombres perpendiculaires des lointains panneaux de bois accrut sa panique. Il sentit sa bouche s'ouvrir toute grande. Il était ballotté, emporté dans un corridor interminable.

« Oh, mon Dieu », fit-il. Il agrippa son fauteuil pour lutter contre les vagues de nausée. Puis, petit à petit, il relâcha sa prise sur les accoudoirs. Il percevait distinctement chacune de ses respirations et, comme l'intervalle entre elles paraissait augmenter, il profita des pauses pour écouter les battements réguliers de son cœur.

Il leva la tête. Rien n'avait changé. Le même bleu formait une bande horizontale au-dessus des rideaux. Des gens – ordinaires ou non – passaient devant la fenêtre. Sa respiration était redevenue normale.

Ce qui était arrivé n'avait ni forme ni consistance. Aucun des mots qui lui venaient à l'esprit ne permettait de décrire cette soudaine modification de son sens du temps et de la perspective.

Il eut, sur le moment, l'impression que chacun connaissait cela, cette perte du sens du soi, mais qu'on ne pouvait pas en parler. C'était une porte sur le non-monde. Il posa avec un soin extrême le livre qu'il avait à la main. Parce que, en raison de l'irréalité de l'instant, cela lui semblait nécessaire. Il redoutait les répercussions que pourraient avoir des gestes brusques. D'un autre côté, il savait qu'il lui fallait fuir. Il monta dans la Lada, resta un moment au volant. Il se demandait s'il était encore capable de conduire. Il tourna la clé de contact, démarra et roula lentement vers une plage, craignant à tout instant de perdre le sens de ce qui l'entourait. Il se gara sur un lit de gravier, descendit de voiture et, soulagé, se dirigea vers la grève balayée par les vagues. Un autre promeneur venait vers lui. Jack régla son pas sur le sien. L'homme, vêtu d'un duffle-coat, la chemise ouverte sur sa poitrine, tenait à la main un sac-poubelle noir. Il avait un regard de doux dingue, une expression souriante, un physique généreux, le visage agité de petits gloussements imbéciles.

« Ça va ? » lui demanda Jack.

L'homme s'arrêta pour réfléchir à la question.

« Je suppose que oui. Je vieillis. »

Comme tant d'autres, l'homme évoquait une créature voûtée à l'aile brisée. Aidé de sa canne, il marchait à pas lourds sur le sable. Une fille en ciré s'avança vers eux. Jack aperçut un phoque. Il cria à la fille qui contemplait l'Atlantique : « Regardez, un phoque ! »

La fille suivit la direction indiquée par le bras tendu de Jack.

« Le phoque ! le phoque ! » cria-t-il.

Elle regarda attentivement, mais le phoque avait disparu. Elle tourna la tête vers Jack puis s'enfuit en courant.

« J'ai bien peur, dit le vieil homme, que vos cris l'aient effrayée et qu'elle vous ait pris pour un fou.

— Oh », fit Jack.

Tous deux repartirent de concert.

« On va y avoir droit avant que ça s'arrange.

— Vous croyez qu'il va y avoir une tempête ? » demanda Jack, comme s'il discutait du temps avec un voisin.

L'homme s'arrêta et engloba le paysage d'un geste de la main. « J'ai écumé cette plage pendant presque toute ma jeunesse. Vous voyez ces galets ? Il n'y avait pas de galets. » Il reprit sa marche. « Il n'y avait pas de galets à l'époque. Rien que du sable. On a enlevé des couches et des couches de sable pour les besoins de l'industrie du bâtiment. C'est comme ça qu'on est arrivé aux galets. Maintenant, c'est fini. Les autorités y ont mis le holà. »

Il s'arrêta de nouveau. Ses chaussures noires s'enfoncèrent dans le sable.

« Si j'avais une retraite, je ne serais pas là. On ne veut pas de nous ici. C'est la mentalité née de la Grande Famine. Si on se sent mal, ils font en sorte qu'on se sente encore plus mal. Dans ce coin, le coucou imite le râle. » Il cracha. « Quand on commence à réfléchir, c'est que quelque chose ne va pas.

— Vous étiez où avant ?

— À Clydebank, pendant vingt-cinq ans. Je préférerais être là-bas. Je devrais être en Écosse. L'Écosse a le meilleur service de santé du monde. Si on tombe malade, on est aussi bien soigné que le prince Charles. Je ne connais plus personne là-bas. Mais moi, on me connaît. » Il cracha sur sa gauche. Le vent frappait sa poitrine rouge dénudée. « Que des voisins qui jouent les prétentieux ! » Il cracha de nouveau à gauche. « Mais ceux-là, je ne les connais pas. »

Le vieux bonhomme éclata de rire. Des particules de sable mouillé maculaient son pantalon. Il les effleura du bout de sa canne. Il rit de nouveau et balança le sac-poubelle sur son épaule.

Ils prirent congé l'un de l'autre de manière lente, agitant la main et se retournant sans cesse.

Quelques minutes plus tard, comme Jack traversait un pré derrière la plage, cela se reproduisit. Alors qu'il n'y pensait plus, le même gouffre mental s'ouvrit au-dedans de lui. Cette fois, la distorsion fut plus longue et plus terrifiante, car tout ce qui était naturel – l'herbe, le chant des oiseaux, l'air marin – devint objet d'horreur. Il retourna sur la plage et se coucha sur le dos. Son cœur battait à tout rompre. Il commença à bruiner. Jack connut ensuite des hauts et des bas – il se sentait grisé à la pensée de faire partie du monde, puis il percevait le bruit pitoyable de sa respiration.

Le trajet jusqu'à la Lada pourtant distante de quelques centaines de mètres lui parut durer une éternité. Ses poignets le démangeaient. Il les frottait furieusement. Une de ses vertèbres se mit à palpiter. Il démarra. À peu près tous les kilomètres, il calait. Les gens qu'il croisa sur le chemin du retour, il les imagina nus, accroupis en train de chier au-dessus d'une cuvette. C'est normal, se disait-il, il n'y a rien d'anormal. C'est comme ça. Il les voyait partout dans cette position, l'air innocent, cependant que leurs déjections s'accumulaient sous eux. Il les dépassait à toute allure, agrippé au volant de la voiture russe.

« Je deviens fou, dit Jack.
– Qu'est-ce que tu as ? »

— Allonge-toi à côté de moi, murmura-t-il. Je ne me sens pas bien. »

Même ainsi, il ne pouvait se résoudre à la toucher.

Elle avait brisé leur serment d'amour. Avec un regret infini, il sentait son amour le quitter pour lui revenir émoussé. Quand l'un de ses cheveux effleurait son oreille, il avait l'impression de recevoir une décharge électrique. Il attacha ses propres cheveux à l'aide d'un ruban de Catherine et écouta sa respiration inquiète et chagrinée.

« Je peux te poser une question ? » demanda-t-elle.

Il ne répondit pas.

« Tu viendras quand les répétitions débuteront ? Avec toi, j'aurai moins le trac.

— Je ne sais pas.

— Tu comprends, c'est dur pour moi de lire ce texte.

— Catherine, je ne veux pas en parler en ce moment. On verra plus tard, d'accord ? »

Elle s'écarta de lui. Ne bouge pas, pensa-t-il. Reste immobile. Ne bouge pas, Catherine.

Elle le rattrapa sur la colline. Elle jeta les bras autour de lui.

« Excuse-moi pour tout, dit-elle. Je te demande de me pardonner. »

Sous le crachin, ils regagnèrent la maison. Elle ne voulait pas le lâcher. Il était baigné de sueurs froides. Il s'assit sur les marches, contempla au loin les montagnes d'Achill Island et se demanda : Où réside-t-elle, la volonté de continuer ? Ils partirent à pied vers Scotchport. Une flaque de soleil tombait sur un bouquet d'ajoncs. Les mouettes se changeaient en corbeaux voraces. Un phoque au visage de portier apparut qui promena son regard sur la baie. Les poissons bondissaient d'allégresse. La mer luisait comme du foin coupé. Il était désolé d'avoir métamorphosé les désirs simples de Catherine en exigences impossibles.

« Goûte ça », dit-il, arrachant quelques feuilles d'une plante sauvage.

Ils poursuivirent leur chemin en mâchant.

« Mon Dieu, s'écria soudain Catherine. C'est du poison ? »

Il s'aperçut alors que sa bouche le brûlait. Ils s'arrêtèrent et crachèrent furieusement.

« Je croyais que ç'aurait le goût de citron, dit-il.

— Tu sais, des fois, tu fais mon désespoir », dit Catherine.

C'étaient des jours de mer forte.

Le soir au pub, ils parlèrent de l'Écosse.

En se réveillant, il ne tendit pas la main pour la toucher.

Toutes les horreurs passées défilaient dans son esprit. La lumière du matin pénétra dans la chambre remplie de méchantes et étincelantes vérités. Ils étaient deux corps en état de stupeur. Si elle le touchait, il se figerait. Car son corps était honteusement plein de sueur, d'urine et d'excréments. Catherine s'assit, encercla ses genoux de ses bras et regarda par la fenêtre. Puis elle se tourna vers lui l'espace d'une seconde. Il désirait disparaître et revenir sous une autre forme pour lui plaire. Mais elle se méprenait sur sa peur et son dégoût de soi. Elle se pencha, cependant, et l'embrassa. Son absence de réaction l'irrita.

Elle se leva, se rendit dans la salle de bains, puis revint s'asseoir devant la fenêtre. Elle finit par entreprendre de s'habiller.

Ensuite, elle le mit à l'épreuve, désireuse de savoir jusqu'où elle pouvait aller, disant des choses terribles, et plus terribles encore, des choses qui, autrefois, le perturbaient, lui donnaient le vertige. Sa mélancolie lui conférait un air suranné, un peu bizarre. Elle racontait des horreurs sur ses amis à lui, ses amants à elle, les gens du village. Et lui, pour ne pas être en reste, il enchaînait sur le même mode comique, ajoutant calomnie sur calomnie. Les mains coincées entre ses genoux comme un élève pris en faute, il lui avoua qu'il considérait souvent ses escapades sexuelles comme une humiliation.

« On ne pourrait pas aller quelque part en vacances – à l'étranger ? demanda-t-elle.

– Où, par exemple ?

– Je ne sais pas. Majorque, Chypre – des endroits où les gens normaux vont en vacances.

– Tu en as vraiment envie ?

– Ça nous ferait du bien. Le vin pas cher, nager, le soleil et pas de vent.

– Bon, d'accord, dit-il.

– Mais où ? demanda-t-elle.

– N'importe où. Du moment qu'il y a un bar.

– On peut se le permettre ?

– La pêche m'a rapporté un peu d'argent. Et puis je vais toucher une avance. »

Le lendemain, elle réserva un séjour à Majorque auprès d'une agence de voyages installée dans un ancien magasin de tissus au bord de la Moy.

La veille du départ, ils se rendirent à Castlebar. Il resta dans la voiture pendant que Catherine faisait ses courses. Elle sortit d'une boutique, tenant une robe devant elle pour lui demander son avis. Il approuva d'un signe de tête. Elle sortit d'une autre boutique, une écharpe autour du cou.

Comme elle marchait vers lui dans la rue, portant ses paquets, l'air tellement heureuse, il se sentit submergé d'émotions. Elle lui déposa un baiser sur les paupières. Dans un bar de Crossmolina, ils burent leur premier verre depuis plusieurs jours. Elle passa le bras autour de ses épaules.

« J'aimerais tant qu'on soit toujours aussi heureux qu'en ce moment, dit-elle.

– On le sera », affirma-t-il.

Elle se leva. « Je vais acheter quelques provisions. J'en ai pour une minute.

– Je te retrouve ici, dit-il, commandant une autre pinte.

– Ne bois pas trop, dit-elle en l'embrassant. Je suis pressée de rentrer. Attends-moi », ajouta-t-elle.

Une demi-heure s'écoula, puis une heure. Il se planta sur le pas de la porte, regarda dans la rue, mais elle n'était nulle part en vue. Il parcourut la ville dans tous les sens, puis revint s'asseoir dans le pub désert. La panique le gagna de nouveau. Elle l'avait abandonné. La nausée montait en lui. Il essaya de s'imaginer aller jusqu'au bar, mais c'était une tâche impossible. Alors qu'il avançait, une force irrépressible le repoussait en arrière. Il avait l'impression d'être un ver, tout gonflé en dessous du cou. Il percevait le cliquetis d'un insecte qui voletait autour de son oreille. Il s'efforça de l'attraper, mais au moment où il crut tenir le bruit, il recommença ailleurs. Il se gratta les poignets. Il pourchassa l'insecte une éternité durant, car le son qu'il émettait lui faisait comme une déchirure au cœur.

Il but tout seul, guettant le retour de Catherine. L'attente lui parut interminable. Ses pensées résonnaient aussi fort que des cris. Il partit vers l'autre bout de la ville et la trouva au bar du petit hôtel en compagnie d'hommes qu'il ne connaissait pas.

« Je t'ai attendu, siffla-t-il.

– Oh, mon Dieu, j'ai laissé le temps passer.

– Je t'ai attendu des heures.

– J'ai été retenue.

– Tu as été retenue à boire, oui. Pourquoi tu n'as pas décroché le téléphone pour me prévenir ? insista-t-il avec colère.

– Je n'y ai pas pensé.

– Qui est-ce ? demanda l'un des hommes.

– C'est, dit Catherine, se mordant la lèvre, c'est mon ami.

– Ah. » L'homme considéra Jack et eut un sourire sarcastique. « C'est donc lui.

— Qui c'est, ce con ? demanda Jack.

— Et si vous la laissiez tranquille ? reprit l'homme.

— Jack, c'est le metteur en scène de ce film. Peter. J'étais en train de lui expliquer ce qui était arrivé.

— Allez, viens, on s'en va, marmonna Jack.

— Dans une seconde, dit Catherine, charmeuse. C'est Jack qui a écrit la pièce dont je t'ai parlé.

— Félicitations », dit Peter.

Elle le présenta aux autres. Avec lequel elle a baisé ? se demanda-t-il.

« On peut partir, maintenant ?

— Jack, je t'en prie !

— C'est le moment précis où on devrait être ailleurs, dit-il.

— Rien qu'une minute, d'accord ?

— Je prendrai un cognac », dit-il, et il alla s'asseoir à l'écart.

Il ne la quitta pas des yeux tandis qu'elle parlait, riait, jouait les effarouchées, s'amusait. Il tentait d'attirer son regard, mais elle évitait soigneusement de se tourner vers lui. Elle revint avec un autre cognac qu'elle posa devant lui, et elle s'apprêtait à repartir quand il lui saisit la main.

« Sortons d'ici, la supplia-t-il.

— Je préférerais rester encore un peu, dit-elle. Accorde-moi quelques minutes.

— Comme tu voudras, dit-il.

— Si tu veux t'en aller, rien ne t'en empêche. »

Il ne répondit pas.

« Écoute, si ça doit faire un drame, je viens.

— Comme tu voudras ! hurla-t-il.

— Dites donc, mon vieux, vous n'avez pas besoin de crier.

— Bon, décida Catherine, descendant avec grâce de son tabouret. Je ferais mieux de partir avec lui. On se lève tôt demain matin.

— Bonnes vacances, Catherine, dit le metteur en scène.

— Merci, dit-elle, pouffant nerveusement.

– Jonathan, s'écria une femme. T'en va pas comme ça.

– Un jour, dit Jack, je verrai le côté comique de la situation. »

Dès qu'ils eurent quitté l'hôtel, Catherine partit en courant. Il s'élança à sa suite. Puis s'arrêta. Il retourna au bar. Les hommes s'efforcèrent de l'ignorer. Ils regardèrent derrière lui, s'attendant à voir Catherine réapparaître. Après quoi, étonnés, mal à l'aise, ils lui lancèrent des coups d'œil circonspects cependant qu'ils tâchaient de reprendre leur conversation. Indifférent, il but à côté d'eux comme s'ils n'existaient pas.

Il leur tourna le dos tandis qu'ils parlaient boutique, échangeaient des anecdotes sur le monde du cinéma et des plaisanteries peu flatteuses sur des acteurs célèbres. À cet instant, Catherine revint. Elle fut si étonnée de trouver Jack encore là qu'elle demeura une seconde sur le pas de la porte entrouverte sans savoir quoi faire. « Catherine », l'appela l'un des hommes mais, l'esprit confus, elle se recula et referma la porte. Jack commanda une autre pinte. Il entama une conversation bruyante avec le barman sur la nature du système radar des saumons.

Et puis, comme surgi de nulle part, Hugh se matérialisa.

« C'est bien toi, Jack ? demanda-t-il.

– Tu peux me ramener à la maison ?

– Bien sûr. Tu prends quelque chose ?

– Un cognac. »

Hugh revint avec un cognac et une crème de menthe pour Jack, et un soda à l'orange pour lui. Après un bref silence, il demanda : « Comment va la vie ?

– Comme ci comme ça.

– N'oublie pas que tu n'es pas seul.

– Je n'oublierai pas. »

Ils rentrèrent. Il faisait nuit noire. Jack s'endormit sur le siège passager, doucement bercé, maintenu par sa ceinture de sécurité. À Corrloch, Hugh le réveilla.

Il descendit et cogna sur le toit de la voiture.

« Tiens, fit Hugh, lui tendant les achats de Catherine. Ça ira ?

– Oui, merci. »

Il s'assit à la lueur du feu qu'il fit dans la cuisine. Un peu plus tard, deux voitures s'arrêtèrent devant la maison. « Dieu merci, il n'y a personne », entendit-il Catherine dire en entrant. Puis elle vit le feu. Elle s'immobilisa un instant sur le seuil plongé dans l'obscurité. Elle alluma la lumière.

« C'est bien ce que je pensais », dit-elle.

Deux hommes étaient avec elle. Ils posèrent les plats préparés sur la table.

« J'ai ramené des amis, dit Catherine.

– Je vois.

– Si tu as l'intention d'être désagréable, je te serais reconnaissante de nous laisser seuls.

– Mais certainement », fit Jack, imitant Stan Laurel. Il se leva et se gratta le crâne du bout des doigts.

« Vous voulez une bière ? lui proposa l'un des hommes d'un air contrit.

– Non, merci », répondit Jack.

Il monta dans le bureau. Peu de temps après, il entendit une chanson de Van Morrison. Des rires le réveillèrent.

« Vos gueules ! » cria-t-il dans l'escalier.

Les rires cessèrent, remplacés par des murmures.

« Vous allez la fermer ! hurla Jack.

– Il vaudrait mieux que vous partiez, leur dit alors Catherine. Je craignais que ça se passe comme ça.

– Ça ira ? lui demandèrent-ils.

– Oui, ne vous inquiétez pas. »

Ils sortirent à contrecœur. Catherine s'excusa auprès d'eux devant la porte. Il éteignit et se remit au lit. Il entendit Catherine aller et venir dans la maison. Elle finit par entrer dans le bureau et allumer la lumière.

« Éteins, dit-il, tourné contre le mur.

— Laisse-moi m'allonger près de toi.

— Non.

— Jack, je voudrais me coucher.

— Non ! cria-t-il sauvagement.

— Il faut que je dorme », dit-elle. Elle s'approcha. « S'il te plaît.

— Je ne t'en empêche pas, dit-il d'un ton glacial.

— J'avais juste le sentiment que je leur devais une explication.

— Je ne veux pas le savoir.

— Il s'agit de ma carrière, Jack. Ils voulaient simplement être gentils. »

Elle lui passa les bras autour du cou.

« Non ! hurla-t-il.

— Je t'en prie, Jack, ne nous disputons pas. On part demain matin.

— Tu pars toute seule, dit-il. Je ne viens pas avec toi. »

La lumière s'éteignit. Catherine dévala l'escalier en le maudissant.

Le matin à son réveil, il vit Catherine qui se tenait nue à côté de son lit dans le bureau. Sa fine toison dorée ombrait le point de rencontre de ses longues jambes, ses petits seins étaient blancs et glacés. Des marques rouges zébraient son ventre et ses épaules, traces des draps du lit défait où elle avait mal dormi. Il tourna le dos à sa nudité.

Elle posa la main sur son épaule.

« Jack, j'ai froid. Je voudrais me coucher.

— Non », dit-il.

Elle le traita de tous les noms et regagna sa chambre. Elle revint un peu plus tard.

« Jack, je m'excuse, je m'excuse sincèrement. Dis-moi quelque chose.

— Non. J'en ai assez.

— Tu m'as fait honte, hier soir. Tu t'en rends compte ?

— Fous le camp, Catherine. Et ne reviens pas. »

Elle sortit. Quand elle entra de nouveau, elle était à moitié habillée et sentait l'eau de toilette pour homme. Elle lui caressa le front. « S'il te plaît, Jack, pardonne-moi. Laisse-moi m'allonger à côté de toi.

– Non.

– Qu'est-ce que je vais faire de l'autre billet ?

– Emmène Helen ou qui tu voudras.

– Jack, je ne peux pas partir sans que tu me souhaites au moins bon voyage », dit-elle.

Il garda le silence. Elle alla préparer ses affaires. Puis elle revint et s'assit au bord du lit.

« Jack, je t'en prie. » Elle pleurait.

Il se refusait à la regarder. Elle se leva et, du pas de la porte, lui lança :

« Tu le regretteras. »

Il se tourna vers elle.

« Je sais », dit-il.

33

Chansons populaires

Jack, certains soirs, percevait les effluves sexuels de Catherine portés par la brise. Mais ne pouvait l'atteindre. Elle se trouvait sur une autre île, et lui, il était prisonnier sur la sienne. Plus longtemps elle resterait loin de lui, plus elle serait forte. Un mot arriva quelques semaines plus tard, demandant de lui expédier son courrier à Dublin. Un deuxième annonça qu'elle venait chercher ses affaires. Il abandonna la maison pour quatre jours afin qu'elle puisse s'en occuper hors de sa présence.

Le quatrième jour, elle arriva accompagnée de sa mère. Elle descendit de la Lada. Elle était belle, bronzée, et elle n'était plus à lui. Bien qu'elle n'eût pas encore atteint la soixantaine, Maisie avait les cheveux tout gris. Les soucis avaient laissé leur empreinte en de petites rides qui plissaient la peau sous ses yeux. À la vue de Jack, elle regarda Catherine d'un air consterné.

« Je pensais que tu aurais besoin d'un coup de main, dit-il.

— Non, merci, dit Catherine. On se débrouillera toutes seules.

— Bonjour, Mrs. Adams.

— Bonjour, répondit-elle, et elle rentra à l'intérieur.

— Catherine, fit Jack.

— Je te serais reconnaissante de quitter cette maison le plus tôt possible, dit-elle. Tu dois bien comprendre qu'aucun membre de ma famille ne peut habiter ici tant que tu y es. »

Baissant la tête au bout de son long cou, elle fila rapidement devant lui.

En l'absence de Catherine, la vie devint une grise hallucination. Il attendait que son corps et son cerveau recouvrent leur état normal. Il téléphona au théâtre et parla à Eddie. « Tout va bien, l'informa celui-ci. On a l'argent et on devrait commencer bientôt les répétitions.

— Vous allez engager Catherine ?

— Je crois que oui, Jack. »

Il passa quelques jours sans boire. Il retrouva un peu de sa dignité. On lui proposa de reprendre la mer à bord du chalutier. « Je ne peux pas, je travaille », répondit-il. Il projeta de partir, mais il n'avait nul endroit où aller. Et la brise lui amenait l'odeur de Catherine, l'odeur fraîche qu'un corps apporte du monde extérieur. Une présence au parfum mûr se glissait dans la chambre. Une bouffée aguicheuse que lui envoyait Catherine dans sa frustration. La nuit, il la sentait qui se glissait à côté de lui.

Lorsqu'il était couché, il percevait sa présence dans l'air. Chaude. Protestante. Séductrice. Il embrassait la marque qu'aurait laissée son visage. Enfin séparés, et quelles que soient les souffrances, ils étaient au moins eux-mêmes.

Maintenant qu'elle était partie, il ne passait plus ses journées seul. Quand il se promenait dans les rues de Belmullet et entendait un rire, il croyait que c'était celui de Catherine. Alors débutait sa quête. Il allait de pub en pub — nerveux, de mauvaise compagnie, louche, transparent — à la recherche de Catherine. Sa conversation badine devenait mortellement sérieuse. Vous l'avez vue ? Ouais, elle était en ville. Revenue prendre ses affaires. Oh, elle était heureuse, disaient-ils.

Elle a dit qu'elle était heureuse ?

Oui, elle l'a dit.

À chaque coin de rue, il espérait voir Catherine. Parfois, il allait habiter chez Thady. Il s'imaginait que s'il n'était plus là elle reviendrait. Comme le bateau partait sans lui, il surveillait, en proie à la panique, la maison depuis les dunes. Il pleuvait à torrents. Il était trempé. Elle ne venait pas. Et puis, un jour, elle vint.

Il vit la lumière s'allumer dans la maison. Il se précipita.

Elle descendait le chemin vers la Lada, portant des affaires qu'elle avait laissées. Alors qu'ils avançaient l'un vers l'autre, leurs deux cœurs battaient la chamade.

Ils se reconnurent, non pas avec un sursaut, mais avec un haussement d'épaules fataliste, car cette rencontre n'était pas le fruit du hasard. Elle s'était produite à maintes reprises dans leurs esprits. Elle avait eu lieu bien avant cet instant. Et, comme ils arrivaient l'un en face de l'autre, ils se préparaient déjà à la prochaine.

Elle ne parla pas. Il prononça son nom.

Il posa la main sur son bras. Elle l'écarta.

« Catherine, s'il te plaît.

– Non », dit-elle. Elle se recula.

Pour elle, il était nécessaire de ne pas montrer de signes d'affection. S'il souffrait, tant mieux. Elle voulait qu'il souffre. Sa souffrance allégeait la sienne. Assis à l'intérieur de la maison, il rêvait d'un nouveau départ, tandis que, furieuse, agacée, elle reprenait la route de Dublin. Il guetta la sonnerie du téléphone. Elle se tenait tout au fond de sa conscience, à l'extrémité d'un long et haut couloir dépourvu de murs.

Des jours durant, il sillonna la presqu'île à la recherche d'une maison à louer. Il vit des toits de chaume, des toits de tôle, et désespéra d'en trouver une. La tâche lui apparaissait impossible.

« Installe-toi ici, lui proposa Thady.

– Non, il faut que j'aie une maison à moi.

– Tu devrais repartir en mer avec nous.

– Quand j'aurai remis de l'ordre dans mes idées. »

Il attendait chez la receveuse des postes l'arrivée du brigadier avec l'argent des allocations de chômage. Les sans-emploi organisaient un *céilí* autour du feu qui flambait dans la cheminée. Il notait les nom et adresse des propriétaires qui vendaient. Et puis, un soir, Bernie Burke, le vieux pêcheur, l'emmena visiter la dernière maison d'Aghadoon. Elle se dressait sur une butte verte au-dessus d'une falaise. Ils parcoururent les trois pièces à la lueur d'une bougie.

« Je la prends, dit Jack. C'est combien, le loyer ?

— Je ne veux pas louer, je veux vendre.

— Eh bien, j'achète.

— Tu as l'argent ?

— D'ici quelques jours.

— Quatre mille livres et c'est à toi.

— Marché conclu.

— Tu verras le temps passer, ici », dit Bernie Burke en refermant la porte et en remettant la clé à Jack.

Il retourna chez les Adams et se lança dans l'élaboration cauchemardesque de leur prochaine rencontre. Il emballa ses affaires. Acheta des draps, des couvertures et une lampe-bateau à Belmullet. Téléphona à Eddie pour lui demander son avance. Il s'installa dans la petite maison au milieu des bourrasques et planta des boutures d'olerias tout autour du jardin.

Il était couché sur un mince matelas dans le lit de fer rouillé abandonné par l'occupant précédent. En dessous, sur le sol pavé humide, s'entassaient des piles de *Irish Independent* des années 1950. À la lueur de bougies posées sur une caisse à thé renversée, il parcourait les vieux journaux. Pèlerinages à Knock, Mr. De Valera, thé Lyon's. Il y avait un tiroir rempli de lettres en provenance d'Écosse et des États-Unis. Dans l'obscurité, la maison gémissait sous les assauts de la tempête. Des ailes souillées frappaient le toit de tôle galvanisée. À minuit, les furies s'installaient sur l'oreiller. Il souffrait. Il se laissa pousser la barbe. Il avait l'impression que la presqu'île entière disait du mal de lui.

Tout lui était néfaste. Ce qui était autrefois incandescent ne brûlait plus.

Il était le cerf barbu, le tragélaphiné qui réclamait chaque soir en se lamentant le retour de sa bien-aimée qu'il avait lui-même chassée. Certaines nuits, la brise apportait jusque dans son lit l'odeur de la femme en chaleur qu'il aimait. La maison puait la pisse de bouc. Il ne faisait qu'entrer et sortir dans l'attente que la journée s'achève. Et puis, le soir, Catherine se glissait entre les draps. Engoulevent, chevrière, elle le trayait. Le grésillement de la lampe se muait en gémissement. Les esprits du temps lui envoyaient des rêves pour le troubler. Il se réveillait et découvrait que des marques rouges en volutes étaient apparues sur ses cuisses, qui le démangeaient furieusement.

Une nouvelle journée débutait. Immobile au-dessus de la mer verte, un petit nuage flottait en contrebas de la maison. Des bateaux se balançaient. Il descendait le long de la route blanche bordée de clôtures et de barbelés. Des moutons s'abritaient du vent dans un fossé. La route devenait jaune, crémeuse. De l'écume projetée par Seagull's Rock giclait par-dessus les falaises. La pluie tombait qui dansait à la surface de l'océan. Le nuage se dissipait.

Les algues dérivaient.

La pluie frappait les carreaux en vagues successives. Il faisait le ménage dans chaque pièce avant de revenir dans le séjour. Il contemplait avec tendresse la douzaine d'images pieuses – les madones, la Rose mystique, l'Enfant-Jésus de Prague, Notre-Dame du Perpétuel Secours, la Crucifixion – qui ornaient les murs. Un fermier déposa vingt sacs de tourbe. Et puis, un week-end, Thady arriva sur un tracteur chargé de ciment et de sable. Jack et lui cassèrent le sol humide et fissuré à l'aide d'un marteau de forgeron. Le soir, à la lumière d'une lampe-bateau, Jack fabriquait du béton en mélangeant du gravier et du sable de la plage. La chaîne de montagnes sur le continent prenait dans la soirée une teinte bleu franc. Les monts se figeaient. Les derniers oiseaux filaient dans le ciel. Et puis, dans sa nouvelle maison, la brise lui apportait de nouveau l'odeur de Catherine.

Thady repartait dans le noir.

Il se mit à imaginer qu'ils se rencontreraient dans une rue de Dublin. Il prépara méticuleusement la rencontre. Il se représentait la rue : les voitures en stationnement, les marquises vertes au-dessus des deux petits restaurants italiens, les vitrines des magasins de tissus pleines de rideaux et d'étoffes pour les robes, les manne-quins drapés d'orange et de bleu, la vieille boutique en contrebas, les grilles en fer, le marchand de journaux dans son kiosque, le sandwich-bar, le trottoir mouillé. Elle sortirait juste du pub vers lequel il se dirigerait. Ils seraient pris au dépourvu. Ils se regarde-raient comme le jour où il était descendu du train à Belfast.

Puis, alors qu'il imaginait son sourire, la vision s'évanouissait.

Car il ne savait pas ce qui arriverait. Son estomac se nouait cependant qu'il la voyait chanceler.

Un jour, il partit d'Aghadoon par la route, longea les petites maisons, une épave de voiture logée au fond d'une carrière, l'église de la Sainte-Famille, les mobile homes à moitié dissimulés derrière des murs de briques, et monta à bord du car pour Ballina. Comme ils roulaient vers l'est, la conviction grandit en lui qu'il rencontrerait Catherine au coin de South William Street à Dublin. Dans le train, des fragments de leur vie commune lui revinrent en mémoire. Les choses les plus horribles et les plus banales.

Arrivé à Connolly Station, il ne doutait plus de la retrouver comme il l'avait imaginé.

Toutefois, il fallait d'abord qu'il prenne un gin tonic au Plough à côté d'un groupe de machinistes de l'Abbey Theatre. Puis un gin tonic au Mulligan parmi les dockers et les journalistes. Après avoir craché l'épais flegme blanc qui, désormais, encombrait ses

470

voies respiratoires chaque fois qu'il buvait, il en prit un troisième dans un pub qu'il ne connaissait pas. Le journal de l'après-midi passait à la télévision. Il reconnut le quartier de Belfast dont on montrait les images.

« J'ai vécu là, dit-il au consommateur installé au bar à côté de lui.

— Vous devriez vous faire examiner », répliqua l'homme.

Le dernier verre, il fut incapable de l'avaler. Dans la rue, il eut de violents haut-le-cœur. En sueur, il traversa devant Trinity College. Un pigeon jaillit de Wicklow Street et, virant à droite, s'engagea dans Grafton Street, rasant les têtes des promeneurs qui avançaient et reculaient. Il prit Wicklow Street, puis tourna à gauche. Tout était tel qu'il l'avait imaginé, sauf peut-être les piétons qui vaquaient à leurs occupations. Il regarda chaque visage de la manière dont, dans un train, on regarde le nom des gares qui défilent.

La grille du parc prenait fin à gauche. Le moment était arrivé. Il marchait comme un homme qui sait où il va. Une affaire urgente l'attendait. Il alluma une cigarette et contempla le ciel. Il demanda l'heure à un passant. J'ai un rendez-vous, dit-il. Mais elle ne venait pas. Il s'était tellement convaincu qu'elle serait là qu'il traversa et retraversa la rue un nombre incalculable de fois.

Il entra dans un bar qu'elle fréquentait.

« Où est Catherine ? » Le barman répéta sa question. « Je l'ai vue… quand était-ce ?… ah oui, hier. »

Jack hocha la tête. Il comprenait. Il avait un jour de retard. Désormais, il le savait, ce serait toujours comme ça. Ils arriveraient à un endroit où ils croyaient se rencontrer, mais ce serait un jour trop tôt ou un jour trop tard. Et peu de temps après, ce serait une année trop tôt ou une année trop tard. Mais que ce soit un jour ou un an, cela importait peu. Il imaginerait un lieu et il s'y rendrait pour découvrir qu'elle venait de partir, ou bien apprendre, par la suite, qu'elle était arrivée juste après lui.

Il lissa le ciment mouillé sur le sol de la maison. Il jeta des seaux de petits cailloux du littoral sur le chemin. Il dégagea un corbeau mort de la cheminée.

Puis ce fut le tour des chansons populaires. Dans sa maison du bord de mer, il écoutait la radio. Sur le transistor posé à côté de son lit, il cherchait une station qui diffusait de la country et des chansons des années 1960. Il devenait brusquement sentimental. Il éprouvait une grande mélancolie. Quand il éteignait la radio, il entendait le bruit de l'océan de septembre à marée haute. Il savait que, quelque part sur le continent, elle passait un disque. Elle écoutait des chansons brillantes et intelligentes, alors que les siennes étaient guerrières et sentimentales.

À cinq heures du matin, la radio était une cache de souvenirs.

Vinrent ensuite des jours où il crut qu'elle s'était éclipsée. Il ne savait plus ce qu'elle faisait.

Le mince fil psychique entre eux était rompu.

Il percevait les échos de leurs disputes d'autrefois. Il voyait l'expression de Catherine passer de la souffrance à la tristesse. Il entendait les parasites de leurs cris. Les hurlements de haine dans le regard. Mais surtout, le son horrible de sa propre voix plaidant sa cause. Les reproches aigres, et puis plus rien, absolument rien, sinon les chansons populaires à la radio, jusqu'à ce que l'aube amène les flashes d'information qui se transformaient plus tard en bulletins complets suivis d'interventions sur l'état de la circulation. La publicité agressait son cerveau, le studio de radio devenait de plus en plus exigu, il devinait les précautions que prenaient les animateurs du petit matin cependant qu'ils posaient une nouvelle journée sur la platine et commençaient, à intervalles de plus en plus rapprochés, à donner l'heure.

Quand il coupait une seconde la radio, le tonnerre résonnait dans la chambre. Auquel succédait un silence timide. Comme si la radio et lui se trouvaient à bord d'un bateau. Ils avaient effectué ensemble une traversée nocturne. Ils avaient survécu. Bien qu'il eût de temps en temps éteint le poste ou baissé le son parce qu'il avait cru entendre frapper à la porte ou au carreau, ou encore bouger dans l'autre chambre, ils avaient réussi à accoster.

Il acheta une cuisinière à gaz qu'il se fit livrer, mais il ne s'était pas procuré de bonbonne. Il faisait la cuisine dans une poêle directement sur le feu, et vivait surtout de toasts. De toasts, de gin et de pain beurré tartiné d'une épaisse couche de pâte Marmite noire. Ensuite, il se rendait à Corrloch à travers champs et se postait sur les dunes dans l'attente de la lumière qui signalerait le retour de Catherine.

Il savait qu'elle ne reviendrait pas, et cela n'avait pas d'importance. Cette épreuve-là aussi, il fallait la subir. Il se réveillait dans le fauteuil de la cuisine de la petite maison, devant le feu éteint, et son regard trouvait la bouteille de vodka sur la table. D'où elle venait, il était incapable de le dire. Il voyait une feuille collée au carreau comme une note de musique, apportée du continent par la tempête.

Il se servait un verre. Un courant d'air froid et humide frappait l'intérieur de son bras. La feuille restait collée au carreau, témoignage du plus fort de la tempête. À la pensée de la solitude qui l'attendait, il se sentait en proie au vertige et à l'euphorie. Il y aurait les moments pesants et enfin l'oubli. La porte fermée. Le tapis humide. La suie qui tombe dans la cheminée.

Les murs dégoulinants de condensation. Et puis, l'espace d'un instant, le souvenir des râles des genêts. Et puis, un jour, plus de râles des genêts du tout.

34

Le bonheur

Il passa les pignons de la maison à la chaux et au ciment, puis décapa les murs de la chambre suintants d'humidité pour retrouver la pierre d'origine. Début octobre, la lumière venant de l'océan silencieux déferla jusqu'à la porte. De loin, la maison paraissait chevaucher les vagues. Dans le vent du nord, l'air était comme du champagne. En guise de toilettes, il installa un seau dans l'un des cabanons abandonnés au fond du jardin de derrière.

Descendant un matin, il découvrit un rat assis au milieu des braises de l'âtre. Le rat s'enfuit par la cheminée. Dans les cendres chaudes, il trouva deux pommes de terre bien entamées que le rat avait prises dans la caisse à légumes.

Lorsqu'il ouvrit la porte, il vit une chatte sauvage couchée sur le dos qui se léchait.

« Tu peux rester », dit-il à la chatte.

Il partit un week-end pour le Leitrim. Le docteur Ferris, Ma Ferris et lui dînèrent de bonne heure le dimanche dans le restaurant d'un hôtel de Bundoran. On entendait annoncer de l'autre côté de la rue les numéros gagnants au bingo, tandis qu'à un bout de la salle une bande de supporters de football chantaient.

« Tu ne bois pas, constata sa mère.

– Non.

– C'est bien. Ça te fera du bien.

– Comment va cette fille, Catherine ?

– Ça va. »

À bord de leur bruyante Volkswagen, avec son père penché au-dessus du volant et sa mère juchée sur le siège passager dans un équilibre précaire, ils le ramenèrent lentement à Belmullet après un voyage périlleux. Des cassettes glissaient sur le plancher. Un accordéon dans le coffre gémissait dans les virages. En arrivant, Daisy sauta de la voiture et alla s'asseoir sous le pignon de devant. La chatte vint s'installer à côté de lui.

« Je garde le chien », dit Jack.

Sa mère jeta un coup d'œil dans la maison.

« Ils ont une vie épouvantable dans le Mayo, gloire à Dieu, dit-elle avec tristesse. Pas de lumière, pas d'électricité. On en vient à se dire que le Leitrim n'est pas si mal. Et comment va ce pauvre Thady ?

– Bien, maman.

– Ah, le pauvre homme. »

Sans même être entrée, elle remonta dans la voiture, dédaigneuse et perplexe.

« Je me demande ce qui t'a pris de venir habiter ici, dit-elle.

– Quand il fera beau, on reviendra te voir », dit le docteur.

Lorsque la Volkswagen démarra en pétaradant, Ma Ferris adressa à son fils un signe de tête poli, et la voiture s'éloigna sous le ciel nuageux du soir.

Il pleuvait. Daisy, devenu un peu arthritique, avait maintenant une petite barbe grise toute flétrie. Assis, il essaya de se gratter. Il leva maladroitement une patte arrière vers une oreille baissée, se mit à trembler et perdit l'équilibre. Il hurla comme un loup solitaire.

Accompagné de Daisy, Jack grimpa jusqu'aux ruines des forts sur les falaises dominant Aghadoon.

La mer était haute, s'étendant à l'infini. La lune se leva et se cacha derrière les nuages qui parsemaient le ciel bleu comme autant de contusions. Le paysage lui manquait, même quand il le parcourait, tout comme Catherine lui avait manqué même quand elle était avec lui. D'une certaine manière, le poids de la responsabilité était retombé sur ses épaules.

Sa torpeur mentale était totale. Il avait remis son être entre les mains d'un autre. Il n'aurait pas dû. Le centre avait bougé. Les îles s'éloignaient.

Le matin, il se réveillait de bonne heure, tentait de contenir sa panique, puis il sortait un moment dans la cour, rentrait allumer le feu, nourrir le chien, prendre son petit déjeuner, se laver dans un baquet d'eau chaude, lire devant le feu.

Au bruit de la camionnette des postes montant par la vallée, il bondissait sur ses pieds. Il avait déjà écrit à Catherine. Une lettre très impersonnelle, disant qu'il allumerait le feu une fois par semaine dans sa maison. Il lui expliquait où il avait laissé les clés. Il décrivait la maison qu'il avait achetée. Il lui souhaitait bonne chance pour la pièce. *Je ne m'en mêlerai pas*, avait-il écrit pour la rassurer.

Et je ne bois plus, avait-il ajouté. *On vieillira ensemble et on ne boira plus.*

Elle ne répondait pas. La camionnette tournait bien avant la route qui conduisait chez lui.

Une mouette morte tomba sur l'appui de la fenêtre de derrière. Deux roussettes pourrissaient dans une caisse devant la porte de la cour. Que voulaient dire ces signes ? Tous les soirs, il se masturbait et pensait à Catherine en train de se masturber. Il imaginait ses doigts qui s'activaient entre ses cuisses à un rythme vertigineux, et il jouissait avec un gémissement qui faisait hurler le vieux chien couché sur le tapis devant le feu.

« Tais-toi, Daisy ! » criait Jack de la chambre.

Il attendait un mot. En vain. Un jour, glissée sous une pierre au pied du pilier du portail, il trouva une demande de souscription émanant d'une organisation de missionnaires en Afrique, adressée à l'ancien occupant. Rien d'autre.

L'après-midi, il marchait les cinq kilomètres qui le séparaient de Corrloch et du bar de O'Malley où il buvait du café qui le désorientait. Un jour, il s'assit devant le radiateur à gaz et écouta. Il commanda une bière Smithwicks. Elle n'avait pas de goût. Pas de bulles. La mousse était éventée, jaunâtre. Il reprit du café.

Il se mit à pisser toutes les deux ou trois minutes. Il passa devant chez les Adams. La maison était froide et plongée dans le noir. Il regarda par la fenêtre. Il sursauta à la vue de son visage de fou qui se reflétait dans le carreau. Effrayé, il recula d'un bond.

Dans la nuit, il reprit la route blanche. Incapable de dormir, il sortit pisser et contempla les lumières qui brillaient dans les quelques maisons d'Aghadoon.

« Eddie, dit-il.

– Oui ?

– Eddie, répéta-t-il. Tu as distribué la pièce ?

– Oui.

– Elle joue dedans ?

– Oui.

– Eh bien, je ne veux pas, merde !

– C'est toi qui m'as demandé d'arranger ça, bon sang !

– Eh bien, j'ai changé d'avis.

– Tu es soûl ou quoi ?

– Quel rapport ?

– C'est trop tard, maintenant. Elle joue dedans et c'est comme ça.

– Va te faire foutre, Eddie. Je te retire la pièce. Tu m'entends ?

– Je t'entends et je crois que tu es complètement cinglé.

– Je ne veux pas qu'elle joue dedans, tu as bien compris ? » hurla-t-il, et il raccrocha violemment. Planté dans le vestibule du Erris Hotel, il fusilla le jardinier du regard. Le moment tant redouté était arrivé. « Qu'est-ce que t'as à me dévisager comme ça ? » cria-t-il. Puis il alla au bar et commanda un autre whiskey.

Il se réveilla à une heure.

Avant de se rendre dans la cuisine, il ouvrit toutes les fenêtres. Il mit de l'eau à bouillir. Et puis la gueule de bois se rappela brutalement à lui. Une vive douleur lui vrilla le bas du dos. « Bon Dieu », fit-il. Il but à la première bouteille qu'il trouva. Chacun de ses gestes se répercutait dans son esprit. Il vida le *poitín* jusqu'à la dernière goutte. Il fit des toasts. Il sortit dans le jardin pour aller aux toilettes. L'herbe et le cabanon sentaient la pisse. Il vomit une fois, deux fois, trois fois. Dans la cuisine, il se rinça la bouche. Il découvrit un fond de whiskey dans un verre et le but. Puis il se rinça de nouveau la bouche.

J'ai tout foutu par terre, non ? se dit-il en partant pour Belmullet. Tous les deux ou trois mètres, il s'arrêtait et dégueulait. Il lui fallut des heures pour arriver en ville sous les bourrasques de vent. Il entra aussitôt dans le bar et commanda un double gin.

« Vous en prenez un ? » demanda-t-il au jardinier.

Celui-ci se leva et sortit.

« Qu'est-ce qu'il a ? » demanda Jack à Hugh.

Le vide s'ouvrit de nouveau devant lui. Il avait l'impression, dans la petite salle glaciale du bar, qu'on avait soudain ôté les accessoires qui entretenaient l'illusion. Le vide semblait éternel. Pourtant, il pressentait que quelque chose finirait par céder, par interrompre le cycle et leur permettre de redevenir eux-mêmes. Avec le risque de se retrouver diminués.

Il voulait demander pardon, mais ne savait pas comment. Il devait attendre qu'elle écrive. Il s'assit. Il se leva et téléphona à Eddie. « Bon, déclara-t-il. Oublie tout ce que j'ai dit.

– D'accord.

– Tu ne lui as pas répété ?

– Non.

– Excuse-moi, Eddie. »

Il croyait qu'une certaine forme de mort s'annonçait, à laquelle il échapperait, et qu'ensuite il connaîtrait ses limites. Tout ce qu'il exprimait maintenant, il le revivrait plus tard dans un coin de son esprit. Il contempla ses mains. Elles palpitaient de nouveau. Il sentait l'odeur de mouillé de ses vêtements. Le long couloir se dessinait devant lui.

Le lendemain, il se réveilla dans un paysage privé d'horizon. Il s'aperçut que la maison et les alentours étaient réduits à un simple point dans le temps. Il ne pensait pas survivre une minute. La minute s'écoula et il constata que la pendule en amorçait déjà une autre. Il comprit alors, avec une tristesse mêlée de fureur, qu'elle serait suivie d'une autre, et puis d'une autre encore, et que chacune serait pareille à celle-là, ou pire, car chaque seconde – bien qu'identique au sens mathématique – deviendrait plus longue que la précédente.

Il était prisonnier de particules de temps à la forme et aux dimensions semblables, en perpétuelle expansion, dont l'intérieur contenait un espace infini. Son désespoir devenait plus grand que son amour ne l'avait été. Son esprit faisait de chaque seconde une éternité.

Il était en proie à une série d'hallucinations.

Un chien, son chien, vomit un morceau de gras sur le pas de la porte où il demeura, tout fumant.

Il écrivit à Catherine : *Je t'en prie, reviens. J'ai besoin de toi. Je ne bois plus.*

Il posta la lettre à Corrloch et entra chez O'Malley acheter une bouteille de vodka. Il retourna chez lui à travers champs en compagnie du chien et s'allongea sur le vieux lit.

À son réveil, il découvrit une image inversée de lui assis dans un fauteuil au bout de la chambre. L'autre n'avait pas l'air très sensé. Jack se leva, démoralisé, pour constater que toutes les pièces de la maison étaient peuplées d'images rémanentes de lui-même. Quand il se retournait d'un bloc, il se voyait dans la position qu'il occupait une fraction de seconde auparavant. Quand il portait la main à son visage, le geste se poursuivait bien après qu'il s'était arrêté. Debout, il sentait encore le contact du dossier de la chaise d'où il s'était levé un instant plus tôt. Il se voyait assis sur la chaise qui, de la chaise, regardait sa silhouette debout. L'homme debout voyait l'homme assis, effrayé, les membres lourds, le visage affaissé au teint blafard, tremblant, parce que cet homme-là aussi se rappelait l'endroit où il était une minute avant.

Est-ce cela la mort? se demanda-t-il lorsque vint le moment où il ignora dans quelle image résidait son esprit. Laquelle était lui?

Éparpillées dans la pièce, il y avait des représentations de lui-même qui, chacune, considérait l'autre avec inquiétude. Aller quelque part, c'était rassembler la succession d'images disparates et d'instants fragmentaires qui l'escortaient. Il fallait d'abord attendre que l'image le rattrape. En triple, il se leva de la chaise et traversa la pièce jusqu'à la porte. Chacun de ses soi regardait l'autre pour voir lequel était devant. Les gestes quotidiens, ceux qui lui étaient naguère familiers, paraissaient à présent étranges et déformés. Le moindre mouvement accroissait son angoisse, mais rester immobile lui semblait encore plus terrifiant, car dans l'attente, l'horreur éprouvée par toutes les images culminait dans son esprit. Lequel volait en éclats qui se logeaient dans les fantômes rôdant autour de lui.

Il attendait, ils attendaient derrière lui, la porte se fermait deux fois, ses pieds descendaient les marches à de nombreuses reprises. Ensuite, il attendait que les autres le rejoignent. La cohorte de fantômes à la respiration profonde s'avança sur la route blanche.

Les choses prenaient une autre apparence. Un instant, elles restaient ce qu'elles étaient – chaises, pierres, ombres, une image pieuse, un pli sur les draps, une bouteille – puis il percevait une légère influence étrangère, éprouvait un vague sentiment de déjà-vu, mais avant qu'elles ne se soient métamorphosées, l'impression de changement disparaissait.

Il y avait un vacillement, un bref moment d'horreur. Après quoi, la présence irréfutable de l'objet s'imposait. Devant une simple chaise, il étouffait comme sous un bâillon.

Et puis elle commençait à se modifier, à se fondre dans le décor. Il croyait avoir fait un pas en avant, mais l'image qui s'inscrivait dans son esprit montrait qu'il n'avait pas bougé. L'image demeurait. Il avait éprouvé le besoin de bouger, mais il n'avait pas bougé. Et bien qu'il parût être le même, il n'était pas le même. La chaise se trouvait dans un espace différent. Il était dans un espace différent. Tout était différent. Il comprit alors que l'espace était créé par la pensée. Il s'efforça donc de le combler d'éléments agréables. Seulement, le même ressentiment et le même vide se présentaient parfois avec leur cortège de désespoir. Et puis survint un terrible accès de panique.

Le pire, c'est qu'il n'avait pas pitié de lui. Une partie de Jack Ferris considérait son déséquilibre et sa chute sans la moindre compassion. Comme il était assis en chemise devant le feu en cette fin d'automne, les genoux et les cuisses transis de froid, l'esprit contraint de se pencher sur lui-même, un fantôme glacé apparut qui lui tourna le dos.

C'est ce fantôme qui le poussa à sortir. Une odeur de tourbe brûlée lui apprit où étaient les autres. Lorsqu'il vit un ruban de fumée s'élever de la cheminée d'une maison voisine, il sut qu'à l'intérieur une âme se chauffait tranquillement devant l'âtre, en pantalon ou en robe.

Cependant que, debout dans l'herbe mouillée, il regardait sa maison, sa tête devint énorme et les parties de son corps sous sa chemise se mirent à flotter avant de devenir énormes à leur tour. Le ciel oscillait. Il traîna les sacs de bouteilles le long du mur, puis dans le jardin de derrière. Il leva les yeux. Nulle fumée ne montait de chez lui. Cela signifiait qu'aucune âme n'habitait là. Il comprit soudain que la conscience dans laquelle il existait était d'une nature mesquine et limitée.

Le patron du chalutier arriva au moment où il partait pour Corrloch.

« Jack, demanda-t-il, c'est fini l'écriture ?

— Je crois.

— Tant mieux. J'ai besoin de toi sur le *Blue*.

— Quand ?

— Demain. On devrait bénéficier de deux semaines avant les tempêtes. Les prévisions sont bonnes. »

Il aurait dû refuser, mais il en fut incapable. De Largey vint le chercher en voiture. Ils traversèrent la vallée en silence. Ils restèrent deux semaines en mer à pêcher les poissons plats — carrelets, turbots, soles. Ce furent des jours de sobriété, de spiritualité. Un matin, il se trouvait dans la timonerie à côté du patron du bateau, le regard tourné vers les Skegs. À la radio, des pêcheurs s'épanchaient, se plaignaient, juraient, parlaient des prochaines tempêtes. Et puis soudain, alors que Thady et lui coupaient des tranches de pain blanc, Jack reconnut la voix de Catherine.

« J'appelle le *Blue Cormorant*. »

Il éprouva une sensation étrange, déconcertante, à entendre celle qui s'exprimait ainsi de l'autre côté des ondes. Chaque inflexion était la sienne sans pourtant être vraiment la sienne. Elle était présente dans la petite cabine, mais comme désincarnée, toute de tact, d'ironie et de gentillesse.

« C'est pour toi, je parie, dit le patron.

— Oui, c'est Catherine, dit Jack, incrédule.

— La fille Adams ?

— Oui.

— Il faut choyer ces dames », dit le patron, et il stoppa les machines.

Theo De Largey et les autres marins-pêcheurs vinrent voir ce qui se passait. Le patron mit un doigt sur ses lèvres. Ils sortirent de la timonerie.

« Jack, demanda-t-elle. Tu es là ?

— Ici Jack Ferris. À toi.

— Quand rentres-tu ?

— Vendredi à huit heures. À toi.

— Oh, c'est dommage ! Tu as reçu mes lettres ? »

Jack jeta un regard autour de lui et murmura dans le micro : « Non. À toi.

— C'est bizarre. Elles auraient dû arriver.

— Je ne les ai pas eues, Catherine. À toi.

— Tu n'as pas l'air dans ton assiette.

— Toi non plus. À toi.

— Tu as continué à boire ?

— Non, mentit-il. À toi.

— C'est merveilleux. Tu as l'air indifférent. À toi.

— À ma place, tu le serais aussi. À toi.

— Je t'embarrasse ? »

Sa voix, brouillée par les parasites, brisait le silence, cependant que le chalutier dérivait sous un léger vent d'est par un jour qui aurait pu se situer à n'importe quelle saison, sur une mer soudain sans repères qui aurait pu être n'importe quelle mer, jusqu'à ce que les Skegs réapparaissent. Sa gêne faisait sourire les autres. En écoutant Catherine, il éprouvait un sentiment de fierté et d'intimité. Que le patron ait stoppé les moteurs pour lui permettre de discuter ainsi, il le ressentait comme un acte de camaraderie.

« J'ai décidé ce que j'allais faire, reprit Catherine. Je suis sûre que tu vas être content.

— Ah bon ? Dis-moi. À toi.

— C'est dans les lettres que je t'ai écrites.

— Mais je ne les ai pas reçues. À toi. »

La radio émit un grésillement rauque. Un sifflement s'éleva et

483

un bruit pareil à celui d'une débroussailleuse se propagea sur les ondes.

« Qu'est-ce que tu as dit ? Pourrais-tu répéter, Catherine ? À toi.

— Je ne te reçois pas bien. Je dois partir maintenant.

— Quand te verrai-je ? À toi.

— Je reviens le week-end prochain. Je laisserai un mot à la maison.

— À bientôt, alors. À toi.

— Au revoir, Jack. À toi.

— Au revoir, Catherine. Terminé. »

La communication coupée, le patron remit le moteur en marche. Ils repartirent. Personne ne parla de Catherine. Comme s'ils avaient aperçu un monstre marin, tourné un instant autour, puis continué leur route après que le monstre avait plongé.

Il prit la clé sous la pierre et ouvrit la porte de l'ancienne maison des gardiens de phare. Par terre dans le vestibule, il trouva la lettre à laquelle il s'était préparé. Elle était tombée du guéridon. La lettre à la main, il s'avança dans la cuisine. La vaisselle d'un repas inachevé jonchait la table. Un pull noir appartenant à Catherine était jeté sur une chaise. Il caressa la laine familière, s'émerveillant de sa chaleur. Il regarda l'enveloppe. À la vue de son écriture, sa présence l'envahit lentement. L'espace d'un instant, une expression de ravissement s'afficha sur son visage.

Et puis son cœur se mit à cogner dans sa poitrine. Il embrassa l'enveloppe humide avant de la déchirer. *J'ai été contente d'entendre ta voix. J'espère que tu te souviens de la promesse que tu m'as faite. Il ne faut plus qu'on boive. Et je dois avouer que moi aussi je dois repousser des images de toi en compagnie d'une autre — mais j'ai confiance en toi, et je garde l'espoir qu'un jour nous puissions avancer tous deux le long d'un chemin dépourvu d'embûches.*

Je t'aime.

Une fraction de seconde, saisi d'horreur, il s'imagina victime d'une illusion. Il ne parvenait pas à y croire. Il fouilla son esprit à la recherche de signes de folie mais n'en trouva pas. Il était bien dans la cuisine de l'ancienne maison des gardiens de phare sur la presqu'île de Mullet. Des tourbillons de sable s'élevaient tout autour. Son univers avait réapparu comme par magie. Le cauchemar était terminé.

Jack, avait-elle écrit, *je t'aime et je veux être près de toi. Nous sommes libres ce week-end et je vais descendre te voir. On pourrait être avec d'autres gens, mais nous savons que nous désirons être ensemble. On vieillira ensemble et on ne boira plus.*

Il se voyait l'attendre le lendemain après-midi sur le nouveau pont. Il la voyait sortir de la voiture et se précipiter vers lui en courant. Inondé de bonheur, il resta un moment assis dans la lumière du crépuscule de décembre. Il alla étendre le linge dehors. L'aboiement d'un chien lui parvint, porté par le vent.

Annexe à l'édition française

12 juillet : Date anniversaire de la bataille de la Boyne remportée en 1690 par Guillaume d'Orange sur le roi catholique Jacques II et qui donne lieu chaque année à des démonstrations de force unionistes.

23 octobre 1641 : Soulèvement des paysans catholiques en Ulster qui se solda par le massacre des colons anglais et écossais.

Apprentice Boys : Les treize apprentis de Londonderry qui, en 1688, fermèrent les portes de la ville à l'arrivée des troupes de Jacques II.

Casement (Roger) : Agent britannique de la Irish Republican Brotherhood (société secrète feniane) qui négocia des livraisons d'armes avec l'Allemagne pour préparer le soulèvement sanglant de Pâques 1916. Exécuté pour haute trahison le 3 août 1916.

Céili : Soirée musicale où l'on danse.

Comhaltas : Sorte d'association pour la promotion de la culture gaélique.

Connolly (James) : Socialiste irlandais, émigré aux États-Unis où il prend part au syndicat des Industrial Workers of the World. De retour en Irlande, il commande la Citizen Army qui participe à l'insurrection de Pâques 1916. Exécuté en mai 1916 après l'écrasement du mouvement.

Cuchulainn : Grande figure du cycle héroïque de la littérature irlandaise médiévale.

Derry, également appelée Londonderry (siège de) : Siège par les troupes catholiques de Jacques II en 1688 qui fit près de 7 000 victimes. Un des symboles de la résistance protestante, célébré chaque 12 août.

Dimanche sanglant : Le 30 janvier 1972, des troupes britanniques tirèrent sur des manifestants irlandais qui protestaient contre la politique pénitentiaire de Londres, faisant 13 victimes.

Dissenter : Membre d'une Église non établie, dissidente de l'Église anglicane.

Emmet (Robert) : Nationaliste dublinois, il prend contact avec le gouvernement français en vue de l'insurrection de 1803 qui échoue. Condamné à mort et exécuté, son dernier discours prononcé à son procès est demeuré célèbre.

Fenian : Membre d'une armée secrète inspirée de la Fiana – ou Fianna – (armée évoquée dans le cycle légendaire de Finn) luttant contre les Britanniques.

Fleadh : Festival de musique.

Gaeltacht : Toute région d'Irlande où l'on parle encore l'irlandais (gaélique).

Garda : Police de la République d'Irlande.

Hamilton (Patrick) : Martyr de la Réforme écossaise et auteur d'une série de propositions théologiques. Condamné pour hérésie et brûlé vif en 1528.

Hus, ou Huss (Jan) : Réformateur et écrivain tchèque. Condamné pour hérésie et brûlé vif en 1415.

Internement : « *Internment without trial* », emprisonnement sans procès appliqué en Irlande du Nord en 1971 aux activistes présumés de l'IRA.

Knox (John) : Réformateur écossais qui dut s'exiler en France où il se lia avec Calvin. De retour en Écosse en 1559, il fonda le presbytérianisme.

Orangistes : Protestants d'Irlande du Nord attachés à l'union avec la Grande-Bretagne qui célèbrent chaque 12 juillet la victoire de Guillaume d'Orange sur Jacques II.

Ossian, ou Oisin (poèmes d') : Chants épiques de James Macpherson (1760) attribués à Ossian, fils du barde légendaire Fingal appartenant au cycle de Finn.

Paisley (Ian) : Révérend presbytérien et homme politique nord-irlandais cofondateur du Parti démocrate unioniste d'Ulster et farouche partisan de l'attachement de l'Ulster au Royaume-Uni. Élu député européen en 1979.

Poitín : Alcool artisanal produit à partir de pommes de terre, interdit en Irlande et fabriqué clandestinement.

Provisional IRA : Aile dure de l'IRA (*Irish Republican Army*) favorable à la lutte armée pour la réunification de l'Irlande. Ses membres sont appelés Provisionnals (Provos, en abrégé).

Royal Ulster Constabulary : Police royale d'Ulster.

RTE : Radio Télefis Éireann, radio et télévision de la République d'Irlande.

Sands (Bobby) : Activiste républicain mort à la prison de Long Kesh le 5 mai 1981 après 66 jours de grève de la faim.

Soulèvement de Pâques : Entre le 24 et le 29 avril 1916 quelques centaines de nationalistes occupent les points stratégiques de Dublin. Ils seront écrasés par les soldats de la Couronne et tous les chefs du mouvement seront fusillés.

Taig : Nom péjoratif donné aux catholiques par les protestants d'Irlande du Nord.

Tone (Theobald Wolfe) : Révolutionnaire irlandais et premier martyr de la cause nationaliste, il fonda la société des Irlandais en 1791. Fait prisonnier en 1798, il se donna la mort pour éviter la potence.

Ulster Defence Regiment (UDR) : Organisation paramilitaire unioniste.

Ulster Volonteer Force (UVF) : Armée secrète protestante d'Irlande du Nord, située à l'extrême opposé de l'IRA.

Unionistes : Partisans du maintien de l'Ulster dans le Royaume-Uni.

Wycliffe, ou Wyclif (John) : Théologien anglais mort en 1384 qui exercera une grande influence sur les courants réformateurs.

Table

RÉALISATION : PAO ÉDITIONS DU SEUIL
IMPRESSION : S.N. FIRMIN-DIDOT AU MESNIL-SUR-L'ESTRÉE
DÉPÔT LÉGAL : OCTOBRE 2002. N° 242 (60539)